岡 秀昭 編著

埼玉医科大学教授
総合医療センター 病院長補佐
総合診療内科 運営責任者
感染症科，感染制御科 運営責任者

佐々木 雅一 著

東邦大学医療センター大森病院臨床検査部 副技師長

メディカル・サイエンス・インターナショナル

Platinum Atlas of Clinical Microbiology
Second Edition
by Masakazu Sasaki and Hideaki Oka

ISBN 978-4-8157-3085-7

Printed and Bound in Japan

編著者序文

私を育ててくれた技師さん。それが佐々木雅一技師である。

彼との出会いはもう 15 年以上前になるだろう。関東労災病院で感染症の非常勤コンサルトをしていた私が，微生物検査室を訪れると，一切嫌な顔をせず，微生物検査の途中経過，推定をきわめて明快に熱心に教えてくれた。感染症内科医にとって，優秀な微生物検査技師は何にも代えがたい存在である。その検査室での議論により私は明らかに多くを学んだし，また，私の診療の大きな支えになり，時にエラーからも救ってくれた。当初から私は佐々木技師の実力に感嘆し，やがて強い信頼を寄せるようになっていた。佐々木技師の存在が決め手となり，常勤医として赴任した関東労災病院の当時の感染症チームにより素晴らしい教育と診療が提供され，多数の後期研修希望者がそこに集った。まさに優秀な微生物検査技師の存在が，感染症研修の必要条件となるよい例であったろう。佐々木技師の特筆するべきところに，その知識のみならず，趣味の写真のセンスと技術を生かしたたいへんに美しい微生物写真の存在があった。この才能，この存在は世の中に広く知られるべきだと私は感じていた。

そこで本書が生まれることになったのである。この写真のおかげで，私の著書である『感染症プラチナマニュアル』が好評をいただくなかでご指摘のあった，微生物写真かがないという短所を補う目的にも十分にかなうものができたと感じている。

かつての微生物アトラスは微生物検査技師の視点あるいは医師の視点のみから，グラム染色について述べられたものが多かったと記憶している。本アトラスはグラム染色のみならず，培地や微生物同定検査の写真も多く取り上げ，また，微生物同定のポイントや，その臨床への用い方に言及したところに従来にはない特徴がある。しかし，何よりの特徴は芸術性を感じる佐々木技師の写真の質ではなかろうか。今回の改訂では，さらに佐々木技師の写真への美学とこだわりに磨きがかかり，このアトラスは美しい写真集ともいえる仕上がりとなっている。きっとマニアにはたまらないものであるはずだし，マニアのみならず，感染症検査や診療に興味をもつ多くの医療関係者にとっても，プラチナマニュアルとの併用できっとお役に立つであろう。

岡　秀昭

著者序文

近年，微生物検査の写真撮影に関する話題が増えてきています。日本臨床微生物学会においてもフォトコンテストやアトラスの企画が登場し，目で見る感染症として微生物写真のニーズの高まりを実感しています。これまでも微生物写真のニーズがなかったわけではなく，時代が銀塩フィルムからデジタルにシフトし，さらにスマートフォンの普及と高性能化が「見る」ニーズの高まりに加えて「撮影する」ニーズが相乗効果で高まっているものだと思います。

コロナ禍の副産物というべきか，日本においても遺伝子検査機器が広く普及し，SARS-CoV-2 に留まらず，多くの感染症検査に利用され診断に役立っています。しかし，遺伝子検査が普及しようとも，培養検査はゴールドスタンダードであり，今後も変わることはないでしょう。新たに登場する病原細菌や変異していく病原菌を単離して調べることは避けて通れないと思います。

したがって，培養で姿を現した細菌・真菌のコロニーを知り，常在菌などの非病原菌のなかから問題となる細菌のコロニーを拾い上げる能力は今後も欠かせないと考えます。

本書では，日常的に出合うことの多い細菌・真菌を中心に取り上げました。特に，微生物検査を始めたばかりの技師に見ていただければ幸いです。

また，本書を手にとっていただいた読者には，ぜひ御自身で写真撮影を行っていただければと強く願います。繰り返し撮影することで細菌の顔を覚え，特に特徴を捉えた写真を撮るための挑戦が，より頭の中へのインプットを促します。また，まれにしか出合わない菌の顔を忘れても，こんな顔で発育してくるということを自施設での使用培地に発育した写真を参考にすることが検査の手助けとなります。

本書は感染症診療の小さな巨人『感染症プラチナマニュアル』ファミリーの 1 冊として位置づけられ，作成されました。この『感染症プラチナマニュアル』の生みの親である岡秀昭先生とは私が関東労災病院に勤務していた時代に出会いました。感染症診療の中核として各診療科のコンサルテーションを，時にはネゴシエーターとして力強く行動されていました。その期間，研修医と一緒に感染症のイロハを学ばせていただきました。その経験が私の土台となっており，私にとっては感染症の教科書と言っても過言ではありません。岡先生が 2023 年現在，一流の感染症医として医療業界に留まらず国民に影響力を発揮しているのは皆さん周知のところだと思います。そして，コロナ禍の真っ只中において本書をつくり上げるために尽力していただきました。心より感謝を申しあげる次第です。また，本書の企画段階から，停滞しがちな企画を推進していただいたメディカル・サイエンス・インターナショナルの佐々木由紀子氏に御礼を申しあげて序文の結びとさせていただきます。

佐々木 雅一

目次

第１章　グラム染色手順 …… *1*

第２章　グラム陽性球菌 …… *5*

a. *Staphylococcus* spp.（ブドウ球菌属）　6
黄色ブドウ球菌（*Staphylococcus aureus*）　6
その他のブドウ球菌〔Other *Staphylococcus* spp.，コアグラーゼ陰性ブドウ球菌（CNS，CoNS）〕　14
b. レンサ球菌属（*Streptococcus* spp.）　18
肺炎球菌（*Streptococcus pneumoniae*）　19
溶血性レンサ球菌　25
A 群 β 溶血性レンサ球菌〔group A β-hemolytic *Streptococcus*（GAS）；膿性レンサ球菌（*Streptococcus pyogenes*）〕　25
B 群溶血性レンサ球菌〔group B β-hemolytic *Streptococcus*（GBS）；ストレプトコッカス・アガラクチエ（*Streptococcus agalactiae*）〕　29
G 群溶血性レンサ球菌〔group G β-hemolytic *Streptococcus*（GGS）；*Streptococcus dysgalactiae* subsp. *equisimilis*（SDSE）〕　32
その他のレンサ球菌〔α-*Streptococcus*，ストレプトコッカス・アンギノーサス（*Streptococcus anginosus*），栄養要求性レンサ球菌（NVS），ストレプトコッカス・ギャロリチカス（*Streptococcus gallolyticus*）〕　34
c. 腸球菌属（*Enterococcus* spp.）　41
エンテロコッカス・フェカーリス（*Enterococcs faecalis*），エンテロコッカス・フェシウム（*Enterococcus faecium*），エンテロコッカス・カセリフラブス（*Enterococcus casseliflavus*）　41

第３章　グラム陰性桿菌 …… *47*

a. 腸内細菌目細菌　48
大腸菌（*Escherichia coli*）　48
病原性大腸菌：腸管出血性大腸菌〔enterohemorrhagic *Escherichia coli*（EHEC）〕　52
クレブシエラ属菌〔クレブシエラ・ニューモニエ（*Klebsiella pneumoniae*），クレブシエラ・オキシトカ（*Klebsiella oxytoca*），クレブシエラ・エロゲネス（*Klebsiella aerogenes*）〕　55
セラチア・マルセッセンス（*Serratia marcescens*）　60
エンテロバクター属菌（*Enterobacter* spp.）：エンテロバクター・クロアカ（*Enterobacter cloacae*）complex　63
シトロバクター属菌（*Citrobacter* spp.）　67
非チフス性サルモネラ属菌（*Salmonella Enteritidis* など）　69
チフス菌（*Salmonella* Typhi），パラチフス菌（*Salmonella* Paratyphi）　72
赤痢菌（*Shigella* spp.）：志賀赤痢菌（*Shigella dysenteriae*），*Shigella flexneri*，*Shigella boydii*，*Shigella sonnei* の４種　75
プレジオモナス・シゲロイデス（*Plesiomonas shigelloides*）　78
プロテウス属菌（*Proteus* spp.）　81
エルシニア属菌（*Yersinia* spp.）：エルシニア・エンテロコリチカ（*Yersinia enterocolitica*），エルシニア・シュードツベルクローシス（*Yersinia pseudotuberculosis*）　83
腸内細菌目細菌の薬剤耐性菌　86
b. ブドウ糖非発酵グラム陰性桿菌（NF-GNR）　89

緑膿菌（*Pseudomonas aeruginosa*） 90
アシネトバクター・バウマニー・コンプレックス（*Acinetobacter baumannii*）complex 94
ステノトロフォモナス・マルトフィリア（*Stenotrophomonas maltophilia*） 97
その他のブドウ糖非発酵グラム陰性桿菌 99
c. ビブリオ属菌 101
コレラ菌（*Vibrio cholerae*），腸炎ビブリオ（*Vibrio parahaemolyticus*），ビブリオ・バルニフィカス（*Vibrio vulnificus*） 101
d. エロモナス（*Aeromonas*）属菌 107
エロモナス・ハイドロフィラ（*Aeromonas hydrophilia*） 107
e. その他のグラム陰性桿菌 109
インフルエンザ菌（*Haemophilus influenzae*） 109
パスツレラ・ムルトシダ（*Pasteurella multocida*） 112
エイケネラ・コロデンス（*Eikenella corrodens*） 114
百日咳菌（*Bordetella pertussis*） 116
レジオネラ・ニューモフィラ（*Legionella pneumophila*） 118
アグリゲイティバクター・アクチノミセテムコミタンス（*Aggregatibacter actinomycetemcomitans*） 121
ガードネレラ・バギナリス（*Gardnerella vaginalis*） 122
f. らせん菌 123
カンピロバクター属菌（*Campylobacter* spp.） 123
ヘリコバクター属菌（*Helicobacter* spp.） 126
スピロヘータ 128

第４章 グラム陰性球菌 …… *129*
淋菌（*Neisseria gonorrhoeae*） 130
髄膜炎菌（*Neisseria meningitidis*） 132
モラキセラ・カタラリス（*Moraxella catarrhalis*） 135

第５章 グラム陽性桿菌 …… *137*
リステリア・モノサイトゲネス（*Listeria monocytogenes*） 138
ジフテリア以外のコリネバクテリウム属菌（*Corynebacterium* spp.） 140
ジフテリア菌（*Corynebacterium diphtheriae*） 142
バチルス・セレウス（*Bacillus cereus*） 144
アルカノバクテリウム・ヘモリチカム（*Arcanobacterium haemolyticum*） 146

第６章 抗酸性を有するグラム陽性桿菌 …… *149*
結核菌（*Mycobacterium tuberculosis*） 150
非結核性抗酸菌（NTM）：MAC（*Mycobacterium avium* complex），マイコバクテリウム・カンザシ（*Mycobacterium kansasii*），迅速発育菌など 153
ノカルジア属菌（*Nocardia* spp.） 157
ロドコッカス・エキ（*Rhodococcus equi*） 161
その他の抗酸性を有するグラム陽性桿菌 164

第７章　嫌気性菌 165

クロストリジオイデス・ディフィシル（*Clostridioides difficile*：CD）　167
クロストリジウム・パーフリンジェンス〔*Clostridium perfringens*（ウェルシュ菌）〕　169
ボツリヌス菌（*Clostridium botulinum*）　172
破傷風菌（*Clostridium tetani*）　174
キューティバクテリウム（プロピオニバクテリウム）・アクネス（*Cutibacterium acnes*）　176
バクテロイデス属菌（*Bacteroides* spp.）　178
プレボテラ / ポルフィロモナス属菌（*Prevotella* / *Porphyromonas* spp.）　180
フソバクテリウム属菌（*Fusobacterium* spp.）　182
ペプトストレプトコッカス / フィネゴルディア / パルビモナス属菌（*Peptostreptococcus* / *Finegoldia* / *Parvimonas* spp.）　185
アクチノマイセス属菌（*Actinomyces* spp.：放線菌）　187
その他の嫌気性菌　190

第８章　真菌 191

a. 酵母様真菌　192
カンジダ属菌（*Candida* spp.）　192
クリプトコッカス属菌（*Cryptococcus* spp.）　196
トリコスポロン属菌（*Trichosporon* spp.）　199
その他の酵母様真菌　202
b. 糸状菌　204
アスペルギルス属菌（*Aspergillus* spp.）　204
接合真菌（*Zygomycetes*）　210
スエヒロタケ（*Schizophyllum commune*）　213
c. 黒色真菌（*Dematiaceous fungi*）　215
エクソフィアラ属菌（*Exophiala* spp.）　215
d. その他　217
ニューモシスチス・イェロベッチ（*Pneumocystis jirovecii*）　217

微生物の写真の撮影方法 219

付録 225

略語一覧　225
写真・動画閲覧のご案内　229
文献　230
索引　233

本書を読む前に

・本書では原則として，薬剤名のカナ表記は厚生労働省発表の「使用薬剤の薬価（薬価基準）」に従い記述し，薬剤の商品名には「®」または「TM」を記した。ただし，一部合剤の一般名については，表記順を編著者および著者が慣例的に用いているものに変えている。
・薬剤は筆者が日常的に使用しており，世界的にも幅広く使われているものを示した。商品名についても，編著者および著者が頻繁に利用しているものを示し，使用法・用量もその商品に即した。
・本書のすべての写真は，弊社ウェブサイトで拡大して見ることができる。弊社ウェブサイト，もしくは巻末の「写真・動画閲覧のご案内」にあるQRコードからパスワード入力のうえ利用可能である。
・本文中，動画あり，動画と記載されているものは弊社のvimeoで動画が提供されている。弊社ウェブサイト，もしくは本文該当箇所のQRコード，もしくは巻末の「写真・動画閲覧のご案内」にあるQRコードまたはURLからパスワード入力のうえ利用可能である。

第 1 章　グラム染色手順

グラム染色は細菌の染色性による分類を行うだけではなく，形態や配列から菌種の推定，さらに細胞成分から検体の品質管理，症例によっては病態まで把握できる検査である。安価で簡易，そして迅速性に優れる。グラム染色から有益な情報を引き出すために 1 にも 2 にも大切なことは，良質の検体を採取することである。喀痰検査は喀出された膿性部分が感染症の現場であり，唾液のような検査不適検体を染色しても，口腔内の状態を観察するだけであり病巣をみることにはならない。また，外界に面している部位など雑菌汚染の可能性が考えられる検体は，可能な限り汚染を避ける検体採取が必要となる。採取した後の検体の扱いも注意が必要である。

たとえば，肺炎球菌のような自己融解で死にやすい菌は，経時的に菌体が見にくくなり，培養でも検出が難しくなる。尿検体の室温放置では菌数が増加する恐れがある。このように，良質な検体を採取しても，検査までの保存法が不適切であれば重要な情報が失われる可能性がある。また，抗菌薬投与の影響は無視できないため，診断に用いる場合は抗菌薬投与前が原則である。

基本的なことに注意してグラム染色を実施することで，診断や治療薬選択につながる情報が得られ，その後の培養検査の指針となることから，積極的に活用してもらいたい検査である。ただし，疾患や検査材料，菌種などにより検出感度が異なるなど，完全な検査ではないことは認識しておきたい。

グラム染色の実施はまず，検体をスライドガラスに塗抹して標本を作成する。喀痰などは滅菌生理食塩水で洗浄を行い，膿性部分を狙ってスライドガラスに塗抹する。この際に注意が必要なのは厚すぎず薄すぎないことである。しかし，検体によって見やすい厚さが異なることから，意識して厚みのある部分と薄い部分を作成するとよい。尿は未遠心の材料を 10 μL（通常の 1 白金耳分）を採取し塗抹する。髄液や胸水などの本来無菌的な穿刺液は遠心して沈渣を観察することで検出感度を高めることができる。塗抹乾燥後に，メタノール固定または火炎固定を行う。細胞成分の観察にはメタノール固定が推奨される。固定後に乾燥してから染色を開始する。

グラム染色では，目的菌を把握し，可能な限り臨床情報を得て観察する。弱拡大（100 倍）から観察を始め，好中球が多く厚みも適切な部分にあたりをつけて強拡大（1,000 倍）で観察するようにする。糸状菌やノカルジア（*Nocardia*）属菌，アクチノマイセス（*Actinomyces*）属菌など菌体サイズが大きい場合や菌塊を形成するような菌は，弱拡大で探すと効率よく検出できる。観察に適切な厚みの部位，特に，好中球などの炎症細胞のある部位を中心に観察を行う。菌が好中球などに食べられている貪食像は，原因菌を推定するうえで重要な所見である。ただし，莢膜を有する菌は貪食抵抗性であるため，原因菌であっても貪食像は認めがたい。原因菌の推定は，貪食像だけではなく，炎症細胞や背景のフィブリン，菌量，そして，何よりも臨床情報を入手して総合的に行う必要がある。

グラム染色の流れ～Hucker変法，B&M法～

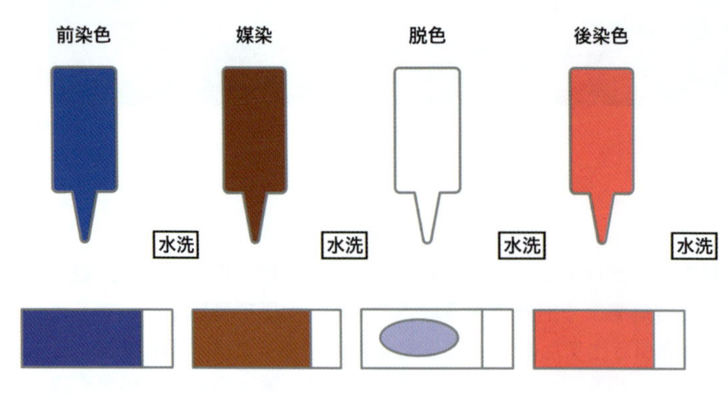

写真 1-1　ハッカー(Hucker) 変法，Bartholomew & Mittwer 法(B & M 法) などは，クリスタルバイオレットによる前染色→水洗→媒染→脱色→後染色(サフラニンまたはフクシン) の流れで実施する。市販品は添付文書に従い染色時間を設定する。水洗は標本の裏側または塗抹面に当たらないように端から静かに流水水洗を実施する。水洗後はしっかりと水を切り，染色液は水洗の水に希釈されないように，たっぷりと載せるのが染色のコツである。

脱色工程は喀痰や膿性の強い検体などはしっかりと脱色を行う。グラム染色は背景が赤色となることが多く，グラム陰性桿菌を見落としがちになるため，後染色はしっかりと時間をかけて染めたほうが検出率が高くなる。検体にもよるが，染色終了後の標本が真っ青になっているものの多くは染色失敗であり，その場合には再度標本作成から染色をやり直すべきである。

グラム染色の流れ～西岡らの方法(フェイバー法)～

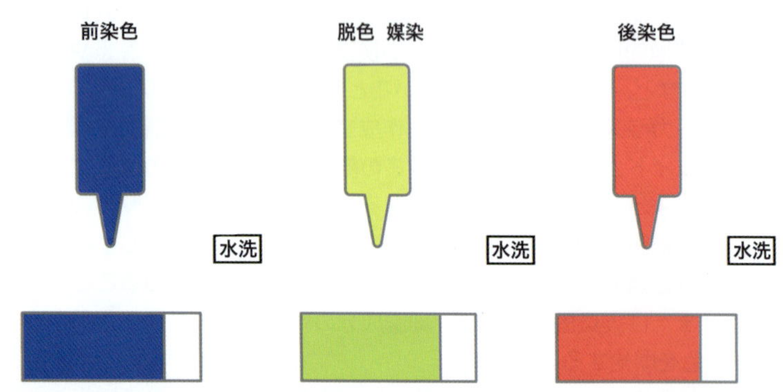

写真 1-2　西岡らの方法は脱色と媒染が同一工程となり，1つ少ない工程数となる。膿性の強い検体などはしっかりとした水洗が必要となる。

写真 1-3　B & M 法～前染色：クリスタルバイオレットをたっぷり載せる。

写真 1-4　B & M 法 ～ 水洗：標本の裏側から流水水洗で染色液を洗い流す。十分に水洗し，水洗後は水切りをしっかりと行う。

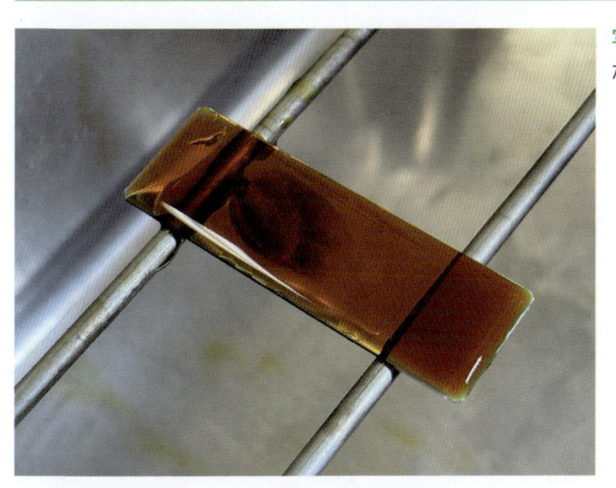

写真 1-5　B & M 法 ～ 媒染：残った水洗水で希釈されないようにたっぷりと載せる。媒染後に水洗を行う。

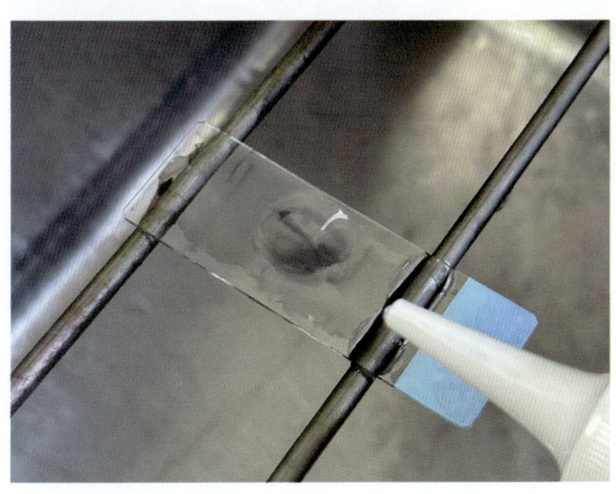

写真 1-6　B & M 法 ～ 脱色：規定時間の脱色を行うが，喀痰や膿性検体など標本によって調整するとよい。

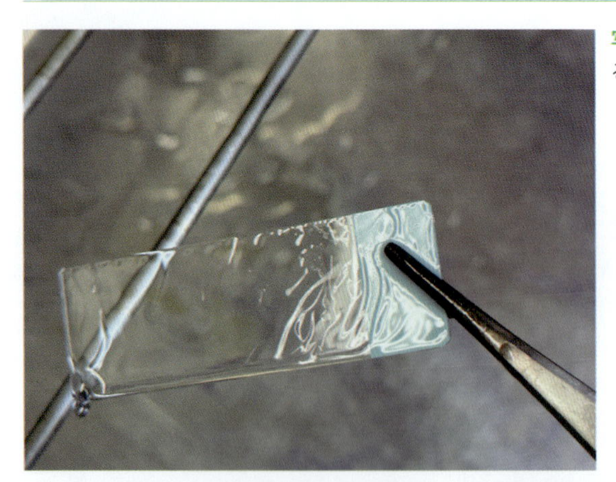

写真 1-7　B & M 法～脱色：スライドを揺り動かしながら脱色する。脱色後に水洗を行う。

写真 1-8　B & M 法～後染色：サフラニンまたはフクシンを用いて後染色を行う。カンピロバクター（*Campylobacter*）など染まりが淡い菌はフクシンで染めたほうが確認しやすい。

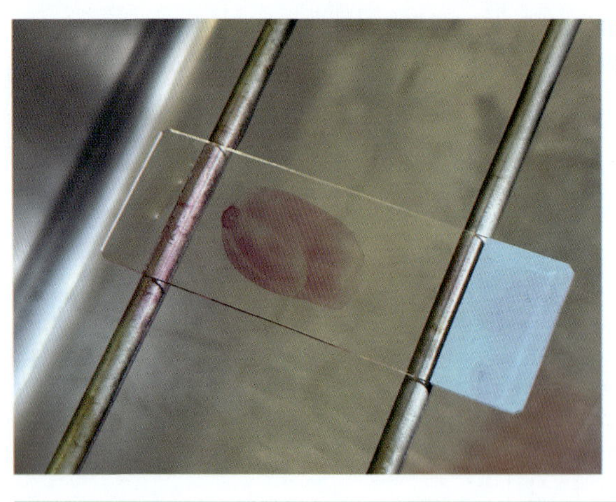

写真 1-9　B & M 法～終了：検体の厚みにより違いはあるが薄い赤色に染まる。

第２章　グラム陽性球菌

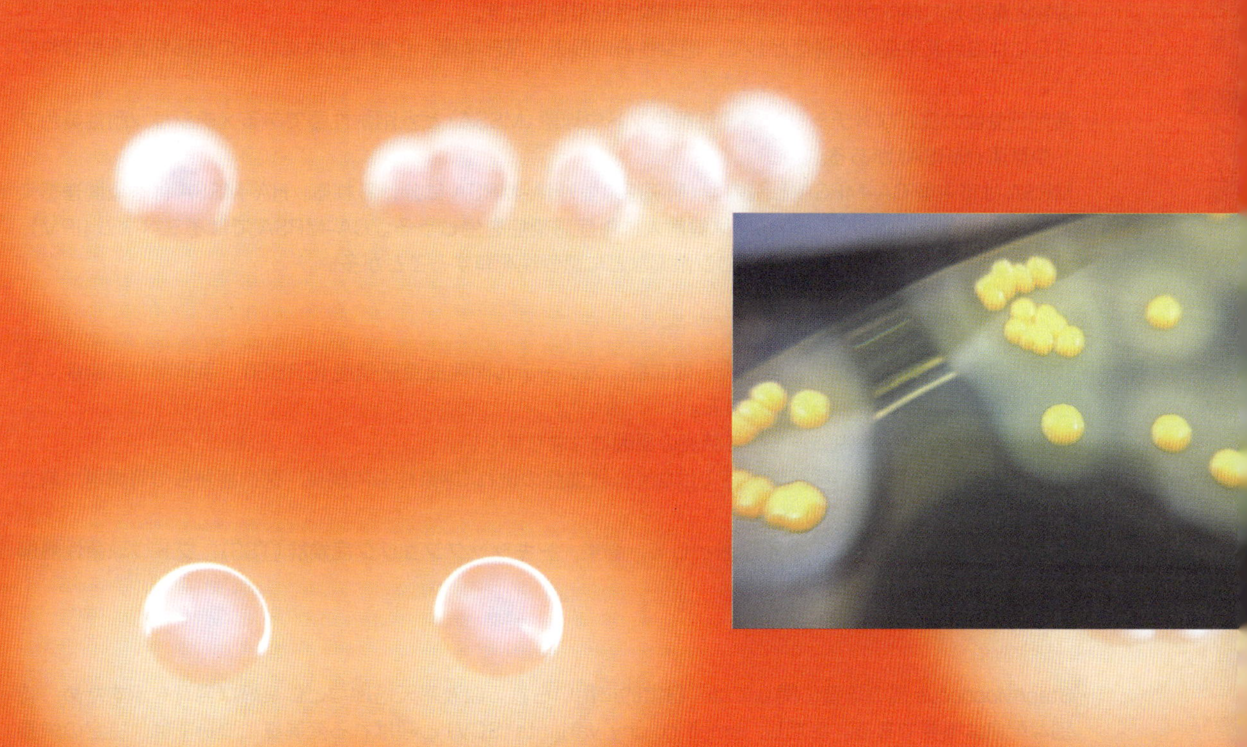

グラム染色は感染症診療のごく一部であるが，検体の評価，微生物学の理解，さらには適正な抗菌薬使用になくてはならない検査である。研修医のうちに，可能な限り自らの目でグラム染色を確認する習慣を身につけることをお勧めする。以下，グラム染色と菌の形態により分類してまとめた。

a. *Staphylococcus* spp.（ブドウ球菌属）

黄色ブドウ球菌（*Staphylococcus aureus*）

特徴

・代表的なグラム陽性球菌で，コアグラーゼを産生するブドウ球菌である。
・異物と傷を好む傾向があり，容易に血流感染症を引き起こす。
・さらには血流感染症の合併症として，感染性心内膜炎，深部膿瘍，化膿性椎体炎などの転移病変を生じやすい。
・薬剤感受性の良好なメチシリン感受性黄色ブドウ球菌（MSSA）と多剤耐性菌であるメチシリン耐性黄色ブドウ球菌（MRSA）がある。
・MRSA は市中型 CA–MRSA と院内型（病院感染型）HA–MRSA に分けられる。HA–MRSA は医療関連感染で主に問題となるが，CA–MRSA は健常人に重症感染症を生じうる。CA–MRSA ではイミペネム（IPM），クリンダマイシン（CLDM）やキノロン系薬などに感受性を有することが多い。

生じうる代表的感染症

・皮膚感染症，骨髄炎，化膿性関節炎，敗血症，カテーテル関連血流感染症（CRBSI），手術部位感染症，そして感染性心内膜炎などを起こしうる。
・インフルエンザ後や院内肺炎を除き肺炎の原因にはなりにくい。
・尿からの検出は逆行性の尿路感染症ではなく，敗血症の現れ（感染性心内膜炎，菌血症からの腎膿瘍，前立腺膿瘍を疑う）であることが多い。
・黄色ブドウ球菌の毒素で起きる疾患として，腸炎，トキシックショック症候群（TSS），ブドウ球菌性熱傷様皮膚症候群（SSSS）がある。

培養同定の方法と技師からの注意点

・*Staphylococcus* 属の培養に関しては，日常的に用いられる血液寒天培地などに良好な発育を示すため，特別な配慮は不要である。ただし，small colony variants（SCV）と呼ばれる変異株については，特定の栄養要求性を示すため遅発育やコロニーの変異を認める。
・*Staphylococcus* 属菌の同定は，まず，グラム陽性球菌の確認後にカタラーゼテストでレンサ球菌と鑑別する（*Staphylococcus* 属は陽性，*Streptococcus* 属・*Enterococcus* 属は陰性）。*Staphylococcus* 属であることが推定できれば，コアグラーゼテストを実施する。遊離型コアグラーゼ，結合型コアグラーゼ（クランピング因子）があり，黄色ブドウ球菌はどちらも陽性である。一般的に，黄色ブドウ球菌以外のブドウ球菌はコアグラーゼ陰性ブドウ球菌（CNS または CoNS）と呼ばれ，コアグラーゼテストで簡易的な推定が行われるが，CNS のなかには遊離型・結合型それぞれのコアグラーゼを有する株があるため，コアグラーゼテストだけでは正しい同定はできない。このため，Clinical and Laboratory Standards Institute（CLSI）では従来 CNS または CoNS と呼ばれていた *Staphylococcus* 属菌を Other *Staphylococcus* spp. の表記に統一している。
・黄色ブドウ球菌は塩気と酸味が同居したような表現し難い独特の臭気を出すため，一度純培養菌の臭気を体感しておくのもよい。
・***Staphylococcus aureus* complex について**：*Staphylococcus argenteus*，*Staphylococcus schweitzeri* の 2 菌種が近年報告された菌種で，従来の生化学的性状を用いた同定検査では黄色ブドウ球菌と同定されてしまう。CLSI document M100 33rd edition では，これらの菌種が質量分析や遺伝子配列により同定された場合は*Staphylococcus aureus* complexとして報告しブレイクポイントや解釈については黄色ブドウ球菌同様に扱うように規定されている。

薬剤感受性検査の注意点

- 本邦ではCLSIに準じた方法を採用した自動機器が広く利用されている。ディスク拡散法は小規模施設や追加薬剤への対応，耐性確認検査などで利用される。
- MRSAの判定にはオキサシリン（MPIPC）が用いられていたが，感度の問題から，現在ではセフォキシチン（CFX）が利用されるようになった。どちらも判定に用いられるが，ディスク拡散法ではMPIPCは信頼性を欠くため，現在では利用されていない。また，バンコマイシン（VCM）もディスク拡散法での判定は設定されていないので注意を要する。
- 通常の薬剤感受性検査だけで判定できないものにマクロライド誘導耐性がある。エリスロマイシン（EM）耐性，CLDM感性の場合にはCLDM誘導耐性の検査が必要で，ディスク拡散法で実施する確認検査としてDゾーンテスト（Dテスト）があり，陽性の場合にはCLDMを耐性とする必要がある。現在では，自動機器にCLDM誘導耐性を検査する項目が搭載されている。また，β-ラクタマーゼの確認検査は，セフィナーゼディスク（ニトロセフィン法）を用いた方法が一般的であるが，感度が低いため，penicillin disc zone edge testが推奨されている。ただし，この検査も完全な検査ではないため症例によっては*blaZ*遺伝子の検出を考慮する。

選択すべき抗菌薬と感染症専門医からの注意点

- MSSAにはセファゾリン（CEZ）を，MRSAにはVCMを選択する。VCMの最小発育阻止濃度（MIC）が上昇傾向であるというMICクリーピングの問題があるが，その評価は一定ではない。MICが1.5を超える2近い株では有効性が下がる懸念があるが，実際には，MICの数値よりも臨床効果で慎重に判断する。ただし，MIC 2以上であれば，最初からVCMは使用しない。骨髄などへの移行性を理由にダプトマイシン（DAP），リネゾリド（LZD）などを勧める書籍などもあるが，これらの薬剤はVCMと効果は同等であり，VCMはいまだ実績の高い十分に有効な薬剤である。

◎詳細は『感染症プラチナマニュアル』の第2章の「黄色ブドウ球菌」参照。

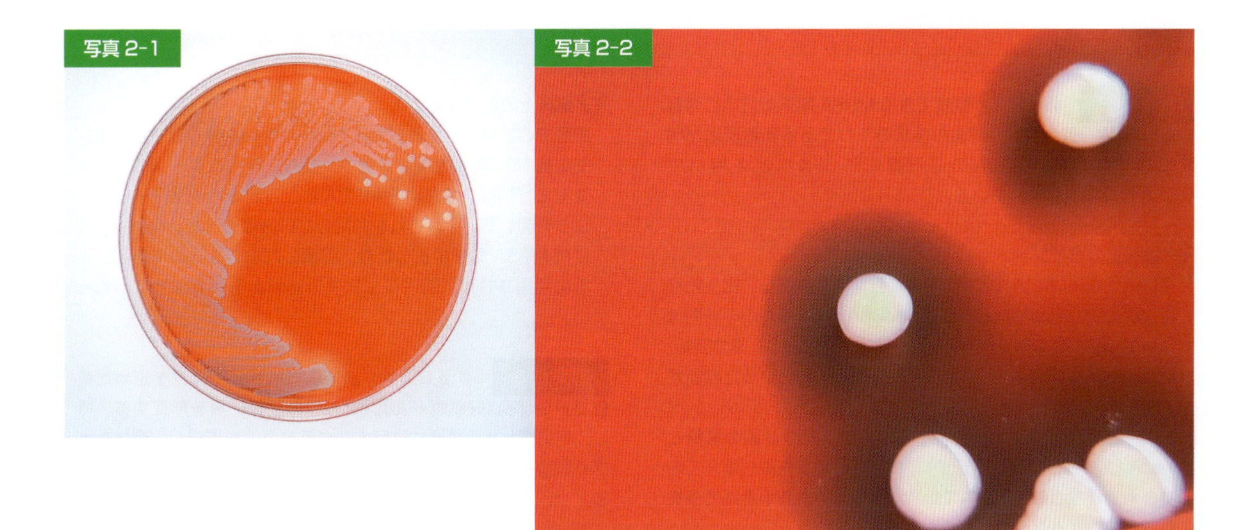

写真2-1　ヒツジ血液寒天培地に発育した黄色ブドウ球菌（*Staphylococcus aureus*）。β溶血を示すコロニーを形成する（溶血の程度は株によって異なる）。

写真2-2　黄色ブドウ球菌。ヒツジ血液寒天培地上のコロニー。やや黄色がかっている。

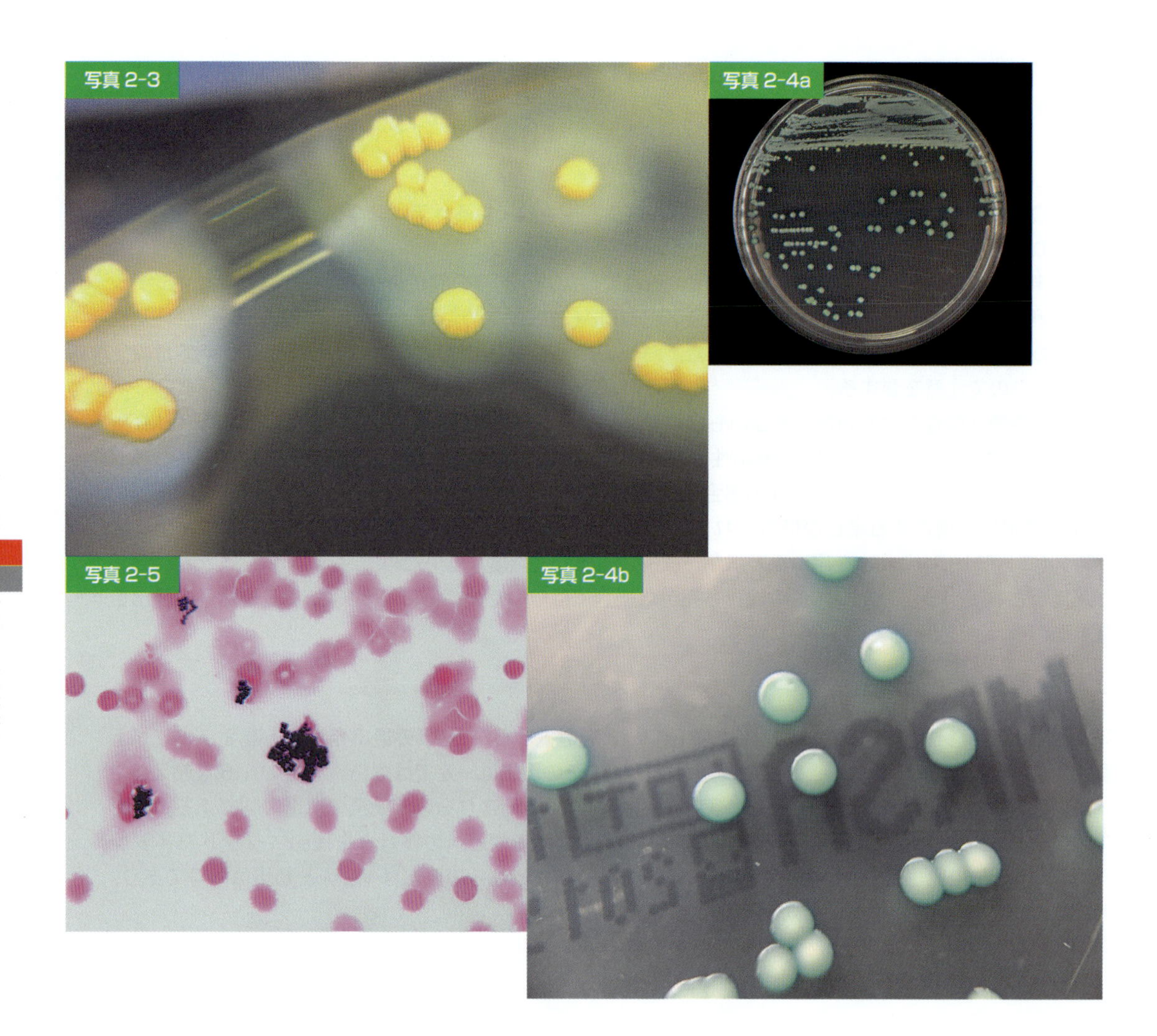

写真 2-3 卵黄反応が観察できるMRSA用選択培地に発育したMRSA。黄色ブドウ球菌の性状の1つである卵黄反応が明瞭に観察できる。MRSAの選択薬剤にCFXなどを用いてMSSAの発育を抑制している。

臨床上のポイント

- 選択培地を用いていれば，翌日に検査室に足を運び，微生物検査技師に問い合わせたときには，MRSAかMSSAかの判断はついている。この時点で，MRSAであれば抗MRSA薬の開始，継続，MSSAであれば抗MRSA薬を中止するといった判断ができるのである。
- また，遺伝子検査機器の普及により黄色ブドウ球菌の有無と*mecA*（メチシリン耐性遺伝子）の検査を行える施設も増えており血液培養などに利用されている。同様に，血液培養陽性液を対象としたイムノクロマト法も市販されている。

写真 2-4 a：発色酵素基質を利用したMRSA選択培地。卵黄反応以外に発色酵素基質などを利用した選択培地も市販され広く利用されている。
b：aの拡大像。

臨床上のポイント

- 画面での検査報告を待ち受けてはいけない。繰り返すが，経験的に抗MRSA薬を開始したり，投与を待ったケースでも，検査室に行けば，おおよそMRSAかどうか培地や遺伝子検査により判明している。これを利用しないのはもったいない。早期に抗MRSA薬を中止したり，開始したりできるのである。上手に活用すれば，院内微生物検査室がある利点は計りしれない。

写真 2-5 グラム染色。血液培養ボトルで発育を認めた黄色ブドウ球菌（好気ボトル）。ブドウの房状に塊を形成する。特に，好気ボトルの場合には巨大なクラスターを形成し，菌体も大きく観察されることが多い。これを通称「ブリッとサイン」と呼ぶ。

臨床上のポイント

- 形態でコアグラーゼ陰性ブドウ球菌と黄色ブドウ球菌を区別するにはかなりの習熟を要するため，原則として熟練した検査技師のもとで慎重に判断したい。
- 重篤な感染症では安易に決定せず，病原性の強い黄色ブドウ球菌という悪いほうのシナリオを想定して対応するのがよい。

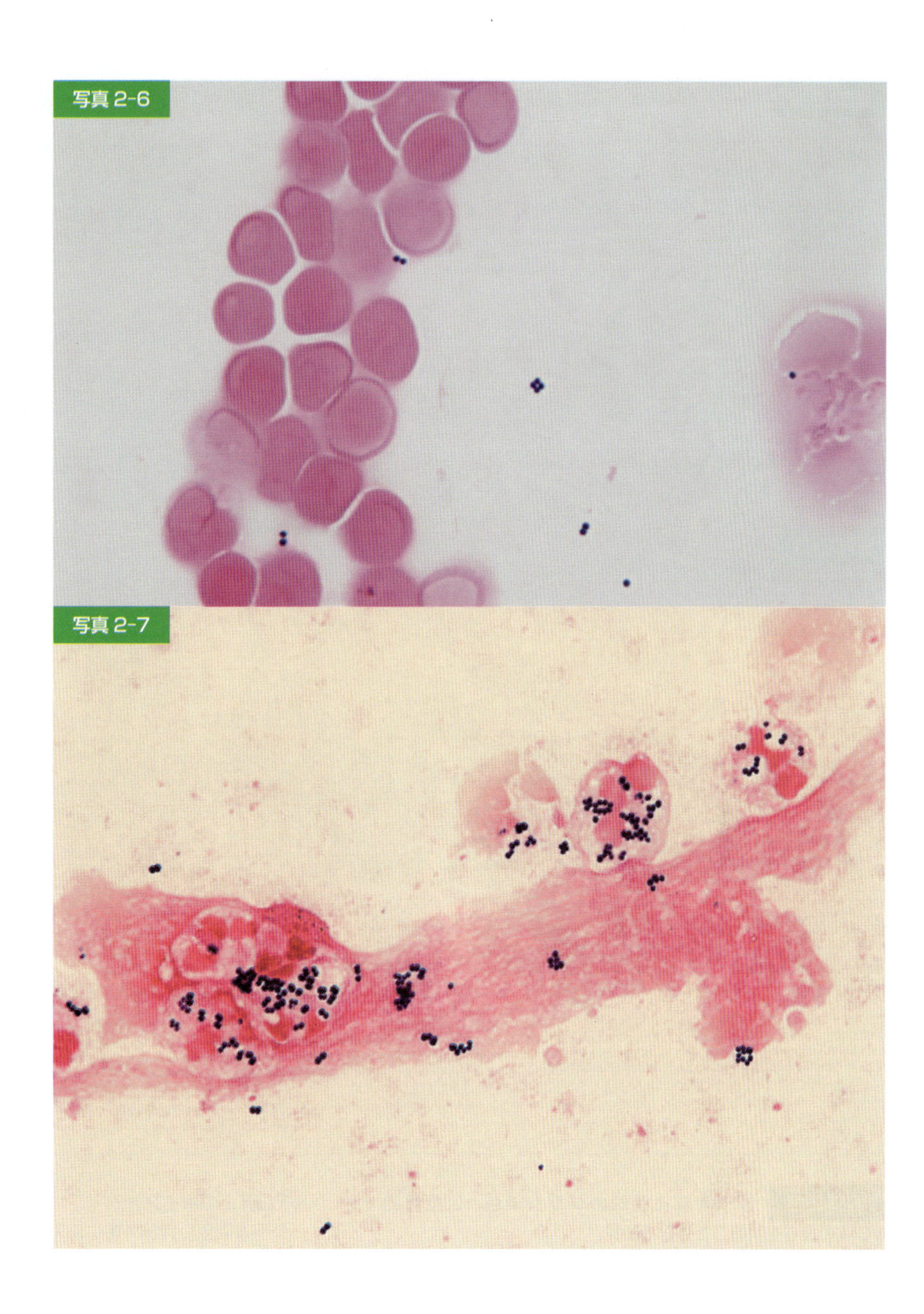

写真 2-6 グラム染色。血液培養ボトルで発育を認めた黄色ブドウ球菌(嫌気ボトル)。好気ボトル中の黄色ブドウ球菌に比較して，重積性が弱く菌体も比較的小さい。

臨床上のポイント

- 重症や医療関連感染では，感受性判明まで VCM を開始する。
- 1 セットでも血液培養陽性の場合は原則治療する。必ず血液培養の陰性化を確認する。
- 陰性化しない場合，感染性心内膜炎や骨髄炎，膿瘍などの合併症を特に注意して検索する。
- 静注を 2〜4 週間は継続する。感染性心内膜炎では 6 週間，骨髄炎では 8 週間。

写真 2-7 ブドウ球菌は軟部組織やカテーテル等の異物に好んで付着し，感染症を引き起こす。写真は喀痰のグラム染色像。喀痰などの呼吸器検体から培養でブドウ球菌が検出されても多くは保菌と考えられるが，グラム染色で貪食像を認めた場合には原因菌となっている可能性がある。検出菌の意義づけは病歴も含めて総合的に考える必要がある。

臨床上のポイント

- MRSA による肺炎とされるもののなかに，定着菌によるものが相当数紛れている。そのようなケースの場合，グラム染色では菌が確認できず，培養のみ検出されることが多い。
- MRSA 肺炎かどうかは，臨床症状に合わせ，グラム染色所見で黄色ブドウ球菌がこのように確認できるかも踏まえて判断したい。当然，定着の MRSA は治療しない。

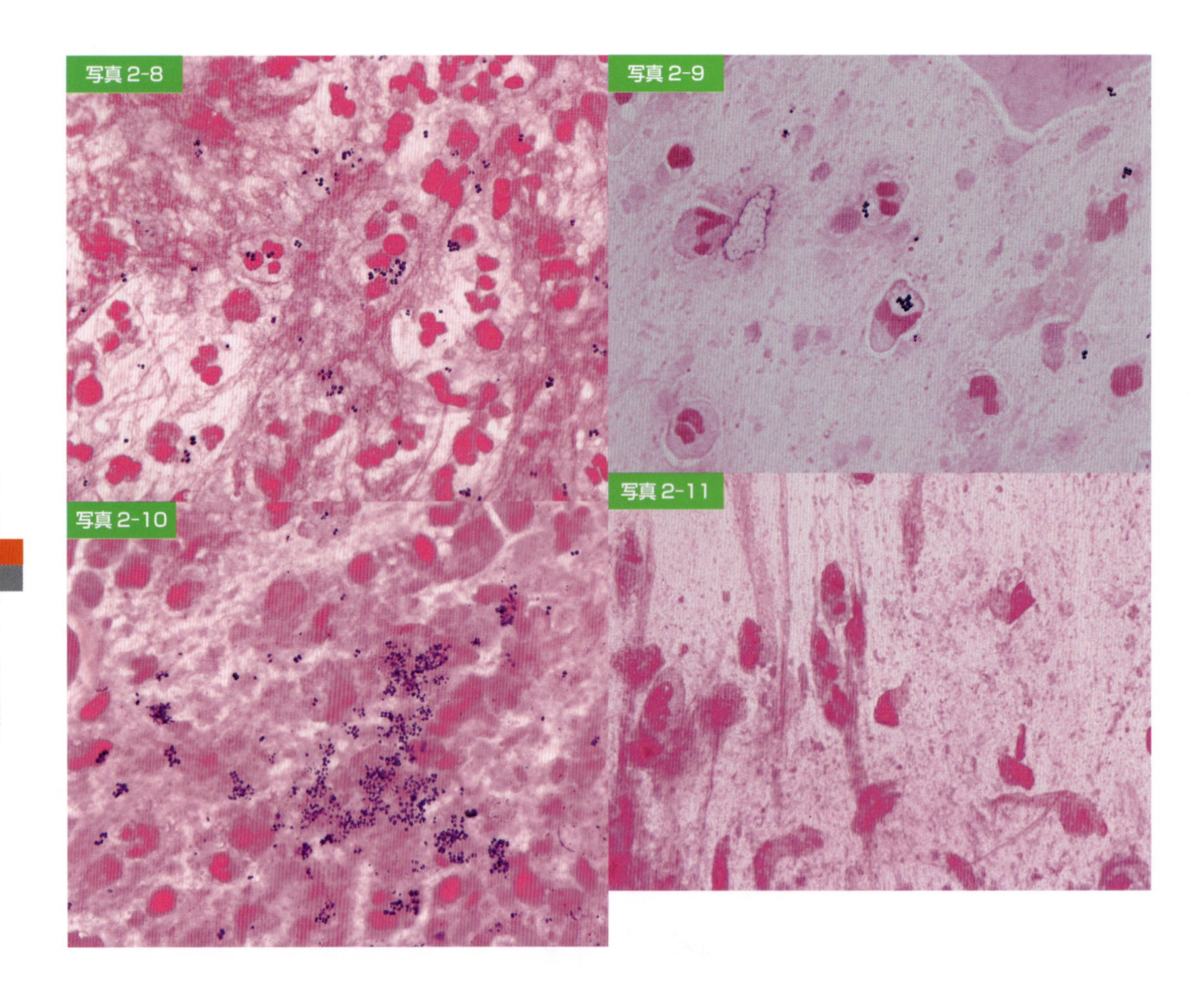

写真 2-8 MRSA 肺炎症例のグラム染色。治療目的でVCM の投与を開始した翌日の所見。

写真 2-9 写真 2-8 と同一症例。VCM の投与を開始した3 日目。

写真 2-10 写真 2-8 と同一症例。VCM の投与を開始した4 日目。崩壊した菌体が増えてきている。

臨床上のポイント

- 喀痰グラム染色所見の改善は有力なツールである。肺炎球菌などはすみやかに消失するが，緑膿菌や黄色ブドウ球菌はややゆっくり減少する。
- 胸部画像所見は改善が最も遅いことも認識されたい。肺炎は治っているのに，炎症数値や画像所見を治療しないように……。

写真 2-11 写真 2-8 と同一症例。VCM の投与を開始した8 日目。MRSA は消失。

臨床上のポイント

- グラム染色の実施で菌の消失の経過を追うことができるため，患者状態の観察と併せてグラム染色を観察することは重要である。
- 肺炎の効果判断は炎症反応だけで追わない。必ず臓器特異的パラメータの改善を確認する（◎『感染症プラチナマニュアル』の「感染症診療の 8 大原則」の 5）。
- 喀痰グラム染色は有効な臓器特異的パラメータの 1 つである。

写真 2-12 黄金を意味する *aureus* であるが，血液寒天培地を観察しても明らかに色素を認めることは少ない。培養日数が経った場合，またはチョコレート寒天培地上のコロニーでは色素が比較的わかりやすい。白色のスワブでコロニーを拭うと観察が容易である。写真左が黄色ブドウ球菌，右がコアグラーゼ陰性ブドウ球菌。

臨床上のポイント

- 黄色の溶血のあるコロニーの確認に加え，コアグラーゼ陽性であれば，ほぼ黄色ブドウ球菌と判断してよい。血液培養から検出されればほぼ原因菌である。

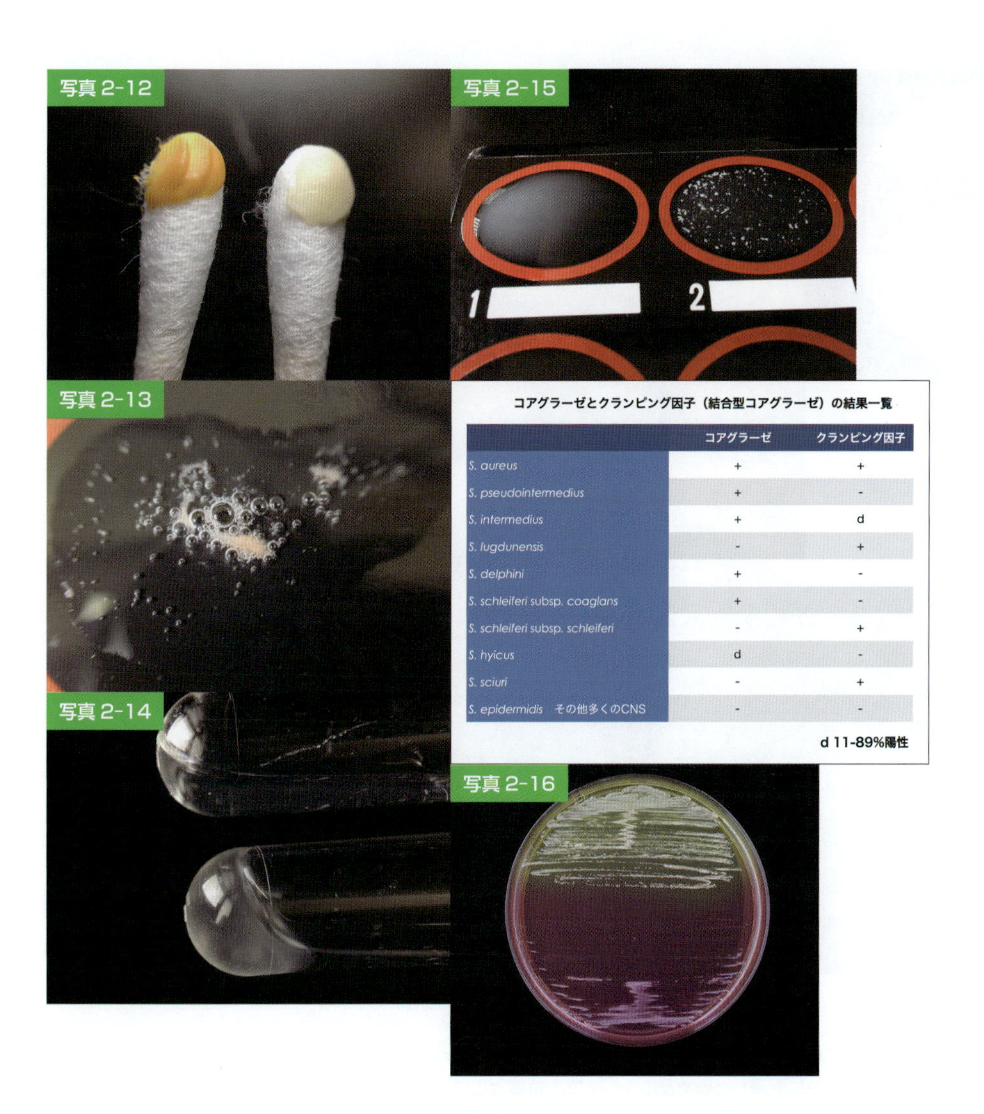

コアグラーゼとクランピング因子（結合型コアグラーゼ）の結果一覧

	コアグラーゼ	クランピング因子
S. aureus	+	+
S. pseudointermedius	+	-
S. intermedius	+	d
S. lugdunensis	-	+
S. delphini	+	-
S. schleiferi subsp. *coaglans*	+	-
S. schleiferi subsp. *schleiferi*	-	+
S. hyicus	d	-
S. sciuri	-	+
S. epidermidis　その他多くのCNS	-	-

d 11-89%陽性

写真 2-13 の動画
カタラーゼテスト：ブドウ球菌とレンサ球菌の鑑別

写真 2-14 の動画
コアグラーゼテスト：*Staphylococcus* 属菌の性状鑑別試験

写真 2-13　コロニーと 3%の過酸化水素を反応させる。カタラーゼテスト陽性の菌は写真のように気泡 (O_2) を発生する。一般的に，この検査はブドウ球菌（カタラーゼテスト：陽性）とレンサ球菌（カタラーゼテスト：陰性）の鑑別に用いられる（動画あり）。

臨床上のポイント

- 検査室に足を運び，血液培養から検出されたブドウ球菌が，仮に 1 セット陽性でも，ギアを上げる。本物の原因菌の可能性が高いからである。
- 医療関連感染であれば投与すべき薬はカルバペネム系薬ではなく，抗 MRSA 薬である。感受性がわかるまでは……。

写真 2-14　コアグラーゼテスト。ウサギ血漿に被検菌を接種して凝固を観察する。写真上：対照，下：黄色ブドウ球菌コアグラーゼ陽性（動画あり）。

写真 2-15　ラテックス試薬によるクランピング因子（結合型コアグラーゼ）とプロテイン A の検査。黄色ブドウ球菌などクランピング因子をもつものは凝集を認める。写真左：プロテイン A / クランピング因子陰性，右：プロテイン A クランピング因子陽性。

表　一般的に，黄色ブドウ球菌がコアグラーゼ陽性で，コアグラーゼ陰性のブドウ球菌は CNS または CoNS と分類されるが，黄色ブドウ球菌以外にもコアグラーゼまたはクランピング因子を有するブドウ球菌が存在するため注意が必要で，菌名同定は総合的に行う必要がある。

写真 2-16　マンニット分解性の確認。マンニット食塩培地にブドウ球菌を接種し発育すると，マンニット分解性の菌はマンニット分解により酸を産生し，周囲の培地 pH が酸性となる。その際に pH 指示薬であるフェノールレッドが黄変することから，マンニット分解を確認できる。写真上：黄色ブドウ球菌（マンニット分解），写真下：*Staphylococcus epidermidis*（マンニット非分解）。

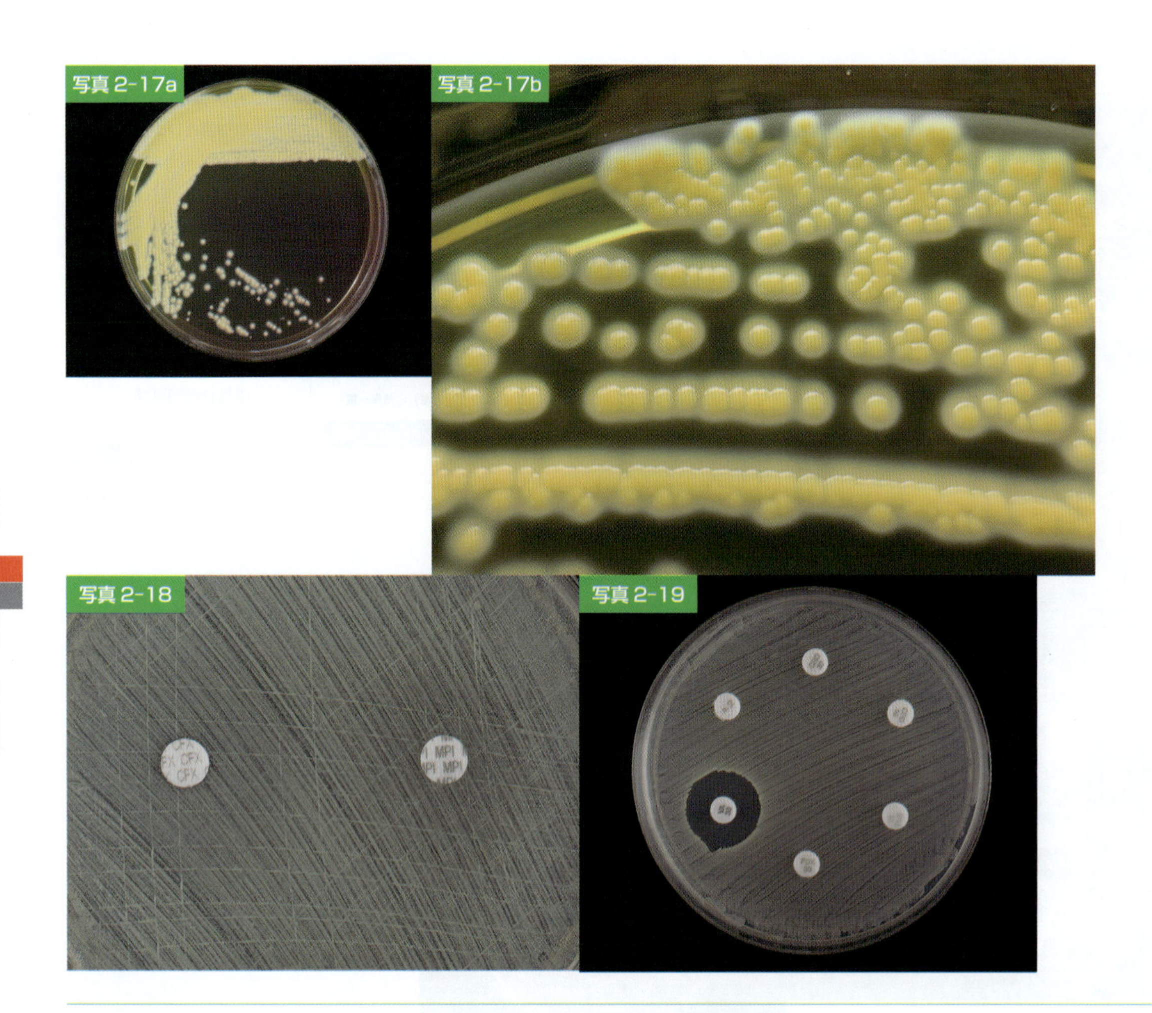

写真2-17　a：マンニット食塩培地に卵黄を加えた卵黄加マンニット食塩培地上の黄色ブドウ球菌。黄色に混濁した卵黄反応が観察される。卵黄反応はコアグラーゼ産生能と相関性が高く，黄色ブドウ球菌推定の指標となる。
b：aの拡大写真。

写真2-18　メチシリン耐性黄色ブドウ球菌(MRSA)。MRSAの検出には従来MPIPCが用いられてきた。近年はMPIPCに加えてCFXがMRSAの判定に用いられている。注意点としてディスク拡散法で判定する場合，MPIPCは信頼性を欠くため，代替としてCFXディスクが用いられる。

臨床上のポイント
- MPIPC(CFX)に感受性があればMSSA，なければMRSAと判断する。
- MRSAと判断されれば，仮にβ-ラクタム薬に感受性があっても使用しない。抗MRSA薬で治療する。

写真2-19　病院感染型MRSA(HA-MRSA)。従来から院内において流行していたMRSAで，特徴として各種抗菌薬に対して多剤耐性傾向があり，*SCCmec*の遺伝子型はtype IIが多く，感染症の原因菌となった場合には難治性の経過をたどることが多い。写真の株はVCM以外には耐性を示しているのがわかる。

写真2-20　市中感染型MRSA(CA-MRSA)。これは，院内感染のリスクがない健常人や子どもなどから分離されるMRSAで，特徴として各種抗菌薬に対して比較的感性傾向があり，*SCCmec*の遺伝子型はtype IVが多く，皮膚や軟部組織感染症の原因となることが多い。現在国内で検出されるMRSAの多くがCA-MRSAとなっており，病院施設においても同様である。白血球を溶解するPanton-Valentine leucocidin(PVL)を産生する株は，本邦では3～5%と低いが，増加傾向にある。

臨床上のポイント
- 仮に市中感染型メチシリン耐性黄色ブドウ球菌(CA-MRSA)でCLDMやキノロン系薬に感受性があっても，重症感染症に使用してよいかはまだ議論のあるところであり，原則として，VCMなど抗MRSA薬を用いる。ただし，TSSを疑い，毒素を抑制する目的でCLDMを併用することがある。

写真2-21　Dテスト。黄色ブドウ球菌のマクロライド耐性株の場合，CLDMの感受性の結果は鵜呑みにできない。写真の右はCLDMのディスクであるが，単剤の場合には大きな阻止円を形成し「感性(S)」と判断されるが，そばにEMのディスクを配置すると耐性誘導が起こり，阻止円が写真のようにアルファベットのDの文字のようになる。この場合，CLDMは耐性と判断される。

臨床上のポイント
- 感受性でEMが耐性(R)の場合に，CLDMが感性(S)であっ

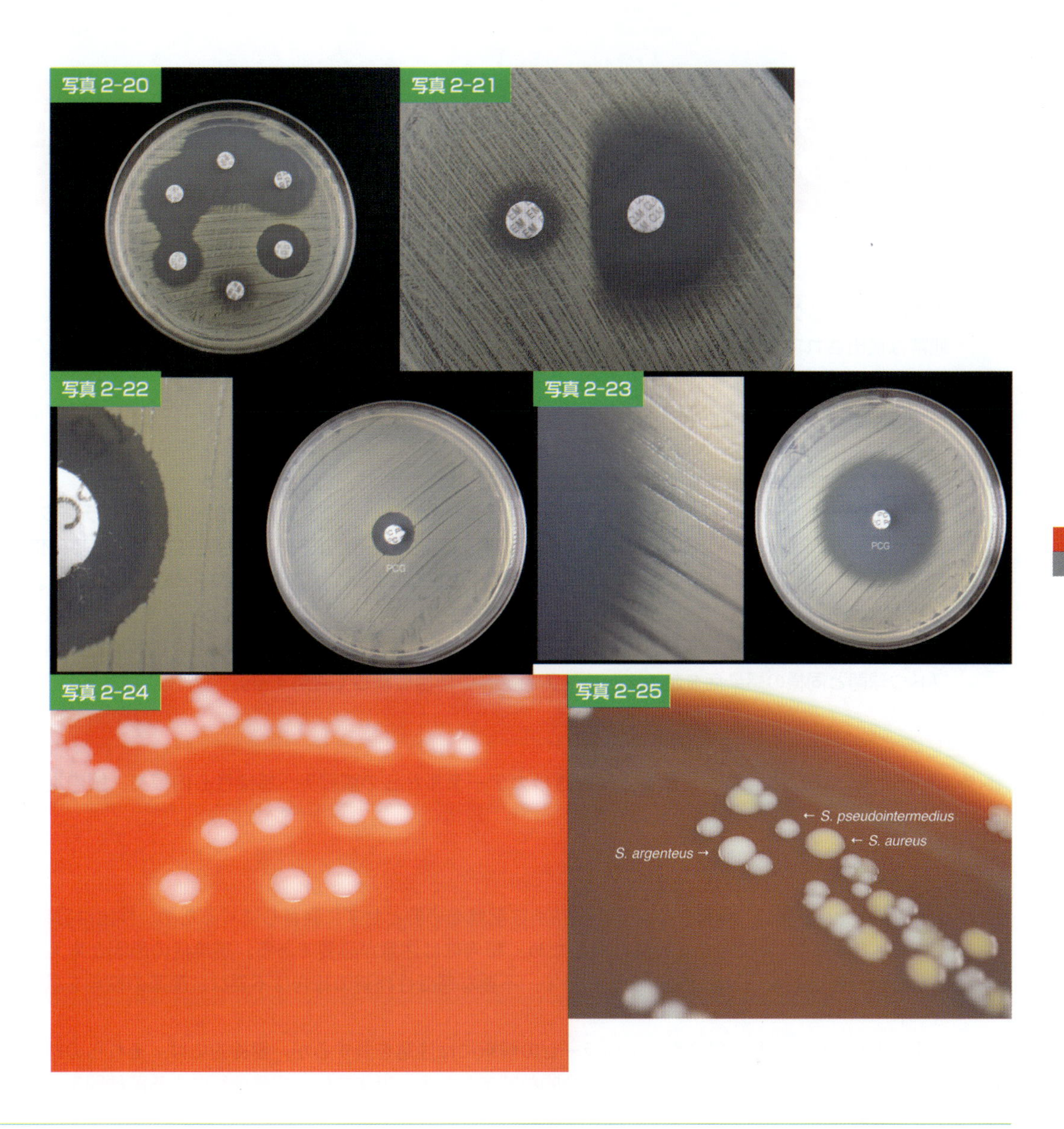

ても，Dテストが実施されていない場合にはCLDMは使用しない。また，Dテスト陽性ではCLDMはSであってもRと考えよ。

◎『感染症プラチナマニュアル』の第2章の「黄色ブドウ球菌」参照。

写真 2-22 penicillin disc zone edge test。一般的な検査室において，β-ラクタマーゼの検査は，セフィナーゼディスク（ニトロセフィン法）を用いた検査が実施されることが多い。しかし，黄色ブドウ球菌のセフィナーゼディスクの感度は77%と低く，penicillin disc zone edge testがより感度の高い方法として知られる。ペニシリンディスクを用いて通常のディスク拡散法による感受性検査を実施し，阻止円の様子から判定を行う。

β-ラクタマーゼ陽性は写真のように「崖」のようなシャープな阻止円を形成する。

臨床上のポイント

・「崖」であれば，ベンジルペニシリン（PCG）は感性でも耐性と考え使用しない。

写真 2-23 penicillin disc zone edge test。β-ラクタマーゼ陰性の場合は，写真のように，ビーチと表現されるファジーな阻止円を形成する。

臨床上のポイント

・「ビーチ」であれば，PCGを使用してもよいかもしれないが，専門医との相談を勧める。
・MSSAによる中枢神経感染症では，CEZが移行性の問題で使用できないため，抗ブドウ球菌ペニシリンの使用できない本邦では，PCGを用いるための判断基準となる。

写真 2-24 ヒツジ血液寒天培地上の *Staphylococcus argenteus*。コロニー外観は黄色ブドウ球菌とほとんど変わらないが，コロニーの色調は白色である。

写真 2-25 黄色ブドウ球菌，*S. argenteus*，*S. pseudointermedius*。黄色ブドウ球菌は黄色の色調を呈しているが，残りの2菌種は白色である。

その他のブドウ球菌〔Other *Staphylococcus* spp., コアグラーゼ陰性ブドウ球菌（CNS, CoNS）〕[注意]

特徴

- 皮膚に常在するグラム陽性球菌であり，病原性は乏しい。
- 通常は検出されても汚染（コンタミネーション）と判断するが，中心静脈カテーテル，人工弁，人工関節などの異物の感染症を起こす。
- 本物の感染症と診断するには，同一検体からの繰り返しの培養陽性や，血液培養 2 セット陽性が必要である。
- 咽頭，喀痰，便から検出されても治療対象とはしない。
- メチシリン耐性が多く，JANIS（厚生労働省院内感染対策サーベイランス）の 2021 年の公開データでは，*S. epidermidis* は 73.4%，その他の CNS は 65.9% がメチシリン耐性コアグラーゼ陰性ブドウ球菌（MRCNS），J-SIPHE（感染対策連携共通プラットフォーム）年報 2021 においても 6 割近くが MRCNS となる。
- CNS のなかで，例外的にスタフィロコッカス・サプロフィティカス（*Staphylococcus saprophyticus*）は単純性尿路感染症を起こす。スタフィロコッカス・ルグドゥネンシス（*S. lugdunensis*）は病原性が強く，黄色ブドウ球菌と同様の感染症を起こすため，黄色ブドウ球菌に準じて対処する。

生じうる代表的感染症

- CRBSI，菌血症，シャント髄膜炎，腹膜透析カテーテルからの腹膜炎，感染性心内膜炎，眼内炎，人工関節感染症

培養同定の方法と技師からの注意点・薬剤感受性検査の注意点

- *Staphylococcus* 属は，培養するに当たり特別な配慮を必要とせずに発育してくるため，検出は容易である。ただし，CNS は体表に存在する菌であるため，報告には注意が必要である。感染症の原因と考えにくい場合などの報告は菌名のみに留めておくべきで，不要な感受性検査の報告は不要な抗菌薬の投与を誘導しかねない。
- 同定に関しては遊離型・結合型コアグラーゼの解釈には注意を要するが，最終的には，それらの結果と自動機器・同定キットの結果とを合わせた総合的な判定となる。近年では，質量分析による菌種同定も一般化しつつある。
- CNS のなかで注意が必要な菌として，*S. lugdunensis* がある。他の CNS と比較し病原性が強く，各種感染症の原因となることが多い。また，メチシリン耐性の判定は CNS と異なり黄色ブドウ球菌と同じ基準を用いることから正しい菌種同定が求められる。
- 近年，*S. pseudintermedius* が黄色ブドウ球菌に類似した生化学的性状を示すことから誤同定されることが問題となっている。*S. pseudintermedius* はイヌにおける常在性かつ感染症の原因ブドウ球菌として知られ，ペットからの感染例も報告される。*S. pseudintermedius* はメチシリン耐性の判定が黄色ブドウ球菌と異なることから，誤同定により耐性を見落とす可能性があるため注意が必要である。
- *Staphylococcus* 属菌のメチシリン耐性の判定は，菌種や薬剤の組み合わせ，感受性の方法などにより細分化されつつあるため，CLSI M100 document の最新版を利用して判定するようにする。

選択すべき抗菌薬と感染症専門医からの注意点

- 原則として VCM を使用する。メチシリンに感受性があっても，他剤で治療可能かどうかは感染症専門医へのコンサルトが望ましい。

◎詳細は『感染症プラチナマニュアル』の第 2 章の「コアグラーゼ陰性ブドウ球菌」参照。

注意：CLSI では，M100 30th edition より CoNS または CNS と呼ばれていた *Staphylococcus* 属菌を Other *Staphylococcus* spp. の表記に統一しているが，本書では CNS で表記する。

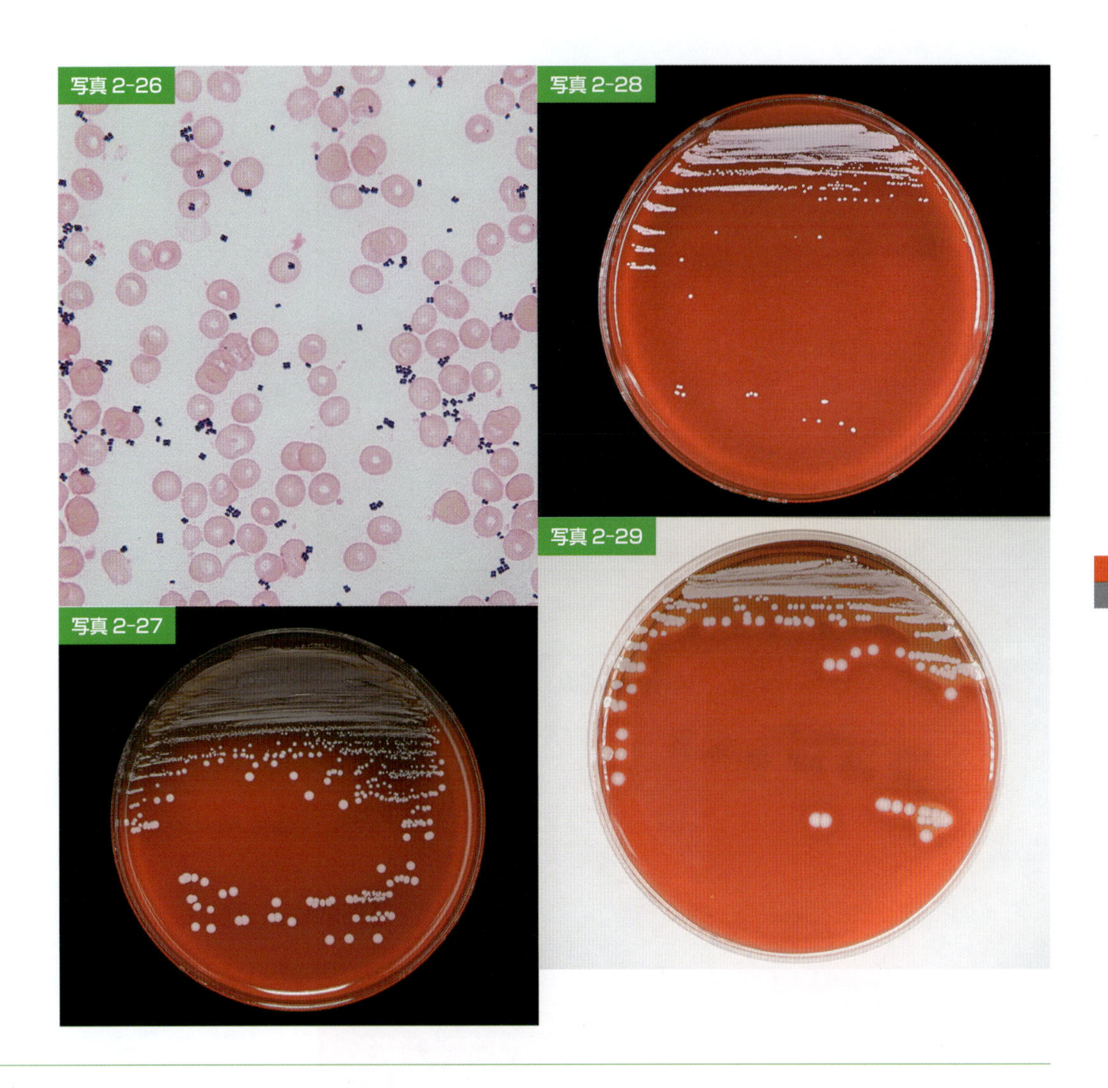

写真 2-26 グラム染色。血液培養ボトルに認めた表皮ブドウ球菌（*S. epidermidis*）。ブドウの房状，4 連球菌状，双球菌などさまざまな形態を示す。採取の際のコンタミネーションで，検出されることが多いが，CRBSI の原因としても重要で，体内に異物が存在すると付着しやすく，感染症の原因となることが知られている。

写真 2-27 *S. epidermidis*。

臨床上のポイント

- 皮膚に常在するグラム陽性球菌であり，病原性は乏しい。通常は検出されてもコンタミネーションと判断するが，中心静脈カテーテル，人工弁，人工関節などの異物の感染症を起こす。
- 本物の感染症と診断するには，同一検体からの繰り返しの培養陽性や，血液培養 2 セット陽性が必要である。ほとんど（90%）がメチシリン耐性（MRCNS）であるため，経験的には VCM を使用する。CNS には特に安易に DAP や LZD は使わないように。
- MPIPC の MIC ≦ 0.25 で MPIPC 感受性であれば，CEZ で合併症のない CRBSI は治療可能。

写真 2-28 *S. lugdunensis*。24 時間培養。ヒツジ血液寒天培地。24 時間培養では，やや小ぶりのコロニーを形成する。CNS として扱われるが，クランピング因子陽性であることが知られており，クランピング因子の結果のみで誤同定してしまわないように注意が必要である。この菌は他の CNS とは次の点で注意が必要である。

感染性心内膜炎の原因菌として知られ，生体弁へ付着し劇的な経過をたどることがある。

皮膚軟部組織感染，眼内炎，関節炎などの原因菌として知られ，一般的な CNS と比較して明らかに病原性が強い菌である。

メチシリン耐性（MR）の判定は，他の CNS と異なり黄色ブドウ球菌と同じ基準で判定を行うため，薬剤感受性検査を実施する場合には注意が必要である。

臨床上のポイント

- *S. lugdunensis* については，CNS でも例外的に黄色ブドウ球菌と同様に対処する。
- CNS のなかで，例外的に *S. saprophyticus* は単純性尿路感染症を起こす。*S. lugdunesis* は病原性が強く，黄色ブドウ球菌と同様の感染症を起こすため，黄色ブドウ球菌に準じて対処する。薬剤感受性も黄色ブドウ球菌に準拠して判定されているはず。

写真 2-29 *S. lugdunensis*。24 時間培養と 48 時間培養のヒツジ血液寒天培地上のコロニー。48 時間培養ではコロニーがぐんと大きくなり，溶血環も明瞭となる。

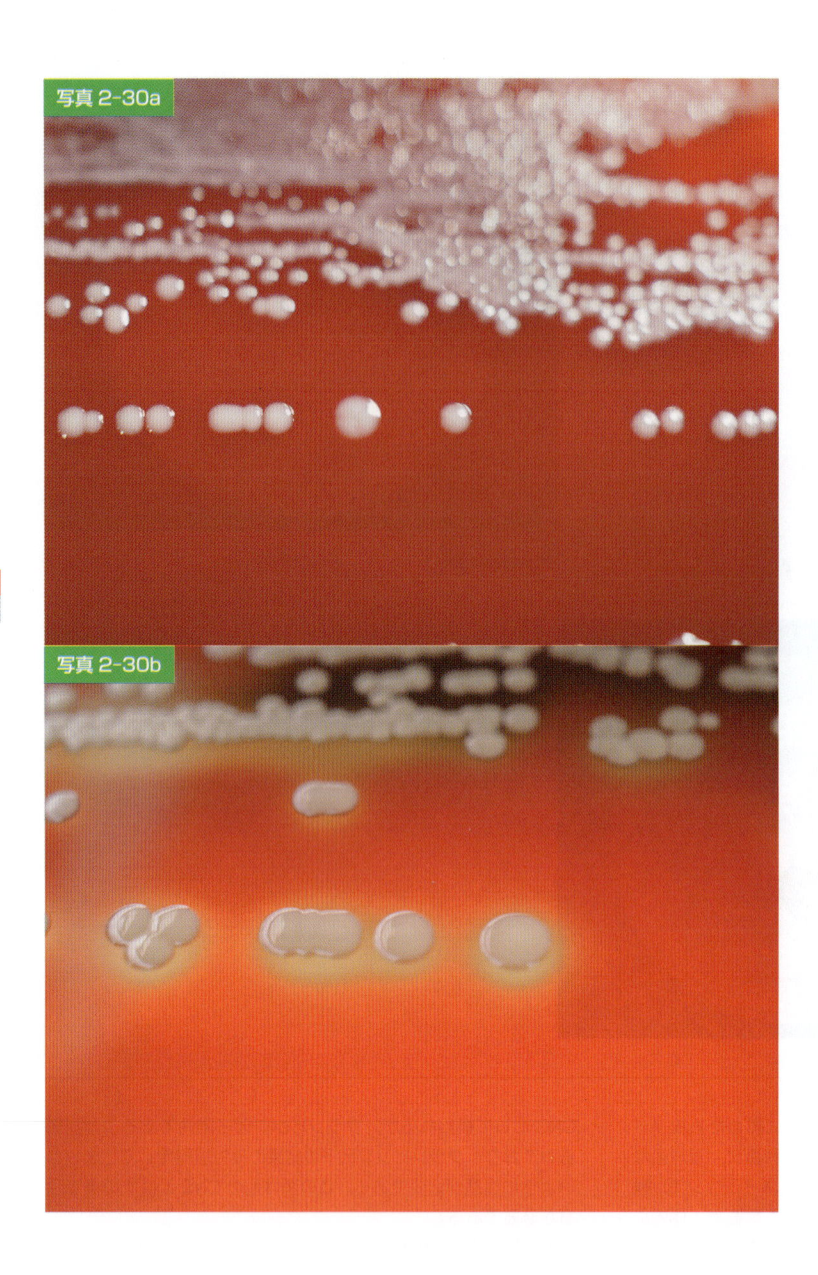

写真 2-30 *S. lugdunensis*。24 時間培養と 48 時間培養のコロニー。ヒツジ血液寒天培地。コロニー拡大像。他の CNS と比べてややしっとりとして艶があるコロニーを形成する。薄く黄色に色づき溶血も明瞭になる。慣れてくると，この菌を推定できるケースが多くなるため，しっかりとコロニーを観察することが必要である。

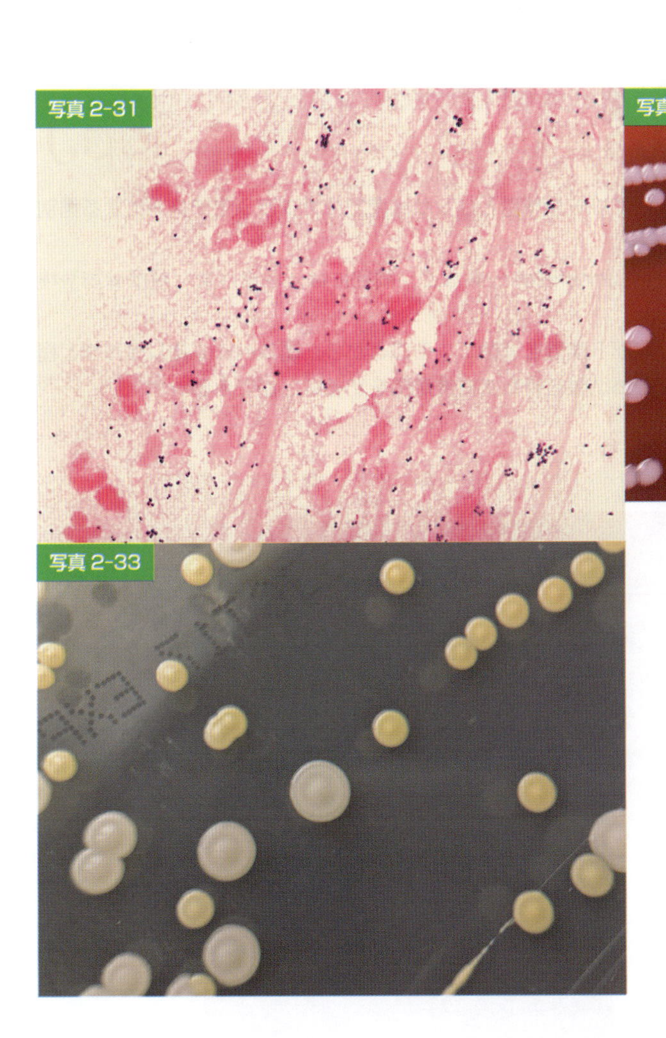

写真 2-31 グラム染色。開放性膿。*S. lugdunensis*。ブドウ球菌であることは推定できるが，菌種推定までは困難と考えられる。

写真 2-32 *S. pseudintermedius*（写真左）と黄色ブドウ球菌（写真右）。*S. pseudintermedius* はコアグラーゼ陽性であり，黄色ブドウ球菌と生化学的性状が類似するため，同定キットによっては誤同定される恐れがある菌として知られる。この菌は獣医学領域，特にイヌから分離されることが多いが，ヒトの感染症から分離されることも報告されており，同定に当たっては注意が必要である。。

臨床上のポイント

- 黄色ブドウ球菌と報告されるなかには，イヌに由来する *S. pseudintermedius* が隠れている場合もある。ともにコアグラーゼテストは陽性になるが，コロニーが異なる。
- 薬剤感受性は黄色ブドウ球菌の感受性ブレイクポイントで判断すると，そのなかにメチシリン耐性遺伝子である *mecA* を有することがあり，CNS の感受性ブレイクポイントで薬剤感受性を判断する必要がある。

写真 2-33 ミューラー・ヒントン（Mueller-Hinton）寒天培地上の *S. pseudintermedius* と黄色ブドウ球菌。黄色のコロニーが黄色ブドウ球菌，白色のコロニーが *S. pseudintermedius*。コロニーの色素も重要な鑑別要素となるが，培地や培養時間によっては判別しにくいことも多い。

b. レンサ球菌属（*Streptococcus* spp.）

臨床的に問題となるグラム陽性球菌は大きく分けてブドウ球菌とレンサ球菌で，カタラーゼテストによる鑑別で陰性となるのがレンサ球菌である。

血液寒天培地での溶血性やランスフィールド（Lancefield）分類など，同定には，さまざまな性状確認や検査が行われる。

微生物検査室では多くの場合，菌名を推定しながら検査を進めていることから，属レベルや種レベルなど程度の差はあるが，検査室に問い合わせることで最終結果を待たずに推定菌を知ることができる。

写真 2-34

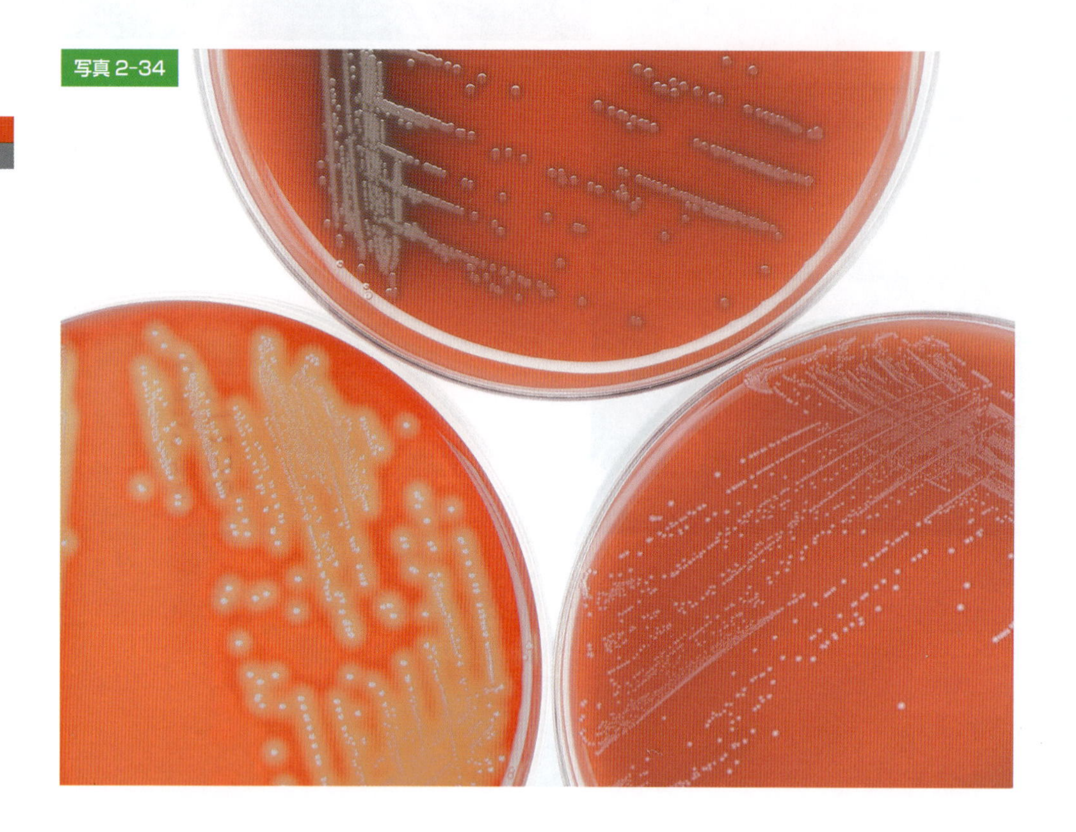

写真 2-34　レンサ球菌を観察するうえで重要な所見となるのが血液寒天培地での溶血性である。
写真上は α 溶血：溶血を起こした部分が緑色の色調となる。
写真左下は β 溶血：溶血を起こした部分は完全に透明となる。
写真右下は γ 溶血：溶血を起こさない。

肺炎球菌（*Streptococcus pneumoniae*）

特徴

・莢膜を有するグラム陽性双球菌で，血液寒天培地ではα溶血を示す。
・上気道に定着している（特に小児）。
・α溶血であるが強い病原性があり，免疫正常者にも致死的な感染症を生じうる。
・莢膜により抗体と好中球貪食に抵抗を示すため，低γグロブリン血症や脾臓摘出（脾摘）患者などの液性免疫不全者に重篤な感染症を引き起こす。
・血液，髄液，関節液から検出された場合は確定診断となる。
・尿中肺炎球菌抗原検査は特異度は高いが，感度が低いため（70%程度），除外に使用できない。
・13 価肺炎球菌結合型ワクチン（PCV13）導入により小児の侵襲性肺炎球菌感染症は減少した。しかし，PCV13 に含まれない莢膜血清型 12F，15B，22F，33F，15A，24 は小児領域において増加傾向にあり，また，典型的なコロニー形態を示さない場合もあるため，培地からの釣菌は注意が必要となる。そのため，臨床情報やグラム染色から肺炎球菌のコロニーを見落とさないように注意する。
・質量分析では，類縁菌である *Streptococcus mitis/oralis* との鑑別は困難であり，日常検査では胆汁溶解試験やオプトヒン試験など従来の検査により総合的に判断する必要がある。

生じうる代表的感染症

・肺炎，副鼻腔炎，中耳炎，髄膜炎，心外膜炎，心内膜炎，特発性細菌性腹膜炎（SBP），脾摘後劇症型感染症

培養同定の方法と技師からの注意点

・肺炎や中耳炎の原因として日常的に遭遇する頻度の高い細菌である。
・分離培養には溶血性が確認できるため，血液寒天培地を用いる。炭酸ガス培養を実施すると発育が促進される。
・中央部が陥没したα溶血を示す菌をターゲットに拾い上げる。この中央部分の陥没は自己融解によるものである。また，ムコイド型の肺炎球菌も存在し，盛り上がったみずみずしいコロニーを形成する。ムコイド型は中央部の陥没は認めないが，培養時間の経過とともにコロニーが自己融解により消滅していく。陥没を示さないコロニーや小型サイズの肺炎球菌も存在するため，臨床情報やグラム染色から見落とさないように十分に注意する。
・同定には，オプトヒン試験（感受性）や胆汁溶解試験（溶解）が利用される。肺炎や髄膜炎の診断に尿中抗原検査が広く利用されているほか，尿中抗原検査試薬を血液培養陽性例のボトル内容液に応用することで菌名推定の一助となる。

薬剤感受性検査の注意点

・肺炎球菌の感受性は CLSI document M100-S22 から大きく変更され，PCG について髄膜炎，髄膜炎以外，経口薬の 3 つに判定基準が設けられた。これにより，肺炎の症例では従来≦ 0.06 μg/mL が感性とされていたものが，M100-S22 から≦ 2 μg/mL とブレイクポイントが引き上げられ，ほとんどがペニシリン感性菌となり，臨床的にペニシリン耐性が問題となることはほとんどなくなった。しかし，髄膜炎のブレイクポイントは≦ 0.06 μg/mL が感性で，それを超えてくると耐性と判定される。
・また，欧米と比較して国内の肺炎球菌はマクロライド耐性が高く，厚生労働省院内感染対策サーベイランス事業（JANIS）の 2021 年の本邦のデータでは耐性が 8 割を超えている。

選択すべき抗菌薬と感染症専門医からの注意点

・ペニシリン耐性肺炎球菌という言葉がひとり歩きしているが，高度耐性菌はまれであり，実際には，髄膜炎を除き，ペニシリンを十分量使用すれば治療可能である。髄膜炎でなければ原則，PCG やアンピシリン（ABPC）で治療する。

・髄膜炎では初期治療はVCMとセフトリアキソン(CTRX)を併用する。カルバペネム系薬はできるだけ使用しない。
・レスピラトリーキノロンも第1選択薬にはしない。マクロライド耐性は深刻であり，使用しない。

◎詳細は『感染症プラチナマニュアル』の第2章の「肺炎球菌」参照。

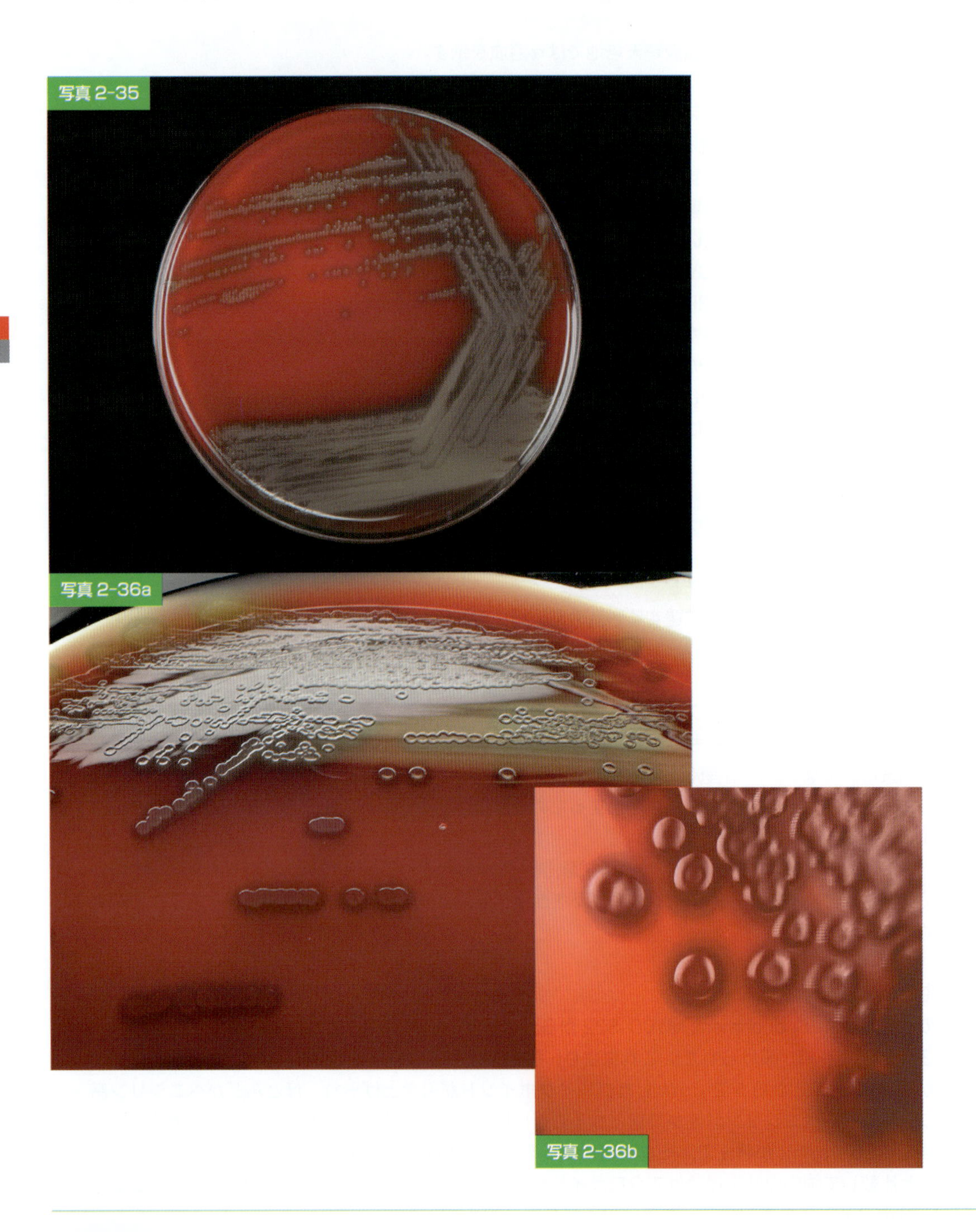

写真2-35 血液寒天培地に発育した肺炎球菌(*Streptococcus pneumoniae*)。コロニーの周囲に灰白色から緑色のα溶血帯を認める。

写真2-36 肺炎球菌のコロニーの特徴は，ムコイド型を除き中央部が陥没した形態をとる。これは自己融解によるためで，このコロニー所見は肺炎球菌と他のα溶血を示すレンサ球菌との鑑別に役立つ。

臨床上のポイント

・肺炎球菌は自己融解するため，しばしばグラム染色で確認できても培養されないこともある。

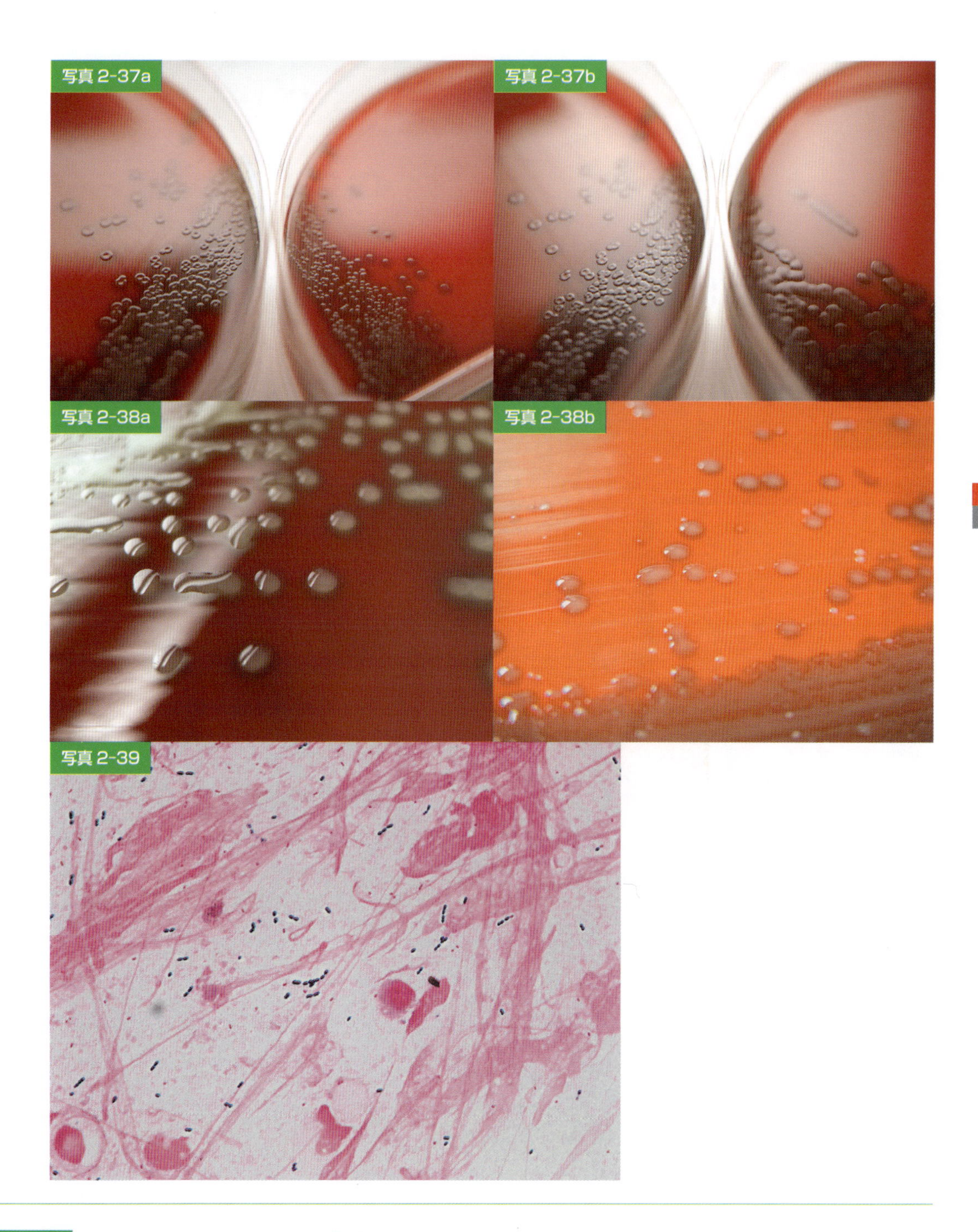

写真 2-37　2枚の写真の左側の培地は当院で使用しているヒツジ血液寒天培地で，右はそれぞれ違う製品である。いずれも同一の肺炎球菌のコロニーにもかかわらず，その外観は大きく異なる。肺炎球菌のコロニーは特に培地メーカーや製品により異なる形態を示すことが知られている。

写真 2-38　a：ムコイド型肺炎球菌のコロニー。全体が凸型の盛り上がったコロニーを形成する。だたし，ムコイド型コロニーも自己融解の影響で時間とともに全体が潰れてくる。ムコイド型は難治性中耳炎（ムコーズス中耳炎）の原因菌として知られている。主に血清型は3型が多い。
b：喀痰培養で認められたムコイド型肺炎球菌。常在菌とともに検出。

写真 2-39　グラム染色。肺炎球菌性肺炎の喀痰塗抹標本。強い炎症性の背景にグラム陽性双球菌を一面に認め，菌体の周りに白く抜ける莢膜が観察される。また，死菌となったものはグラム陰性に染まって認められる。

臨床上のポイント

- 良好な喀痰でこのような確定的な肺炎球菌を推定するグラム染色像であれば，PCG や ABPC で治療できる。カルバペネム系薬やキノロン系薬は必要としない。

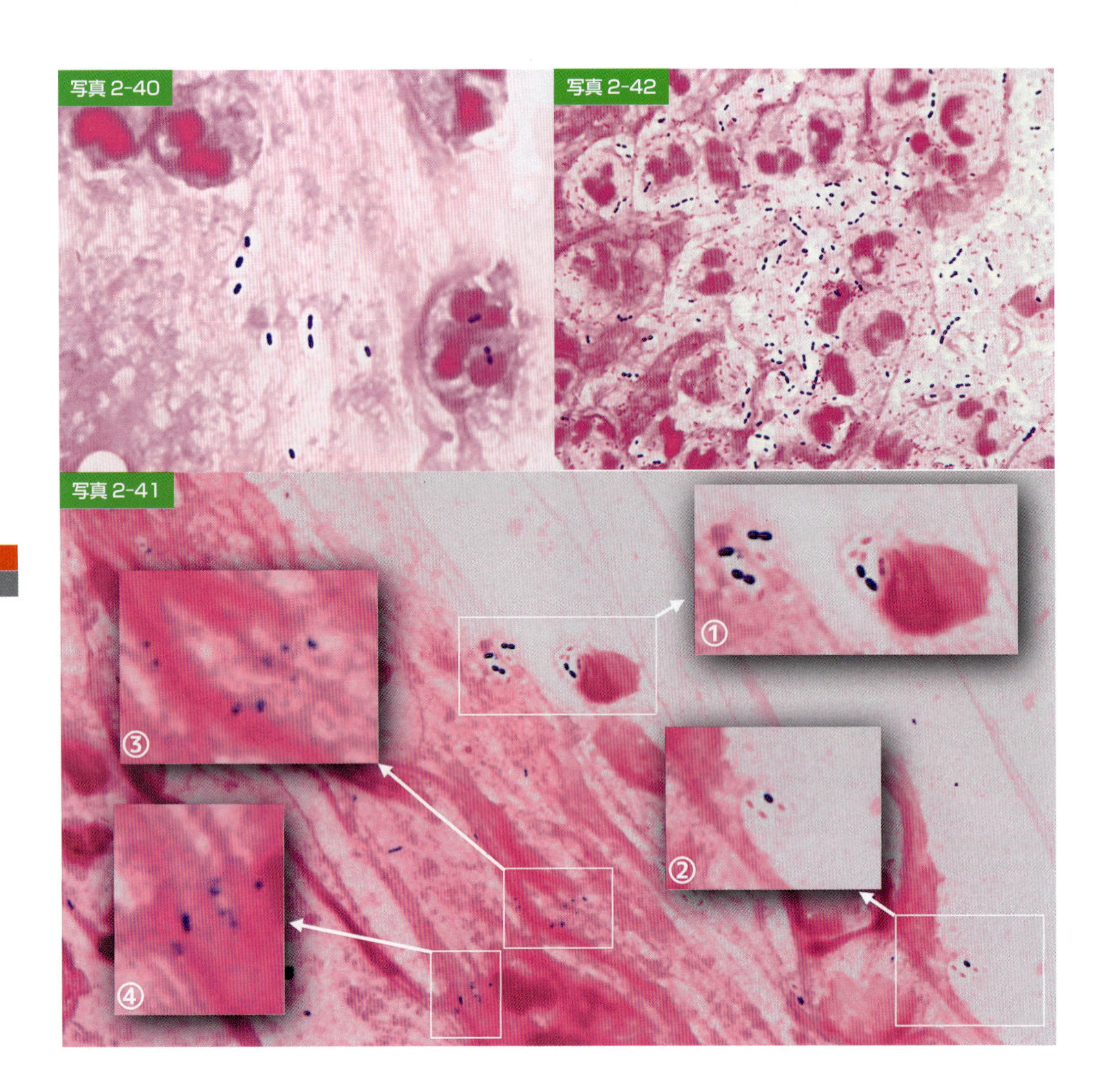

写真 2-40 グラム染色。肺炎球菌。莢膜を認める。実際の標本では莢膜が認められないことも多く，特に塗抹が薄い部分では認めにくい。フィブリンなどによりある程度の厚みがある部位を観察するとよい。

写真 2-41 喀痰の標本における肺炎球菌は常在菌であるビリダンスグループのレンサ球菌との鑑別に苦慮することも多い。そのようなケースでは莢膜の存在だけでなく，染色性の低下（グラム陰性化①②），菌が破壊された断片（③④）など肺炎球菌が死にやすい菌であるという特徴をみつけて総合的に判断する。また，肺炎球菌性肺炎の場合はフィブリンの析出が多くなるため，菌体だけではなく背景にも注目する必要がある。

写真 2-42 グラム染色。小児における肺炎球菌とインフルエンザ菌の混合感染。肺炎球菌はグラム陽性双球菌で，莢膜により菌体の周囲が白く抜けた所見。インフルエンザ菌はグラム陰性の小型の桿菌で，両菌種とも一面に認めている。

臨床上のポイント

- 肺炎球菌肺炎は PCG や ABPC で治療できるが，このような混合感染には注意する。
- 目立つグラム陽性菌の後ろにグラム陰性菌が存在しないか意識的に確認するとよい。
- このケースで使用するのはインフルエンザ菌をカバーする CTRX である。カルバペネム系薬ではない。

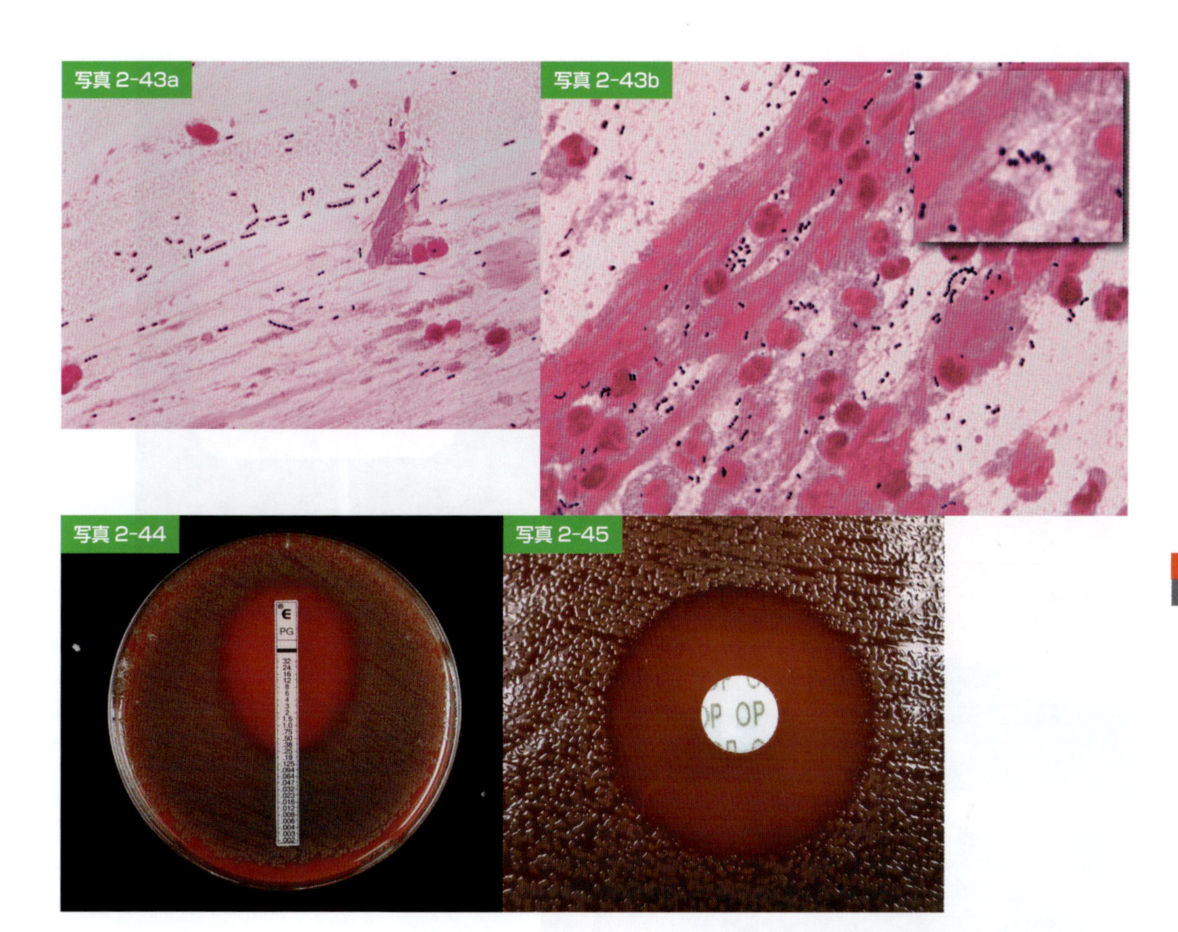

写真 2-43 グラム染色。ムコイド型の肺炎球菌を認める。通常の肺炎球菌に比較し菌体は丸く，少し長めの連鎖も形成する。いちばんの違いは菌体周囲が白く抜けるのではなく，菌体の周囲が赤く見えることが特徴である。

写真 2-44 E-test による肺炎球菌の薬剤感受性検査。2008 年に CLSI Document M100-S18 にて肺炎球菌のブレイクポイントが改訂され，髄膜炎以外の感染症に対する非経口ペニシリンのブレイクポイントは≧ 8 μg/mL が耐性に変更された。これにより，本邦で検出される肺炎球菌でペニシリン耐性と判定されるものはごくわずかになった。JANIS で公表されている 2015 年の本邦のデータでは，旧基準の場合 11.7%が耐性と判定されるが現行基準の場合 1.4%に留まる。

臨床上のポイント

- 繰り返すが，高度耐性菌はまれであり，実際には髄膜炎を除き，PCG や ABPC を十分量使用すれば治療可能である。
- 一方で，マクロライド系薬の耐性菌増加は深刻である。
- 推奨される抗菌薬は髄膜炎と髄膜炎以外で異なる。髄膜炎では経験的治療で VCM を CTRX に併用する。カルバペネム系薬は感受性が悪いうえに，CTRX で大部分は治療可能であるため，筆者は髄膜炎への使用は勧めない。

◎詳細は『感染症プラチナマニュアル』の第 2 章の「肺炎球菌」参照。

写真 2-45 オプトヒン試験。肺炎球菌はオプトヒンに感受性があるため写真のような阻止円を形成する。ただし，例外もあるため，胆汁溶解試験やグラム染色などと併せて総合的に判断する必要がある。

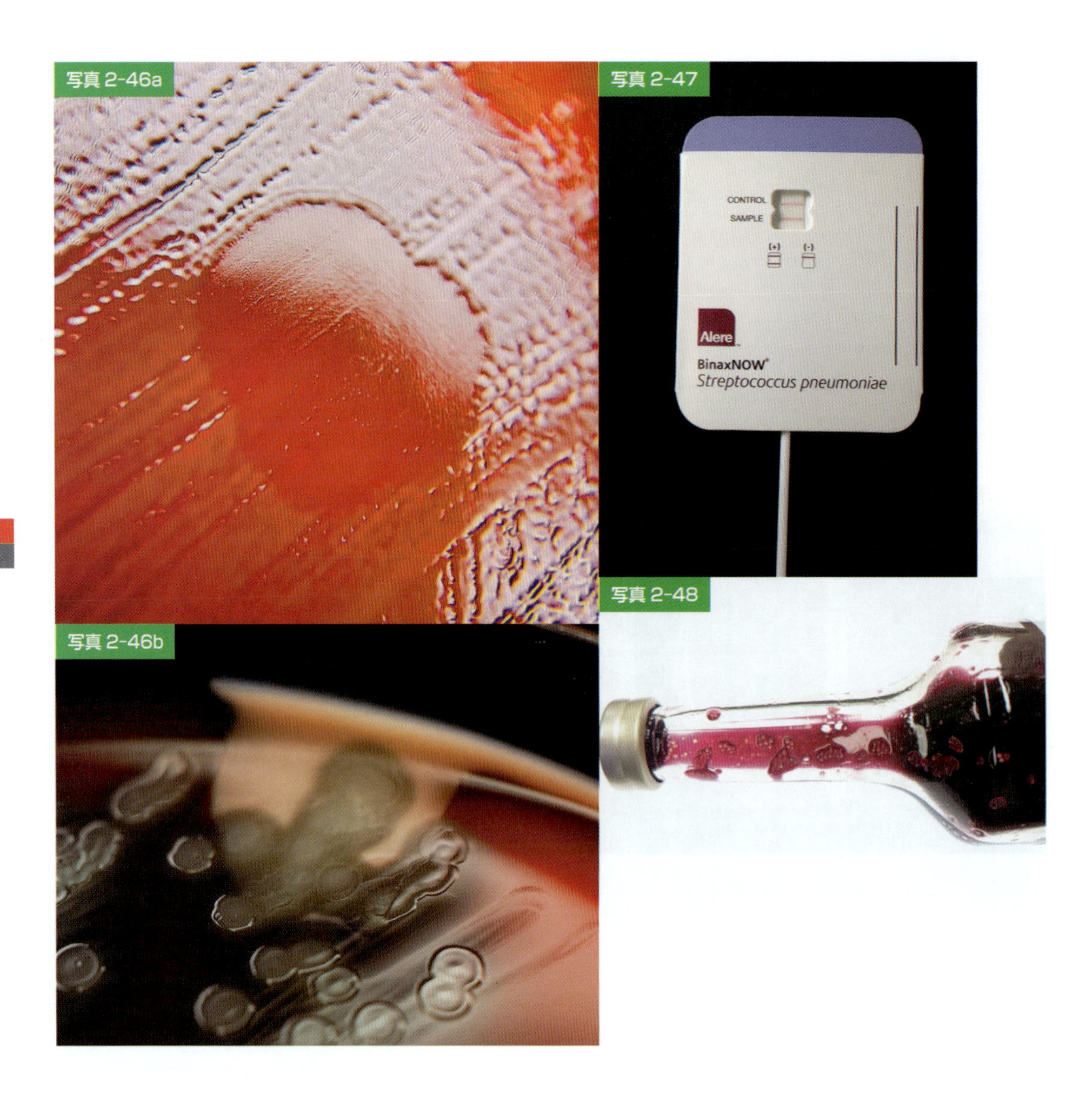

写真 2-46 胆汁溶解試験。ヒツジ血液寒天培地に発育する肺炎球菌のコロニーに胆汁酸溶液を滴下してコロニーの消失がみられれば陽性となる。肺炎球菌は胆汁溶解試験陽性である。試験管法では濁度の低下を判定する。

写真 2-47 肺炎球菌，レジオネラ菌（*Legionella pneumophila*）に関しては，尿中抗原のイムノクロマト法が広く利用されている。培養では保菌の場合にも検出されるが，尿中抗原が陽性であれば，偽陽性の場合を除き「感染があった」と考えられる。ただし，症例によっては数日から数週間にわたって尿中に抗原が排出される場合があることから，いつの感染なのか注意が必要である。また，肺炎球菌が鼻咽頭に常在する乳幼児が偽陽性を呈することも知っておく必要がある。また，この試薬は髄液を検体として検査することも認められているため，細菌性髄膜炎を疑った場合の診断の補助に使うことができる。微生物検査室では，血液培養の培養液を使って簡易的に肺炎球菌を鑑別することに利用する場合もある。現在は，血液培養陽性ボトルから肺炎球菌を含めた臨床的に遭遇する頻度の高い一部の菌種同定が可能なマルチプレックスの遺伝子検査試薬も普及している。

臨床上のポイント

- 尿中肺炎球菌抗原検査は特異度は高いが，感度が低いため（70%程度），除外に使用できない。また，陽性所見が持続するため効果判断にも使用できない。
- 尿中抗原陽性で重症でない肺炎であれば，極力，PCG や ABPC で治療したい。

写真 2-48 肺炎球菌が検出された血液培養ボトル。溶血を認めることが比較的多く，程度の差はあるが写真に示す赤ワインのような色調として溶血が認められる。

臨床上のポイント

- 溶血所見は，腸球菌との区別に重要である。

溶血性レンサ球菌

A 群 β 溶血性レンサ球菌〔group A β-hemolytic *Streptococcus*（GAS）；膿性レンサ球菌（*Streptococcus pyogenes*）〕

特徴

- 皮膚，口腔内に定着して原因菌となるグラム陽性レンサ球菌である。
- ランスフィールド（Lancefield）抗原で A 群が陽性。
- β 溶血で強い病原性がある。
- 咽頭炎や皮膚軟部組織感染症の重要な原因菌である。
- C，G，F 群も似たような臨床像をとり，特に高齢者で敗血症を起こすことが多い。

生じうる代表的感染症

- 咽頭炎，皮膚感染症（丹毒，蜂窩織炎，膿痂疹など），壊死性筋膜炎，猩紅熱，TSS，感染性心内膜炎，肺炎
- 感染後の免疫応答としてリウマチ熱，急性腎炎

培養同定の方法と技師からの注意点

- A 群溶連菌〔*Streptococcus pyogenes*（GAS）〕は，コロニー性状，特に強い溶血性から B 群溶連菌〔*Streptococcus agalactiae*（GBS）〕と異なることからある程度の推定が可能である。
- ただし，*S. dysgalactiae* subsp. *equisimilis* と似た溶血性を示すため，Lancefield 分類を調べるラテックス試薬を使うと短時間で鑑別が可能となる。ただし，例外もあることから，Lancefield 分類＝同定とはならないので，注意が必要である。
- そのほか，咽頭用の A 群溶連菌用抗原検査を用いて検査することも可能であり，壊死性筋膜炎など患部の拭い液を用いて検査して A 群溶連菌の存在を推定することも可能である。

薬剤感受性検査の注意点

- 微生物検査室がある施設の多くは CLSI 法などに準拠して実施されている。
- β-ラクタム系薬に関しては特に耐性傾向を認めないが，その他の系統，特にマクロライド系薬に耐性を示すものが比較的多く認められる。

選択すべき抗菌薬と感染症医からの注意点

PCG や ABPC が有効である。壊死性筋膜炎や TSS では，毒素産生を抑制する効果を期待して CLDM を併用する。

◎詳細は『感染症プラチナマニュアル』の第 2 章の「A 群 β 溶血性レンサ球菌」参照。

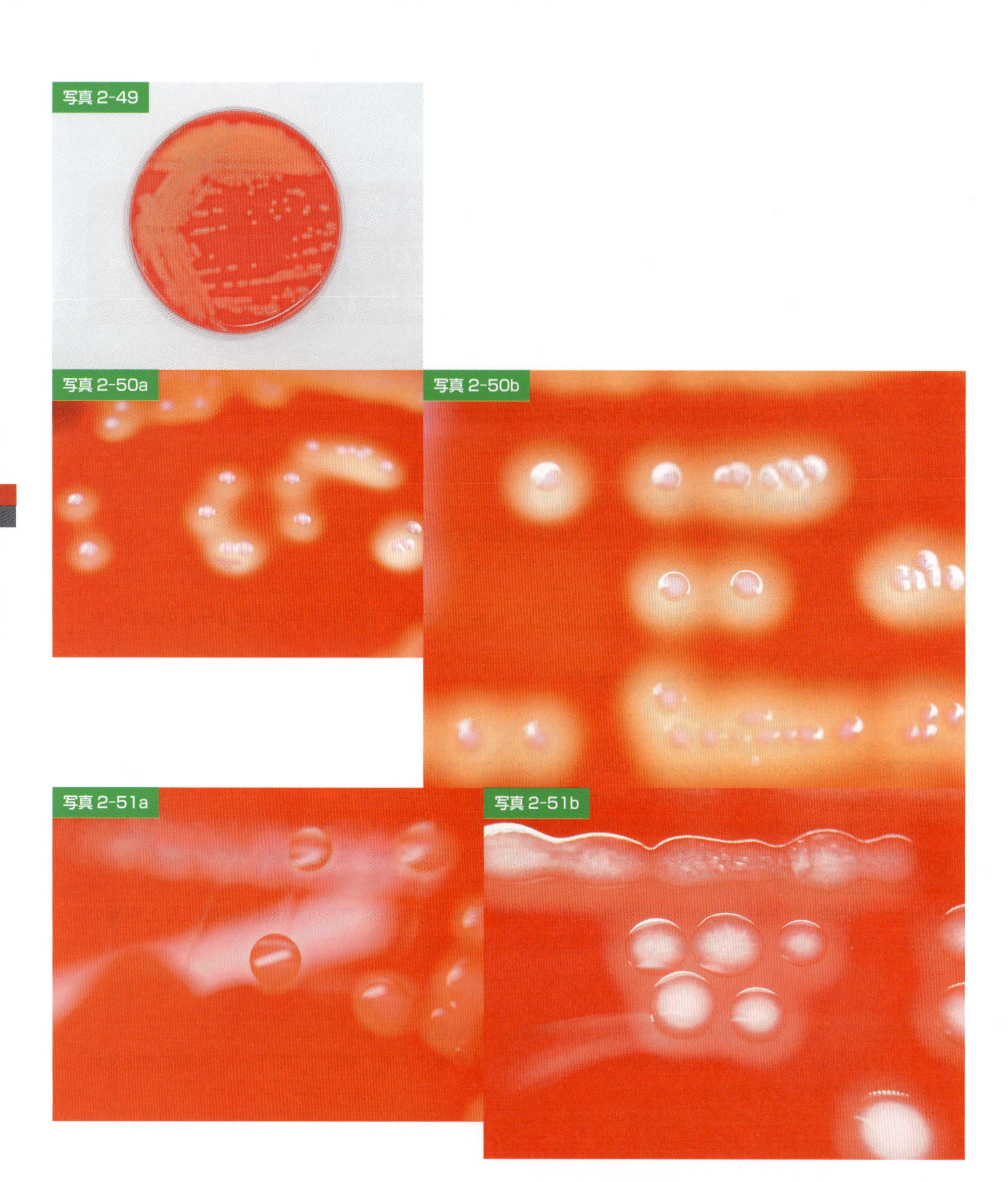

写真 2-49 *Streptococcus pyogenes*。Lancefield 抗原の A 群を有することから，A 群溶連菌，GAS (group A *β-Streptococcus*) などとも呼ばれる。咽頭炎や軟部組織感染症の原因菌として知られ，免疫的機序を介して，リウマチ熱，急性糸球体腎炎を起こすことが知られている。近年では劇症型溶連菌感染症が増加傾向であり，見逃すことができない感染症の 1 つである。

臨床上のポイント

- 強い病原性があるが，PCG や ABPC で治療できる。
- 重症だからと広域抗菌薬を続けない。

写真 2-50 A 群溶連菌の血液寒天培地上のコロニー。明瞭な β 溶血を示すため，血液寒天培地を利用すると菌の存在が確認しやすい。溶血が弱い，または非溶血性を示す報告もある。

写真 2-51 ムコイド型のコロニーを示す菌株もしばしば認められる。

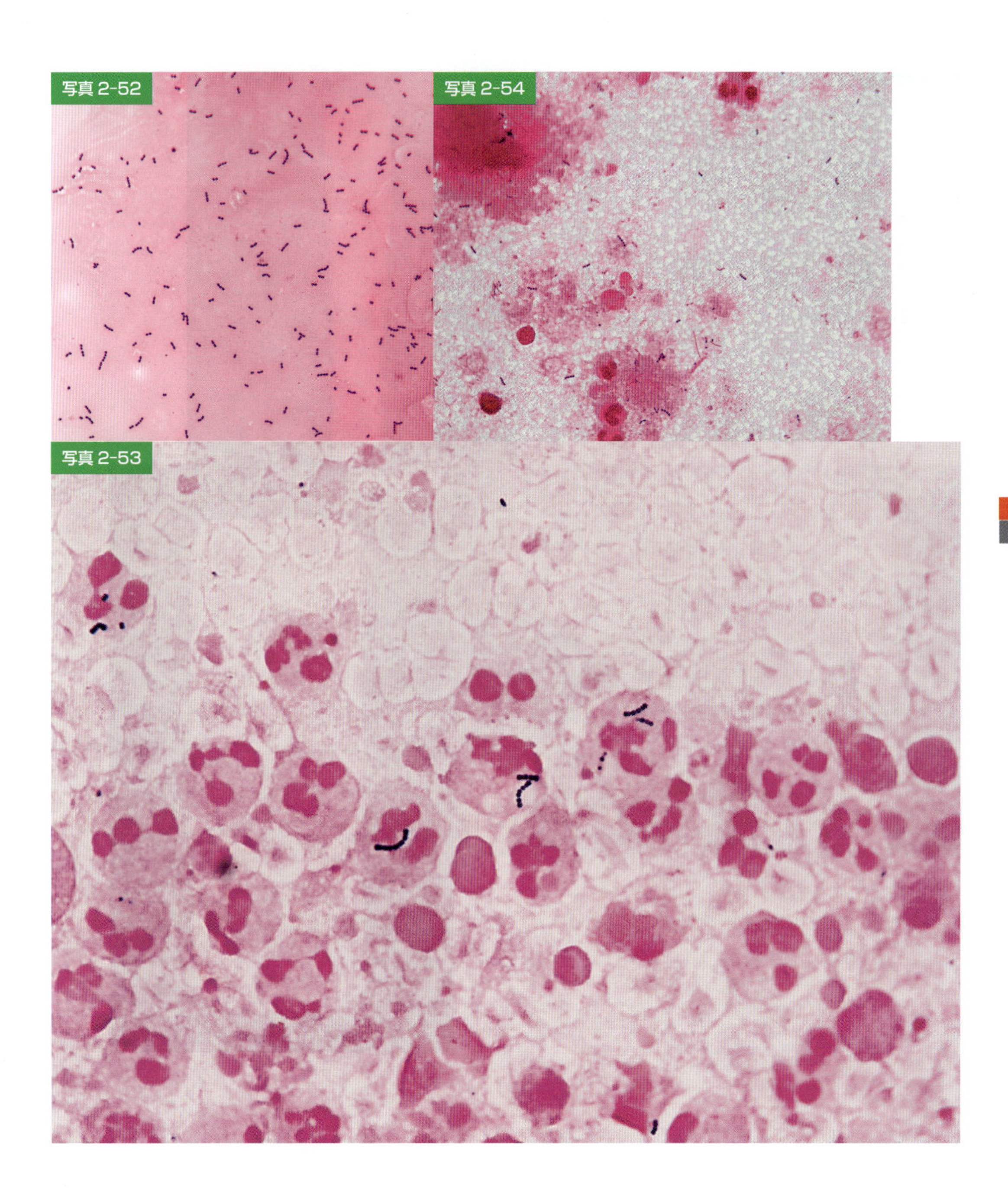

写真 2-52 グラム染色。血液培養ボトルで検出した *S. pyogenes*。グラム陽性レンサ球菌で，背景の赤血球が溶血していることに注目したい。

臨床上のポイント

- 劇症型溶連菌感染症では，ペニシリン系薬に毒素を抑制する効果を期待して，CLDM を併用することが多い。
- 壊死性筋膜炎ではデブリードマンなどソースコントロールの実施が重要である。

◎詳細は『感染症プラチナマニュアル』の第 3 章の「壊死性筋膜炎」，「トキシックショック症候群」参照。

写真 2-53 扁桃周囲膿瘍のグラム染色像。感染部位では 4～6 連程度の長さで認められることが多い。*S. pyogenes* は扁桃周囲膿瘍の主要な原因菌の 1 つである。

臨床上のポイント

- TSS や壊死性筋膜炎でこのようなグラム染色像であれば，PCG＋CLDM にて治療を行う。カルバペネム系薬や抗 MRSA 薬を中止できる。

写真 2-54 喀痰では口腔内常在性のレンサ球菌との鑑別に苦慮する場合があるが，4～6 連程度のレンサ球菌を優位に認める場合には GAS 感染にも注意する。写真は壊死性筋膜炎症例で肺炎に至った症例。

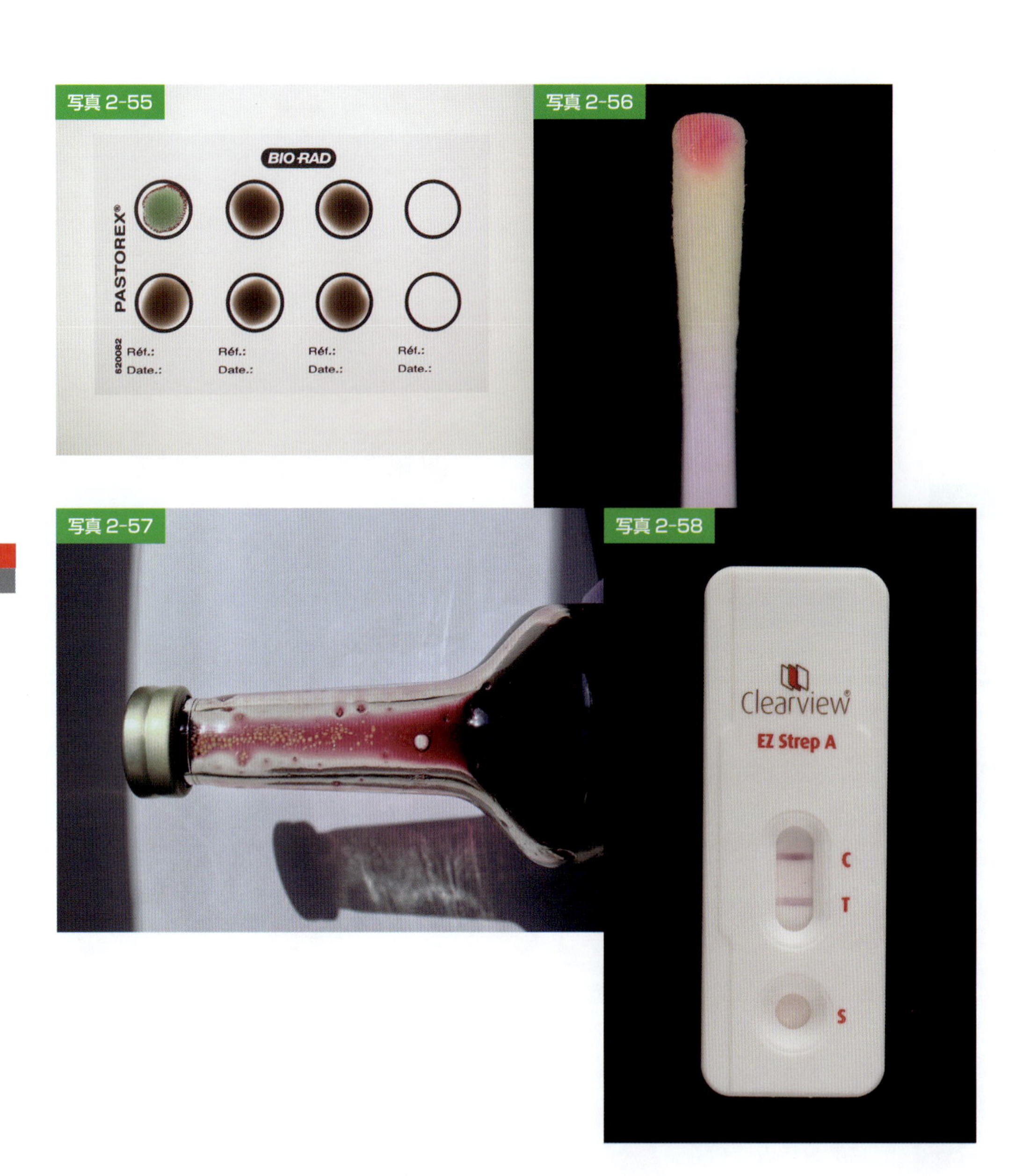

写真 2-55　Lancefield 抗原の検査試薬は，各社からさまざまなものが販売され，臨床検査室で広く利用されている。通常，コロニーを利用して検査を実施するが，血液培養で溶連菌が疑われる場合に，培養液を用いて原因菌を推定することも行われている。写真は A 群に凝集を示したものである。

写真上段：左から，A 群，C 群，F 群。写真下段：左から，B 群，D 群，G 群。

写真 2-56　ピロリドニルアリルアミダーゼ（PYR）試験。*S. pyogenes* は PYR 試験陽性であり（赤色），他の β 溶血を示すレンサ球菌との鑑別に有用である。写真のようにスティック型の簡易テストが市販されている。

写真 2-57　*S. pyogenes* は強い溶血を示すため，血液培養ではボトル内の溶血が容易に観察できる。写真では判別しづらいが，実物を見ると，赤ワインのような溶血所見が明瞭に観察できる。

臨床上のポイント

・血液培養が陽性の時点で，溶血所見がわかれば，本菌を推定可能である。検査室へ足を運び，問い合わせることが大切である。

写真 2-58　*S. pyogenes* 感染症を疑った場合に咽頭用のイムノクロマト検査試薬を利用すると *S. pyogenes* の存在をすみやかに示唆してくれる。壊死性筋膜炎や血液培養陽性など緊急性に応じて原因菌推定の助けとなる。

◎『感染症プラチナマニュアル』の第 2 章「腸球菌」参照。

B 群溶血性レンサ球菌〔group B β-hemolytic *Streptococcus*（GBS）；ストレプトコッカス・アガラクチエ（*Streptococcus agalactiae*）〕

Lancefield 抗原の B 群陽性のグラム陽性溶血性レンサ球菌（B 群溶連菌）で，A 群溶連菌に比較して弱い溶血環が特徴である。ヒトの腸管内や泌尿生殖器に常在し，10～30％が保菌しているとされる。

新生児髄膜炎の原因菌として重要で，予防のために妊婦の腟分泌物または直腸スワブでスクリーニングを実施し，陽性の場合には抗菌薬の予防投与が行われる。新生児以外でも軟部組織感染症や尿路感染症，敗血症などの原因となることが知られている。

特徴

・主に腟や腸管に定着保菌しているグラム陽性レンサ球菌である。
・周産期，高齢者や成人で糖尿病など基礎疾患のある患者への感染症が問題となる。
・Lancefield 抗原で B 群が陽性。

生じうる代表的感染症

・新生児の髄膜炎，妊婦の尿路感染症，子宮内膜炎，絨毛羊膜炎，成人免疫不全者の肺炎，尿路感染，感染性心内膜炎，敗血症，化膿性関節炎，軟部組織感染症，髄膜炎

培養同定の方法と技師からの注意点

・腸管内の常在菌であり，糞便や泌尿生殖器からの検出が多い。
・検出は比較的容易な菌で，血液寒天培地からβ溶血を示す菌を取りこぼすことは少ないと考えられるが，妊婦の B 群溶連菌スクリーニングでは選択増菌培養など高感度での検出が望ましい。
・溶血を示さない *S. agalactiae* も認められるが，コロニー性状は B 群溶血レンサ球菌そのものであり，慣れた検査技師であれば見分けることが可能である。同定は，Lancefield 分類で B 群陽性，CAMP テスト（Christie, Atkins, and Munch-Peterson Test）陽性などから容易に同定できる。
・注意が必要なのがグラム染色で，血液培養陽性例で長い連鎖を形成しない場合に集塊となっている部位がブドウ球菌様や双球状を示し，腸球菌様に見えることがある。また，他の溶連菌と比較して溶血が弱いため，陽性シグナルが出たときにはボトルの溶血を認めないことも多い。

薬剤感受性検査の注意点

・従来，ペニシリンに対して良好な感受性を示していたが，近年，ペニシリン結合蛋白の変異からペニシリン低感受性株の報告が相次いでいる。また，CLSI では，ペニシリンアレルギーのある妊婦に関してブドウ球菌と同様に，CLDM に対してマクロライド誘導耐性検査を実施するとしている。

◎詳細は『感染症プラチナマニュアル』の第 2 章の「B 群β溶血性レンサ球菌」参照。

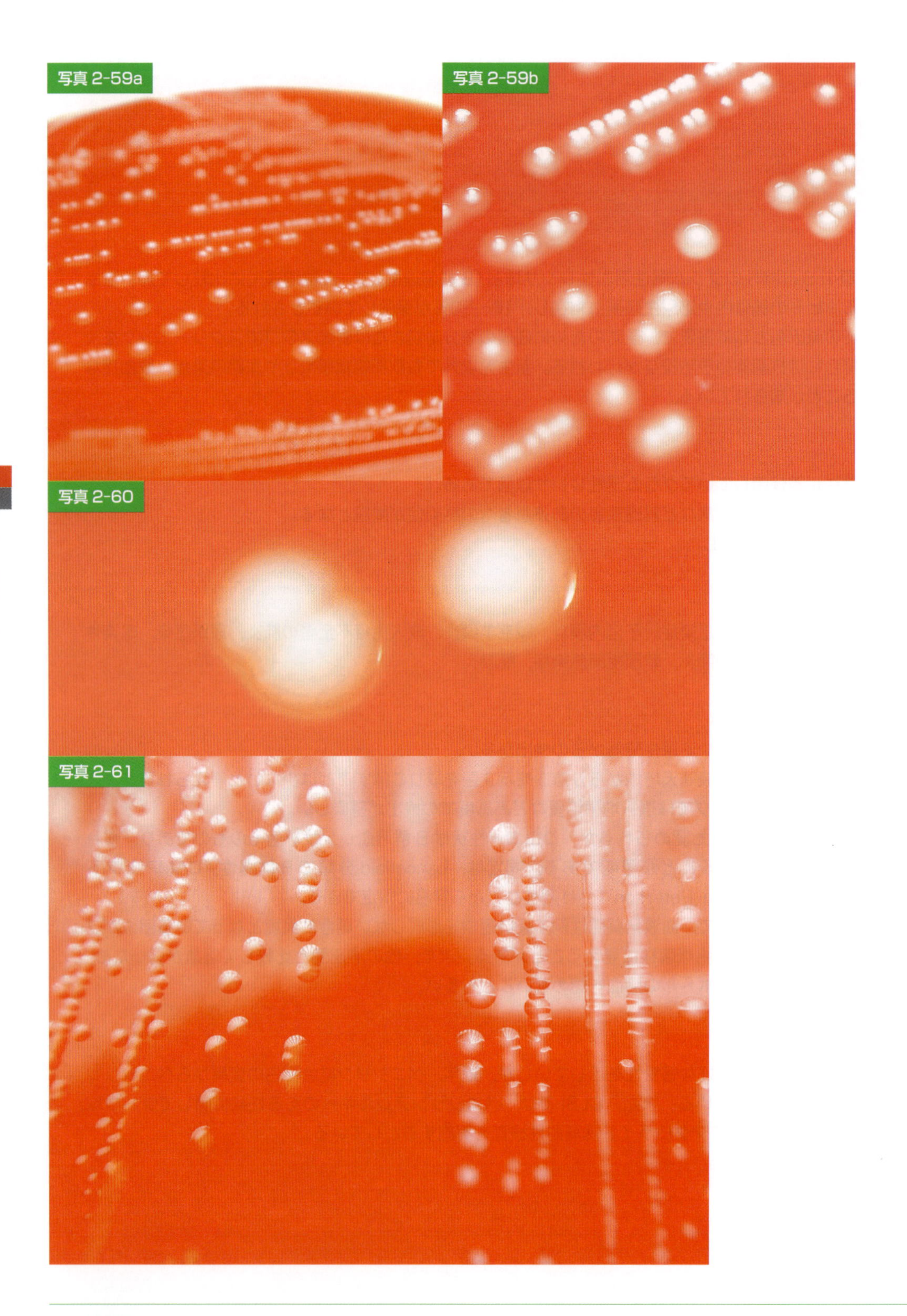

写真 2-59　B群溶連菌(*Streptococcus agalactiae*)。A群溶連菌と比較し弱い溶血環である。まれに溶血を認めない株も存在するので，注意を要する。

写真 2-60　溶血環の狭いB群溶連菌。利用する培地の種類や株，培養時間により溶血環の幅は異なる。

写真 2-61　B群溶連菌。カロテノイド色素産生により黄色に着色した株(左)も認められる。

臨床上のポイント

・妊婦の腟分泌物で本菌が認められれば，新生児髄膜炎の予防のため，除菌する。

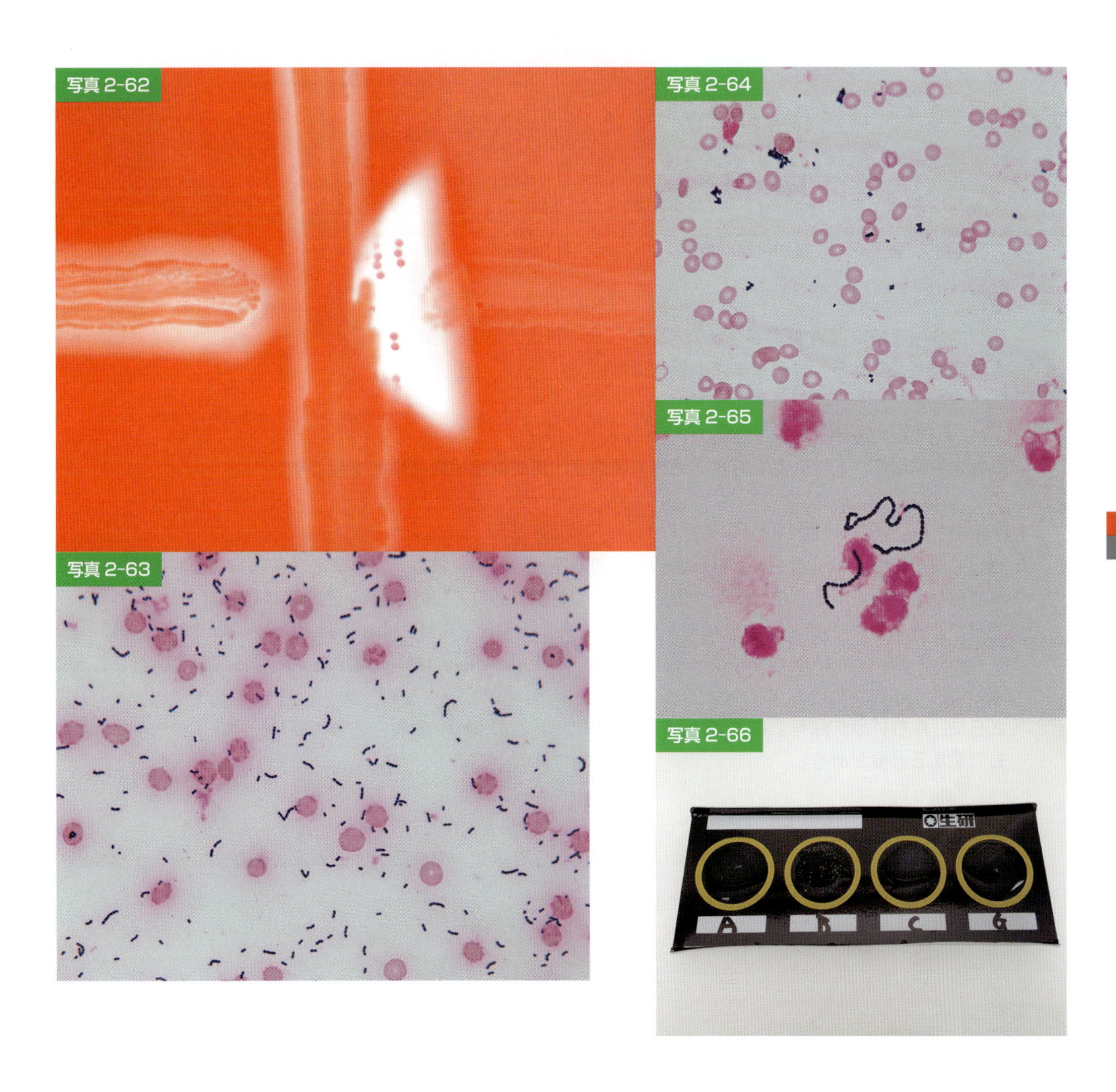

写真 2-62 CAMP テスト。β毒素産生の黄色ブドウ球菌を画線し，直角になるようにＢ群溶連菌を画線して培養する。Ｂ群溶連菌は黄色ブドウ球菌と交わる部分に矢じり状の溶血帯を認める。

写真左：GAS，中央：黄色ブドウ球菌，写真右：Ｂ群溶連菌。

写真 2-63 グラム染色。血液培養ボトルから検出したＢ群溶連菌。双球状から４連，まれに長い連鎖と比較的多彩な所見を認める。血液培養が陽性となった際に，外観では溶血が認められないことがあるが，時間の経過に伴い溶血が認められるようになる。

臨床上のポイント

・血液培養から検出されれば必ず治療する。PCG や ABPC を用いる。心内膜炎ではゲンタマイシン（GM）を併用することが多い。

◎詳細は，『感染症プラチナマニュアル』の第２章の「Ｂ群β溶血性レンサ球菌」参照。

写真 2-64 ブドウ球菌に類似したＢ群溶連菌。このように小型のクラスターを示す場合もあり，誤判定には注意する。

写真 2-65 グラム染色。尿から検出した長い連鎖を示すＢ群溶連菌。

臨床上のポイント

・妊婦では，腟定着菌や無症候性細菌尿であっても，除菌を行う。

写真 2-66 Lancefield 抗原のＢ群に凝集を認める。

G 群溶血性レンサ球菌〔group G β-hemolytic *Streptococcus*（GGS）；*Streptococcus dysgalactiae* subsp. *equisimilis*（SDSE）〕

特徴

・臨床的な振る舞いは A 群溶連菌と似る。
・A 群溶連菌と異なり，リウマチ熱の報告はない。

生じうる代表的感染症

・高齢者や糖尿病，悪性腫瘍を有する患者に菌血症，皮膚軟部組織感染症を起こす。

培養同定の方法と技師からの注意点

・培養に関しては他の溶血性レンサ球菌同様，血液寒天培地に発育し，β溶血を示す菌を指標に拾い上げることが可能である。同定も自動機器や同定キットで可能であり，Lancefield 分類は G 群となる。
・注意が必要なのは Lancefield 分類で G 群抗原を有する菌は，*S. dysgalactiae* subsp. *equisimilis* のほかに，*S. canis* や *S. anginosus* group の一部などがあり，Lancefield 分類＝同定結果にならないということを認識しておく必要がある。
・さらに，A 群抗原を保有する *S. dysgalactiae* subsp. *equisimilis* も報告されており，同定には生化学的性状も考慮する必要がある。

薬剤感受性検査の注意点

・A 群溶蓮菌と同様に，ペニシリン系薬に良好な感受性を示す。マクロライド系薬に関しては耐性が認められる。

写真 2-67

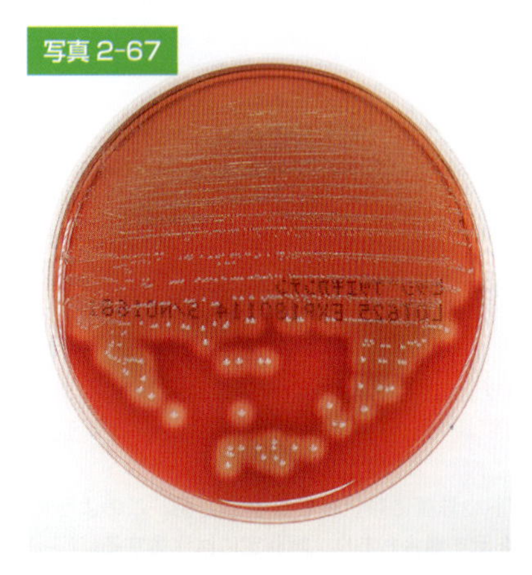

写真 2-67 *Streptococcus dysgalactiae* subsp. *equisimilis*（SDSE）。Lancefield 抗原の G 群陽性で，通称 GGS（group G *Streptococcus*）として知られる。A 群溶連菌と同様に強い溶血を示す。近年，A 群溶連菌と同様に劇症型溶連菌感染症の原因として報告が増えており，高齢者のフォーカス不明の敗血症としても比較的よくみられる。

臨床上のポイント

・高齢者や糖尿病，悪性腫瘍を有する患者に菌血症や皮膚軟部組織感染症を起こす。リウマチ熱には関係しないようである。高齢者の敗血症で感染源がはっきりしないときに本菌が検出されることが多い。

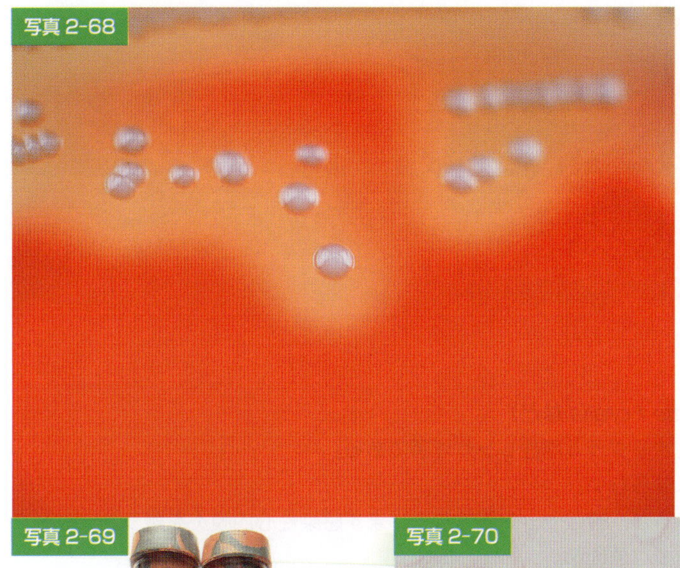

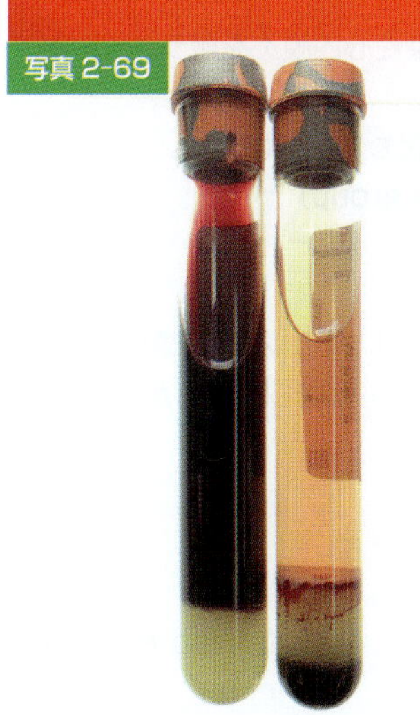

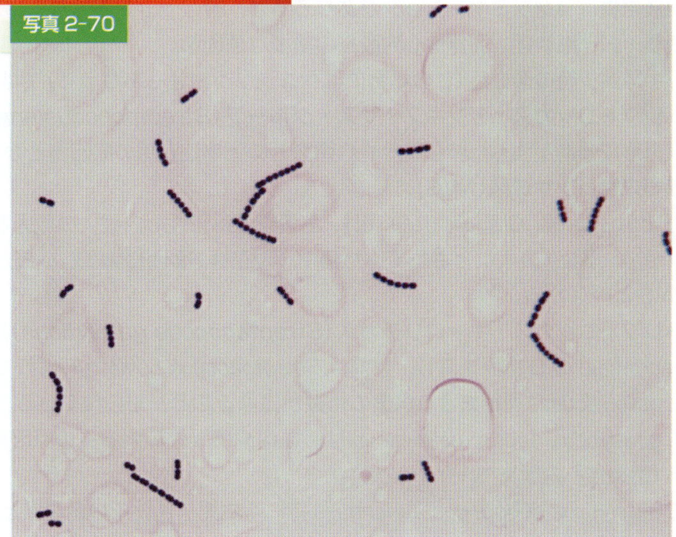

写真 2-68 GGS。コロニー拡大像。

臨床上のポイント

・PCG で治療する。TSS や重症な場合に CLDM を併用してよい。

写真 2-69 GGS 陽性の血液培養内容液を抜き出して遠心分離したもの。

写真左：上清に強い溶血が認められ，分離剤の下の赤血球層も消失している。

写真右：対照として血液培養陰性のものを遠心。

写真 2-70 グラム染色。血液培養ボトルに発育した GGS。赤血球は溶血しているため視野に認めない。

その他のレンサ球菌〔α-*Streptococcus*，ストレプトコッカス・アンギノーサス（*Streptococcus anginosus*），栄養要求性レンサ球菌（NVS），ストレプトコッカス・ギャロリチカス（*Streptococcus gallolyticus*）〕

特徴

α-*Streptococcus*（*Streptococcus mitis* / *oralis* など）

・α溶血で，上気道，消化管，皮膚に常在するグラム陽性レンサ球菌である。
・上気道から検出されるものは原因菌とはならない。
・血液培養はコンタミネーションがありうるが，複数セット陽性なら，まず感染性心内膜炎を疑う。
・歯科・頸部感染症，亜急性心内膜炎の重要な原因菌。
・好中球減少時の菌血症（この場合にはペニシリン耐性もありうる）では，重症化もまれではない。

ストレプトコッカス・アンギノーサス・グループ（*Streptococcus anginosus* group）

・膿瘍形成傾向が強く，肺化膿症や膿胸などの膿瘍性疾患の原因菌となりやすい。

栄養要求性レンサ球菌（NVS）

・*Abiotrophia* 属，*Granulicatella* 属は，培養陰性感染性心内膜炎の原因となりやすい緑色レンサ球菌（viridans streptococci）の 1 つとされていた菌で，現在は *Streptococccus* 属からは独立・転属しているが，便宜上，NVS と呼ばれる。

ストレプトコッカス・ギャロリチカス（*Streptococcus gallolyticus*）〕

・Lancefield の D 抗原を有し，以前は *Streptococcus bovis* と呼ばれていた。
・*S. gallolyticus* は亜種により病態の特徴が異なることが知られている。
・*S. gallolyticus* subsp. *gallolyticus* は菌血症や感染性心内膜炎の原因菌となるが，高率に大腸がんを合併する（感染性心内膜炎で 15 ～ 62%）。
・*S. gallolyticus* subsp. *pasteurianus* は特に新生児・乳児での髄膜炎との関連性が深いとされる。

生じうる代表的感染症

・菌血症（悪性腫瘍患者や好中球減少患者），感染性心内膜炎，歯科・頸部感染症，肺化膿症，膿胸，脳膿瘍，腹腔内膿瘍

培養同定の方法と技師からの注意点

・都合上，ここにいくつかのレンサ球菌をまとめている。培養は血液寒天培地またはチョコレート寒天培地を用いて炭酸ガス培養を実施することで，NVS など一部の菌を除き，多くの菌を検出することが可能である。
・*S. anginosus* group は小型のコロニーを形成し，単一菌感染の場合もあるが，嫌気性菌が関与した複数菌感染（polymicrobial infection）の際に原因菌の 1 つとして検出されることが多い。また，*Prevotella* 属菌や *Porphyromonas* 属菌，*Fusobacterium* 属菌などは *S. anginosus* group などのレンサ球菌の存在で発育が抑制されることが知られているため，嫌気培養の際には嫌気性グラム陰性菌選択培地の併用が望ましい。
・グラム染色において小型のレンサ球菌で集塊を形成することから推定できることも多い。
・独特のカラメル様の甘い臭気が特徴である。

薬剤感受性検査の注意点

・CLSI document M100 または M45 などに準拠して実施する。

選択すべき抗菌薬と感染症専門医からの注意点

・原則としてPCGやABPCを用いる。心内膜炎では感染症専門医と相談する。*S. gallolyticus* subsup. *gallolyticus* の菌血症では，大腸ファイバー検査を行う必要がある。

◎詳細は，『感染症プラチナマニュアル』の第2章の「ストレプトコッカス・アンギノーサスグループ」および「緑色レンサ球菌」参照。

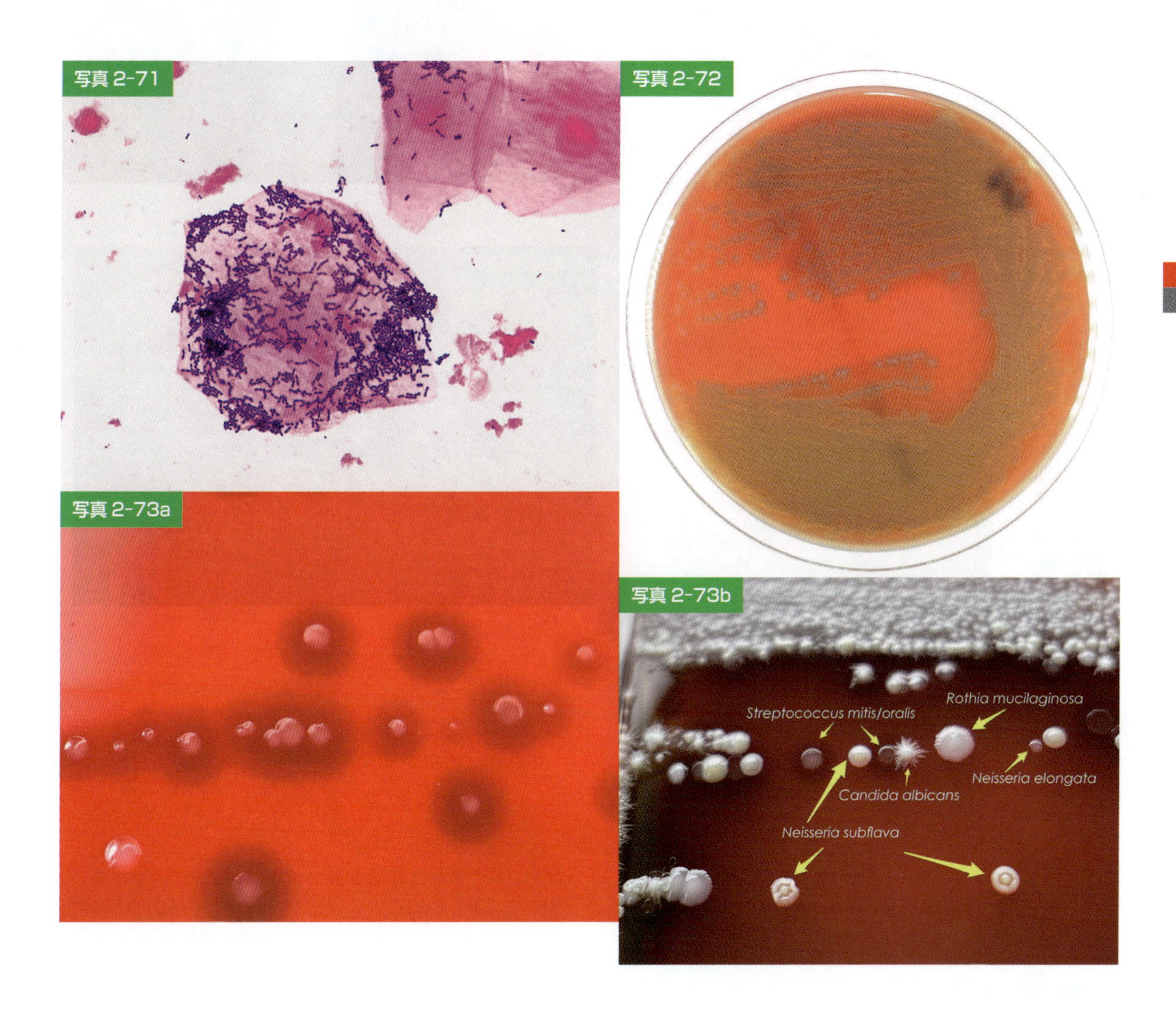

写真2-71 グラム染色。扁平上皮細胞に付着するα-*Streptococcus*，通称 ビリダンスグループと呼ばれ，肺炎球菌と同様に，血液寒天培地上でα溶血を示す。口腔内常在菌であるため，呼吸器検体では比較的よく認められるが，グラム陽性双球菌であり，肺炎球菌と誤認されるケースをよくみかける。写真のような扁平上皮細胞に多数付着している菌は，口腔内に常在している証拠であるため，肺炎球菌は考えづらい

臨床上のポイント

・口腔内の常在菌であり，このような扁平上皮細胞に付着したα-*Streptococcus* は病原菌とは考えにくい。
・血液培養からの検出菌も汚染菌であることが多いが，繰り返しの血液培養検出では感染性心内膜炎を強く疑う。
・シタラビンなどによる口腔粘膜障害を伴う好中球減少時の発熱では，本菌の菌血症が生じると，急性呼吸促迫症候群（ARDS）を併発するなどしばしば重篤になりうる。

写真2-72 *Streptococcus mitis*。血液寒天培地上でα溶血を示すことから，α-*Streptococcus*，またはビリダンスグループと呼ばれる。分類学的には肺炎球菌もこの仲間であり，遺伝子的にも非常に近縁である。口腔内常在菌であり，通常，感染症を引き起こすことはまれであるが，この菌は感染性心内膜炎の原因菌として重要である。

写真2-73 喀痰培養。常在菌群の1つとして認められる*S. mitis / oralis*。血液寒天培地の拡大像。

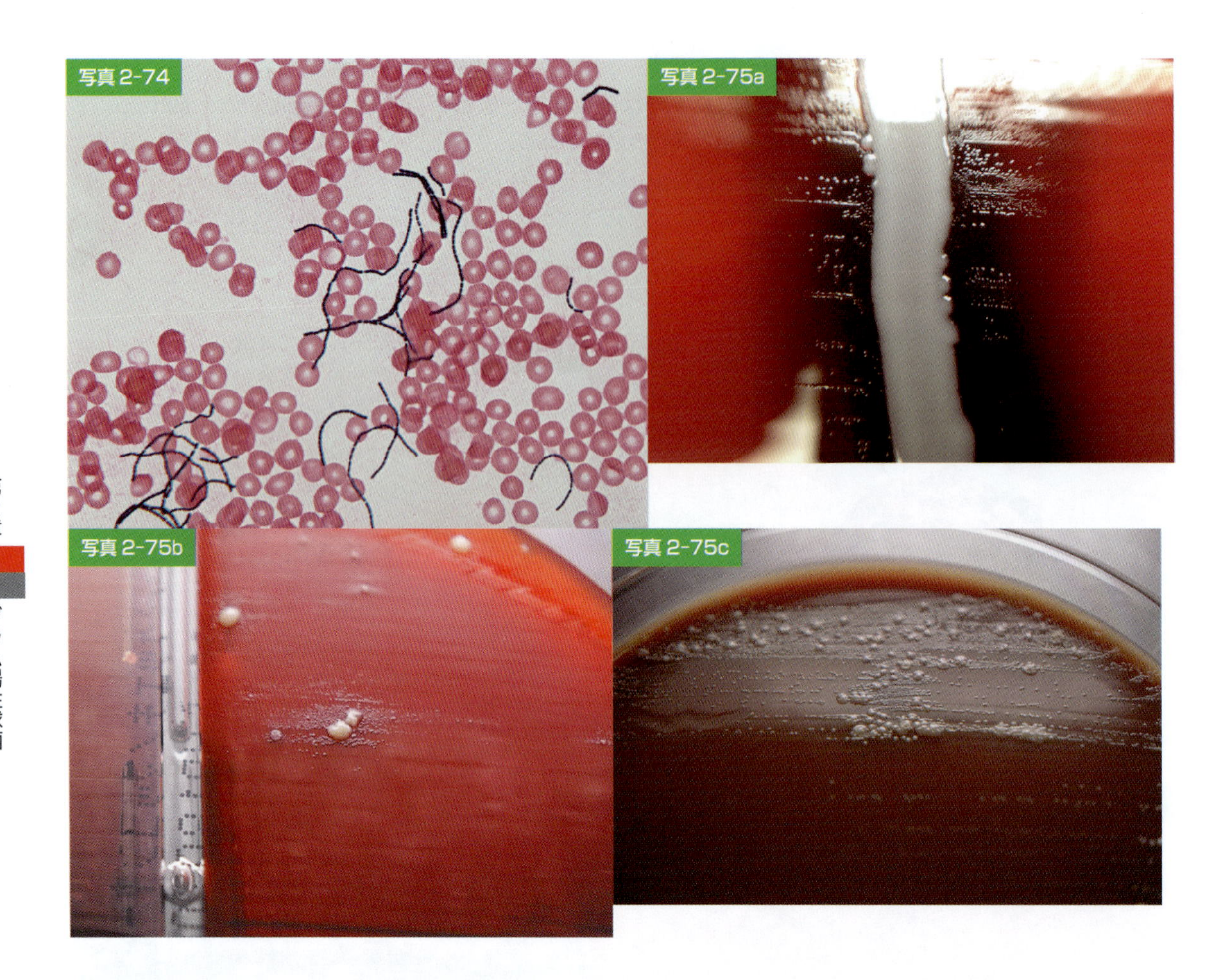

写真 2-74 グラム染色。血液培養ボトルに発育を認めた *S. mitis*。長い連鎖を認めるグラム陽性球菌として認められる。2セット4本すべてから検出された。感染性心内膜炎症例。

臨床上のポイント

- 本菌による心内膜炎は，原則として PCG で治療ができるが，PCG の MIC により GM を併用することがある。

◎詳細は，『感染症プラチナマニュアル』の第２章および第３章の「感染性心内膜炎」参照。

写真 2-75 *Granulicatella adiacens*。衛星現象拡大写真。感染性心内膜炎の原因菌の１つとして，*Abiotrophia / Granulicatella* が知られている。この菌は栄養要求性レンサ球菌（NVS）と呼ばれ，特殊な栄養要求性を有するレンサ球菌である。培養するには，少々変わった特徴をもつ。血液培養などでグラム陽性球菌が検出され，ヒツジ血液寒天培地にサブカルチャーを実施しても発育してこない場合に，この菌を疑うことができる。この写真の症例も血液寒天培地にサブカルチャーを実施したが発育しなかった。しかし，中央に黄色ブドウ球菌を画線して培養すると，黄色ブドウ球菌の周囲に微小コロニーの発育が認められる。黄色ブドウ球菌は NVS が要求する L-システインやビタミン B6，ニコチンアミドアデニンジヌクレオチド（NAD）などを放出するため，黄色ブドウ球菌の周囲に NVS が発育することができる。チョコレート寒天培地にはこれらの栄養素が含まれるため，血液寒天培地に発育せずにチョコレート寒天培地に発育するヘモフィルス属（*Haemophilus* spp.）に似たパターンで発育してくる。この症例は同定の結果，*G. adiacens* による感染性心内膜炎と診断された。また，この細菌は口腔内常在菌であるため，喀痰や咽頭培養でブドウ球菌などの周囲に衛星現象として発育しているのが認められる（b）。同一検体のチョコレート寒天培地には多数の菌体が認められる（c）。

臨床上のポイント

- 培養陰性になりやすい心内膜炎の原因菌の１つ。PCG の感受性が他のレンサ球菌よりも悪いため，治療には PCG に GM を併用する。
- 血液培養陰性のとき，心内膜炎を疑うことを検査室へ伝えることで優秀な検査技師により，このような菌を同定できる。

◎詳細は，『感染症プラチナマニュアル』の第２章の「緑色レンサ球菌」参照。

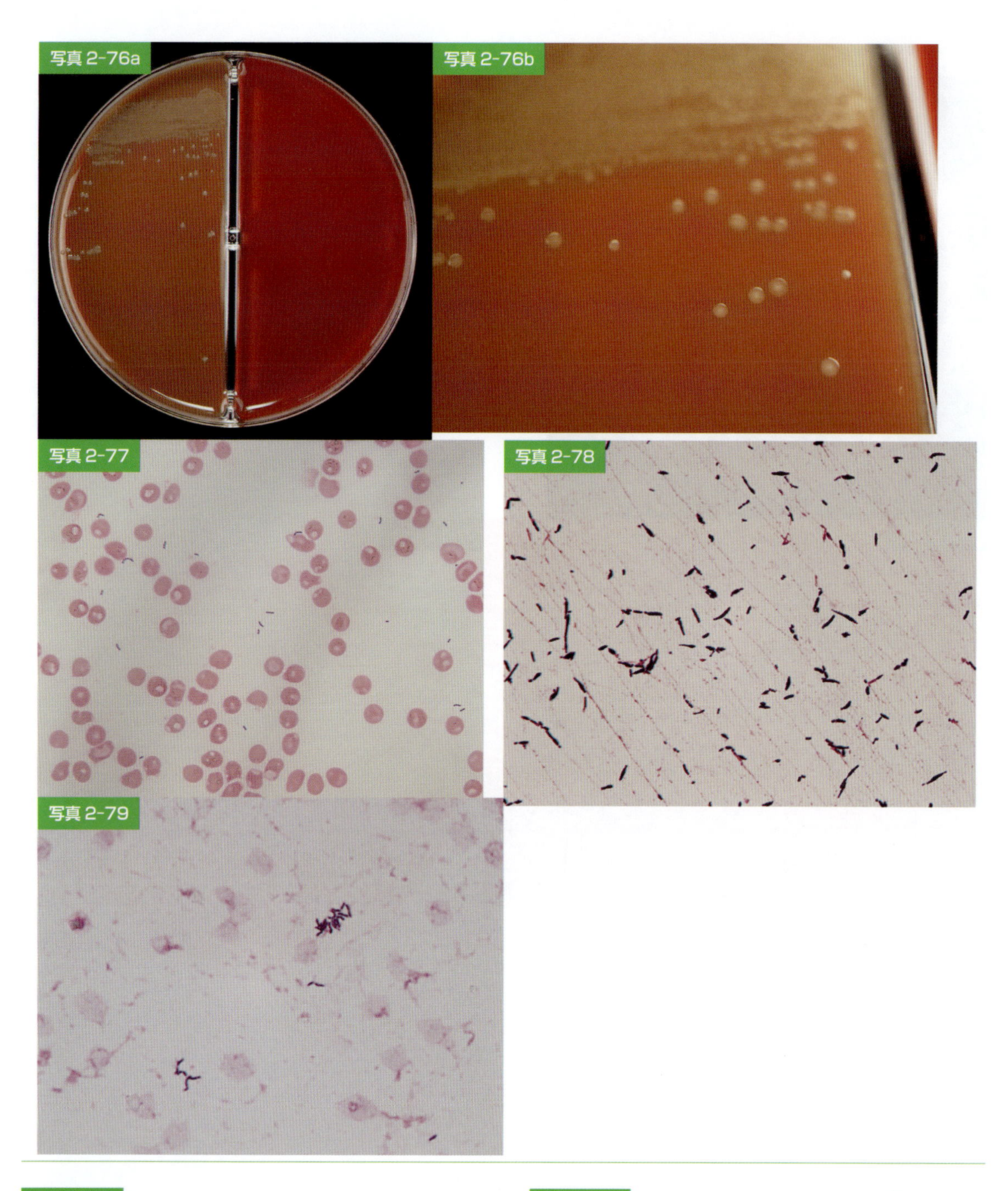

写真 2-76　*G. adiacens*。チョコレート寒天培地には，ブドウ球菌の助けがなくとも発育してくることが可能である。しかし，チョコレート寒天培地にも発育しないケースが報告されており，栄養成分がリッチな嫌気性菌用の培地を用いることが推奨されている。

臨床上のポイント

- 培養陰性の心内膜炎では，本菌や HACEK を疑い，血液培養を延長培養してもらう。抗菌薬を中止して，培養を繰り返すこともある。

写真 2-77　グラム染色。血液培養。感染性心内膜炎。*G. adiacens*。グラム陽性レンサ球菌として判別できる。

写真 2-78　グラム染色。血液培養。感染性心内膜炎。チョコレート寒天培地に発育したコロニーを染色。血液培養ボトル内容液の染色像とは異なり，多形性を示し，グラム陽性レンサ球菌と判断するのが困難である。しかし，血液寒天培地に発育しないこと，臨床情報などから NVS と推定するのは容易である。

写真 2-79　グラム染色。血液培養。感染性心内膜炎。一般的に，血液培養ボトル内の菌体は球菌の形態を示し，平板培地上のコロニーを染色すると多形性を認めることが多いが，血液培養ボトル内でも多形性を示すことがあるため，判断には注意を要する。

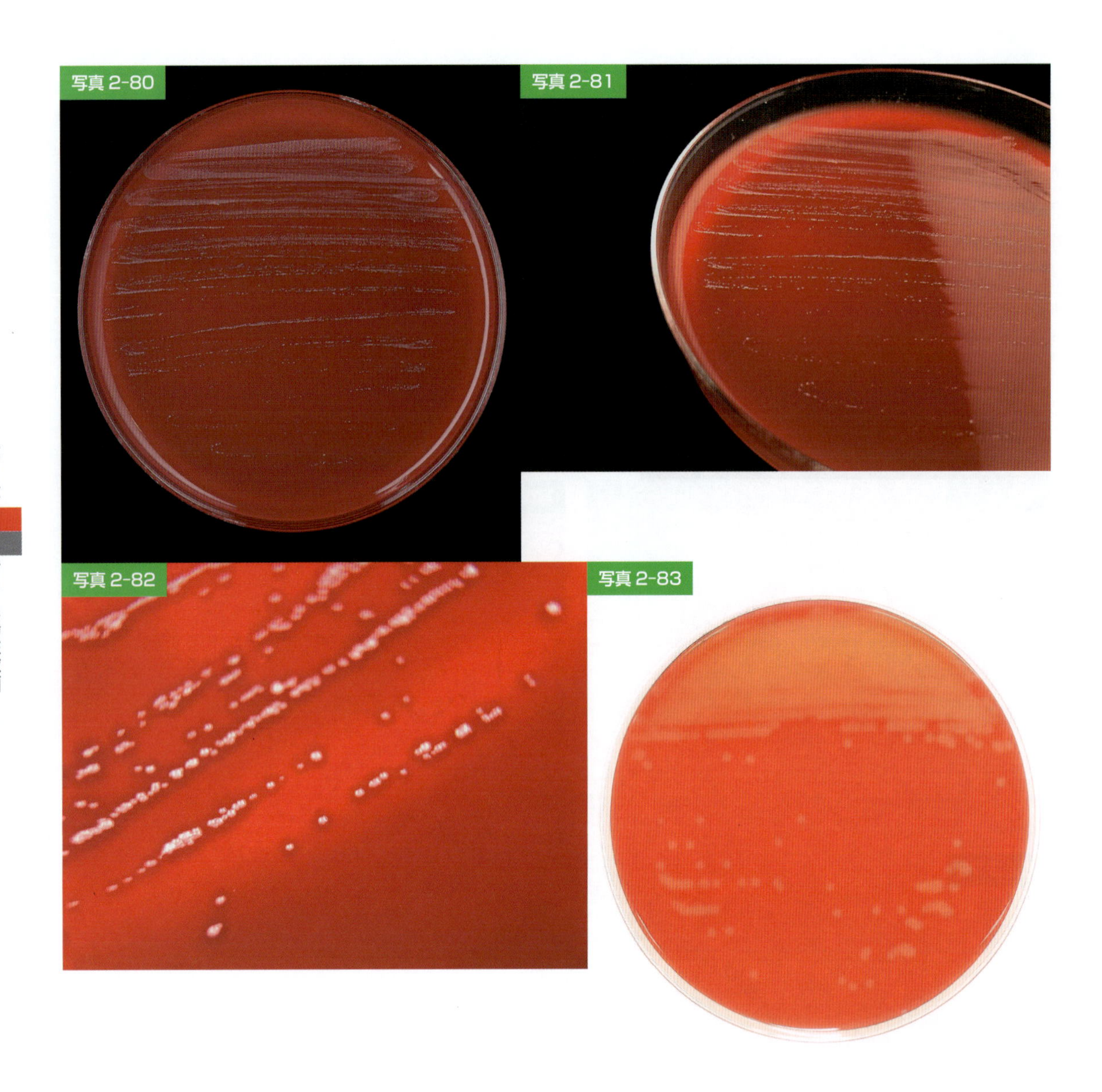

写真 2-80 ヒツジ血液寒天培地上のストレプトコッカス・アンギノーサス（*Streptococcus anginosus*）。このグループには，*S. anginosus*，*S. intermedius*，*S. constellatus* の 3 菌種が含まれ，以前は *Streptococcus milleri* group と呼ばれたが，現在は *Streptococcus anginosus* group となった。各種の膿瘍から，単独または混合感染として検出される。α，β，γ 各種の溶血を示し，Lancefield 分類では，A，C，G，F または非凝集を示す。コロニー，顕微鏡所見ともに他のレンサ球菌に比較して小型の形態を示す。コロニーはカラメル様の独特の臭気があり，この菌の推定に役立つ。

写真 2-81 比較的小型のコロニーを形成する場合が多く，24 時間培養でも，このような小さなコロニーの場合もある。

臨床上のポイント

- *S. anginosus*（*S. milleri*）group は膿瘍形成傾向が強く，肺化膿症や膿胸などの膿瘍性疾患の原因菌となりやすい。
- この菌が血液培養から生えれば深部膿瘍を探す。

◎詳細は，『感染症プラチナマニュアル』の第 2 章の「緑色レンサ球菌」参照。

写真 2-82 *S. anginosus*。α 溶血を示す菌株の拡大像。小型のコロニーを形成する。

写真 2-83 *S. anginosus*。β 溶血を示す菌株。

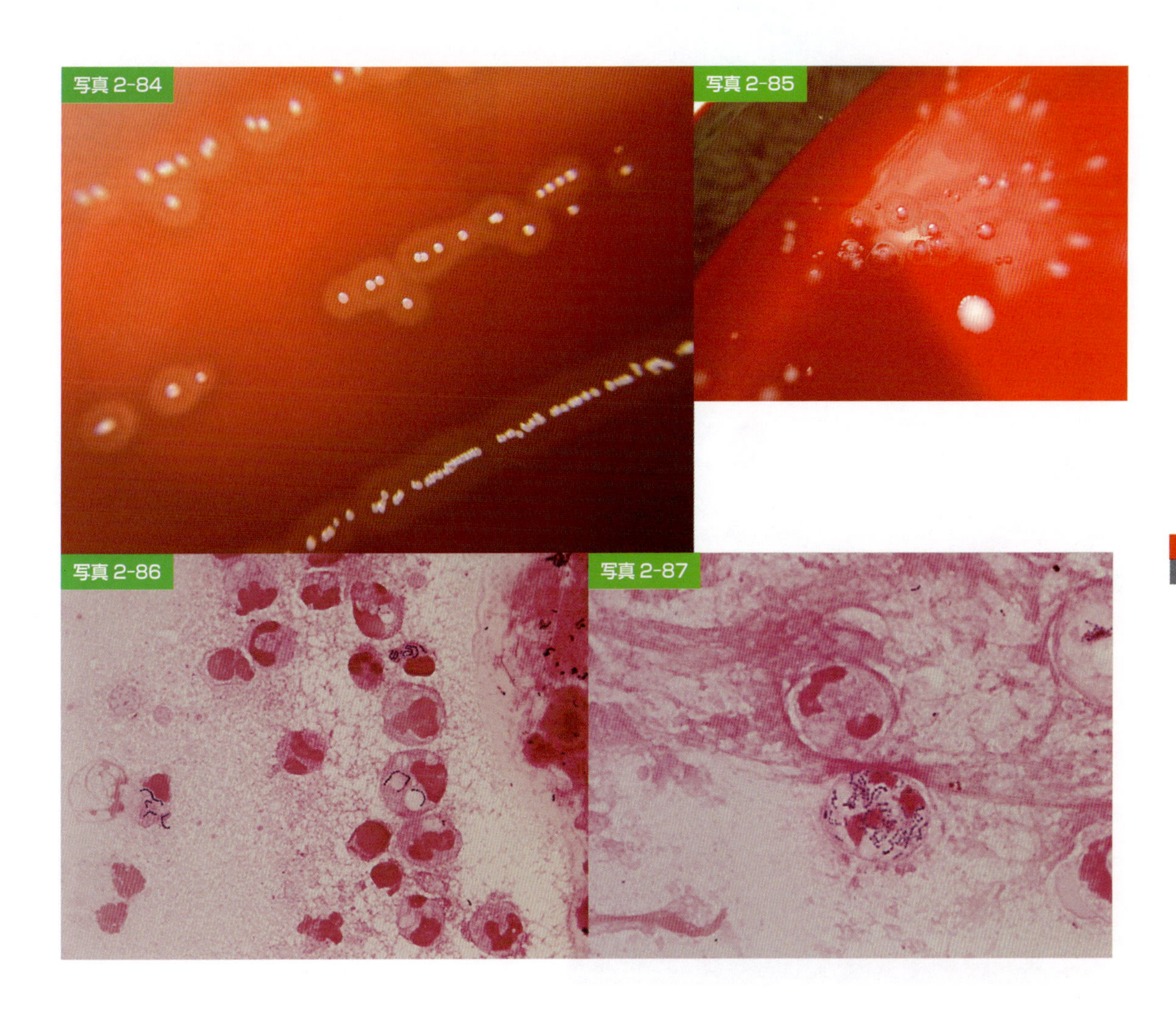

写真 2-84 *S. anginosus*。β溶血を示す菌株の拡大像。小型のコロニーを形成する。

写真 2-85 臨床検体から採取した *S. anginosus*。中央部に目玉焼き状の広がったコロニー。通常は小型のコロニーを形成するが，まれにこのような形態を示すことがある。β溶血。

写真 2-86 肺化膿症で認められた *Streptococcus intermedius*。小型のグラム陽性球菌として観察される。

写真 2-87 化膿症で認められた *S. anginosus*。小型のグラム陽性球菌として観察される。

臨床上のポイント

・PCG や ABPC で治療が可能である。カルバペネム系薬やピペラシリン（PIPC）/ タゾバクタム（TAZ）を漫然と続けないこと。

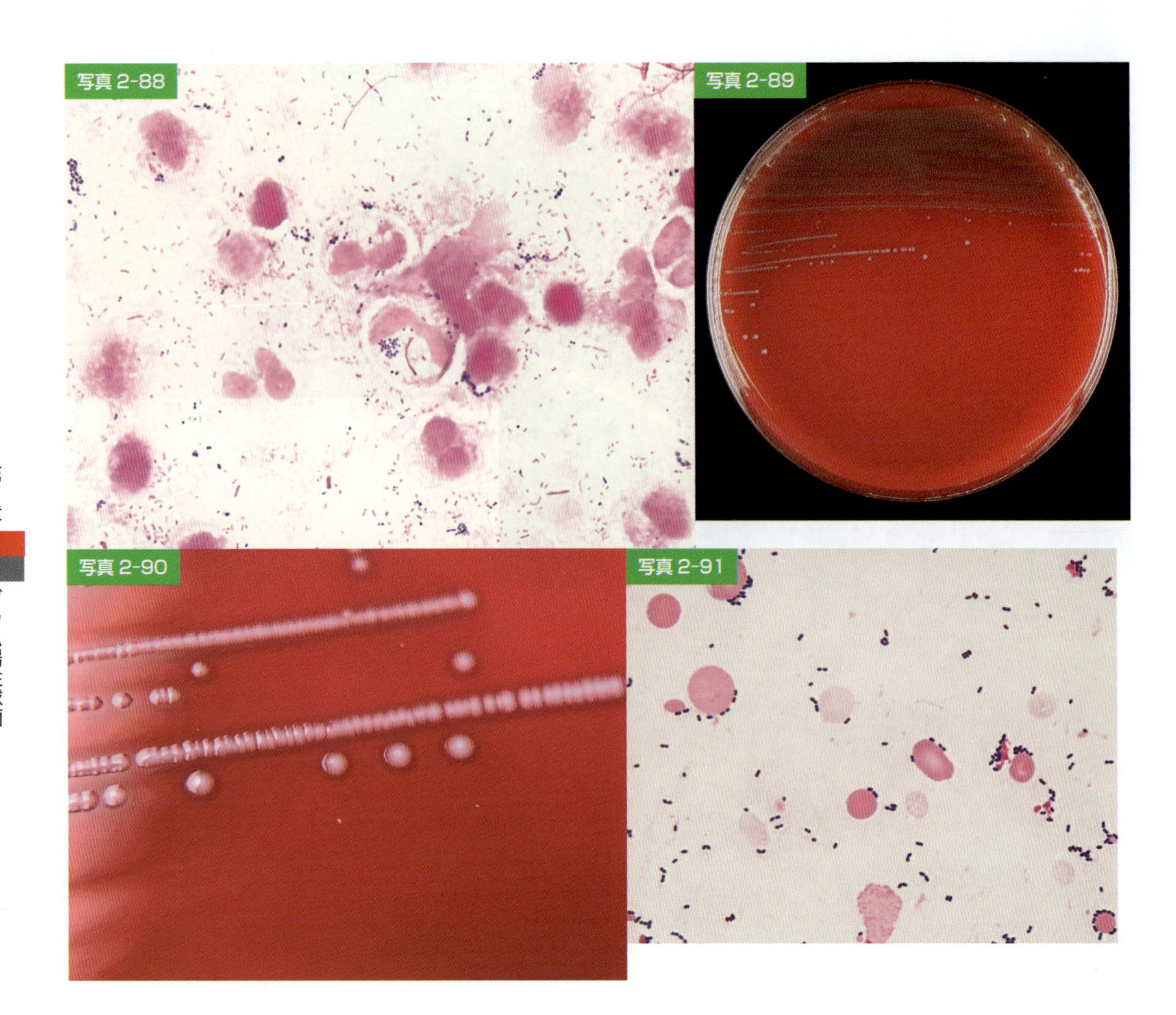

写真 2-88 *Streptococcus constellatus* と嫌気性菌群。嫌気性菌との混合感染としてもよく検出される。*S. anginosus* group が存在する場合，*Porphylomonas* 属，*Prevotella* 属，*Fusobacterium* 属などの分離培養が困難となることがあるため，これらの菌を拾い上げるには，グラム陽性菌を抑制する培地が必要である。

臨床上のポイント

- このようなグラム染色像では，嫌気性菌もカバーすべく，ABPC / スルバクタム（SBT）のようなβ-ラクタマーゼ阻害薬配合ペニシリンを用いる。

写真 2-89 *Streptococcus gallolyticus* subsp. *gallolyticus*。*Streptococcus bovis* と呼ばれていた菌で，γまたはα溶血を示し，外観上は腸球菌に類似する。Lancefield 抗原の D 群の抗原を有する。感染性心内膜炎や髄膜炎の原因菌として知られているが，*S. gallolyticus* subsp. *gallolyticus* は特に大腸がんとの関連が知られているため，この菌が血液培養で検出された場合には，大腸がんの存在も想定して診療を進める必要がある。

臨床上のポイント

- 菌血症や感染性心内膜炎の原因菌となるが，高率に大腸がんを合併するため（感染性心内膜炎で 15 ～ 62%），大腸ファイバー検査を行う必要がある。
- 治療は他のレンサ球菌同様にペニシリン系薬で治療する。

写真 2-90 血液寒天培地上の *S. gallolyticus* subsp. *gallolyticus*。腸球菌属に似たコロニーを形成する。Lancefield 抗原の D 群を有する。

写真 2-91 血液培養で検出された *S. gallolyticus* subsp. *pasteurianus*。この菌は特に新生児や高齢者の髄膜炎の原因となることが多い。

臨床上のポイント

- 髄膜炎は，PCG や CTRX で治療する。

c. 腸球菌属（*Enterococcus* spp.）

エンテロコッカス・フェカーリス（*Enterococcs faecalis*），エンテロコッカス・フェシウム（*Enterococcus faecium*），エンテロコッカス・カセリフラブス（*Enterococcus casseliflavus*）

特徴

・腸管内に常在する *E. faecalis* と薬剤耐性が強い *E. faecium* が主な原因菌。
・グラム染色では，肺炎球菌と類似するグラム陽性球菌。
・病原性は弱いが，抗菌薬が効きにくい。
・*E. faecalis* は市中感染症が一般的で，ペニシリン系薬が有効。
・*E. faecium* は医療関連感染が一般的でペニシリン系薬耐性である。
・*E. faecalis* / *E. faecium* はどちらの菌種名もラテン語で「糞便」の意味である。
・バンコマイシン耐性腸球菌（VRE）も出現しているが，本邦では米国よりも少ない。
・感染性心内膜炎などの難治性感染症では，根治のためにアミノグリコシド系薬〔GM やストレプトマイシン（SM）〕や CTRX（*E. faecalis* に限る）との併用によりシナジーを得る必要がある。

生じうる代表的感染症

・尿路感染症，腹腔内感染症（穿孔性腹膜炎，胆管炎，憩室炎など），感染性心内膜炎，糖尿病性壊疽などの複雑性皮膚軟部組織感染症，CRBSI，カテーテル尿路感染症，手術部位感染症，敗血症。通常は肺炎を起こさない（喀痰から検出されてもほぼ原因菌ではない）。

培養同定の方法と技師からの注意点

・腸管の常在菌であることから，消化管や泌尿生殖器検体で検出することが多い。溶血性を示さない株が多いが，まれに β 溶血を示す株が認められる。
・Lancefield 分類の血清型別試験では D 群に凝集を認める。また，PYR 試験陽性も特徴の 1 つである。
・血液培養で検出した際に塗抹検査で形態が肺炎球菌と鑑別しにくい場合もあるが，基本的に溶血を示さないこと，さらに，胆汁溶解試験〔肺炎球菌（＋），腸球菌（－）〕や肺炎球菌尿中抗原検査の利用や Lancefield の血清型別試験をボトル内容液の上清または沈渣を用いて実施することで，早期の推測が可能となる。

薬剤感受性検査の注意点

・*Enterococcus* 属はセフェム系薬剤が無効であること，*E. faecalis* はペニシリン系薬に感性，*E. faecium* の多くはペニシリン系薬に耐性であることが大きな特徴である。
・耐性菌としては VCM 耐性腸球菌が問題となり，特に *vanA*・*vanB* 遺伝子を保有する腸球菌が問題となる。感受性をみて，VCM と TEIC に耐性を示すものを VanA 型，VCM のみに耐性を示すものが VanB 型とされるが，例外もあり，最終的には遺伝子検査で確定する。また，*Enterococcus casseliflavus* / *gallinarum* は染色体上に *vanC* 遺伝子を保有する自然耐性株であり，通常，VRE としては問題として認識されない。
・腸球菌による感染性心内膜炎の際には高濃度 GM，高濃度 SM を検査して，ペニシリン系薬との併用効果を確認する必要がある。

選択すべき抗菌薬と感染症専門医からの注意点

・*E. faecalis*：ABPC が第 1 選択であり，心内膜炎では専門医コンサルトのもとで GM や CTRX を併用する。
・*E. faecium*：ペニシリン耐性が通常であり，感受性があれば VCM を使用。心内膜炎では GM を併用することがある。米国ではVREが問題となっているが，本邦は少ない。

・GMに対し，腸球菌がMIC 500 mg/dL（ディスク拡散法は120 μg）に耐性を示したものを高度耐性と呼ぶ。腸球菌に対するABPCとのシナジーを期待する場合，GMの高度耐性に注意する。高度耐性ではシナジーが期待できないため，感受性があれば，SMやCTRX（*E. faecalis*に限る）をペニシリン系薬に併用する。

・ABPC，VCMともに耐性の場合は，DAPやLZD，高用量ABPCなどの併用療法を行うが，感染症専門医へのコンサルトが望ましい。

◎詳細は『感染症プラチナマニュアル』の第2章の「腸球菌」参照。

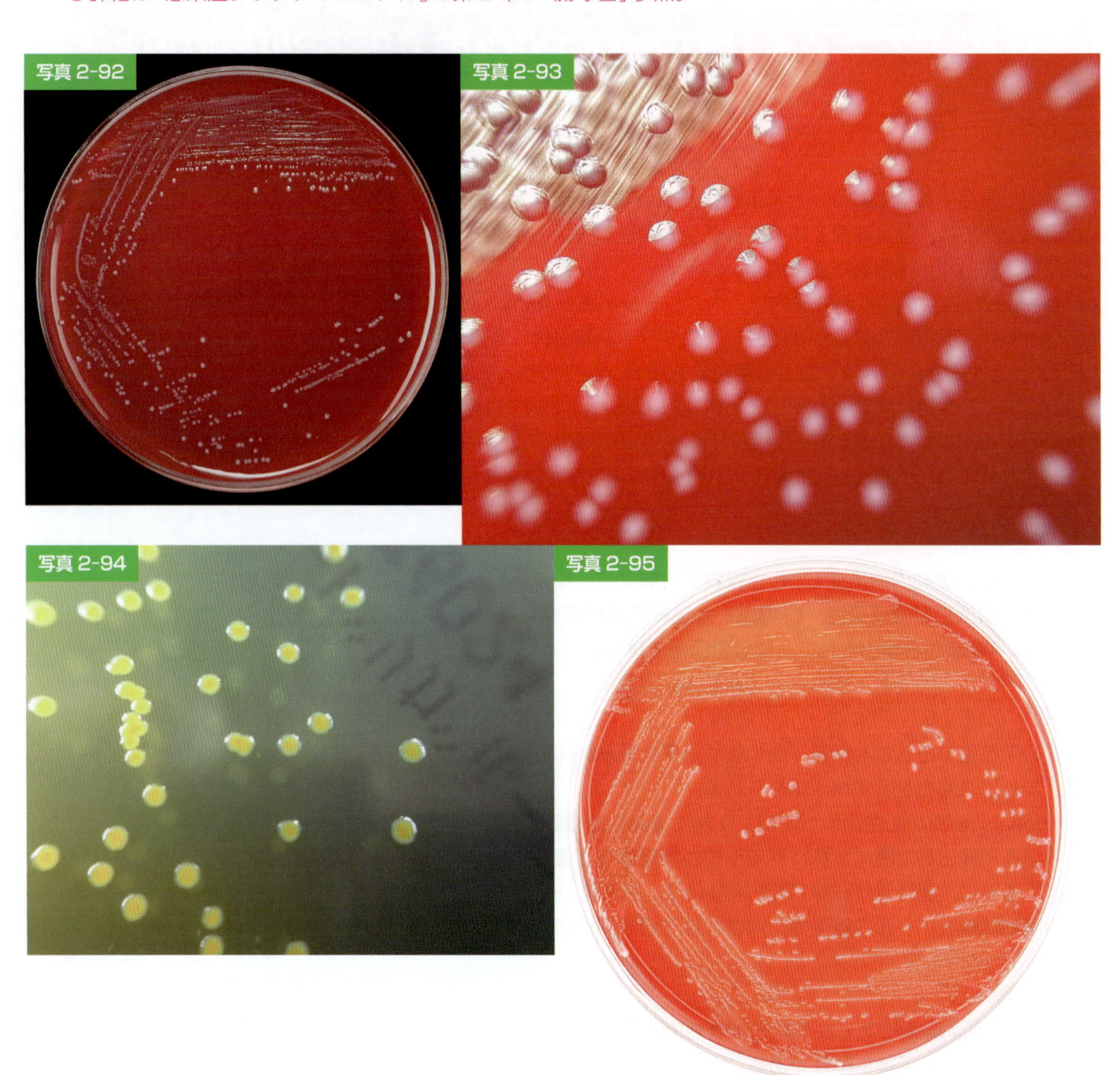

写真2-92 *Enterococcus faecalis*。ヒツジ血液寒天培地。*Enterococcus*属はLancefield抗原のD群の抗原をもつ。名前のとおりに腸管内に常在する細菌で病原性は低いが，尿路感染症や感染性心内膜炎，CRBSIなどの原因となる菌である。溶血性は不定で，γ溶血（非溶血）またはα溶血であるが，*E. faecalis*ではまれにβ溶血する菌株も目にする。海外では，VCM耐性腸球菌（VRE）が院内感染の主要な菌として問題となっているが，本邦においては各地域でのアウトブレイク報告があるものの，院内感染の主要な原因菌とまではなっていない。

臨床上のポイント

・腸球菌の血液培養陽性では，尿路感染症，腹腔内感染症，CRBSIなどをまず探す。

・感染源の不明な腸球菌菌血症では心内膜炎を意識する。

写真2-93 *E. faecalis*。ヒツジ血液寒天培地。*E. faecalis*はABPCに感受性を有する。*E. faecalis*に並び検出する頻度の高い*E. faecium*は多くがABPCに耐性を示すことから，腸球菌を疑った場合には，どちらの菌なのかは早く知りたい情報の1つである。

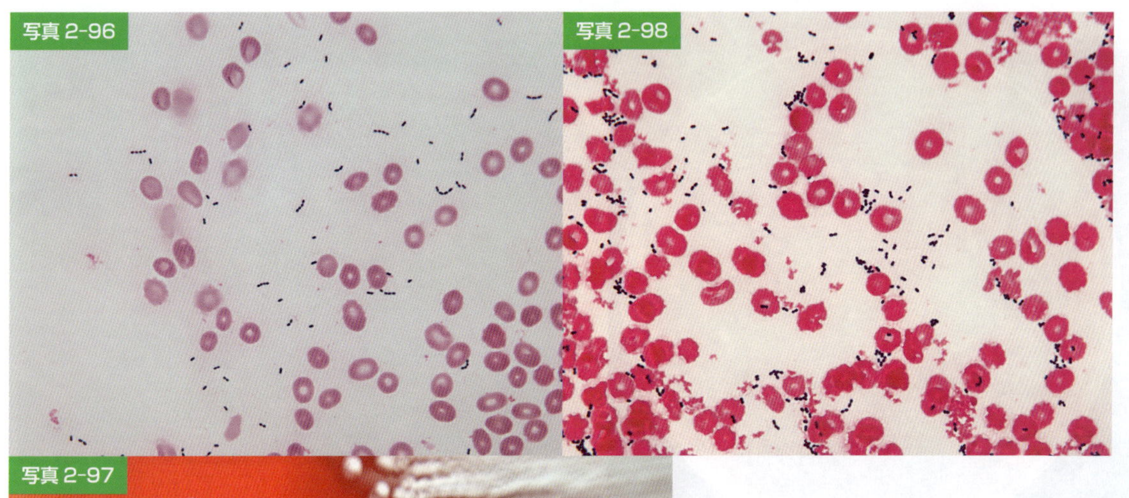

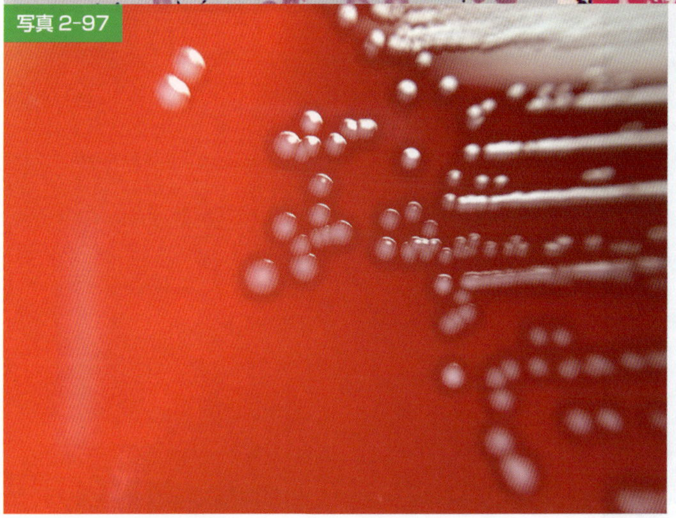

臨床上のポイント

- 重症や医療関連感染では，感受性判明まで，VCM を併用しておくとよい。
- *E. faecalis* では ABPC を使用する。セフェム系薬やキノロン系薬，カルバペネム系薬などは使用しないこと。
- 感染性心内膜炎のときは GM あるいは CTRX を併用して，シナジーを得ることが必要。

写真 2-94　*E. faecalis*。BTB（bromothymol blue）寒天培地はグラム陰性桿菌用の分離培地であるが，選択性が弱いため，腸球菌など一部のグラム陽性球菌が発育してくる。

写真 2-95　*E. faecalis*。まれに写真のような弱い β 溶血を示す株が認められる。B 群溶連菌と非常に似たコロニーを形成する。

写真 2-96　*E. faecalis*。血液培養。グラム陽性で双球状または短い連鎖を形成する。肺炎球菌と類似の形態であるが，莢膜を認めないこと，血液培養ではボトル内で溶血を認めないこと，多くの場合，感染臓器が異なることなどから推定は可能である。

臨床上のポイント

- 菌の形態のみでなく，感染臓器の推定が重要である。肺炎や髄膜炎では肺炎球菌，尿路感染症では腸球菌を疑う。

写真 2-97　*E. faecium*。多くは α 溶血を示し，コロニーの様子で *E. faecalis* と鑑別できることが多い。

臨床上のポイント

- 本邦では VRE は少ないため，原則として VCM で治療する。

写真 2-98　*E. faecium*。血液培養。グラム陽性で双球状または短い連鎖を形成する。*E. faecalis* と比較して丸い形態なのが特徴で，落花生の形に似ていることからピーナッツサインと呼ばれる。これにより両菌を鑑別またはペニシリン耐性を推定できることも多いが，困難な場合も少なくない。

臨床上のポイント

- 実臨床では，病歴（市中感染や医療関連感染か）で区別する。市中感染では通常。*E. faecalis* である。

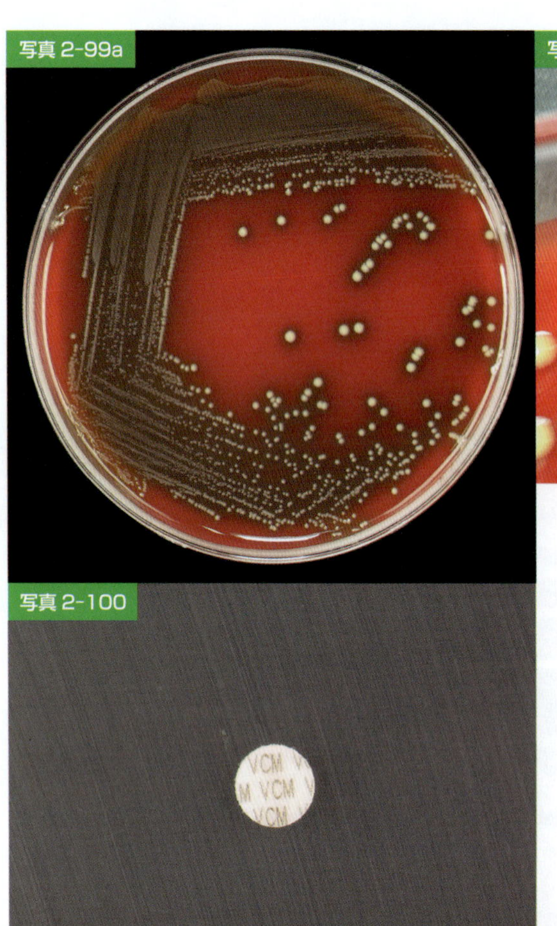
写真 2-99a

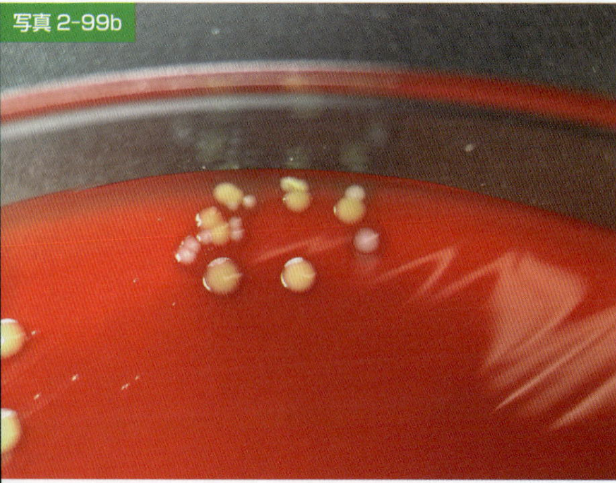
写真 2-99b

写真 2-100

写真 2-99 *Enterococcus casseliflavus* のヒツジ血液寒天培地でのコロニーと，臨床検体で同時に検出されたヒツジ血液寒天培地上の *Enterococcus casseliflavus* と *E. faecium*。*E. casseliflavus* は黄色色素を産生するため，コロニーでの推定は容易である。菌種名の *casseli* は Cassel yellow（顔料系の色の１つ）が由来で flavus もラテン語で黄色という意味であり，コロニーの色調を強く強調する菌種名となっている。*E. casseliflavus* と *E. gallinarum* は *vanC* 遺伝子を染色体上に有しており，VCM に耐性傾向を有する。

臨床上のポイント
・これらの菌は ABPC に感受性があればそちらで治療する。
・テイコプラニン（TEIC）に感受性は残る。VRE としての届け出は必要ない。

写真 2-100 VCM 耐性腸球菌。ディスク拡散法。*vanA* 遺伝子を有する VRE（*E. faecium*）。本邦においては，この菌が検出された場合には積極的な感染対策が実施される。この菌の拡散による問題の１つは耐性遺伝子がブドウ球菌に受け渡されて VCM 耐性黄色ブドウ球菌（VRSA）となることであるが，まだ世界でも報告例は限られている。

臨床上のポイント
・治療を要する場合，ABPC，VCM ともに耐性の場合は，DAP や LZD，高用量 ABPC などの併用療法を行うが，定着菌であることも多く，感染症専門医へのコンサルトが望ましい。

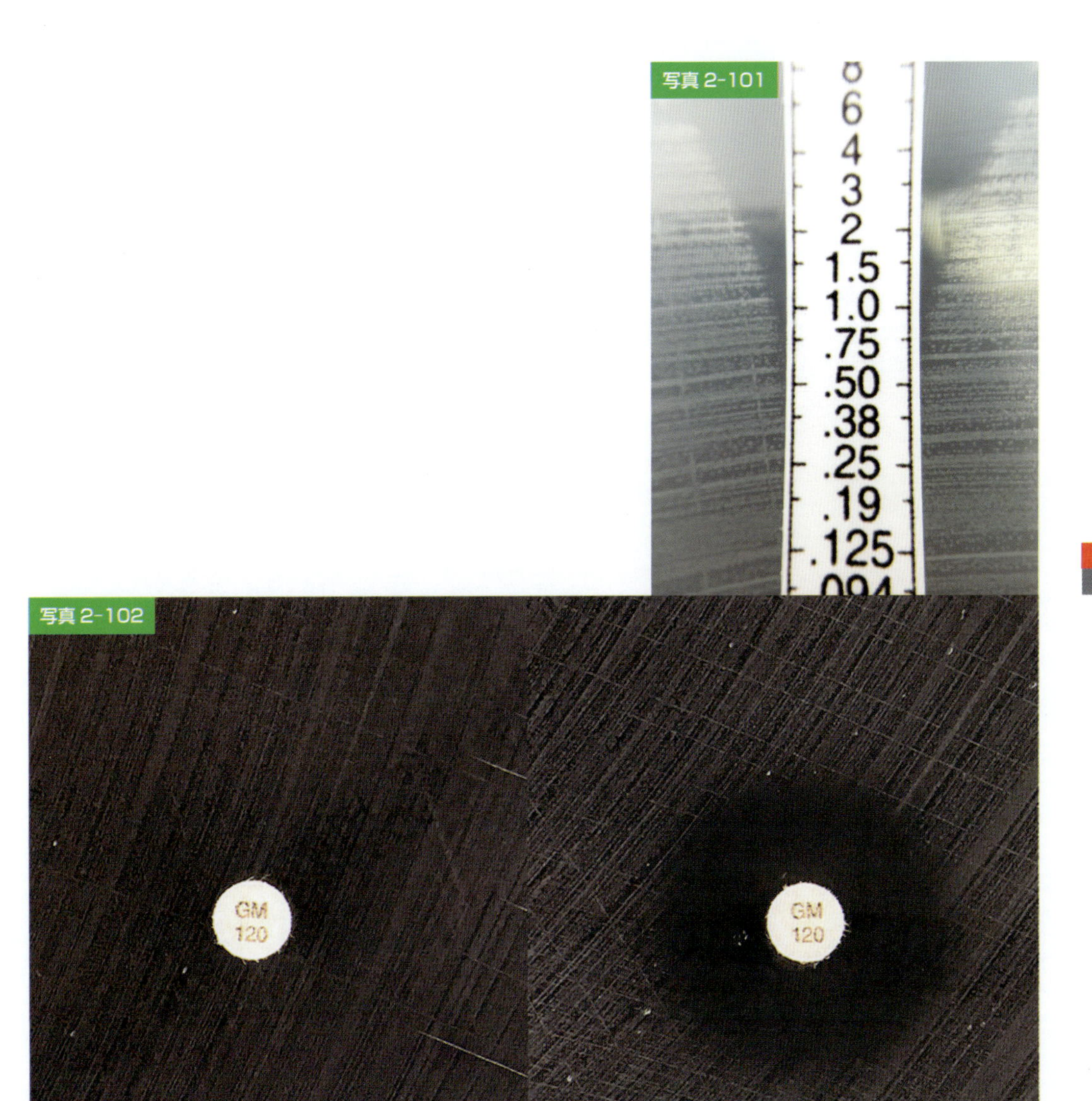

写真 2-101 *Enterococcus gallinarum*。E-test を用いた VCM の薬剤感受性検査。*E. gallinarum* は *vanC* 遺伝子を染色体上に保有する自然耐性菌である。この検査による VCM の MIC は 12 μg/mL となり中等度耐性と判定される。

臨床上のポイント

・E-test を用いると，さまざまな菌の MIC 値を測定できるが，手間とコストがかかり，ルーチン検査には向かない。

写真 2-102 高度アミノグリコシド耐性（HLAR）検査。*Enterococcus* 属菌はアミノグリコシド系薬剤に対して自然耐性を示すが，PCG，ABPC または VCM とシナジーが期待できる。シナジーを調べるため，通常の濃度ではなく高濃度の GM または SM を検査し，感性であればシナジーが期待できる。GM はディスク拡散法では通常，10 μg 含有ディスクだが，HLAR 検査の GM は 120 μg 含有ディスクを用いる（ディスク拡散法，微量液体希釈法，寒天平板希釈法では濃度が異なる）。

写真左：耐性（シナジーなし），写真右：感性（シナジーあり）。

臨床上のポイント

・腸球菌の心内膜炎で，GM が高度耐性であると，シナジーが期待できない。
・このような場合には，CTRX や SM を併用することがある。専門医へコンサルトする。

◎詳細は，『感染症プラチナマニュアル』の第 2 章の「腸球菌」参照。

第３章　グラム陰性桿菌

a. 腸内細菌目細菌

従来「腸内細菌科細菌」という括りでまとめられていたが，ゲノム解析により *Proteus* 属，*Serratia* 属，*Yersinia* 属が腸内細菌目細菌から独立した。そのため，これらを包括する上位の腸内細菌目細菌が用いられるようになった。次の 5 つが腸内細菌目細菌の定義となる。
・芽胞を有さない通性嫌気性のグラム陰性桿菌
・普通寒天培地に良好に発育する
・ブドウ糖を発酵的に分解して酸を産生する
・硝酸塩を亜硝酸に還元する
・オキシダーゼ陰性（*Plesiomonas* 属は例外的に陽性）

硝酸塩還元は尿検査の項目に含まれ，腸内細菌目細菌による細菌尿の検査として利用されている。

市中感染では，大腸菌（*Escherichia coli*），クレブシエラ・ニューモニエ（*Klebsiella pneumoniae*）などが主要菌で，尿路感染症や腹腔内感染症などの医療関連感染を引き起こすグラム陰性桿菌である。

抗菌薬の感受性は良好であったが，大腸菌のフルオロキノロン系の耐性化，分解する基質（抗菌薬）が拡大したβ-ラクタマーゼをもつ高度耐性菌である基質特異性拡張型β-ラクタマーゼ（ESBLs）産生菌の増加，AmpC 過剰産生菌が問題となり，カルバペネム耐性腸内細菌目細菌（CRE）やカルバペネマーゼ産生腸内細菌目細菌（CPE）も国内では検出頻度は低いものの潜在的脅威となっている。

大腸菌（*Escherichia coli*）

特徴

・腸管内に常在するグラム陰性桿菌。閉塞起点があると病原性が問題となりやすい。
・尿路感染症や胆管炎のような腹腔内感染症がコモン。
・腸管病原性の大腸菌については次項参照。

生じうる代表的感染症

・肝胆道感染症，尿路感染症，腹腔内・骨盤内感染症，カテーテル関連血流感染症（CRBSI）（菌血症・敗血症），新生児髄膜炎

培養同定の方法と技師からの注意点

・大腸菌は市中尿路感染症の原因菌の多くを占めており，遭遇する頻度も高いことから，分離・培養・同定に関しては比較的容易である。
・不快ではない独特の臭気を発し，コロニー外観と合わせて，大腸菌をある程度予測できる。
・糞便培養における大腸菌については次項（病原性大腸菌：腸管出血性大腸菌）にて説明する。

薬剤感受性検査の注意点

・現在，本邦においては ESBLs 産生大腸菌ならびにニューキノロン耐性の大腸菌が増加傾向にあり，注意が必要である。

選択すべき抗菌薬と感染症専門医からの注意点

・感受性が良好であれば，アンピシリン（ABPC）やセファゾリン（CEZ）で治療ができる。
・ABPC / スルバクタム（SBT）の感受性が保たれている場合には，腹膜炎や胆管炎の経験的治療に使用可能である。
・多くの地域でニューキノロン系薬の耐性菌が増加しているので，ニューキノロン系薬は第 1 選択薬にしない。
◎詳細は『感染症プラチナマニュアル』の第 2 章の「大腸菌」参照。

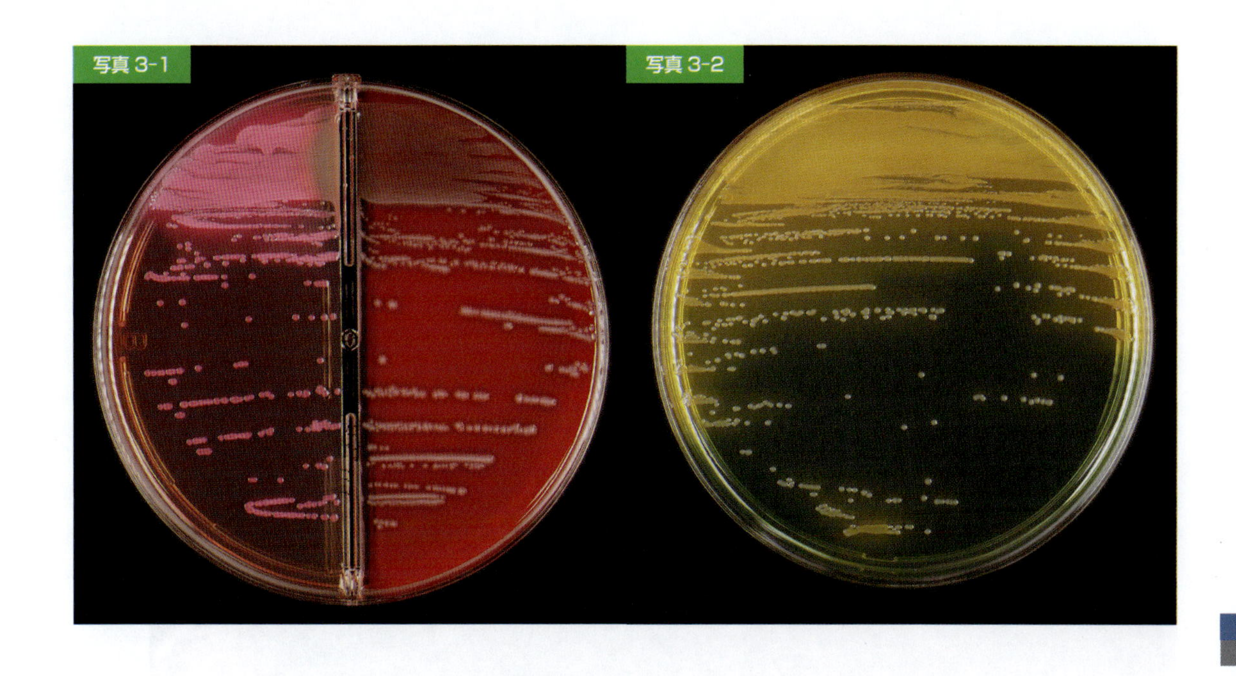

写真 3-1 大腸菌(*Escherichia coli*)。ATCC 25922。血液・マッコンキー(MacConkey)分画培地。

マッコンキー寒天培地はグラム陰性桿菌用の培地で，グラム陽性菌は抑制される。乳糖が含まれるため，乳糖分解菌はピンク色〜赤色のコロニーを形成する。また，大腸菌は腸内細菌目細菌であるため，普通寒天培地によく発育する。慣れるとコロニー外観と臭気で大腸菌を推定同定できる。近年，ESBLs 産生菌の増加が問題となっており，本邦でも大腸菌の 2 割が ESBLs 産生菌と推定される。さらに，ニューキノロン耐性株も 3〜4 割ほど存在し増加傾向にある。

臨床上のポイント
- 大腸菌が疑われれば，ニューキノロン系薬は経験的には使用しないほうがよい。
- 市中感染で大腸菌やクレブシエラ(*Klebsiella*)が原因菌と推定されれば，第 2，3 世代のセフェム系薬で有効なことが多く，ピペラシリン(PIPC)/タゾバクタム(TAZ)やカルバペネム系薬は必要としないことが多いが，ESBLs 産生菌には注意が必要である。

写真 3-2 大腸菌。ATCC(American Type Culture Collection) 25922。BTB(bromothymol blue)寒天培地。BTB 寒天培地は培地に乳糖と，pH 指示薬に BTB を含んでいる。乳糖が分解されると，酸が産生され pH が産生に傾くため，乳糖分解菌は黄色となる。この培地はグラム陰性桿菌用の分離培地であるものの，黄色ブドウ球菌や腸球菌など一部のグラム陽性球菌でも小さいサイズのコロニーではあるが発育を認める。

臨床上のポイント
- 翌日に培地を見れば，微生物検査技師ならおおよその菌の推定がコロニーの確認によりできる。検査室に足を運ぼう。

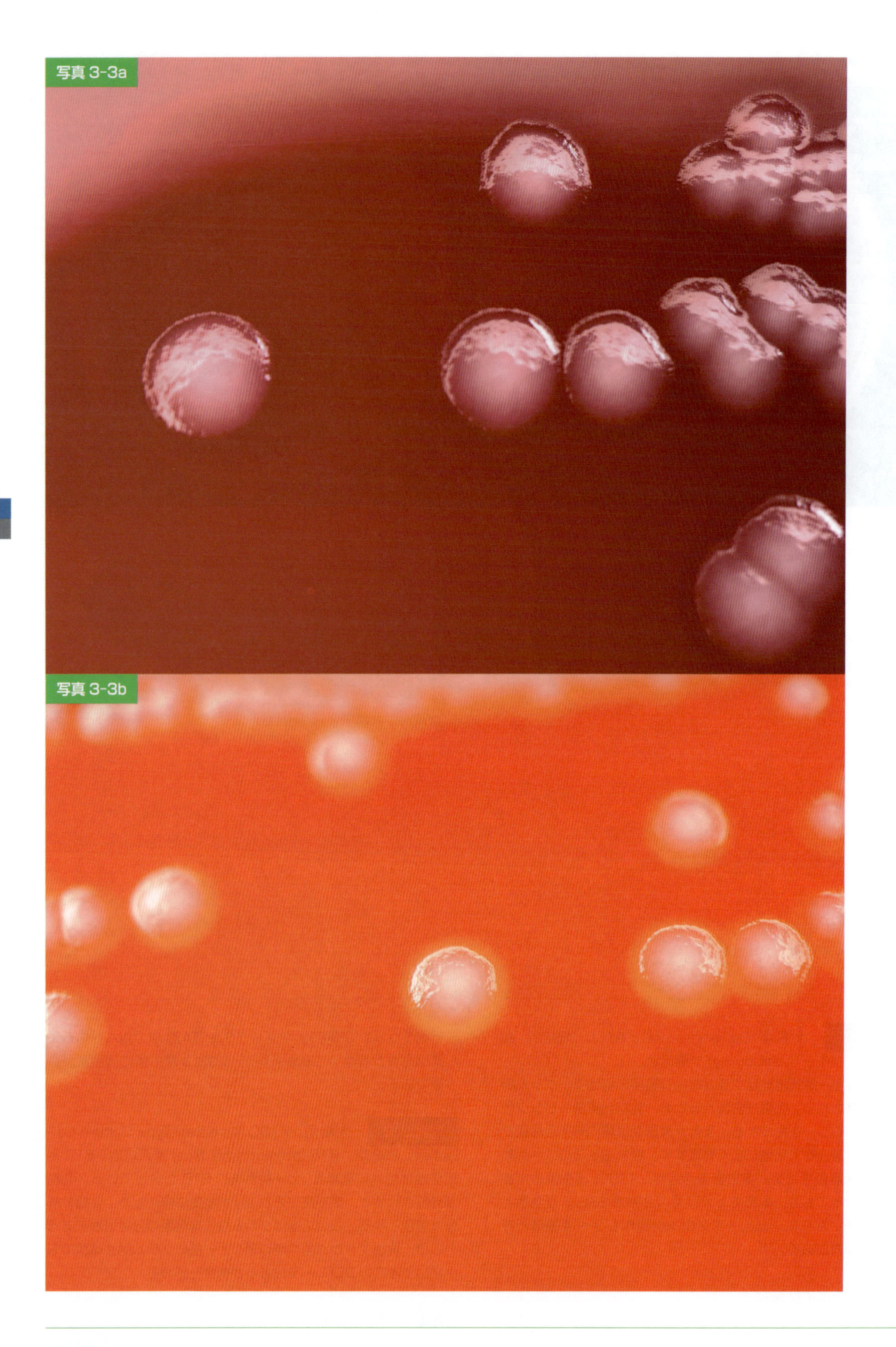

写真 3-3 マッコンキー / ヒツジ血液寒天培地の大腸菌。乳糖分解のピンク色のコロニー（一部の大腸菌は非分解）。ヒツジ血液寒天培地では乳～灰白色の整～やや不整のコロニーを形成する。3b はβ溶血している。溶血性は株により異なる。

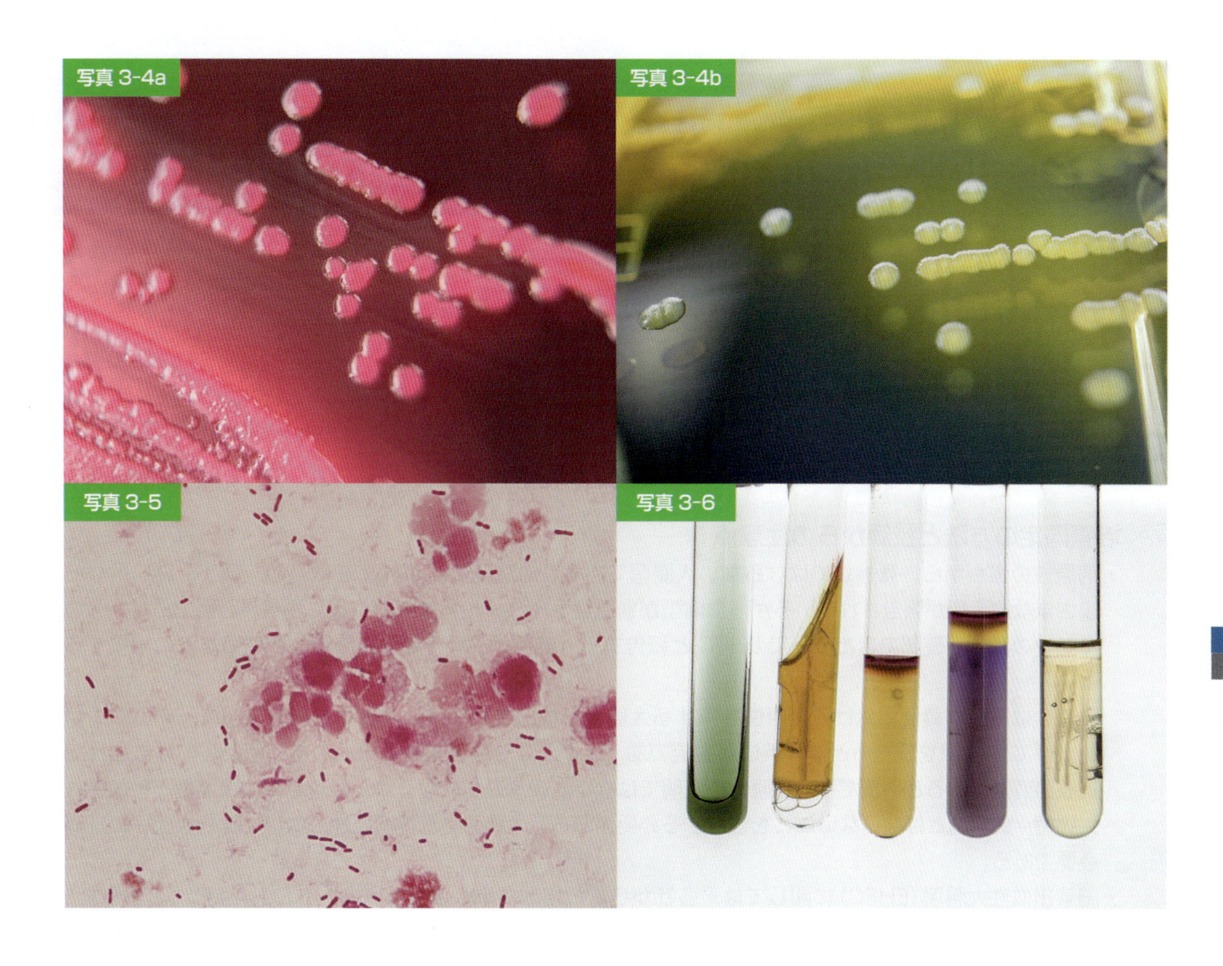

写真 3-4 マッコンキー寒天培地（a），BTB 寒天培地（b）上の乳糖を分解する大腸菌。マッコンキー寒天培地では乳糖を分解しピンク～赤色コロニーを形成。乳糖，白糖をともに分解しない菌も存在し，その場合は半透明～白色コロニーを形成する。BTB 寒天培地ではマッコンキー同様に乳糖を分解した際に pH が産生に傾き培地中に含まれる BTB が黄色を呈する。

写真 3-5 グラム染色。大腸菌による尿路感染症例。市中の急性単純性膀胱炎の 8 割強が腸内細菌目細菌による感染症で，その多くが大腸菌である。腸内細菌目細菌の一般的な特徴として，しっかりとグラム陰性に染まり，両端が直線的で長方形的な形となる。

臨床上のポイント

・膀胱炎で大腸菌が推定されているならば，ニューキノロン系薬の使用は慎む必要がある。第 1 世代セフェム系薬経口やスルファメトキサゾール・トリメトプリム（ST）合剤で治療することができる。

写真 3-6 性状確認用の試験管培地を利用した大腸菌の判定。自動機器や同定キットは，このような試験管培地で判定する検査項目を数多くプレートにまとめたものである。

写真左から，シモンズ・クエン酸培地，TSI（triple sugar iron）培地，SIM（Sulfide Indol Motility）培地，LIM（Lysine Indol Motility）培地，VP（Voges Proskauer）培地。

クエン酸利用能（－），ブドウ糖発酵 / 乳糖分解 / 白糖分解 / ガス産生，硫化水素非産生 / インドール陽性 / 運動性陽性，リジン陽性 / インドール陽性 / 運動性陽性，VP（－）。

病原性大腸菌：腸管出血性大腸菌〔enterohemorrhagic *Escherichia coli*（EHEC）〕

特徴

・外来由来の大腸菌で，産生毒素により出血性大腸炎を引き起こすグラム陰性桿菌。

生じうる代表的感染症

・EHECであるO157:H7，O104:H4などが産生するベロトキシン（VT）が，発熱のない血性下痢（O157では患者の90％に血便あり），腹痛を引き起こす。

培養同定の方法と技師からの注意点

・病原性の強さから，見逃してはならない大腸菌である。血清型ではO157をはじめ，O26，O111などさまざまな血清型が報告されているが，血清型が病原性とイコールではないことに注意が必要であり，ベロトキシンの産生を確認できたうえでEHECと報告する。毒素が検査できない施設は保健所などに相談するとよい。

・EHECに限らず糞便における病原性を有する大腸菌を検出するには，大腸菌を疑うコロニーをいくつか拾い上げてO抗原を調べるという手法が主流であったが，これは過去に病原性のある菌として報告されたO抗原血清型であるというだけで病原性の証明ではない。繰り返しになるが，検査結果に血清型が付加された大腸菌＝病原菌とはならないことを理解する必要がある。大腸菌の腸管病原性については病原因子の証明が必要である。

・腸管出血性大腸菌（EHEC）に関しては，各社から選択培地が市販されている。ベロトキシン（志賀毒素）もイムノクロマト法により簡便に検査できることから，一般的な検査室レベルでEHECとして報告が可能であるが，その他の病原性を有する大腸菌に関しては一般の微生物検査室では鑑別が困難で，渡航歴や症状などからO抗原の結果を解釈する必要がある。しかし，近年，EHECのみならず，腸管病原性大腸菌（EPEC），腸管組織侵入性大腸菌（EIEC），腸管毒素原性大腸菌（ETEC），腸管凝集接着性大腸菌（EAEC），そして大腸菌以外の腸管感染症の原因細菌やウイルス，原虫を検出できるマルチプレックスPCRシステムであるFilmAray®が登場したことにより今後の腸管感染症診断が大きく変わるかもしれない。

薬剤感受性検査の注意点

・前述の「大腸菌」と同じ。

選択すべき抗菌薬と感染症専門医からの注意点

・EHECでは溶血性尿毒症症候群（HUS）（患者の6〜15％程度で生じる）を誘発する恐れがあるため，抗菌薬の投与の是非は意見が割れている。筆者は極力投与していない。

◎詳細は『感染症プラチナマニュアル』の第2章の「病原性大腸菌」参照。

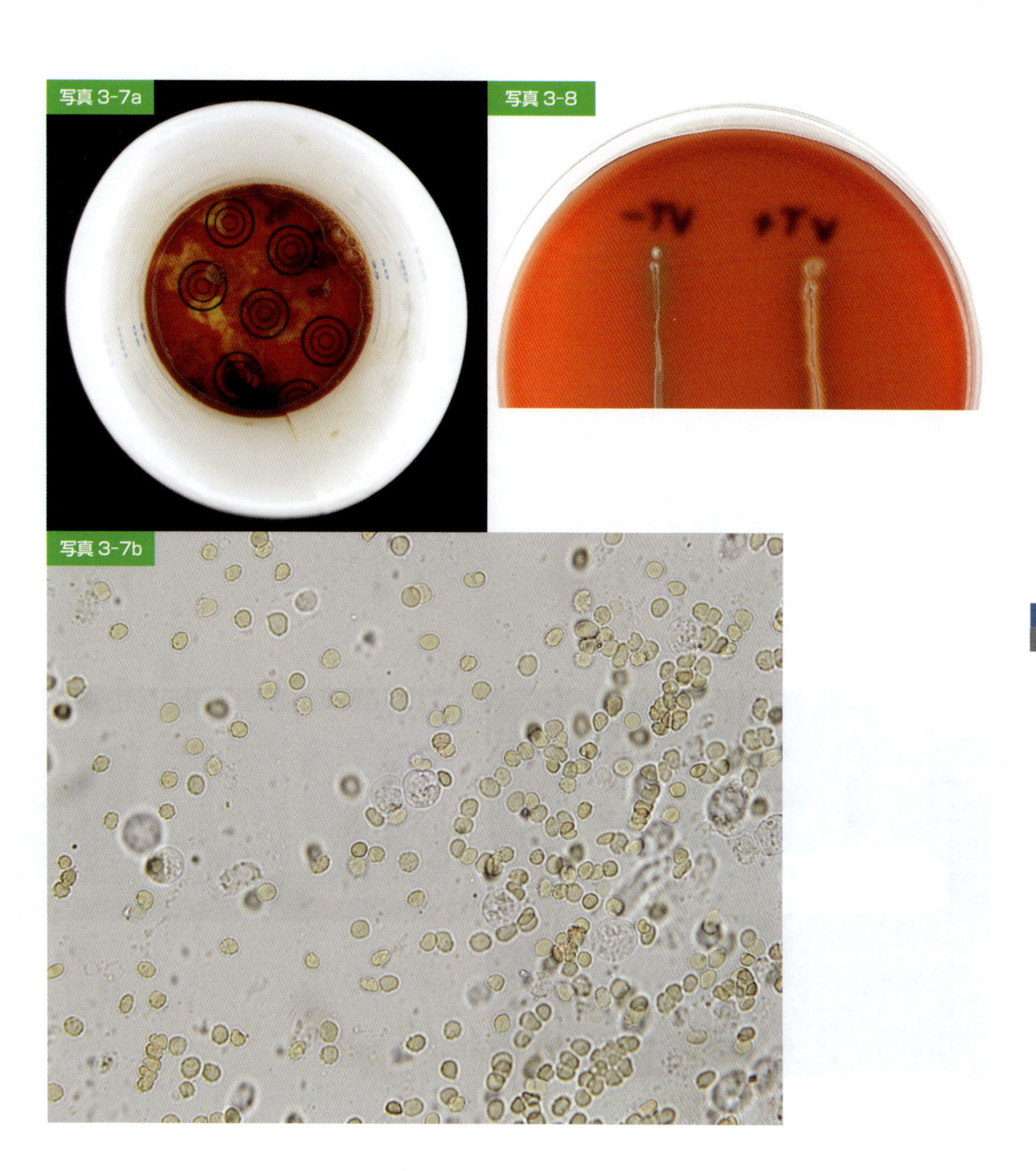

写真 3-7　腸管出血性大腸菌（EHEC）感染患者の血便と生鮮生標本。生標本では赤血球と白血球を多数認める。

臨床上のポイント

・無熱で腹痛が強い粘血便では，EHEC の感染を疑う。
・高熱を伴えば，サルモネラ（*Salmonella*）やカンピロバクター（*Campylobacter*）が疑われる。
・HUS のリスクから抗菌薬の使用には議論がある。一般に，感染性腸炎への抗菌薬は限定的に用いられるべきである。

◎詳細は『感染症プラチナマニュアル』の第２章の「病原性大腸菌」参照。

写真 3-8　エンテロヘモリジン確認用培地。VT 産生性とエンテロヘモリジン産生性が高い相関をもつことが知られており，EHEC のスクリーニングに用いられる。

写真左：エンテロヘモリジン陰性：VT 陰性，右：エンテロヘモリジン陽性：VT 陽性（B 群溶連菌に似た弱い溶血を認める）。

写真 3-9

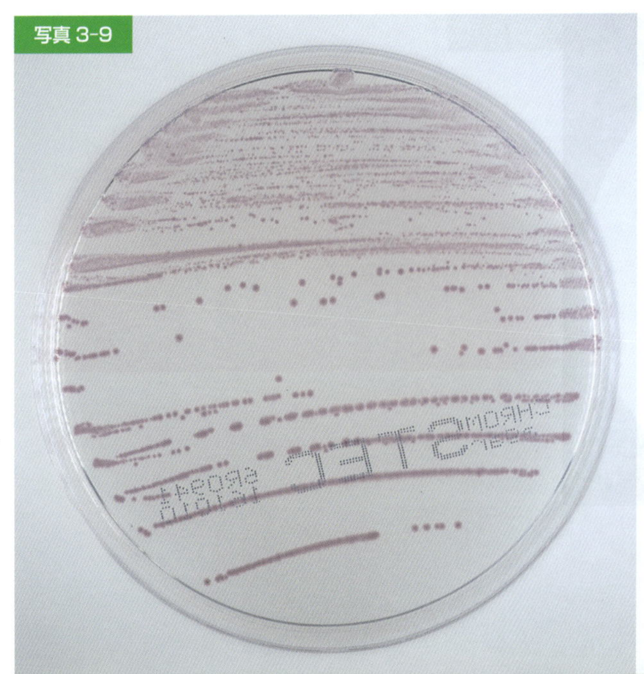

写真 3-10

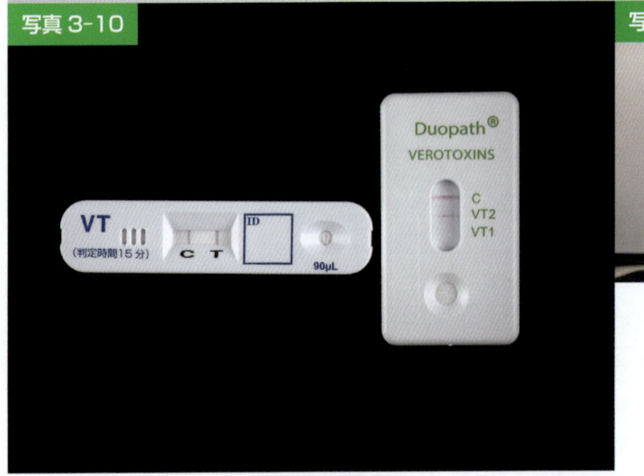

写真 3-11

写真 3-9 EHEC スクリーニング用の発色酵素基質培地。雑多な菌が存在する糞便検体から EHEC を検出するため，EHEC を目的としたもの，特定の O 抗原を指標としたものなど各種スクリーニング培地が利用されている。

臨床上のポイント

- 便培養からの病原菌の検出には，適切な選択培地を用いる必要があるため，現場からの原因菌の推定と的確な情報提供が重要である。
- 便培養のオーダーには，目的菌と臨床情報を必ず記載することを忘れないこと。

写真 3-10 イムノクロマト法によるベロトキシン検出。左右どちらも VT1，VT2 を検出可能であるが，右の検査試薬は VT1，VT2 を個別に検出する。

写真 3-11 大腸菌免疫血清による O 抗原検査。過去に病原性が報告された株を中心に O 抗原のセットが組まれている。ただし，病原因子の検査ではないため，解釈には注意が必要である。スライドガラス 5 番の枠に抗原の凝集像（陽性）を認める。

クレブシエラ属菌〔クレブシエラ・ニューモニエ(*Klebsiella pneumoniae*), クレブシエラ・オキシトカ(*Klebsiella oxytoca*), クレブシエラ・エロゲネス(*Klebsiella aerogenes*)〕

特徴

・消化管の正常細菌叢を形成するグラム陰性桿菌。糖尿病, 肝硬変, アルコール多飲患者との関連が強い原因菌で, 重症肺炎や敗血症をきたしやすい。*Klebsiella aerogenes* は *Enterobacter* 属菌に属していたが, 近年, *Klebsiella* 属菌に分類変更された。

生じうる代表的感染症

・肺炎, 尿路感染症, 肝胆道感染症, 敗血症

培養同定の方法と技師からの注意点

・莢膜を有するずんぐりとしたグラム陰性桿菌で, 塗抹で推定できるケースも多い。
・ムコイド型のコロニーを形成し, 検出は容易な菌である。
・消化管の常在菌で, 呼吸器感染症, 尿路感染症, 胆道感染症などさまざまな検体から検出される。
・原発性肝膿瘍の原因として粘液過剰産生株(hypermucoviscosity)も注目され, コロニーを白金耳等で5 mm 以上引き伸ばせた場合に, 陽性と判定される(ストリングテスト)。

薬剤感受性検査の注意点

・染色体性にペニシリナーゼを産生するためペニシリン系薬に自然耐性を示すが, 多くの薬剤に感受性を示すことが特徴である。しかし, 本邦では少ないものの, KPC(*Klebsiella pneumoniae* carbapenemase)をはじめとするカルバペネマーゼ産生腸内細菌目細菌として世界各国で問題となっている。

選択すべき抗菌薬と感染症専門医からの注意点

・ABPC はペニシリナーゼを産生するため, もともと無効であるが, 感受性が良好なら ABPC / SBT や CEZ, セフトリアキソン(CTRX)で治療できる。菌量の多い場合, 重篤な場合には, CEZ に感受性がある菌でも CTRX を使用するという専門家もいる。
・海外では, KPC 型カルバペネマーゼ産生菌が問題となっている。
・*K. aerogenes* は染色体に *ampC* 遺伝子を有し, 過剰産生株が耐性菌として問題となる。しばしばカルバペネム耐性菌がみられるが, 本邦では CPE よりも *AmpC*＋ポーリン欠損が主。
・ムコイド産生ストリングテスト陽性株では病原性が高く, 肝膿瘍に髄膜炎, 眼内炎など転移病変を伴いやすい。

◎詳細は『感染症プラチナマニュアル』の第 2 章の「クレブシエラ・ニューモニエ」参照。

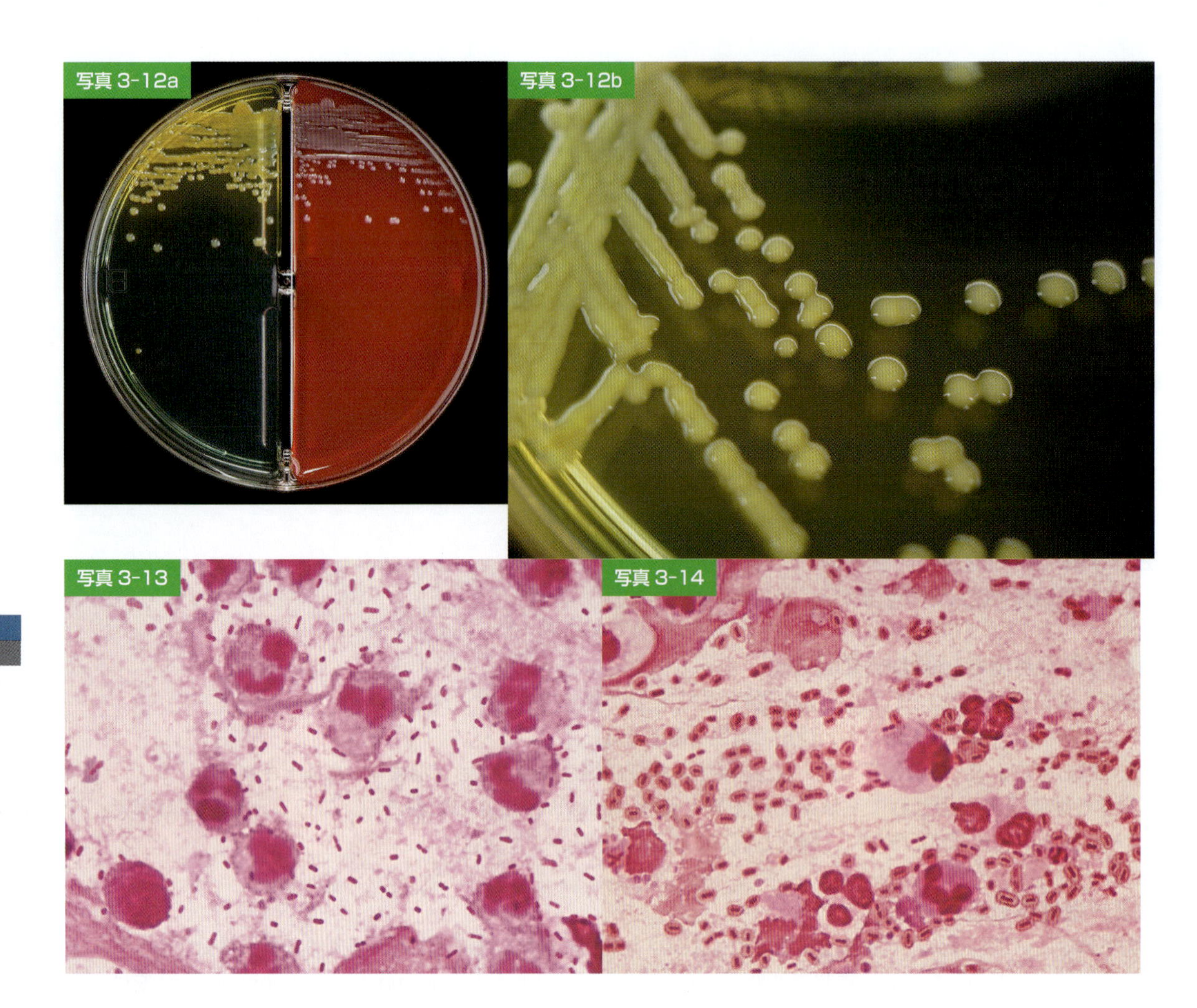

写真 3-12 BTB寒天培地上のクレブシエラ・ニューモニエ（*Klebsiella pneumoniae*）。乳糖分解するため黄色のコロニーを形成する。写真のようなムコイドのコロニーを形成する。

写真 3-13 グラム染色。*Klebsiella pneumoniae* による肺炎症例（喀痰塗抹）。菌体の周りが白く抜ける厚い莢膜を有しているのがわかる。莢膜を有することにより白血球による貪食から逃れることができる。

臨床上のポイント

- 海外では，KPC産生菌など耐性化が問題となっているが，本邦では第1～3世代セフェム系薬，ABPC / SBTに感受性があり，治療可能であることが多い。大腸菌と異なり，ニューキノロン系薬の感受性も良好である。
- ただし，ESBLsのような耐性菌には注意する。

写真 3-14 グラム染色。*Klebsiella pneumoniae* による肺炎症例（喀痰塗抹）。菌体の周りが白く抜けずに赤く染まるように観察される場合がある。ムコイド型緑膿菌も同様に赤く染まってくるが，菌体の形や孤立散在性に認められる点が緑膿菌と異なる。

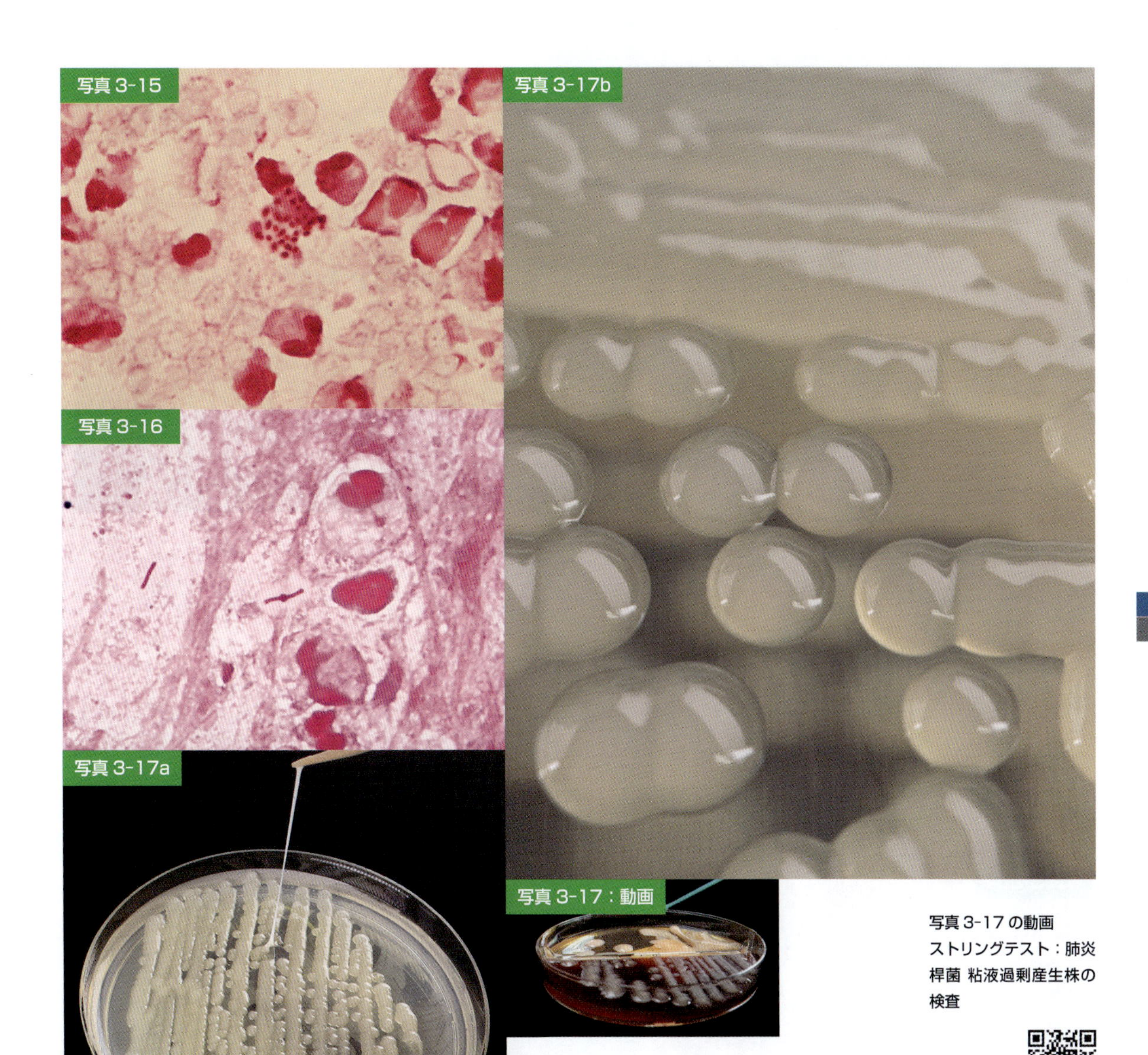

写真 3-17 の動画
ストリングテスト：肺炎桿菌 粘液過剰産生株の検査

クレブシエラ属菌

写真 3-15　グラム染色。*Klebsiella pneumoniae* による肝膿瘍症例。菌体の周りが白く抜けずに赤く染まるように観察されるケース。

写真 3-16　グラム染色。*Klebsiella pneumoniae* による肝膿瘍症例。菌体の周りが白く抜けずに赤く染まるように観察されるケース。

写真 3-17　ストリングテスト（動画あり）。粘液過剰産生型（hypermucoviscosity phenotype）の検査。5 mm 以上の糸を引く場合を陽性とする。染色体性の *magA*，プラスミド性の *rmpA* の 2 つの遺伝子が関係し，組織侵襲性が高い *Klebsiella pneumoniae* として東南アジアを中心に報告されてきたが，現在では各国から報告されている。

臨床上のポイント

- ムコイド型では病原性が高く，肝膿瘍に髄膜炎や眼内炎のような播種性病変を伴いやすいため注意する。
- 感受性が良好でも，第 3 世代セフェム系薬を用いるという専門家もいる。

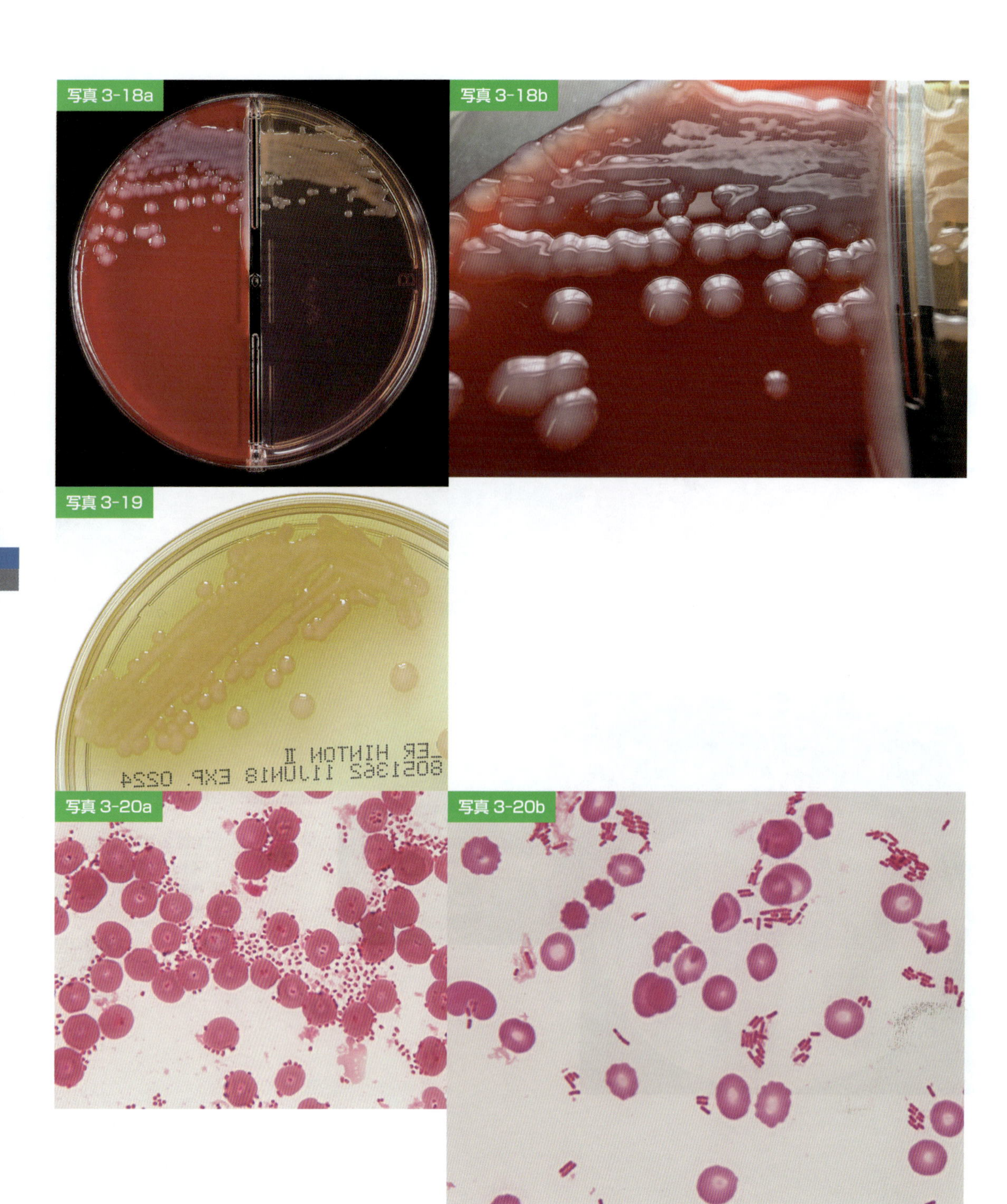

写真 3-18 粘液過剰産生型 *Klebsiella pneumoniae* の血液 / マッコンキー寒天培地。粘稠性の高さを感じるコロニー。コロニーのサイズも通常のサイズよりも大きくなるのが一般的である。

写真 3-19 *Klebsiella oxytoca* のミュラー・ヒントン（Mueller-Hinton）寒天培地 48 時間後のコロニー。48 時間以上経過するとブラウンに色づいてくるのが特徴の 1 つである。

写真 3-20 *Klebsiella oxytoca* の血液培養グラム染色。*Klebsiella pneumoniae* 同様にずんぐりした形態を示すが，b のような長い形態も認められる。

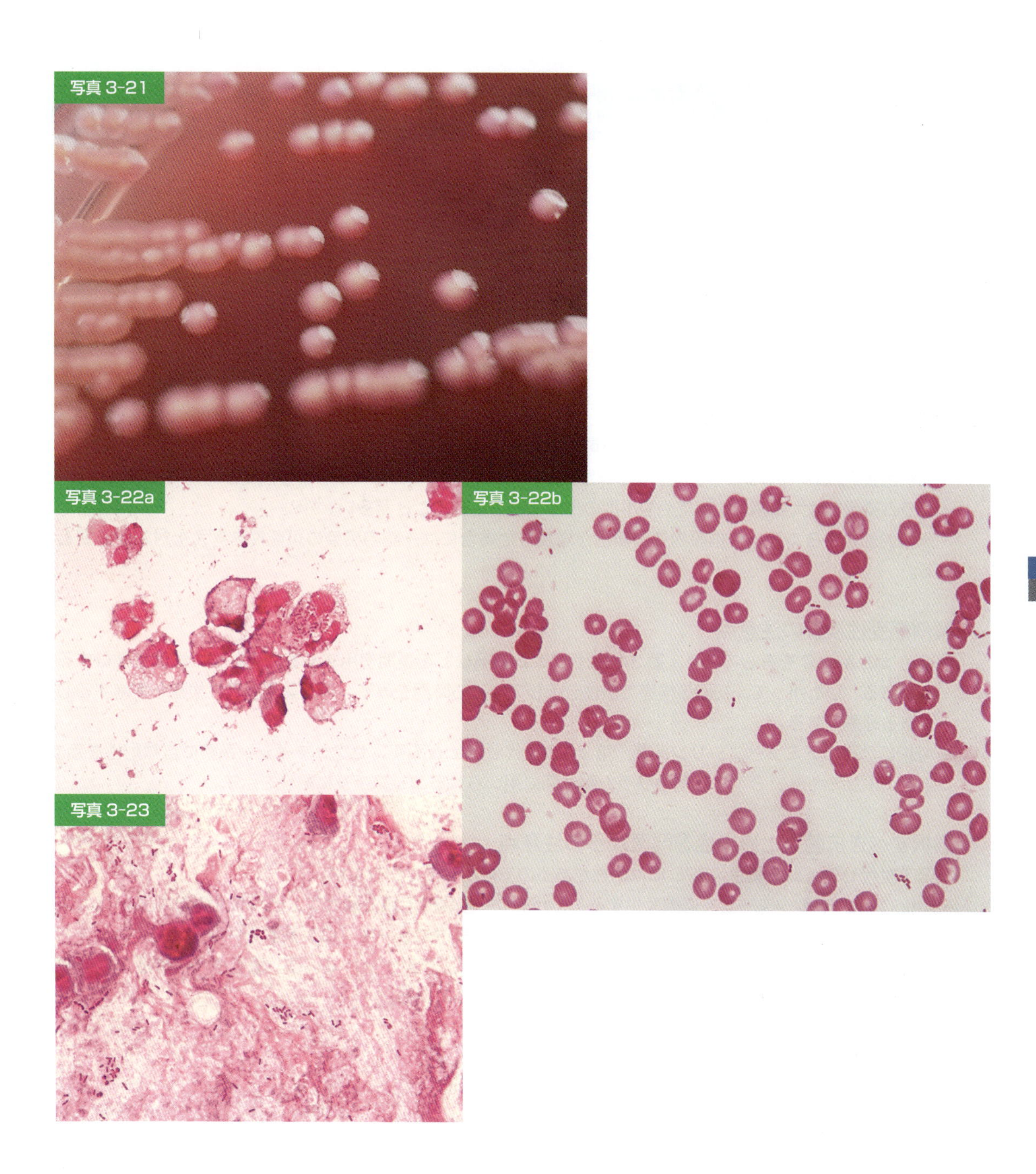

写真 3-21　マッコンキー寒天培地上の *K. aerogenes*。乳糖分解のピンク色のコロニーを示す。

写真 3-22　血液培養で検出した *K. aerogenes* のグラム染色像。

写真 3-23　喀痰グラム染色。培養で緑膿菌と *K. aerogenes* を検出。中央の太く短いグラム陰性桿菌が *K. aerogenes* で，周囲に多く認める細いグラム陰性桿菌は緑膿菌である。

セラチア・マルセッセンス(*Serratia marcescens*)

特徴

・湿潤環境に存在するグラム陰性桿菌。
・消毒薬への自然耐性が多く，医療器具を介した医療関連感染例が発生しやすい。

生じうる代表的感染症

・CRBSI，尿路感染症，医療ケア関連肺炎(HCAP)

培養同定の方法と技師からの注意点

・通常の自動機器や同定キットにて同定が可能である。
・赤色色素(プロジギオシン)を産生する株があり，その場合，コロニーから推定同定が可能である。
・グラム染色では大腸菌に比べてやや小型の形態で観察されることが多い。
・無菌的部位からの検出や施設内での検出が増加した場合には，院内感染の可能性を考えた対応が必要となる。

薬剤感受性検査の注意点

・染色体にAmpCを有しており，第3世代セフェム系薬などを長期使用すると，それらに耐性を獲得する場合がある。したがって，初回の検査で感性を示していても時期をみて，再度薬剤感受性検査を実施する必要がある細菌である。
・ABPCなどのアミノペニシリン系薬，第1，2世代セフェム系薬，セファマイシン系薬に自然耐性を示す。また，ポリミキシンBや多剤耐性グラム陰性菌に用いられるコリスチンに耐性を示す。

選択すべき抗菌薬と感染症専門医からの注意点

・第1世代セフェム系薬やABPCには耐性があるので使用してはいけない。
・AmpC型β-ラクタマーゼを過剰産生することがあり，経験的治療ではセフェピム(CFPM)あるいはカルバペネム系薬を使用するか，あるいはアミノグリコシド系薬やニューキノロン系薬を併用してもよい。
・感受性が良好な場合にはCTRXを使用することもあるが，意見が割れている。筆者は，合併症のない尿路感染症やCRBSIなどで，症例によってはCTRXを使用している。

◎詳細は『感染症プラチナマニュアル』の第2章の「セラチア・マルセッセンス」参照。

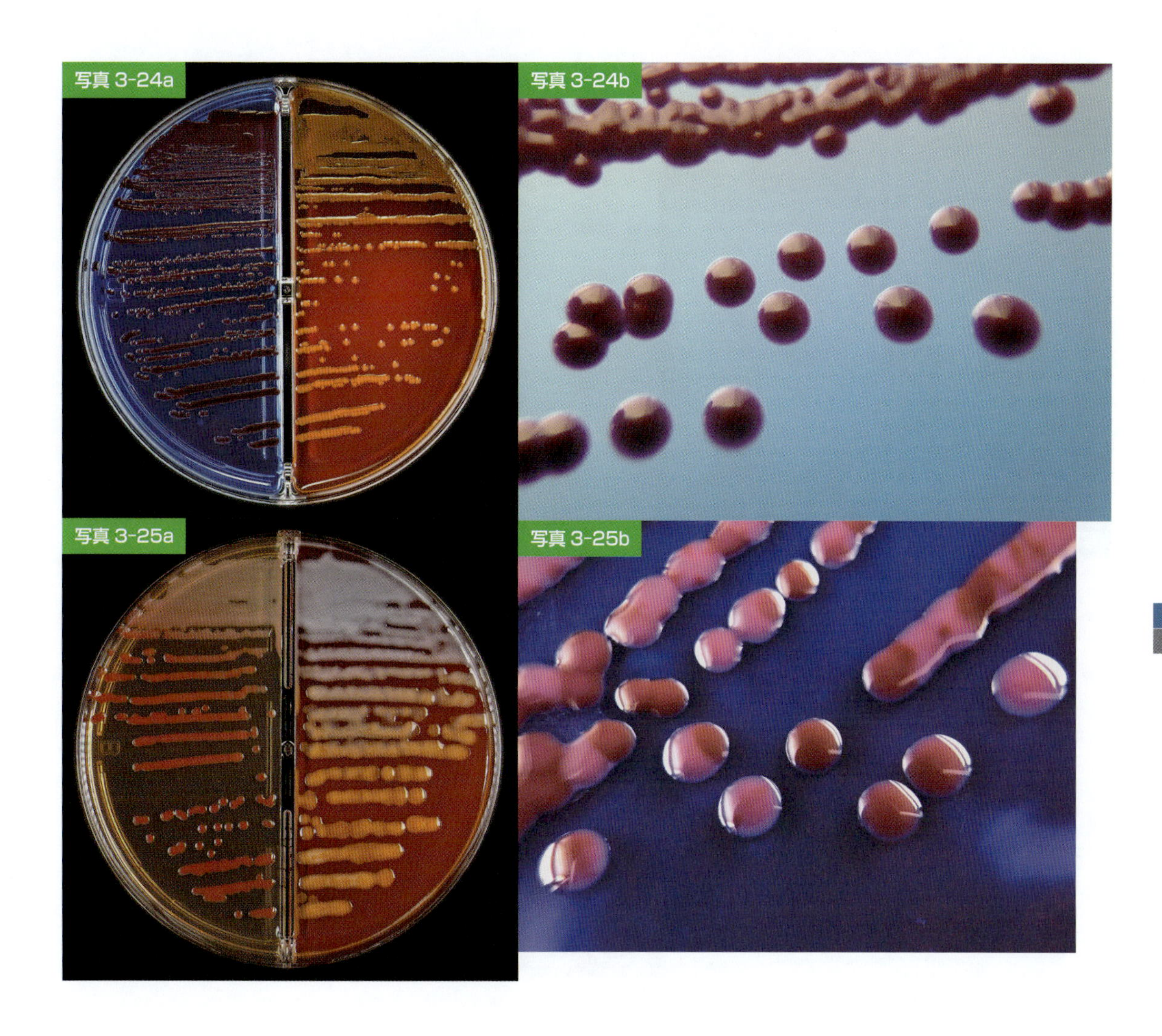

写真 3-24 BTB / ヒツジ血液寒天培地上のセラチア・マルセッセンス（*Serratia marcescens*）。BTB 寒天培地などではピロール系の赤色色素であるプロジギオシン（prodigiosin）を産生するため，深紅の色調を呈する。血液寒天培地ではオレンジ色の色調を呈する。近年は色素を産生しない株が圧倒的に多い。色素を産生しない株は，乳糖非分解のコロニーを形成する。

写真 3-25 a は *S. marcescens* のムコイド株。マッコンキー / ヒツジ血液寒天培地。プロジギオシン産生の赤色株は血液寒天培地ではオレンジ色に観察される。b は BTB 寒天培地のムコイド型コロニー。

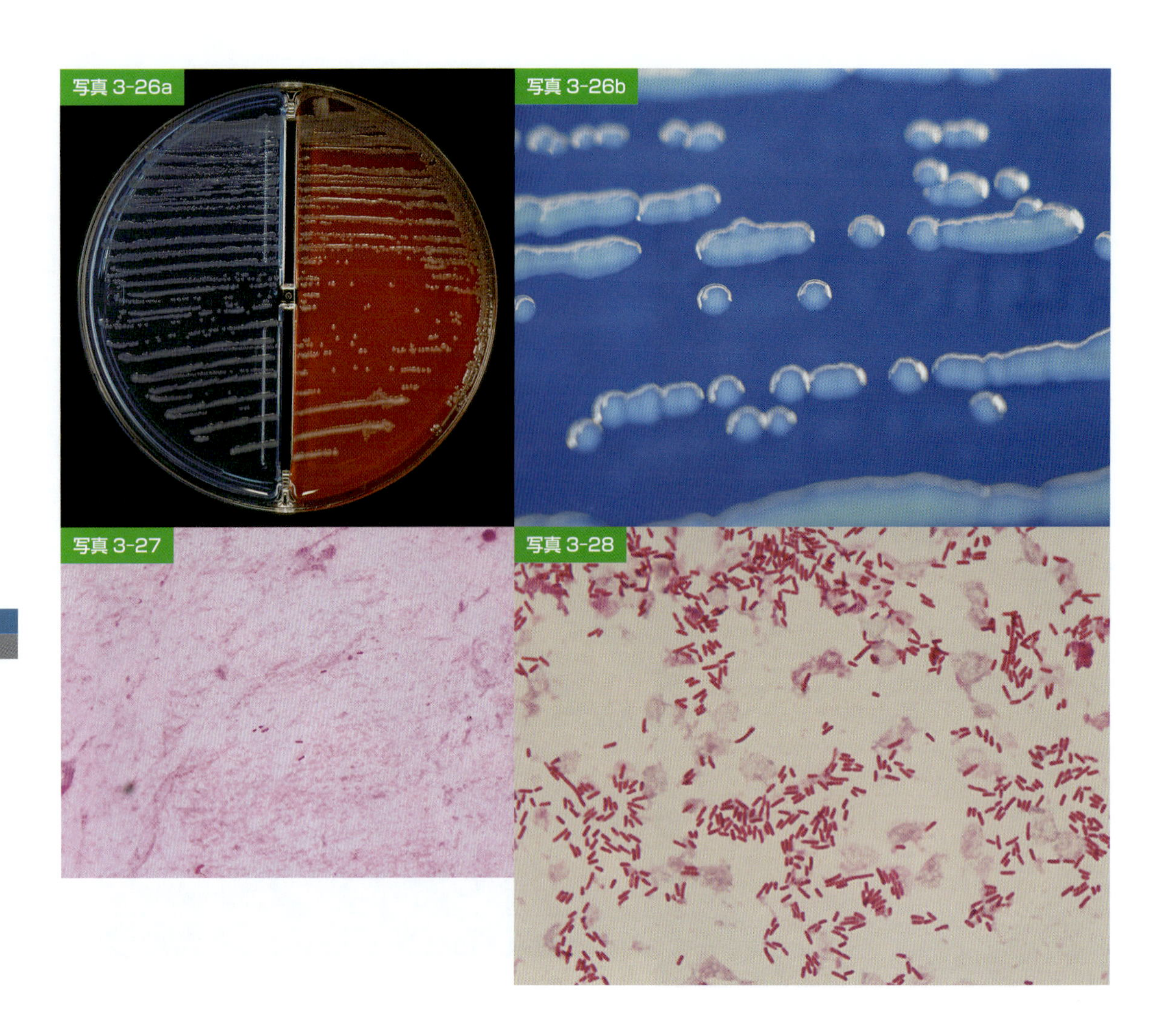

写真 3-26 BTB / ヒツジ血液寒天培地。*S. marcescens* の赤色色素非産生株。一般的にはこの色調のものが主流である。BTB 寒天培地拡大像 (b)。

写真 3-27 グラム染色。喀痰から検出された *S. marcescens*。大腸菌と比較するとやや小型に観察されることが多いが，必ずしもそうではないため，大きさだけでは区別できない。

写真 3-28 グラム染色。血液培養ボトルから検出された *S. marcescens*。写真 3-27 の喀痰と比較して，こちらは大きな菌体を示す。

臨床上のポイント

- AmpC 型 β-ラクタマーゼを過剰産生することがあるため，経験的治療では CFPM やカルバペネム系薬を使用する。

エンテロバクター属菌（*Enterobacter* spp.）：エンテロバクター・クロアカ（*Enterobacter cloacae*）complex[注意]

特徴

・主に医療関連感染を起こす腸内細菌目細菌で，グラム陰性桿菌である。
・AmpC β-ラクタマーゼ産生や ESBLs 産生によって多剤耐性傾向となる。
・治療初期には感受性が良好でも，AmpC 型β-ラクタマーゼ産生により次第に耐性傾向となる。

生じうる代表的感染症

・尿路感染症，CRBSI（菌血症），HCAP，手術部位感染症

培養同定の方法と技師からの注意点

・腸内細菌目細菌で日常使用する培地で元気よく発育してくる。
・腸管に常在する菌で，各種検体の培養でよく検出される菌の 1 つである。
・グラム染色では小型のグラム陰性短桿菌として観察されることが多いが，実際の鑑別は困難である。

薬剤感受性検査の注意点

・染色体上の AmpC 産生遺伝子をもつため，ペニシリン系薬や第 1，第 2 世代のセフェム系薬に耐性を示す。
・本邦では，クレブシエラ・ニューモニエや大腸菌に並び，メタロ-β-ラクタマーゼ産生菌が比較的多く認められる。

選択すべき抗菌薬と感染症専門医からの注意点

・感受性が良好な場合には CTRX を使用することもあるが，意見が割れている。筆者は *Enterobacter* に対しては慎重であり，特に肺炎や骨髄炎，ソースコントロール不良な症例，重症例では使用せず，感受性が良好なら CFPM へ de-escalation する。

◎詳細は『感染症プラチナマニュアル』の第 2 章の「エンテロバクター属」参照。

注意：エロゲネス菌（*Enterobacter aerogenes*）は近年，クレブシエラ属（*Klebsiella* spp.）に変更になり，名称もクレブシエラ・エロゲナス（*Klebsiella aerogenes*）に変更になった。本書でも「クレブシエラ属菌」を参照。

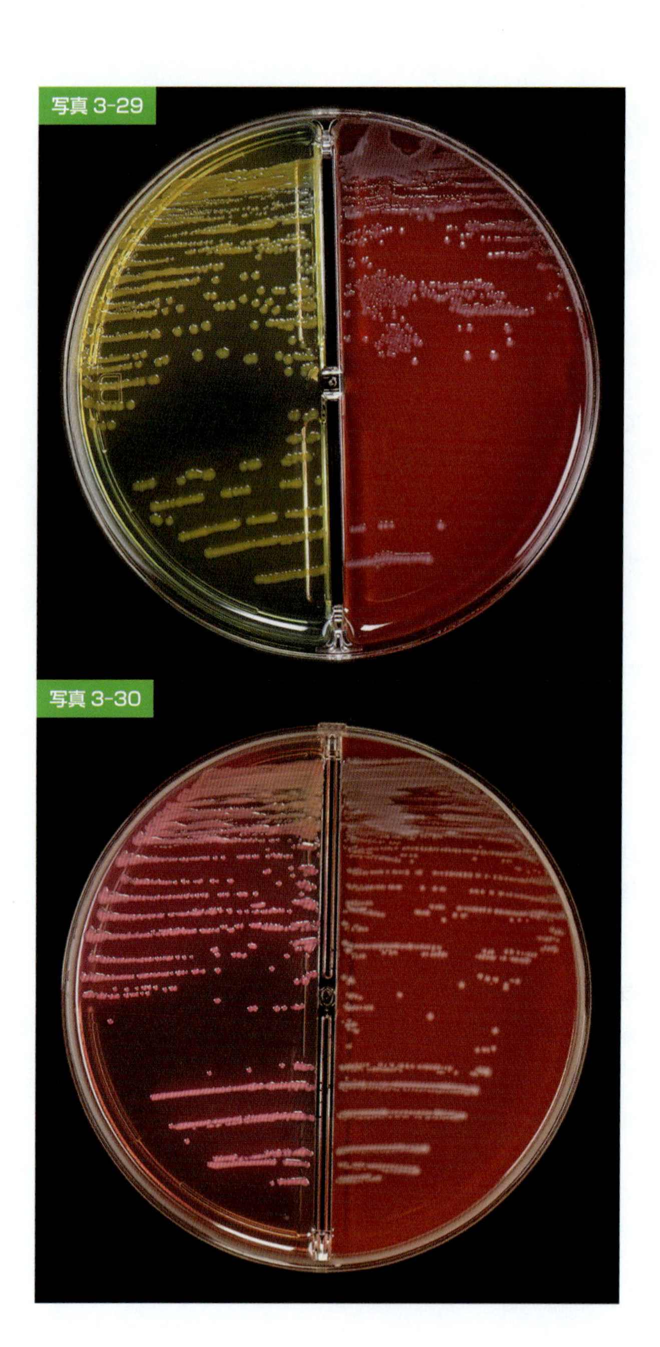

写真 3-29 ヒツジ血液 / BTB 寒天培地におけるエンテロバクター・クロアカ（*Enterobacter cloacae*）complex のコロニー。発育は良好で乳糖分解菌は BTB 寒天培地にて黄色のコロニーとなる。

E. cloacae と同定される菌には *E. cloacae*・*E. asburiae*・*E. hormaechei*・*E. kobei*・*E. ludwigii*・*E. nimipressuralis* が含まれ，日常検査では同定が困難なため，*Enterobacter cloacae* complex とされる。

写真 3-30 マッコンキー / ヒツジ血液寒天培地。*Enterobacter cloacae* complex のコロニー。乳糖を分解するためピンク色のコロニーとなる。

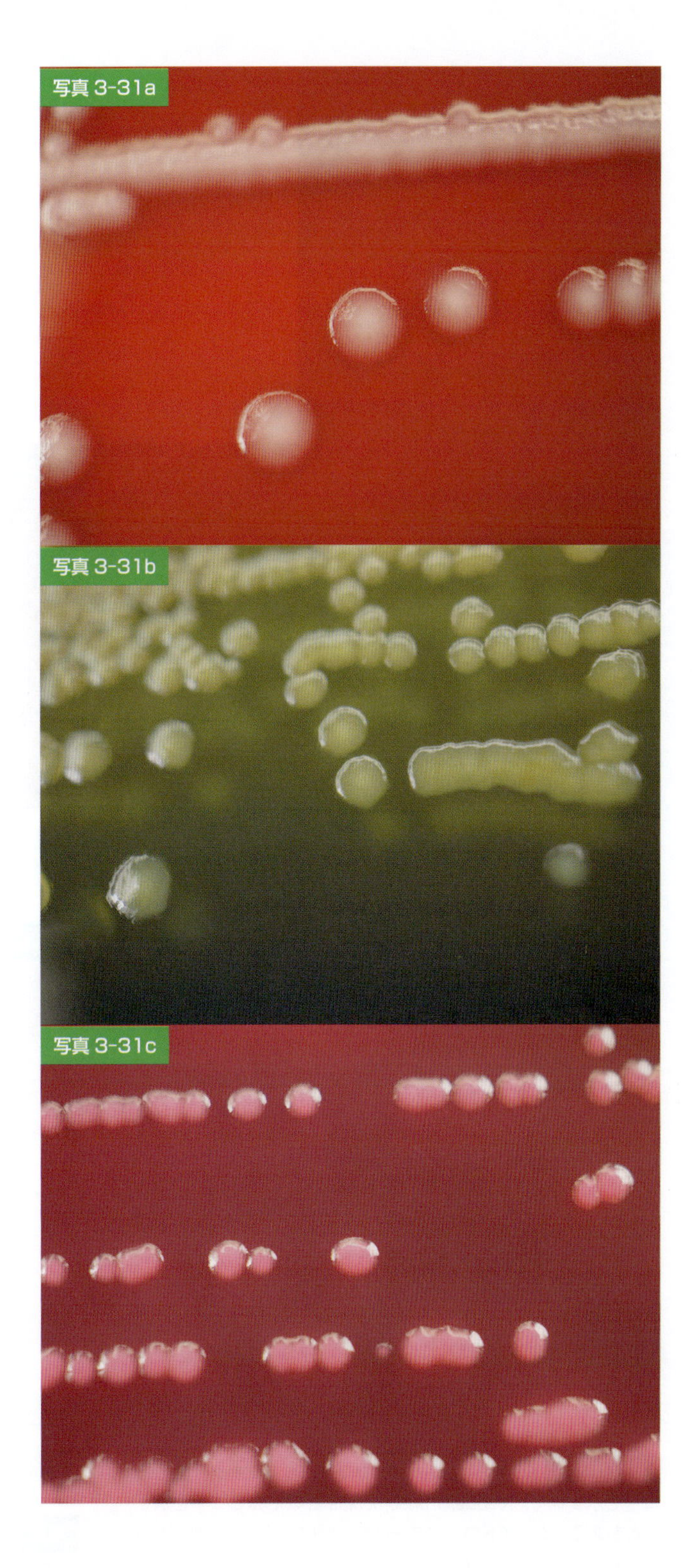

写真 3-31　血液寒天培地，BTB，マッコンキー寒天培地上のコロニー拡大図。大腸菌と類似のコロニー。

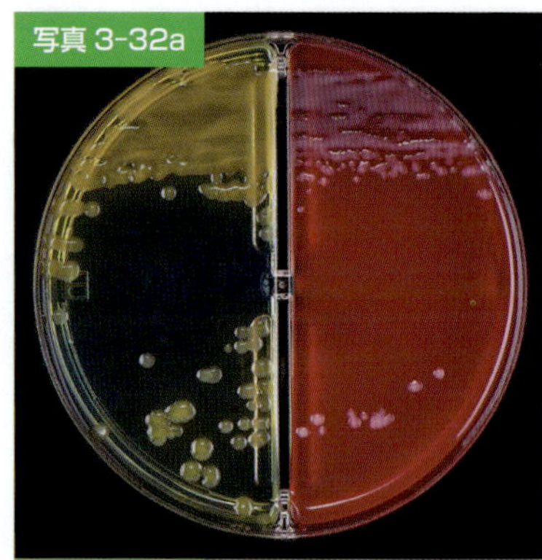

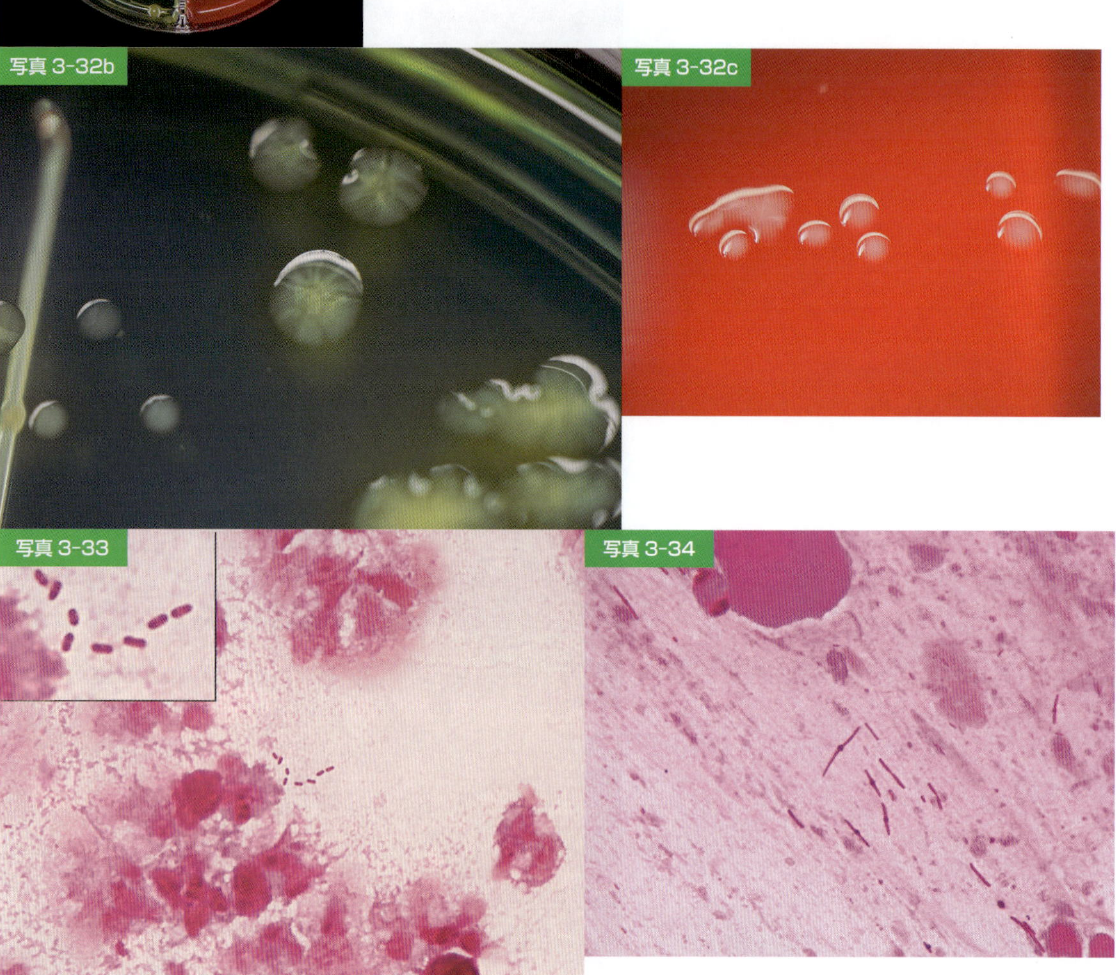

写真 3-32 ヒツジ血液 / BTB 寒天培地。ムコイド型コロニーを示す株で，*Klebsiella pneumoniae* と似たコロニーとなることもある。ムコイドのコロニーは他の腸内細菌目細菌やブドウ糖非発酵菌などでもしばしば認められる。

写真 3-33 グラム染色。尿路感染症例の *E. cloacae* complex。やや小型のグラム陰性桿菌を認める。拡大すると両端がよく染色され，安全ピン様に観察される。

臨床上のポイント
・AmpC 型β-ラクタマーゼを過剰産生することがあるため，経験的治療では CFPM やカルバペネム系薬を使用する。

写真 3-34 グラム染色。喀痰中の *E. cloacae* complex。CTRX 投与中であり，細胞壁が障害され菌体がバルジ化しているのが観察される。

臨床上のポイント
・AmpC 型β-ラクタマーゼを過剰産生することがあるため，経験的治療では，CFPM やカルバペネム系薬を使用する。

シトロバクター属菌（*Citrobacter* spp.）

特徴

・消化管内に常在するグラム陰性桿菌で，病原性は乏しい。
・多くは医療関連の尿路感染症を引き起こすが，肺炎はまれとされる。
・*Citrobacter freundii* は，*C. braakii*，*C. freundii*，*C. gillenii*，*C. murliniae*，*C. rodentium*，*C. sedlakii*，*C. werkmanii*，*C. youngae* と遺伝的に近縁で正確な分類が困難なことから，現在は *Citrobacter freundii* complex とまとめられるようになった。

生じうる代表的感染症

・尿路感染症，膿瘍，手術部位感染症，CRBSI

培養同定の方法と技師からの注意点

・腸内細菌目細菌で日常使用する培地で元気よく発育してくる。
・腸管に常在する菌で，各種検査材料からよく検出される菌の 1 つである。

薬剤感受性検査の注意点

・染色体上の AmpC 産生遺伝子をもつため，ペニシリン系薬や第 1，第 2 世代のセフェム系薬に耐性を示す。

選択すべき抗菌薬と感染症専門医からの注意点

・第 1 世代セフェム系薬や ABPC には耐性があるので使用してはいけない。
・AmpC 型 β-ラクタマーゼを過剰産生することがあり，経験的治療では CFPM あるいはカルバペネム系薬を使用するか，あるいはアミノグリコシド系薬やニューキノロン系薬を併用してもよい。
・感受性が良好な場合には CTRX を使用することもあるが，意見が割れている。筆者は，合併症のない尿路感染症や CRBSI などで，症例によっては CTRX を使用している。
・例外として，シトロバクター・コセリ（*C. koseri*）は AmpC を保有しておらず，抗菌薬感受性は良好であり，狭域抗菌薬で治療可能。
・喀痰などから検出されても，病原性があるか否かの診断は慎重な検討が必要。
・感受性が良好なら CFPM へ de-escalation する。

◎詳細は『感染症プラチナマニュアル』の第 2 章の「シトロバクター・フロインディ」参照。

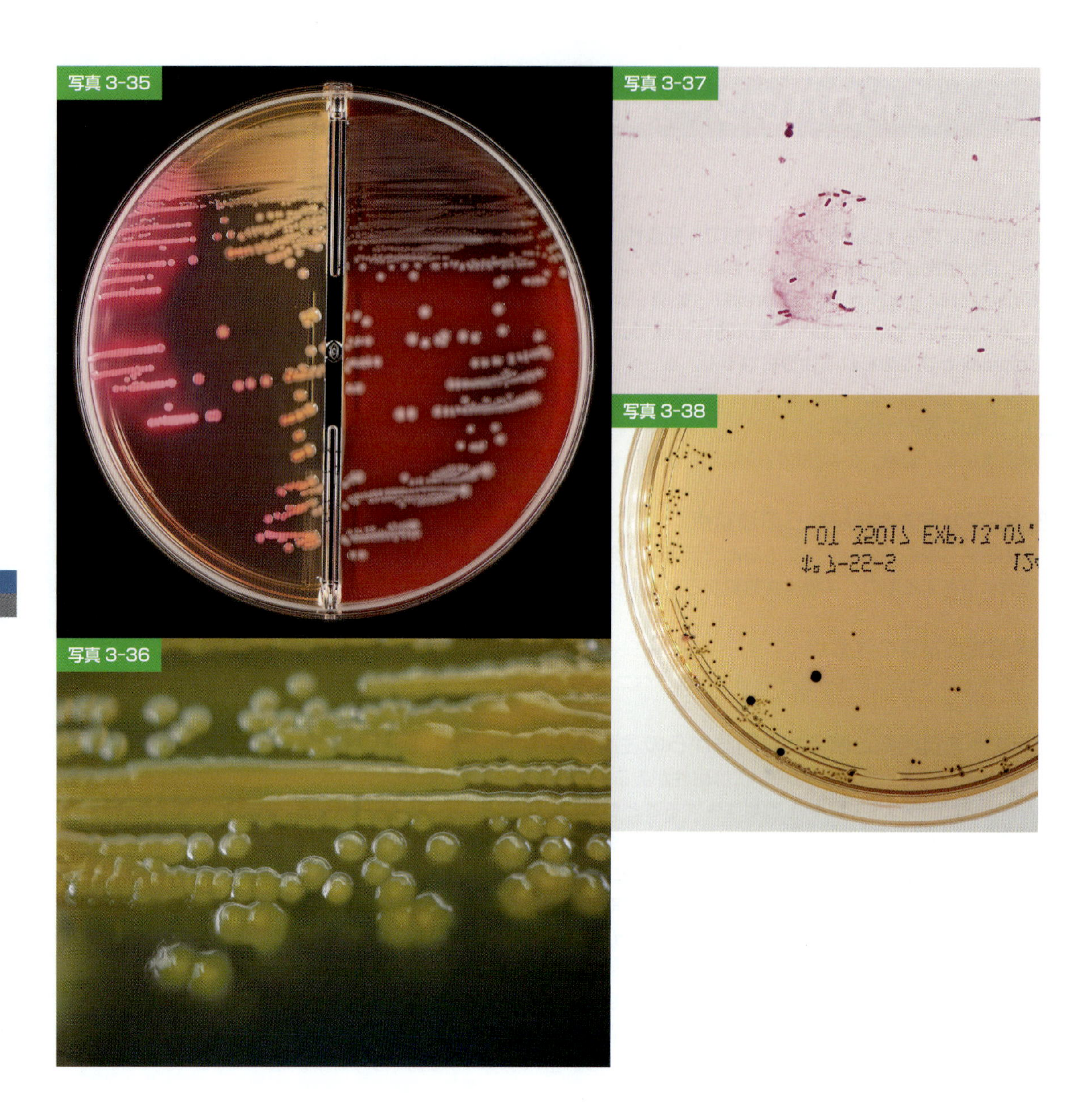

写真 3-35 シトロバクター・フロインディ（*Citrobacter freundii*）complex。ヒツジ血液 / マッコンキー分画培地。*Enterobacter* 属菌などに類似のコロニーを形成する。

写真 3-36 拡大像。

写真 3-37 グラム染色。血液培養ボトルから検出された *C. freundii* complex。形態からは他の腸内細菌目細菌との鑑別はできない。

臨床上のポイント

・AmpC 型 β-ラクタマーゼを過剰産生することがあるため，経験的治療では CFPM やカルバペネム系薬を使用する。ただし，シトロバクター・コセリ（*C. koseri*）は例外であり，抗菌薬感受性は良好であり，CTRX などで安全に治療できる。

写真 3-38 *C. freundii* complex は硫化水素を産生する菌で，*Salmonella–Shigella*（SS）属の選択分離培地に発育した場合には *Salmonella* 属菌に類似したコロニーを形成することがある。この写真は SS 寒天培地で，小型の硫化水素産生菌が *C. freundii* complex で，大型コロニーが *Edwardsiella tarda* である。*E. tarda* も非常に *Salmonella* 属菌に類似したコロニーとなるのが特徴である。

非チフス性サルモネラ属菌 (*Salmonella Enteritidis* など)

特徴

・ニワトリなどの動物や爬虫類の腸管内に存在するグラム陰性桿菌。ペット，生卵や十分に消毒洗浄されていないブタやニワトリの調理を介して感染する。

生じうる代表的感染症

・感染性腸炎，それに引き続く菌血症，骨髄炎，感染性動脈瘤

培養同定の方法と技師からの注意点

・SS 寒天培地または DHL (deoxycholate-hydrogen sulfide-lactose agar) 寒天培地などの選択分離培地を用いる。

・*Salmonella* 属菌は乳糖非分解であるため，両培地で無色半透明のコロニーを形成し，*S.* Paratyphi A など一部の菌以外は硫化水素を産生するため，中央部が黒変したコロニーを形成する。これらを拾い上げて精査する。

・*Edwardsiella tarda* や *Proteus* 属菌，乳糖非分解の *Citrobacter freundii* が SS 寒天培地に発育してきた場合，*Salmonella* 属菌と類似のコロニーであるため鑑別が必要となる。

・分離培養を実施する前に，並行してセレナイトブロスなどの選択増菌培地で増菌を行ってから SS 寒天培地などに接種することで，培養検出感度を高めることができる。

薬剤感受性検査の注意点

・腸内細菌目細菌として感受性検査を実施するが，いくつか注意点がある。1 つは第 1，2 世代のセフェム系薬，セファマイシン系薬とアミノグリコシド系薬については，*in vitro* で低い最小発育阻止濃度 (MIC) を示しても感性 (S) と報告してはならないことである。

・ニューキノロン系薬のブレイクポイントが他の腸内細菌目細菌と異なり，低い抗菌薬濃度域での判定となるため，対応したパネルを利用する必要がある。

・Clinical and Laboratory Standards Institute (CLSI) M100-ED33 では，CPFX の MIC 検査を推奨している。従来，ナリジクス酸ディスクによる方法を推奨していたが信頼性が低いとしている。ニューキノロン耐性に関しては近年変更が多く，常に最新版に注目しておく必要がある。

選択すべき抗菌薬と感染症専門医からの注意点

・多くの感染性腸炎は自然治癒するので，ルーチンの抗菌薬投与は，慢性保菌を助長したり排菌期間を延長させるため行わないが，菌血症や免疫不全患者，動脈硬化が強い患者，生体内異物 (人工弁，人工関節など) 挿入患者では抗菌薬投与を行うが，ニューキノロン系薬の使用には感受性が感性 (S) でも注意が必要。

・サルモネラ菌が 1 年以上排菌される場合を慢性保菌と定義して，長期抗菌薬内服での除菌や胆石があれば胆囊摘出術も考慮する。

◎詳細は『感染症プラチナマニュアル』の第 2 章の「非チフス性サルモネラ菌」参照。

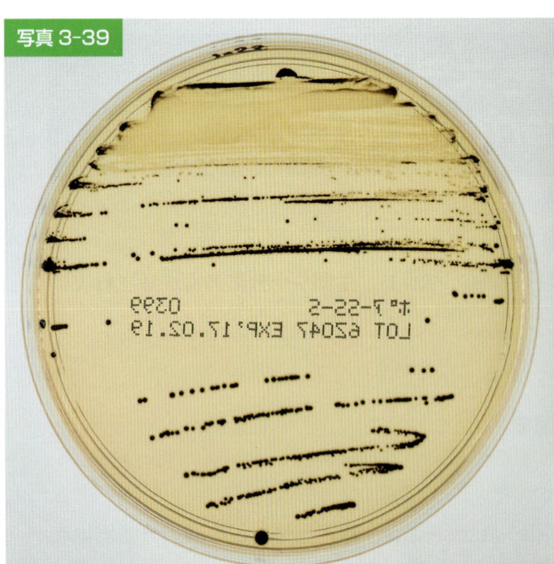

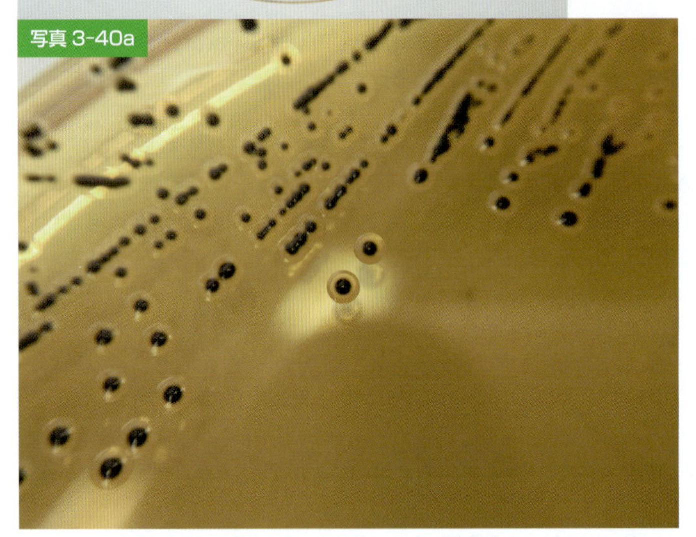

写真 3-39　SS 寒天培地上のサルモネラ属菌（*Salmonella* spp.）。SS 寒天培地は名前のとおり，赤痢菌（*Shigella*）と *Salmonella* 属菌の選択分離培地である。乳糖を含有するため，両菌属ともに乳糖非分解の無色半透明のコロニーを形成する。さらに，*Salmonella* 属菌の多くは硫化水素を産生し，コロニー中心部が硫化鉄により黒変する。

写真 3-40　SS 寒天培地上の *Salmonella* Enteritidis。

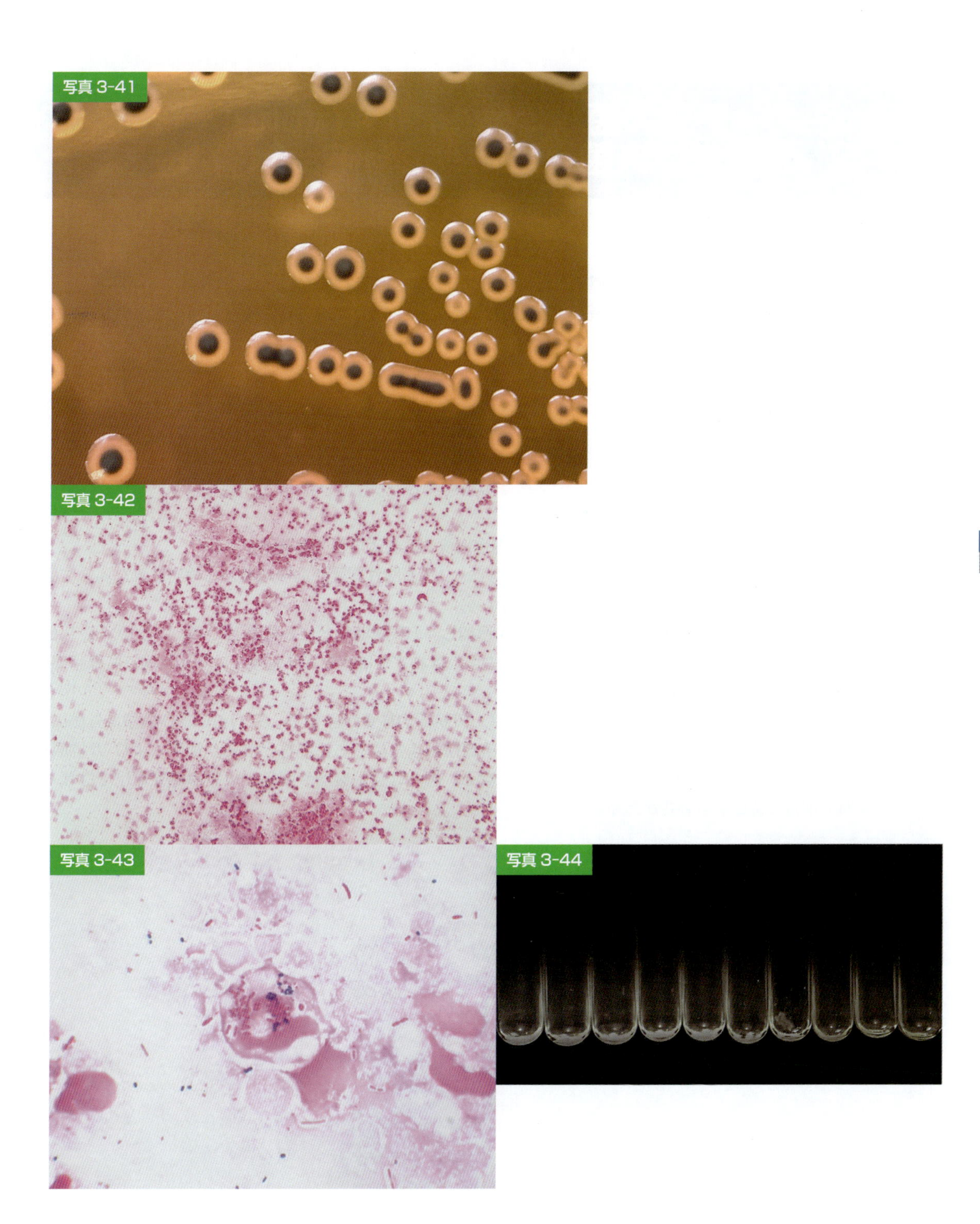

写真 3-41　寒天培地上の *Edwardsiella tarda* のコロニー。

写真 3-42　感染性腸炎症例の糞便グラム染色弱拡大像（×100）。白血球を認める。

写真 3-43　グラム染色。*Salmonella* Enteritidis による感染性腸炎症例（糞便グラム染色）。グラム陰性桿菌の貪食像を認めるが，*Salmonella* 属菌かどうかはグラム染色だけでは他の腸内細菌目細菌と区別できない。

写真 3-44　*Salmonella* の H 抗原検査。H 抗原（鞭毛抗原）の検査。右から 4 番目が陽性で，凝集塊を認める。

チフス菌（*Salmonella* Typhi），パラチフス菌（*Salmonella* Paratyphi）

特徴

・保菌者の胆嚢，腸管に存在し，糞口感染で伝染するグラム陰性桿菌である。
・熱帯，途上国への海外渡航後 1 週間程度（潜伏期およそ 5 ～ 14 日）で発熱した場合に強く考慮する（特にインド，南アジア）。
・相対性徐脈，肝脾腫大，発疹も有名。

生じうる代表的感染症

・腸熱，菌血症・敗血症

培養同定の方法と技師からの注意点

・他の *Salmonella* 属菌と異なり，プライマリーな場合は検体は血液培養である。
・臨床側が病歴から *Salmonella* Typhi を疑った症例で，グラム陰性桿菌が血液培養から検出された場合には，最初から *S.* Typhi 検出の対応を行うのが望ましい。
・血液培養陽性のサブカルチャーに SS 寒天培地を追加し，TSI 培地などにも穿刺しておくとよい。*S.* Typhi の大きな特徴は，SS 寒天培地で硫化水素は非産生またはわずかに産生する程度で，TSI 培地でも穿刺部位などにわずかに硫化水素を認める程度である。
・*Salmonella* 属菌の正確な同定には O 抗原，H 抗原，Vi 抗原の検査が必要で，*S.* Typhi の O 抗原は外側にある Vi 抗原に包まれているため，Vi 抗原陽性，O 抗原陰性またはともに陽性となる。加熱により Vi 抗原を除去すると，O 抗原（O9）のみに凝集するようになる。菌名は自動機器や同定キットの結果だけではなく，必ず抗原検査で確認する必要がある。

薬剤感受性検査の注意点

・前述の「非チフス性サルモネラ菌」参照。

選択すべき抗菌薬と感染症専門医からの注意点

・ニューキノロン系薬の耐性菌が増加しており使用を避ける。
・筆者は CTRX を使用し，ニューキノロン系薬は使わない。
◎詳細は『感染症プラチナマニュアル』の第 2 章の「チフス菌，パラチフス菌」参照。

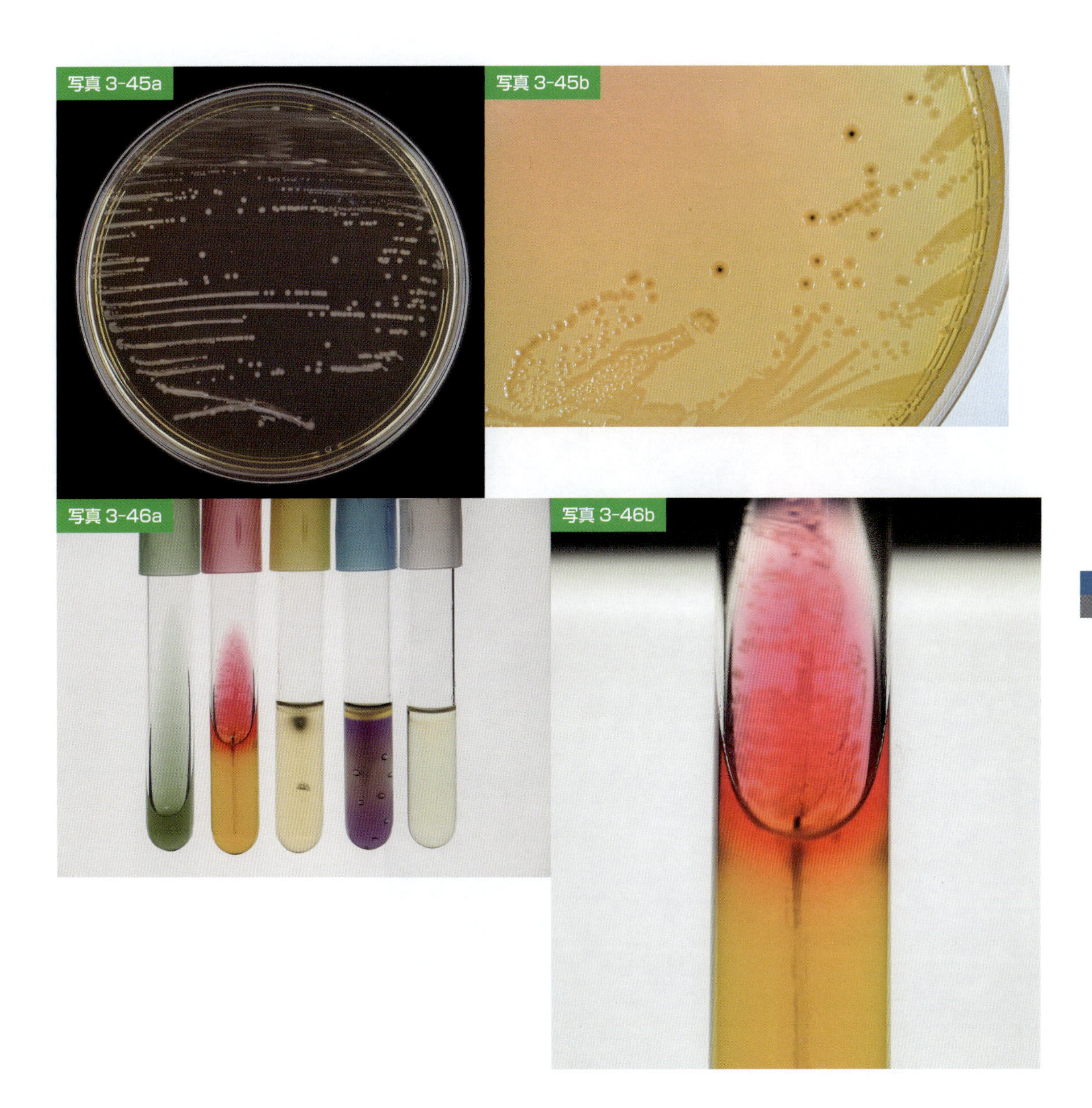

写真 3-45　SS 寒天培地上のチフス菌（*Salmonella* Typhi）。硫化水素産生は弱く，写真のようにわずかに黒変する，または認めない場合が多い。

臨床上のポイント

- 腸チフスやパラチフスは高度な下痢は生じず，発熱が全面に出るため想起されにくい。
- 東南アジアや南アジアなど渡航歴，血球減少，相対徐脈，肝障害，肝脾腫で想起し，血液培養を採取することが診断の鍵。
- 経験的治療には，ニューキノロン系薬は耐性化が深刻であり使用できず，CTRX やアジスロマイシン（AZM）を使用する。

写真 3-46　a：チフス菌。各種試験管培地。写真左から，シモンズ・クエン酸培地，TSI，OIML，SIM，VP

シモンズクエン酸（－），TSI（－ /A H2Sweek），OIML（Ornithine Indole Motility Lysine）（－ / － / ＋ / ＋），SIM（week/ － / ＋），VP（－）。

b：硫化水素産生は弱く，TSI は穿刺部位と斜面部と高層部の境界にわずかに黒色調を認める程度である。この所見は非常に特徴的であるため，チフスを疑う菌を検出した場合は TSI に接種してほしい。

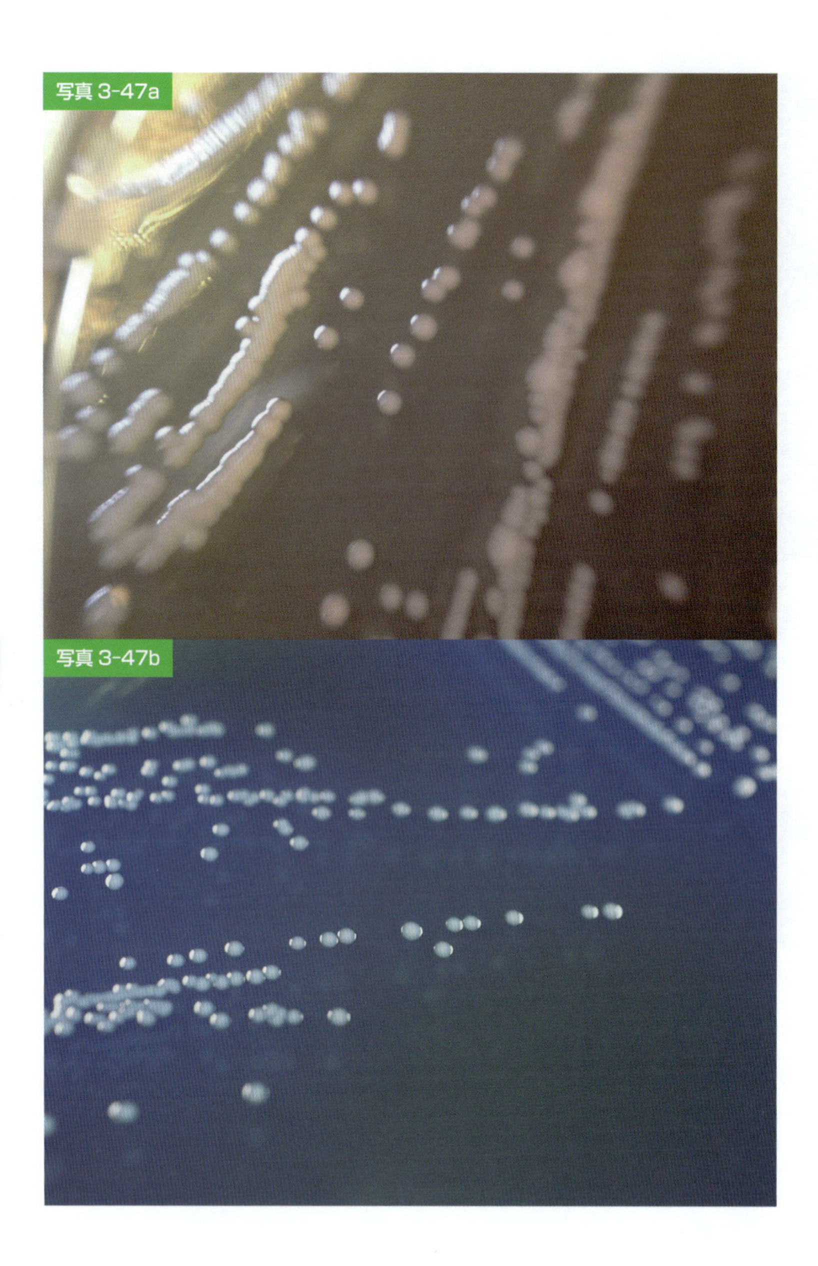

写真 3-47　a：SS 寒天培地上のパラチフス菌（*Salmonella* Paratyphi）A。多くの *Salmonella* 属菌と異なり硫化水素を産生せず，乳糖非分解の無色半透明のコロニーを形成する。
b：BTB 寒天培地においても乳糖非分解のコロニーとなる。

赤痢菌（*Shigella* spp.）：志賀赤痢菌（*Shigella dysenteriae*），*Shigella flexneri*，*Shigella boydii*，*Shigella sonnei* の 4 種

特徴

・病原性が非常に強く，少量の菌の経口摂取により必ず下痢を来すグラム陰性桿菌。
・発熱は 3 割程度と乏しいが，赤痢（血便）は患者の 40%で認められる。

生じうる代表的感染症

・細菌性赤痢，HUS

培養同定の方法と技師からの注意点

・*Salmonella* 属菌と同様に *Salmonella / Shigella* 属の選択分離培地，DHL 寒天培地などを利用して，無色半透明の乳糖非分解コロニーを指標に探索する。SS 寒天培地は *Salmonella* 属菌・*Shigella* 属菌の選択分離培地であるが，他の細菌の抑制が完全ではないため，注意が必要である。
・同定は，大腸菌などとの誤同定が問題となっており，自動機器や同定キットで *Shigella* 属菌の結果が出ても結果を鵜呑みにできない。*Shigella* 属は生化学的性状で陰性の項目が多く，発育の悪い菌では似たような性状となることがあり，大腸菌とは一部の抗原構造が共通していることから，誤同定が起きやすい。性状確認用の試験管培地を用いて，ガス産生や運動性を確認することは必須である[注意]。

薬剤感受性検査の注意点

・*Salmonella* 属菌と同様に，第 1，2 世代のセフェム系薬，セファマイシン系薬とアミノグリコシド系薬については，*in vitro* で低い MIC を示しても感性と報告してはならない。

選択すべき抗菌薬と感染症専門医からの注意点

・ニューキノロン系薬，AZM，ST 合剤，ABPC から選択。
・東南アジアからの輸入例はキノロン耐性増加のため，AZM を使用する。
・ヒト-ヒト感染を減らし，有症状期間を短縮するため，必ず治療する。
◎詳細は『感染症プラチナマニュアル』の第 2 章の「赤痢菌属」参照。

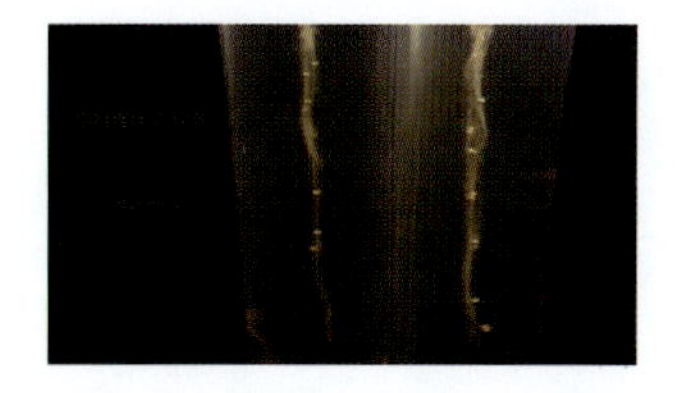

注意の動画
赤痢菌の運動性の確認

注意：赤痢菌は大腸菌と遺伝的に相同性が高く，同一菌種といっても過言ではない。共通する性状などから誤同定が問題となってきた菌である。しかし，その病原性や生化学的性状などの表現型の一部が大腸菌と異なる。その 1 つが運動性であり，赤痢菌は運動性をもたないことが大きな特徴である。大腸菌も一部は運動性をもたないが，運動性を認めた場合には赤痢菌を否定できる。運動性が強い菌は顕微鏡的にも確認できるが，一般的には，運動性確認用の試験管培地で観察する。穿刺部位から雲のように混濁が拡散している様子が確認できれば運動性ありとする（動画あり）。また，一部を除き原則ガスの産生も認めないことから，ガス産生を認めた場合も赤痢菌を否定する根拠となる。その他の異なる性状もあるが，日常的にはこの 2 つには十分注意する必要がある。

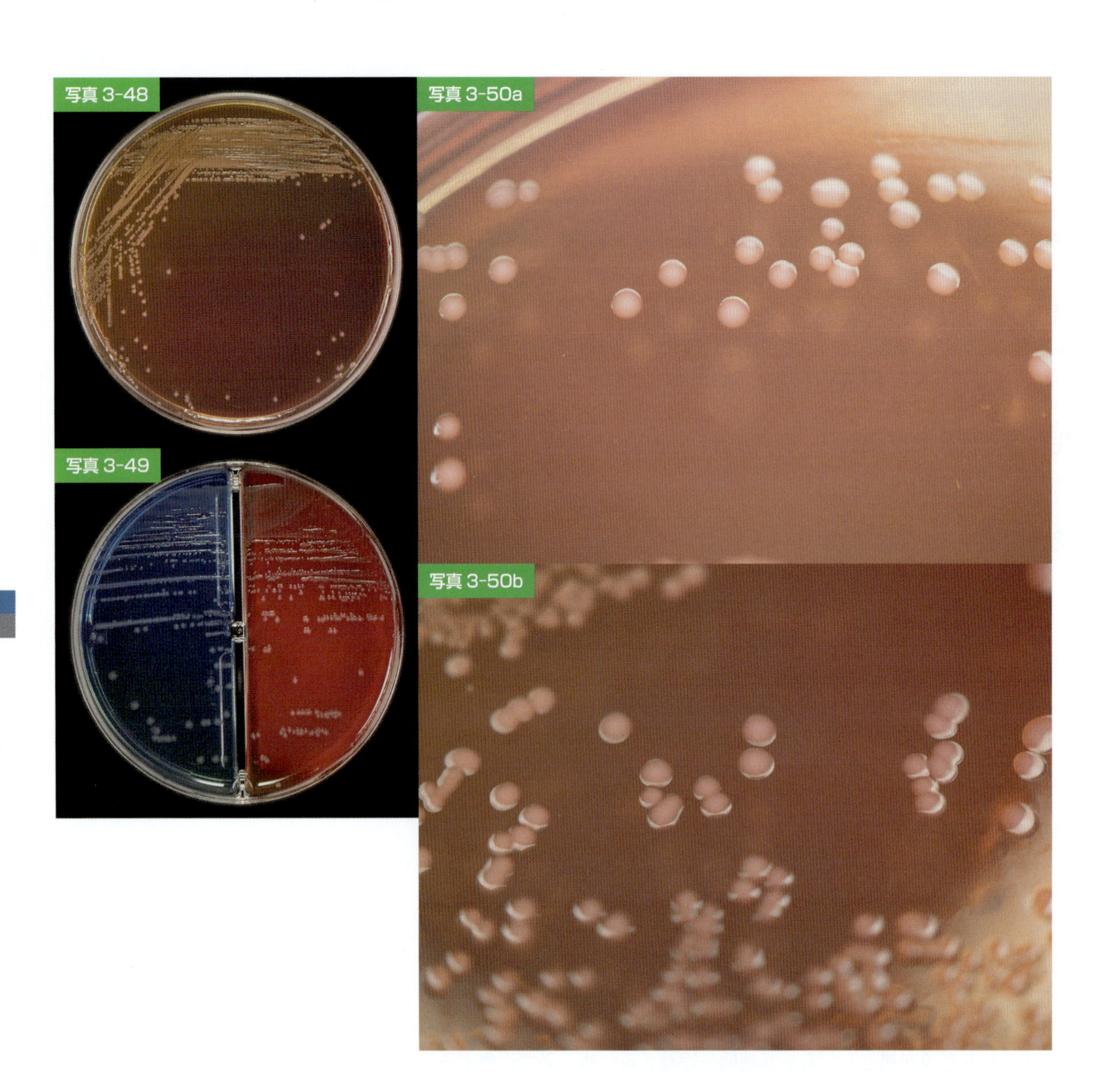

写真 3-48 SS 寒天培地上のソンネ赤痢菌(*Shigella sonnei*)。乳糖非分解の無色半透明コロニー。

写真 3-49 *S. sonnei*。ヒツジ血液 / BTB 分画培地。乳糖非分解菌として観察される。

写真 3-50 SS 寒天培地での *S. sonnei* (a) と *S. flexneri* (b) の拡大像。乳糖非分解コロニーとして観察され，コロニー外観は大きな違いはない。

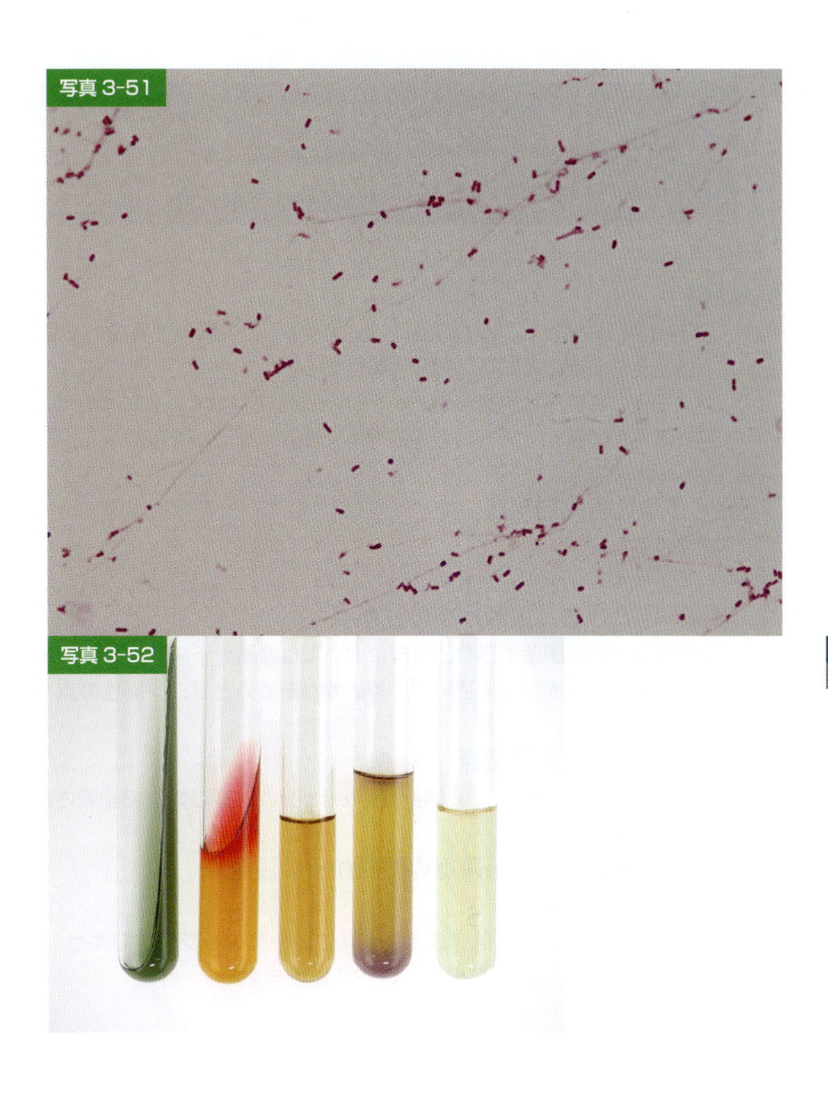

写真 3-51 グラム染色。*S. sonnei*。コロニーから染色。しっかりと赤色に染まる腸内細菌目細菌らしさを感じる染色像。

臨床上のポイント

・本菌による腸炎は必ず抗菌薬で治療する。
・基本はニューキノロン系薬を用いるが，東南アジアを中心に耐性菌の報告があるため注意する。

写真 3-52 *S. sonnei*。各種試験管培地性状。

写真左から，シモンズ・クエン酸（−），TSI（− /A），SIM（− / − / −），LIM（− / − / −），VP（−）

基本的に利用される試験管培地に対しては反応に乏しい。

プレジオモナス・シゲロイデス
(*Plesiomonas shigelloides*)

特徴

- 腸内細菌目細菌とビブリオ属菌 (*Vibrio* spp.) の中間の性質をとる菌。主に感染性腸炎を起こし，臨床症状も同定上も名前のとおり赤痢菌と類似する。
- 腸炎を生じる機序は志賀毒素 (シガトキシン) ではなく，よくわかっていない。
- 腸炎は夏季に多く，旅行者下痢症や魚介類，水を介して感染する。

生じうる代表的感染症

- 感染性腸炎，菌血症

培養同定の方法と技師からの注意点

- 腸管感染症の原因菌であり，本邦においては渡航者下痢症として検出されることが多い。
- 生化学的性状は赤痢菌に近いが，運動性がある点とリジン陽性の点で異なる。

薬剤感受性検査の注意点

- CLSI M45 にエロモナス属 (*Aeromonas* spp.) と同じ扱いで記載されている。

選択すべき抗菌薬と感染症専門医からの注意点

- 腸炎は自然治癒する。
- 重症例や免疫不全者では，ニューキノロン系薬のシプロフロキサシン (CPFX) や，スルファメトキサゾール・トリメトプリム (ST) 合剤，CTRX を投与する。

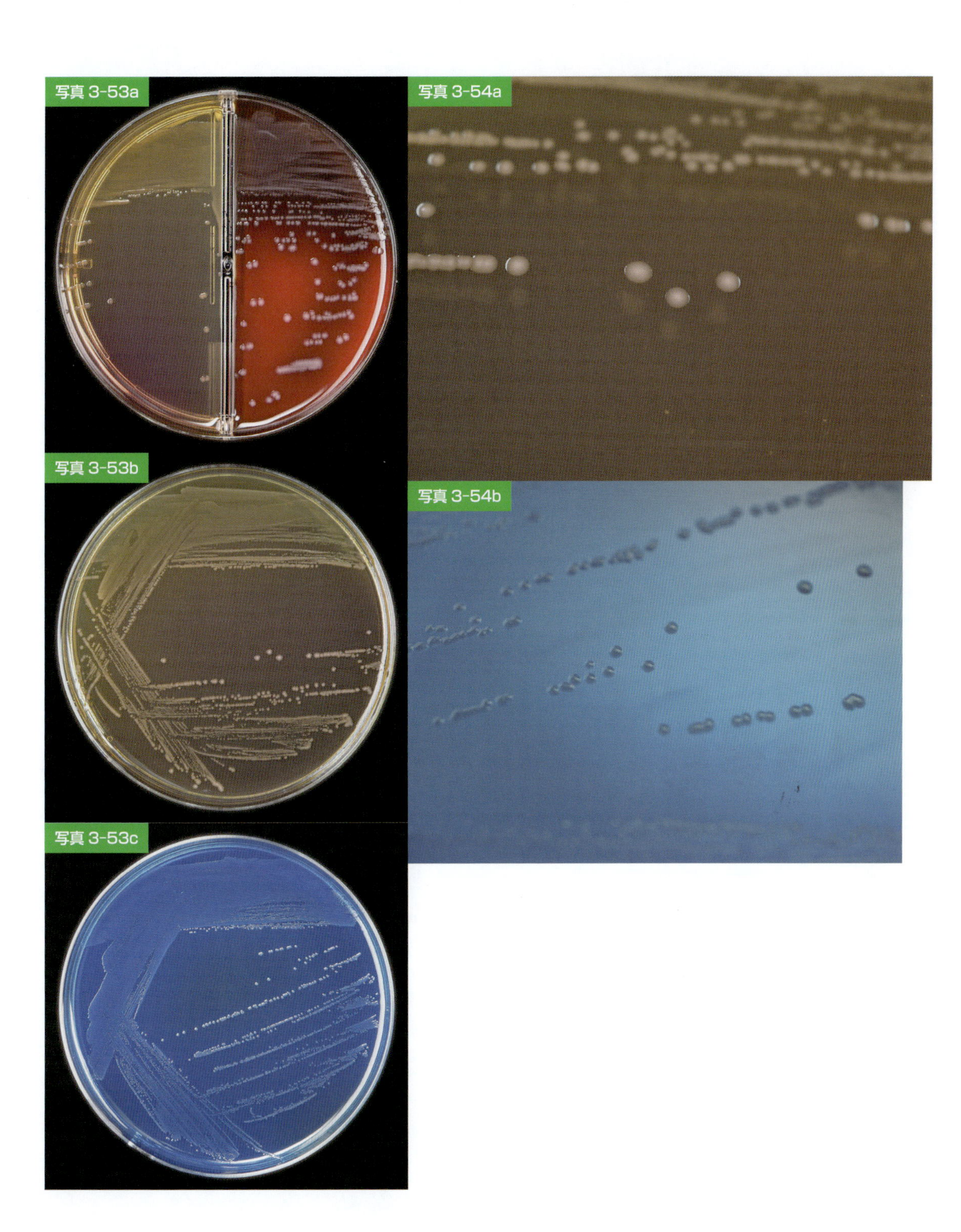

写真 3-53　プレジオモナス・シゲロイデス（*Plesiomonas shigelloides*）。血液マッコンキー分画培地。乳糖非分解菌として観察される。b は SS 寒天培地，c は BTB 寒天培地，両培地も乳糖非分解菌として認められる。

写真 3-54　*P. shigelloides*。SS 寒天培地。拡大像。乳糖非分解コロニーとして観察される。b は BTB 寒天培地拡大像。

臨床上のポイント

・原則として，対症加療でよい。重症なら，ニューキノロン系薬や CTRX を投与する。

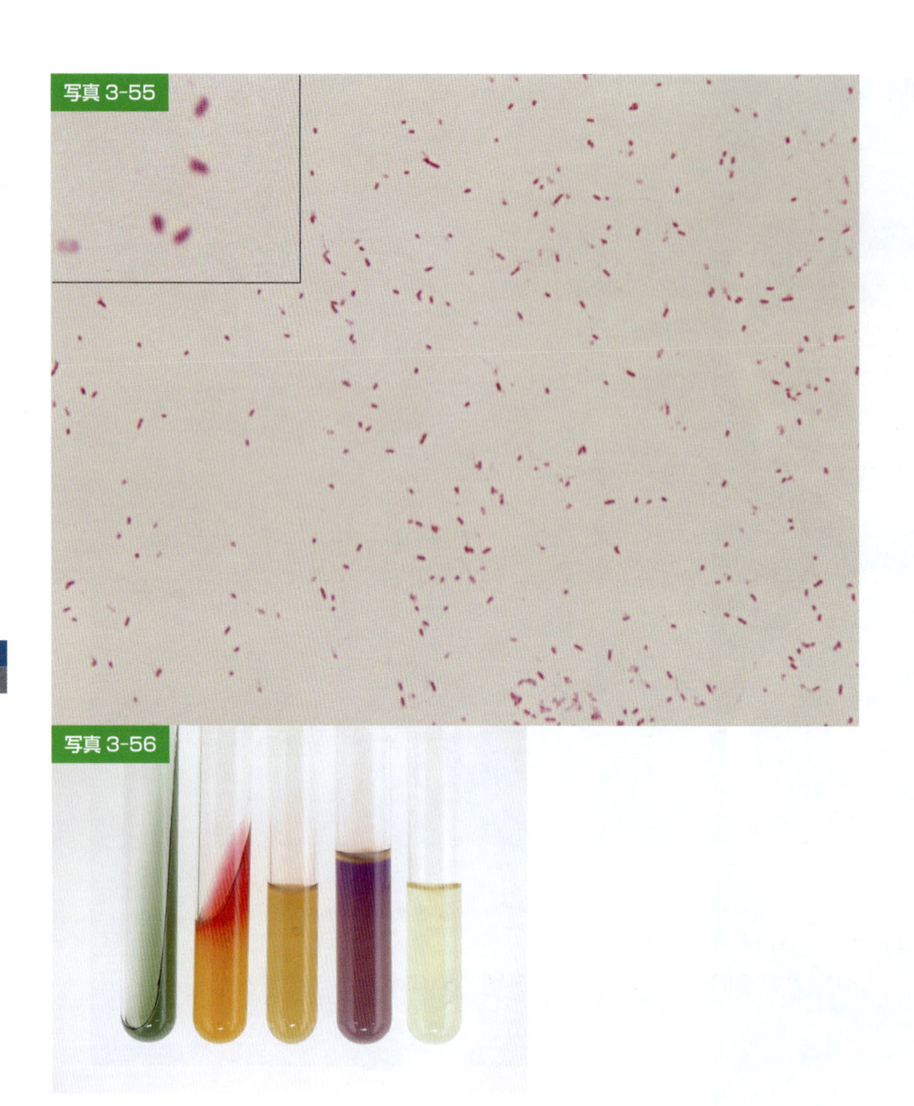

写真 3-55　グラム染色。*P. shigelloides*。コロニーから染色。

写真 3-56　*P. shigelloides*。各種試験管培地性状。

写真左から，シモンズ・クエン酸（−），TSI（−/A），SIM（−/−/+），LIM（+/−/+），VP（−）。

名前のとおり *Shigella* 属に類似したコロニーや性状を示すが，運動性がある点とリジン陽性の点が *Shigella* 属と異なる。

プロテウス属菌（*Proteus* spp.）

プロテウス・ミラビリス（*Proteus mirabilis*），プロテウス・ブルガリス（*Proteus vulgaris*）などが日常的によく検出される。

特徴

・消化管や会陰部に常在するグラム陰性桿菌である。

生じうる代表的感染症

・尿路感染症，腹部感染症，敗血症

培養同定の方法と技師からの注意点

・*Proteus* 属菌は分離培養することは難しくなく，逆に，培地全面に遊走（スウォーミング）して他の菌の分離を困難にすることのほうが問題となる。
・マッコンキー寒天培地など胆汁酸が添加された培地や電解質を除去して遊走を抑えた CLED（cystine lactose electrolyte deficient）培地，グラム陽性菌用の培地を併用することで，他の菌の分離を行う。
・*Proteus* 属菌は独特の臭気を発し，孵卵器を開けた瞬間にこの菌の存在に気づくことができる。

薬剤感受性検査の注意点

・*P. mirabilis* 以外の *Proteus* 属菌は染色体性のセファロスポリナーゼを有しており，ペニシリン系薬やセフェム系薬に対して耐性傾向がある。

選択すべき抗菌薬と感染症専門医からの注意点

・*P. mirabilis* は感受性が良好であり，大腸菌同様に CEZ，セフメタゾール（CMZ）や，感受性があれば ABPC も使用できる。
・*P. vulgaris* は耐性傾向が強く，ABPC や第 1，2 世代セフェム系薬は感受性がない。第 3 世代セフェム系薬や PIPC / TAZ，ニューキノロン系薬，アミノグリコシド系薬を用いる。

◎詳細は『感染症プラチナマニュアル』の第 2 章の「プロテウス属」参照。

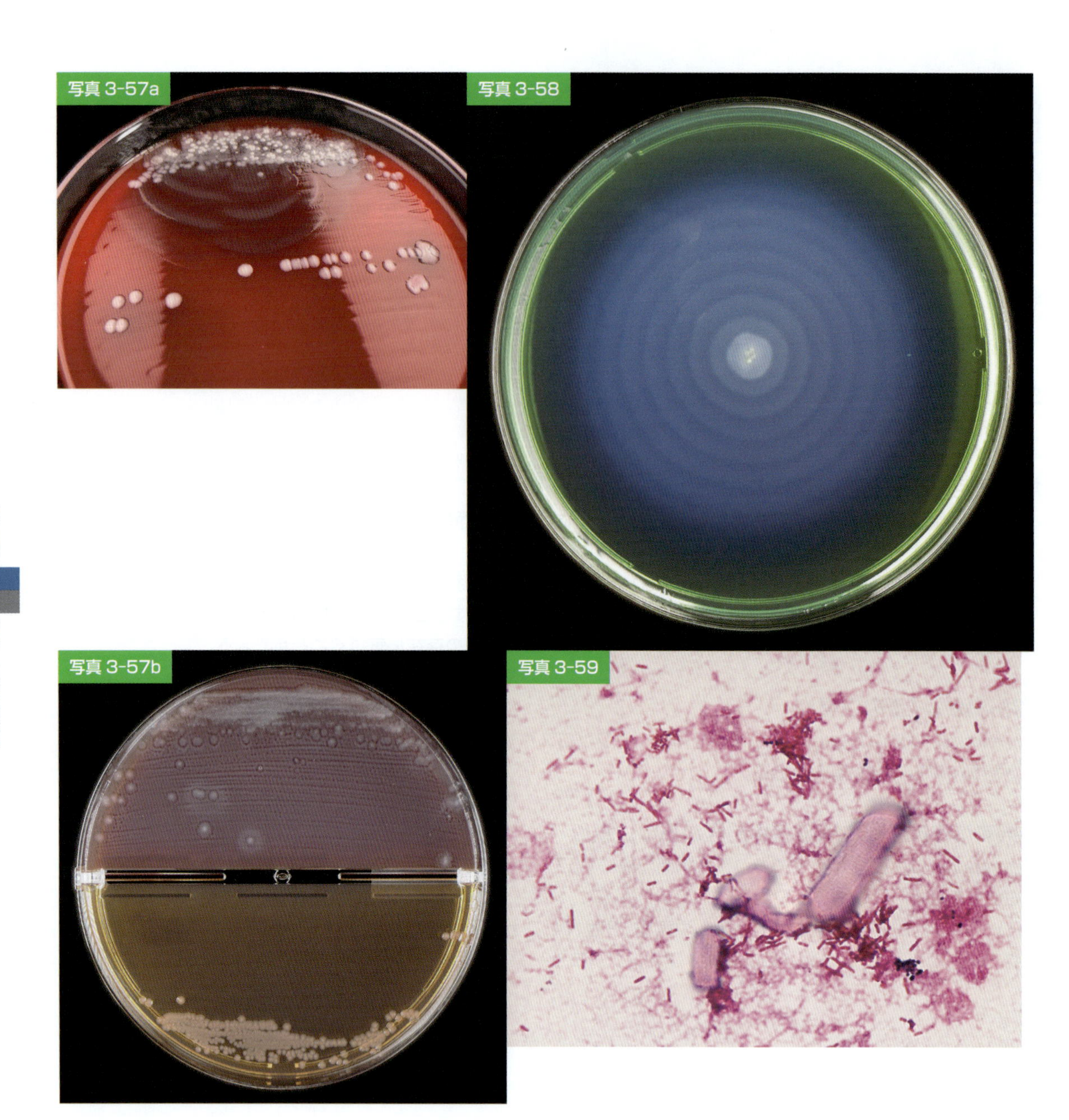

写真 3-57　ヒツジ血液寒天培地上のプロテウス・ミラビリス（*Proteus mirabilis*）。丸い白色コロニーではなく，培地辺縁部から打ち寄せる波のように広がる膜状のものが *P. mirabilis* のコロニー。運動性が強く培地上をこのように広がっていく（スウォーミング）。

写真 3-58　BTB 寒天培地上の *P. mirabilis*。培地中央に菌を接種して培養。均質なフィルム状ではなく，このように波打つように広がるのが特徴である。まれに，このような広がりをみせない株も存在する。

写真 3-59　グラム染色。尿路感染症の *P. mirabilis* と結晶成分。*Proteus* 属菌はウレアーゼを産生，尿をアルカリ化し結晶成分の析出原因となる。これらが結石発生の原因の 1 つとされる。

臨床上のポイント

- *P. mirabilis* は大腸菌同様の抗菌薬で治療できる。
- プロテウス・ブルガリス（*P. vulgaris*）は耐性傾向が強いため，より注意が必要である。
- 尿 pH が 7.0 以上であれば，結石や尿路閉塞を疑い，画像診断を行う。

エルシニア属菌（Yersinia spp.）：エルシニア・エンテロコリチカ（*Yersinia enterocolitica*），エルシニア・シュードツベルクローシス（*Yersinia pseudotuberculosis*）

特徴

・グラム陰性球桿状の腸内細菌目細菌で，ペスト菌（*Yersinia pestis*）が代表的な菌である。国内では，主として *Y. enterocolitica*，*Y. pseudotuberculosis* の 2 種類が検出される。
・ブタ肉，乳製品などを介して感染することが多い人畜共通感染症。
・低温で増殖可能であり，輸血関連敗血症の原因にもなりうる。

生じうる代表的感染症

・腸炎，回盲部炎，腸間膜リンパ節炎の原因となり，時に虫垂炎と間違われる（偽虫垂炎）。
・鉄過剰状態や糖尿病，肝不全，HIV 患者の菌血症，結節性紅斑や反応性関節炎。

培養同定の方法と技師からの注意点

・主に糞便が検査対象となるが，検出率を高めるには選択分離培地である CIN（cefsulodin-irgasan-novobiocin）寒天培地を利用することである。ただし，CIN 寒天培地を常備していない施設も多く，その場合には，グラム陰性桿菌用培地で乳糖非分解コロニーを精査していくことになる。
・培養至適温度が 24 ～ 28℃と低く，SS 寒天培地における 35℃培養での 1 日培養では，非常に小さな乳糖非分解コロニーとして観察される。

薬剤感受性検査の注意点

・*Y. enterocolitica* は β-ラクタマーゼ産生によりペニシリン系抗菌薬には耐性傾向を示す。
・*Y. pseudotuberculosis* はマクロライド系薬を除き感性（S）を示す。

選択すべき抗菌薬と感染症専門医からの注意点

・腸炎は自然治癒し，抗菌薬の効果は不透明である。
・重篤な場合や菌血症では，ニューキノロン系薬，CTRX で治療する。
・ST 合剤やゲンタマイシン（GM）も有効であるが，ABPC やマクロライド系薬は有効性が低い。

◎詳細は『感染症プラチナマニュアル』の第 2 章の「エルシニア属」参照。

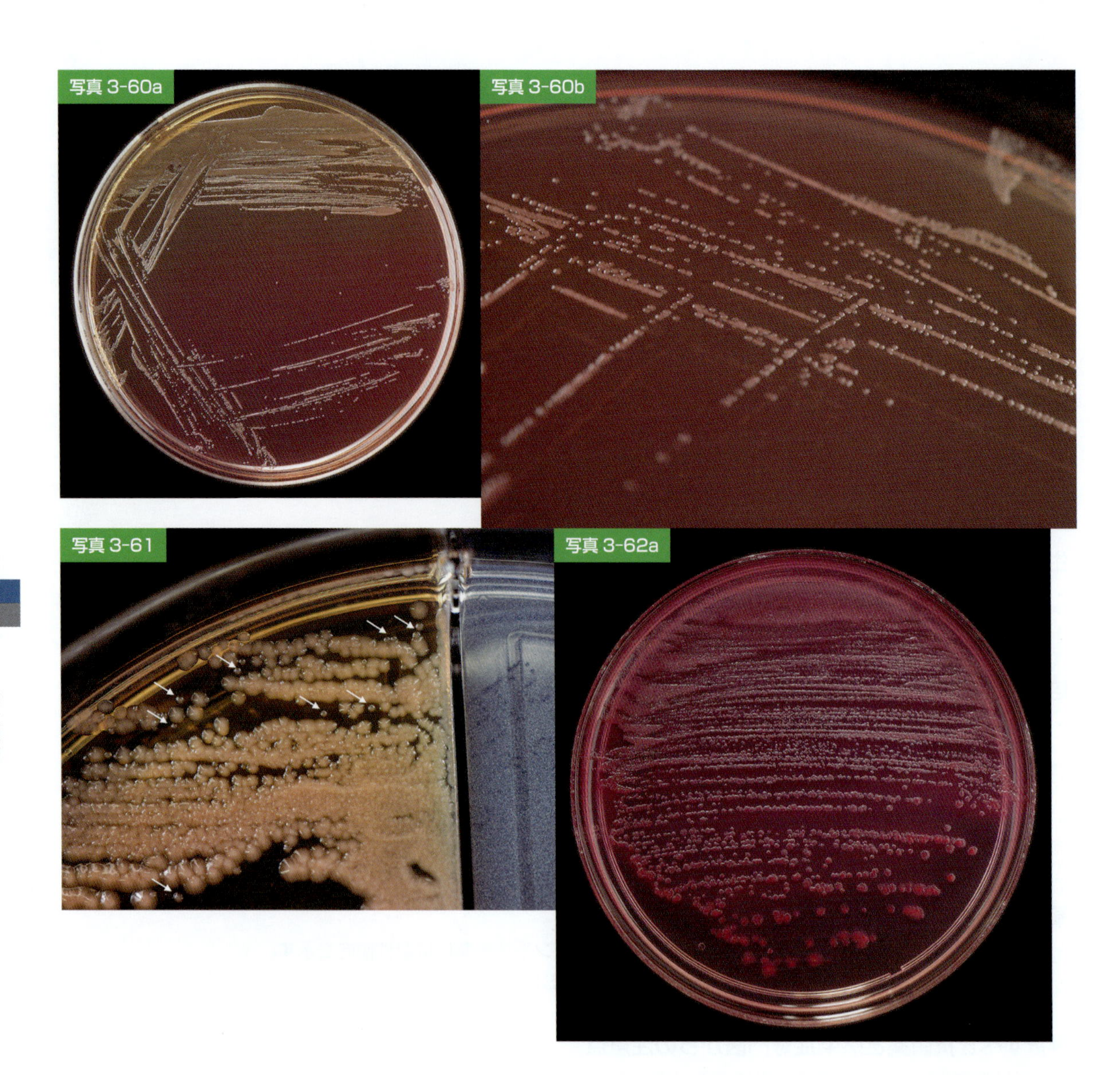

写真 3-60 SS寒天培地上のエルシニア・エンテロコリチカ（*Yersinia enterocolitica*）。35℃で1日培養後，室温に1日放置。発育至適温度は28℃であり，35℃では発育が悪い。*Yersinia* 感染を疑う場合には，室温または30℃程度での培養がよい。

臨床上のポイント

・4℃の低温で増殖が可能な菌であり，低温を好むゆえに輸血関連の菌血症の報告がある。

写真 3-61 SS寒天培地。常在菌に隠れている小型コロニーが *Y. enterocolitica* である。1日培養では気づかないこともある。

写真 3-62 CIN寒天培地に発育した *Y. enterocolitica*。CIN寒天培地は *Yersinia* 属菌の選択分離培地でありこの菌の分離には非常に役立つ。

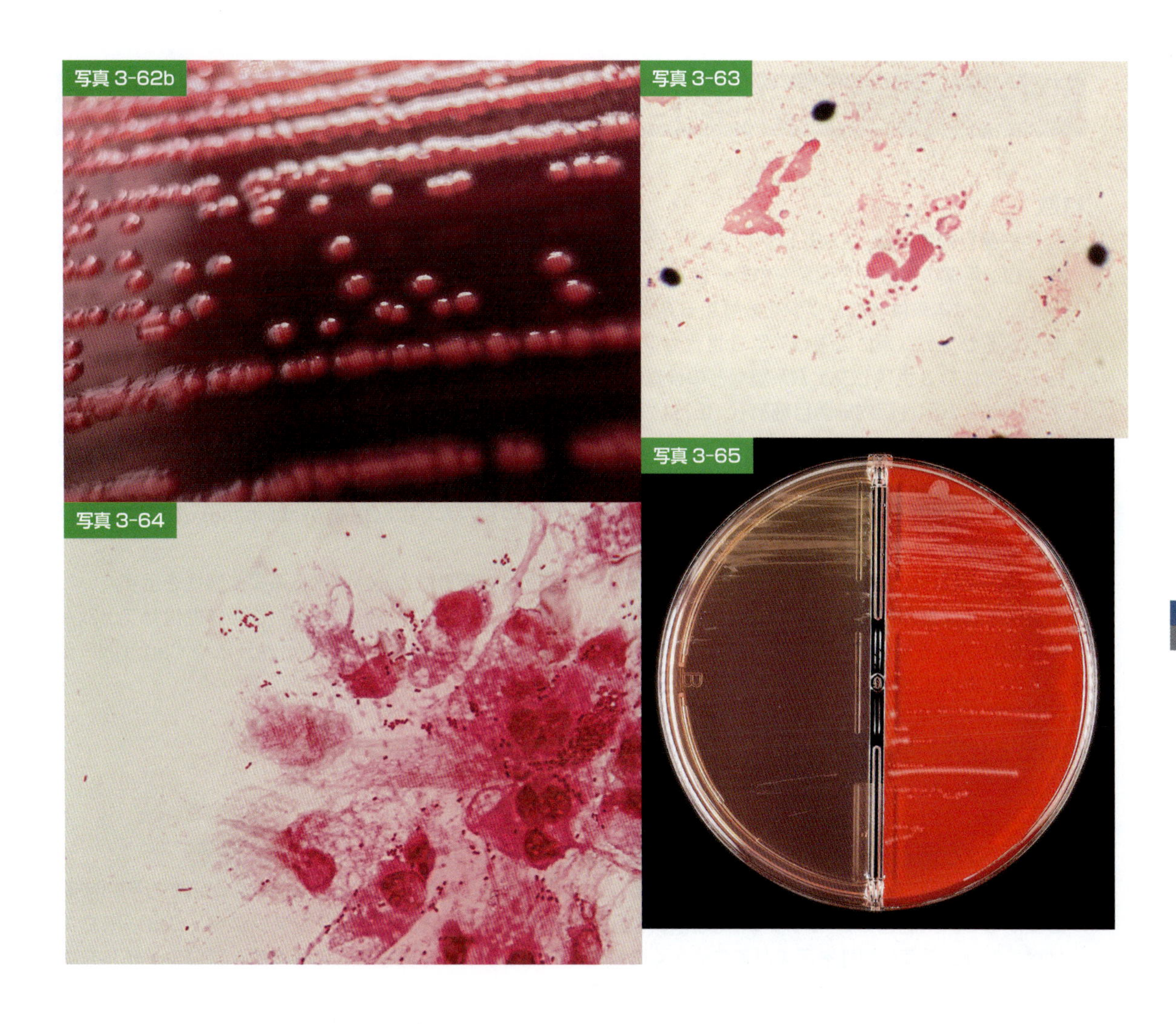

写真 3-63　グラム染色。*Y. enterocolitica* 感染の糞便グラム染色。好中球の周囲に *Y. enterocolitica* と考えられる小型のグラム陰性桿菌を認める。

写真 3-64　回盲部粘膜組織において *Y. enterocolitica* が検出された検体のグラム染色。

写真 3-65　コロニー写真。エルシニア・シュードツベルクローシス（*Yersinia pseudotuberculosis*）。ヒツジ血液 / マッコンキー分画培地。35℃での培養。224 時間培養では非常に小さなコロニーである。CIN 寒天培地などの選択培地を利用することで検出率が上がる。

腸内細菌目細菌の薬剤耐性菌

特徴

・腸内細菌目細菌では，ESBLs や AmpC，各種カルバペネマーゼを代表とした耐性菌が問題となっている。キノロン系薬の耐性も大腸菌を中心に進んでおり，多剤耐性化の懸念がある。

・ESBLs とは本来はペニシリンを分解するβ-ラクタマーゼ（Ambler 分類クラス A）が，その分解するスペクトラムをセフェム系に広張して第 3 世代セフェム系薬まで分解してしまうようになったβ-ラクタマーゼである。時に第 3 世代セフェム系薬などの検査結果で感性（S）を示しても，治療に失敗することがある。

・カルバペネム耐性腸内細菌目細菌（CRE）はカルバペネマーゼ産生が重要な耐性機序であり，ESBLs と同じくペニシリナーゼが拡張したもの（クラス A：主に KPC 型），活性に亜鉛が必要なメタロ-β-ラクタマーゼ〔クラス B：IMP（imipenemase）-1 型，NDM（New Delhi metallo）-1 型，VIM（Verona imipenemase）型など〕，オキサシリンを主に分解するものが拡張したもの〔クラス D：OXA（oxacillinase）-48 型など〕など複数ある。

・問題は，それらのなかに，実際には耐性であっても，感受性検査ではカルバペネム系薬に感性を示す，いわゆるステルス型が存在することである。カルバペネム系薬が感性でも，PIPC / TAZ や第 3 世代セフェム系薬に耐性がある場合などに，mCIM（modified carbapenemase inactivation method）法や Carba NP テストなどのカルバペネマーゼ産生の有無を確認する必要性がある。

生じうる代表的感染症

・尿路感染症，肺炎，肝胆道感染症，腹腔内感染症，CRBSI

培養同定の方法と技師からの注意点，薬剤感受性検査の注意点

・腸内細菌目細菌で各種耐性が問題となっているが，まず内因性の自然耐性によるものなのか否かを判断する必要がある。大腸菌はβ-ラクタム系薬剤に内因性の耐性は認められないが，クレブシエラ・ニューモニエはペニシリン系薬に耐性を示すがその他多くの薬剤に感性を示すなど菌種ごとの基本的なプロファイルを認識し，そこから外れるものを拾い上げる必要がある。

・ESBLs は CLSI により対象菌株とスクリーニング基準ならびに確認検査が記載されており，β-ラクタマーゼとして ESBLs のみを保有している場合には検出に迷うことは少ない。ただし，AmpC や膜変異などの他の耐性要因が加わると結果解釈が困難になる。大腸菌とクレブシエラ・ニューモニエについてはセフタジジム（CAZ），アズトレオナム（AZT），セフォタキシム（CTX），セフトリアキソン（CTRX）：＞ 1 μg/mL（≧ 2/mL），セフポドキシム（CPDX）：＞ 4 μg/mL（≧ 8/mL）のうちいずれかに該当する場合に確認試験を行う。*P. mirabilis* の場合は CAZ，CTX，CPDX：＞ 1 μg/mL（≧ 2/mL）のうちいずれかに該当する場合に確認試験を行う。確認試験はクラブラン酸（CVA）を添加した CAZ / CVA，CTX / CVA が単剤（CAZ,CTX）と比較し 3 管以上 MIC が低下した場合に ESBLs とする。CLSI では 3 菌種が規定されているが，他の菌種でも同様に検出することが可能である。

・**カルバペネマーゼ産生腸内細菌目細菌（CPE），カルバペネム耐性腸内細菌目細菌（CRE）**：CRE の判定は MIC 値から明確に定義できるが，CPE については，いくつかの理由により判断に迷うことが多い。カルバペネム耐性はカルバペネマーゼ産生だけではなく，AmpC＋外膜透過性低下，ESBLs＋外膜透過性低下などカルバペネマーゼ以外の原因による耐性の存在，カルバペネマーゼを産生するにもかかわらずカルバペネムに感性を示す株の存在（いわゆるステルス型）が問題を複雑にしている。EUCAST（European Committee on Antimicrobial Susceptibility Testing）では，メロペネム（MEPM）の MIC 値＞ 0.125 μg/mL を疫学的カットオフ値として耐性因子の確認フローを策定している。CPE の検出の基本は，EUCAST のようなスクリーニング基準を満たすもの，細菌の基本的耐性プロファイルから外れるものを精査する。特に，カルバペネム系薬，PIPC / TAZ などの MIC が通常より高い場合には精査を実施する必要がある。mCIM や Carba NP などカルバペネマーゼを検出する簡易検査が有効で，この検査でカルバペネマーゼ産生を推定する。

・本邦での検出が多いIMP型などのメタロ-β-ラクタマーゼはエチレンジアミン四酢酸（EDTA）やメルカプト酢酸ナトリウム（SMA）などにより阻害されるため，ディスク拡散法や微量液体希釈法で阻害効果を確認することでメタロ-β-ラクタマーゼを判定することができる。現在では，メタロ-β-ラクタマーゼ，KPC，OXA-48，AmpC＋膜変異などを調べるディスクが市販されており，低コストで検査が可能である。
・遺伝子検査機器も普及しつつあり，血液培養陽性検体から菌種名と耐性因子を検出するような機器では薬剤感受性結果を待つことなくCPEやESBL等を検出できるようになってきた。

選択すべき抗菌薬と感染症専門医からの注意点

・これらの耐性菌治療では，感染症専門医へのコンサルテーションが必須である（特にCRE）。そもそも治療の前に，まずは定着菌か真の原因菌か慎重に判断する必要もあるが，感染対策は必ず行う。
・ESBLsにはカルバペネム系薬，PIPC / TAZ，CMZなどを，CREには耐性機序により新規β-ラクタマーゼ阻害薬，コリスチン（CL）やチゲサイクリン（TGC），アミノグリコシド系薬などとカルバペネム系薬の併用治療を考慮する。
・新薬も登場しているが，その開発速度はきわめて遅い。耐性菌により抗菌薬のない時代のような状況に戻らないよう，感染症専門医と協働した抗菌薬適正使用がこれからの時代に望まれる。

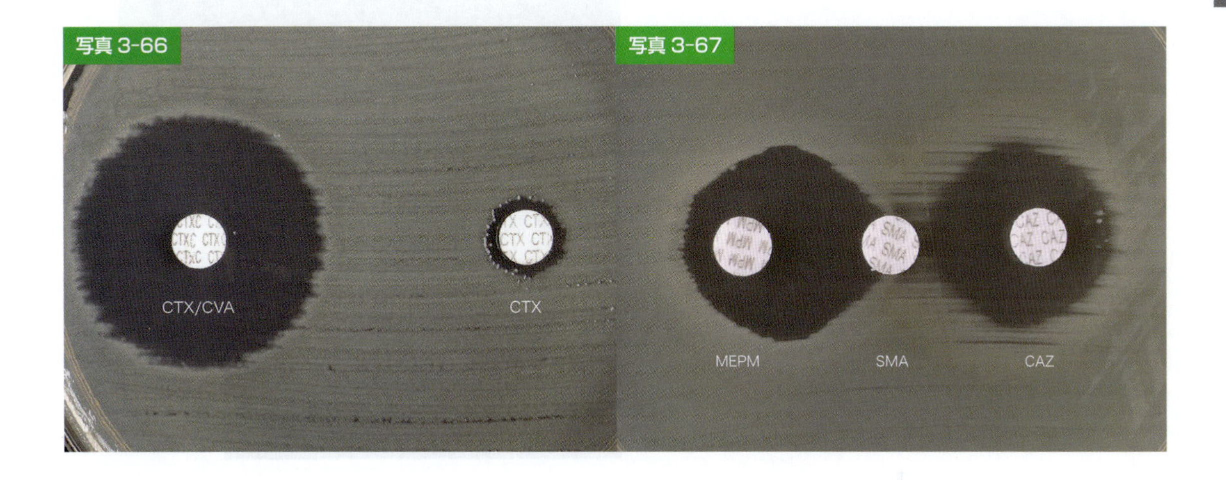

写真3-66　ESBLs。クラスAに属し，本来はペニシリン系薬を基質として分解するが，セフェム系薬まで拡大して分解するようになったβ-ラクタマーゼ。

ESBLはクラブラン酸の阻害を受けることから，確認検査として利用される。

写真は，CTX単剤とCVAを含んだCTXディスクを用いて実施したディスク拡散法。単剤では小さな阻止円だが，CVAにESBLsが阻害され，大きな阻止円を形成している。阻止円の差が5 mm以上認められた場合にESBLs（CTX-M-15）と判定する。

臨床上のポイント

・ESBLsと判断されれば，ペニシリン系薬，セフェム系薬（CMZなどのセファマイシンは除く）は感受性でも耐性と判断する。
・重症ではカルバペネム系薬を使用するが，専門家によってはCMZやPIPC / TAZ，ホスホマイシン（FOM）などで治療している。

写真3-67　メルカプト酢酸ナトリウム（SMA）ディスクによるメタロ-β-ラクタマーゼ確認試験。MEPMなどのカルバペネム系薬ディスク，またはCAZのディスクに近接して，SMAディスクを配置すると，メタロ-β-ラクタマーゼが不活化され，阻止帯が形成される。

臨床上のポイント

・カルバペネマーゼが検出されれば，すべてのβ-ラクタム薬は耐性と考える。
・TGC，CL，アミノグリコシド系薬などを単剤あるいは併用で治療または新規β-ラクタマーゼ阻害薬を耐性機序により選択する。
・メタロ-β-ラクタマーゼでは，感受性によりAZTを使用することもある。
・感染症専門医へのコンサルテーションが望ましい。

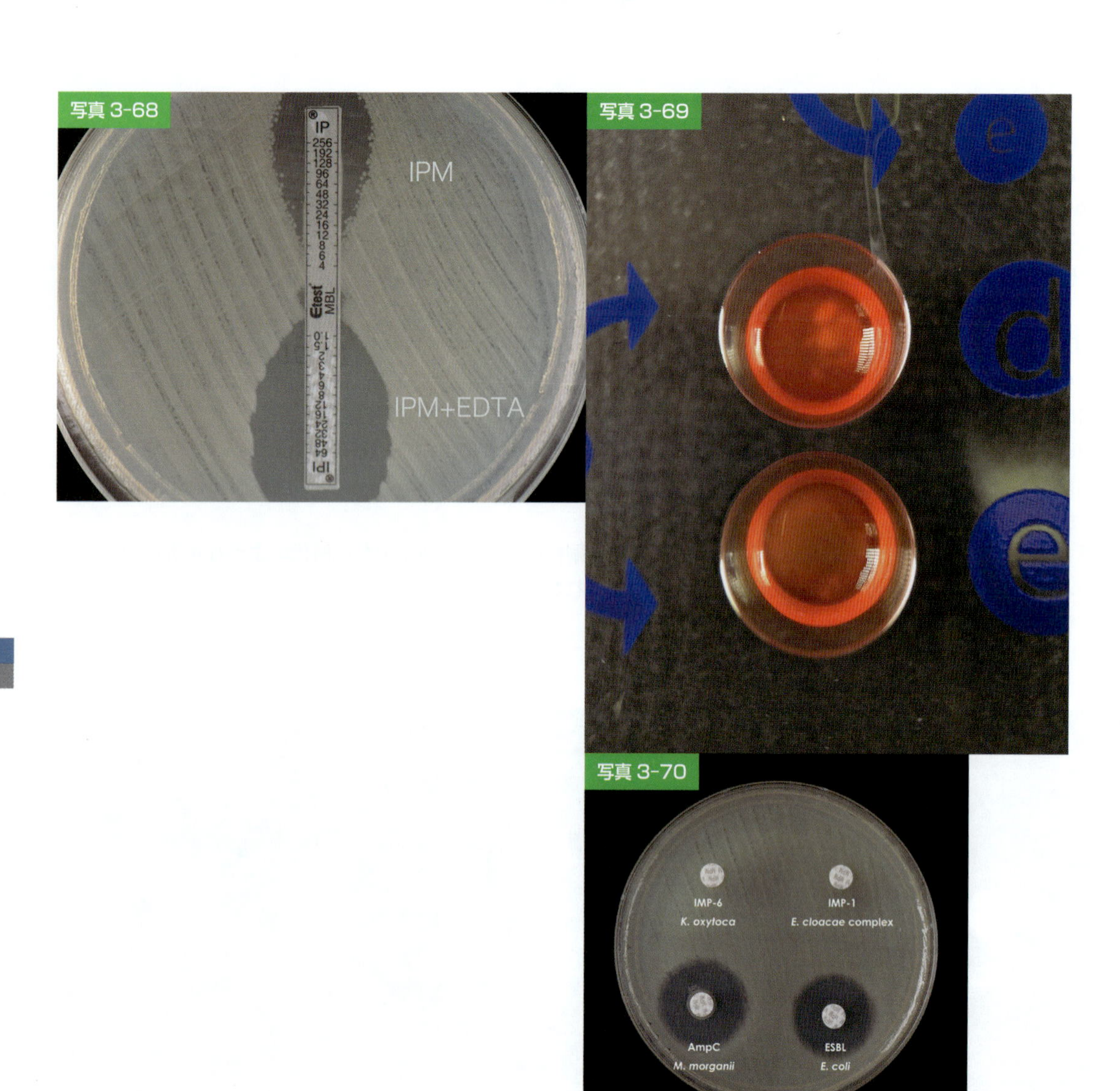

写真 3-68　SMA と同様に，メタロ-β-ラクタマーゼの阻害薬である EDTA を用いた E-test 法。短冊型のストリップの一方にイミペネム（IPM）単剤，もう一方に IPM と EDTA がストリップに含まれる。MIC を比較し，メタロ-β-ラクタマーゼであれば，EDTA を含んだ IPM の MIC が低下し，阻害が確認される。

写真 3-69　カルバペネマーゼの確認検査である Carba NP を利用したキット。Carba NP は菌株があれば，2,3 時間以内に結果が得られる。

写真左：陽性，右：陰性（左右いずれも，上穴：Control，下穴：Test）。

臨床上のポイント

・カルバペネム耐性菌のなかでも，カルバペネマーゼによる耐性菌は治療予後が悪いとされ，プラスミドにより伝達することから，治療上も感染対策上も重要視する必要がある。

写真 3-70　CRE が問題となっているが，注意しなければならないのは，カルバペネム系薬を加水分解するカルバペネマーゼ産生腸内細菌目細菌（CPE）である。カルバペネマーゼ遺伝子は伝達性プラスミド上に存在することが多いため，他の菌への水平伝播の恐れが高いことから十分な注意が必要である。

CIM（carbapenem inactivation method）はカルバペネマーゼを検出する検査であり，改良法が mCIM として CLSI に取り上げられた。特別な機器を必要とせず，どこでも実施が可能であり，腸内細菌目細菌に関して高い感度・特異度を有する。

原理としては，MEPM ディスクを入れた被検菌液〔濃厚菌液：CIM，トリプトンソイブイヨン（TSB）培地に菌を懸濁：mCIM〕を一定時間インキュベーションし，ディスク中の MEPM が加水分解されるかを確認する検査である。

臨床上のポイント

・従来のホッジ（Hodge）法などよりも，感度，特異度に優れるとされている。
・各施設での検出法の確認が必要である。

b．ブドウ糖非発酵グラム陰性桿菌（NF-GNR）

- 「酸素のない状況でブドウ糖を分解する」（発酵）することができない菌。
- 病原性は弱いが，耐性傾向が強い。
- 土壌や水気のある環境に存在し，院内環境やヒトの表皮などにも存在する。栄養要求性が低いことから，環境中において長期間生存する。
- 多くの市中感染では通常，治療対象にならないが，医療関連感染，日和見感染症を起こす経験的治療の際に使用可能な抗菌薬は，一部の抗緑膿菌活性のあるものに限られる。
- 緑膿菌（*Pseudomonas aeruginosa*），アシネトバクター属菌（*Acinetobacter* spp.），ステノトロフォモナス・マルトフィリア（*Stenotrophomonas maltophilia*）などが代表的な非発酵菌であり，アシネトバクター属菌を除き湿潤環境を好む。

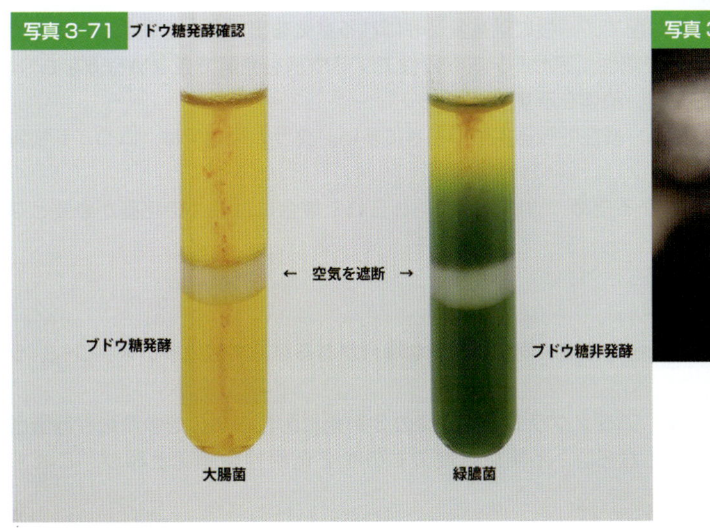

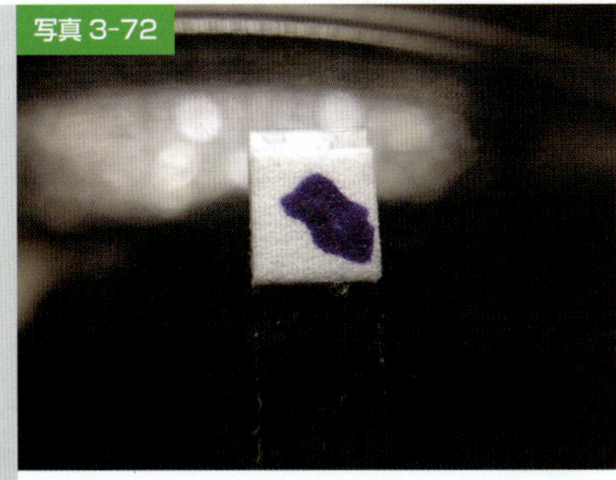

写真 3-71 緑膿菌（*Pseudomonas aeruginosa*）などのブドウ糖非発酵菌は，酸素のない状態でブドウ糖を分解（発酵）することができない。ブドウ糖の分解形式をみるOF（oxidation-fermentation）培地を用いた場合，腸内細菌目細菌は空気を遮断された下層部（発酵的分解をみる），上層部（酸化的分解をみる）ともにブドウ糖を分解し培地を黄変するが，ブドウ糖非発酵菌群は下層部は分解できず（非発酵），元の培地の色調のままである。酸素のある上層部では分解できる菌，できない菌など菌種によりさまざまである。

臨床上のポイント

- 検査室に足を運ぶと，検出されたグラム陰性菌がブドウ糖非発酵菌かどうかは翌日にはたいてい判明している。
- 非発酵菌が原因菌とわかれば，抗緑膿菌作用のある抗菌薬を選択することができる。

写真 3-72 オキシダーゼ試験。呼吸酵素に関する検査で，腸内細菌目細菌は陰性（*Plesiomonas* 属菌を除く），ブドウ糖非発酵菌（*Acinetobacter* 属菌，*Stenotrophomonas* 属菌を除く）や *Vibrio* 属菌，*Neisseria* 属菌などは陽性を示す。

緑膿菌（*Pseudomonas aeruginosa*）

特徴

・好気性グラム陰性桿菌で，オキシダーゼ陽性のブドウ糖非発酵菌である。
・湿潤環境に存在し，病院環境では流し台，水道の蛇口，消毒薬，気管チューブなどに多く存在する。
・入院患者では，あらゆる感染症の原因菌として挙げられる。
・免疫抑制状態の患者やカテーテルなどの異物挿入患者，慢性気道疾患のある患者で，高い病原性を発揮する。
・抗菌薬感性菌が多いものの，さまざまな機序で抗菌薬に多剤耐性化する。
・緑膿菌による発熱性好中球減少症は死亡率が高い。

生じうる代表的感染症

・医療ケア関連肺炎（HCAP），慢性閉塞性肺疾患（COPD）増悪，尿路感染症，カテーテル関連血流感染症（CRBSI），静注薬物常用者の感染性心内膜炎，術後や免疫不全者の皮膚軟部組織感染症，糖尿病患者の悪性外耳道炎，発熱性好中球減少症，術後髄膜炎，骨髄炎

培養同定の方法と技師からの注意点

・緑膿菌はコロニーからの推定同定が容易な菌で，一般に線香臭と呼ばれる臭気を出すが，線香よりもはなやかな甘酸っぱい臭気である。オキシダーゼ陽性，アセトアミド陽性でブドウ糖を発酵できない特徴をもつ。グラム染色では，菌端が角ばっておらず細い菌体を示す。
・ムコイド型の緑膿菌も比較的よく認められ，慢性呼吸器疾患の患者に多い。グラム染色では，ムコイド物質に包まれ集塊となった形で認められる。
・ムコイド型緑膿菌は培養にやや時間がかかるため，塗抹検査で認められた場合には長めの培養が必要となる。

薬剤感受性検査の注意点

・さまざまな耐性機構を有するため，詳細な耐性機構の同定は困難な場合があるが，本邦で多いメタロ-β-ラクタマーゼは確認しておきたい。
・カルバペネム系薬，ニューキノロン系薬，アミノグリコシド系薬の３系統に耐性のものを多剤耐性緑膿菌（MDRP）とし，厳重な感染対策が必要となる。２系統に耐性のものを２剤耐性緑膿菌と呼び，これもMDRPの前段階として注意が必要である。

選択すべき抗菌薬と感染症専門医からの注意点

・ピペラシリン（PIPC）/ タゾバクタム（TAZ），抗緑膿菌セフェム系薬〔セフタジジム（CAZ），セフェピム（CFPM）〕，カルバペネム系薬，ニューキノロン系薬，アミノグリコシド系薬，アズトレオナム（AZT），コリスチン（CL）（多剤耐性の場合）を単剤あるいは併用で用いる。最近では，耐性緑膿菌に対し，セフトロザン・タゾバクタムやイミペネム・レレバクタムなどの新規β-ラクタマーゼ阻害薬との合剤を用いることもあり，感染症専門医へ相談。
・抗菌薬の感受性は施設ごとに異なるため，施設ごとの感受性傾向（ローカル因子）を参考に選択薬を決定する。カルバペネム系薬を使用していた場合に，他剤に感受性がある場合は継続使用を避け，感受性があれば，PIPCやCAZにde-escalationするとよい。

◎詳細は『感染症プラチナマニュアル』の第２章の「緑膿菌」参照。

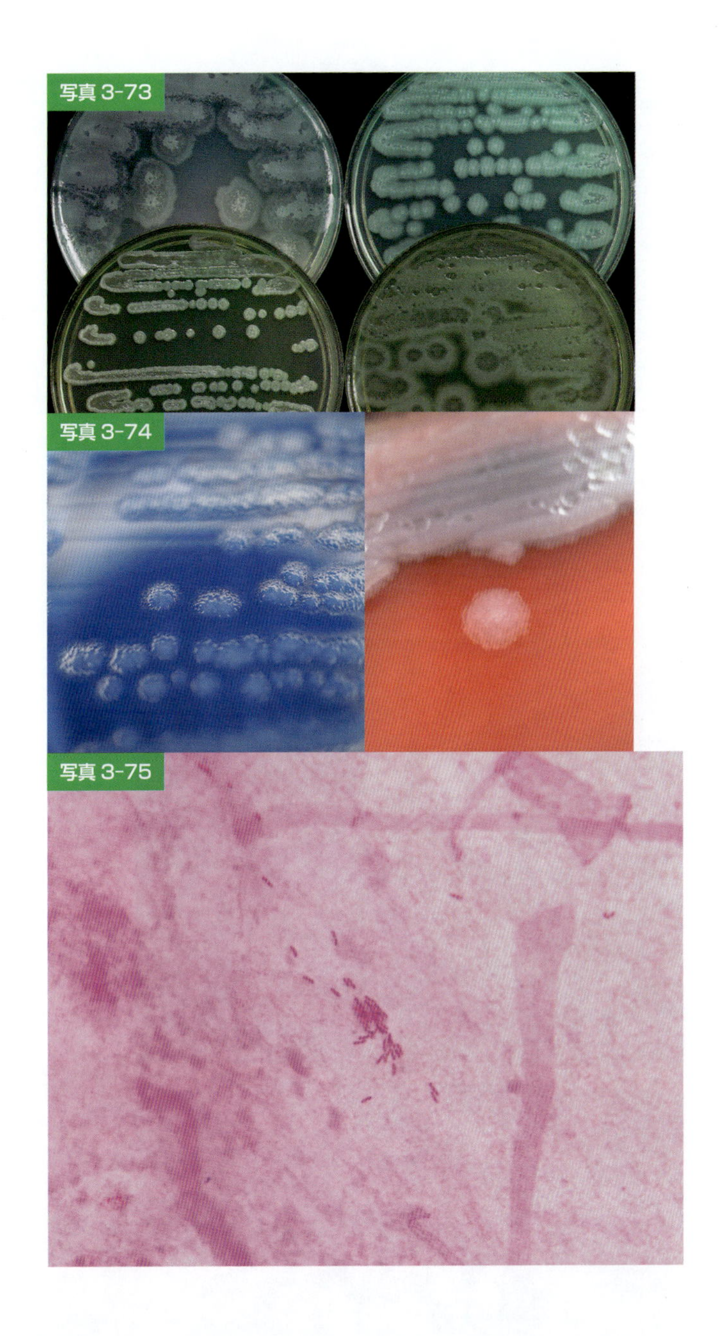

写真 3-73　ミュラー・ヒントン（Mueller-Hinton）寒天培地上の緑膿菌（*Pseudomonas aeruginosa*）。名前のとおり緑色色素を産生する菌で，緑膿菌感染部位のガーゼなどで色素が確認できることがある。コロニーの形態は多彩で，写真のようにさまざまな顔を見せる。その他にムコイドタイプのコロニーを形成するものもある。

写真 3-74　ブロモチールブルー（BTB）寒天培地と血液寒天培地での緑膿菌。コロニーはラフな辺縁を示し，独特の光沢を有する。

写真 3-75　グラム染色。喀痰グラム染色で認めた緑膿菌。腸内細菌目細菌と比較し，小さく細い。比較的，集塊をつくる傾向がある。

臨床上のポイント

- 緑膿菌が原因菌と推定されれば，抗緑膿菌スペクトラムのある抗菌薬を選択するが，どの薬剤を選択するかは施設ごとのローカル因子，定着菌の感受性，過去の抗菌薬使用歴やアレルギー歴などから個別に選択する必要がある。
- 他剤に感受性があれば。カルバペネム系薬とニューキノロン系薬は極力温存する。

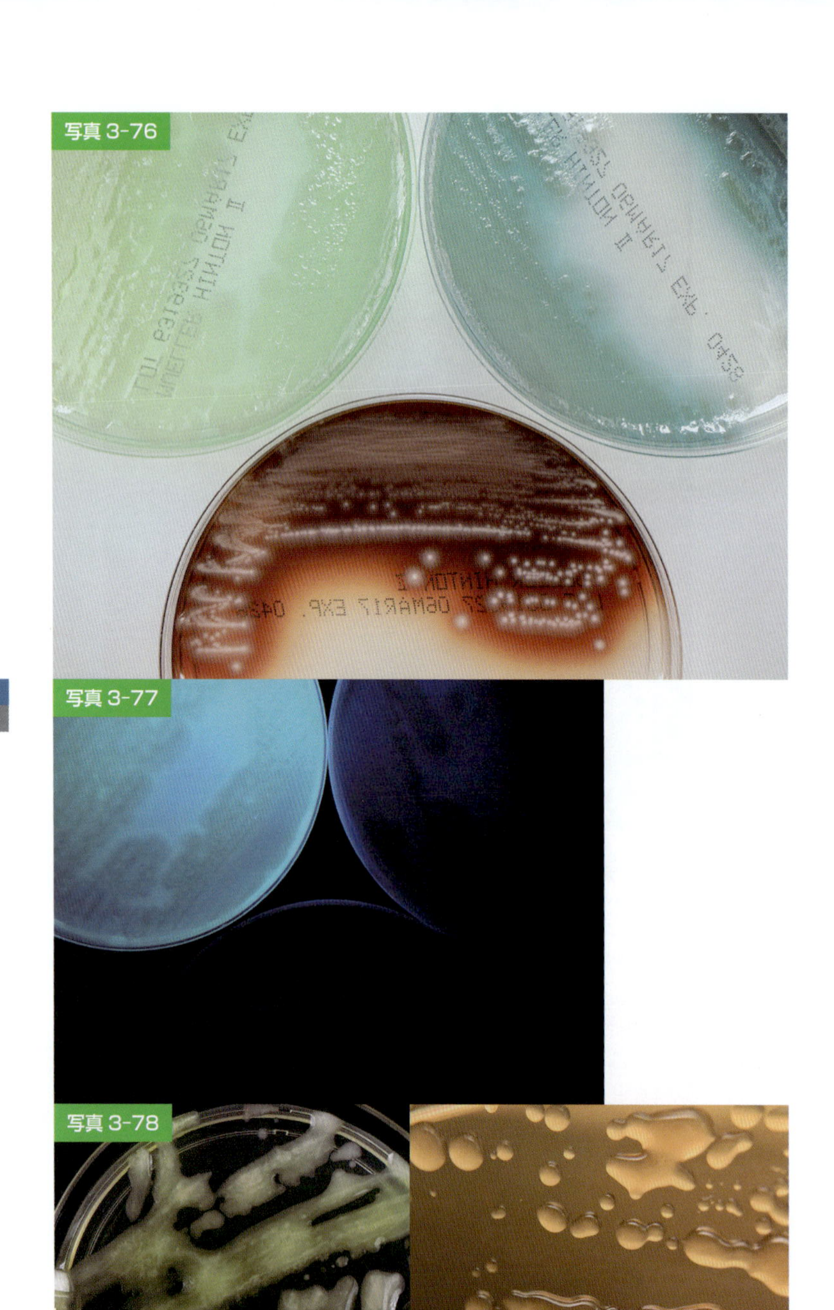

写真 3-76　各種色素を出す緑膿菌。
　写真左上：ピオベルジン（pyoverdine），右上：ピオシアニン（pyocyanin），下：ピオルビン（pyorubin）。
　そのほかに，ピオメラニン（pyomelanin）がある。

写真 3-77　写真 3-76 に UV 光を当てたもの。ピオベルジンは蛍光色素であるため，この写真にように発光を認める。

写真 3-78　ミュラー・ヒントン寒天培地上のムコイド型緑膿菌。水分を含んだねっとりとしたコロニーを形成する。

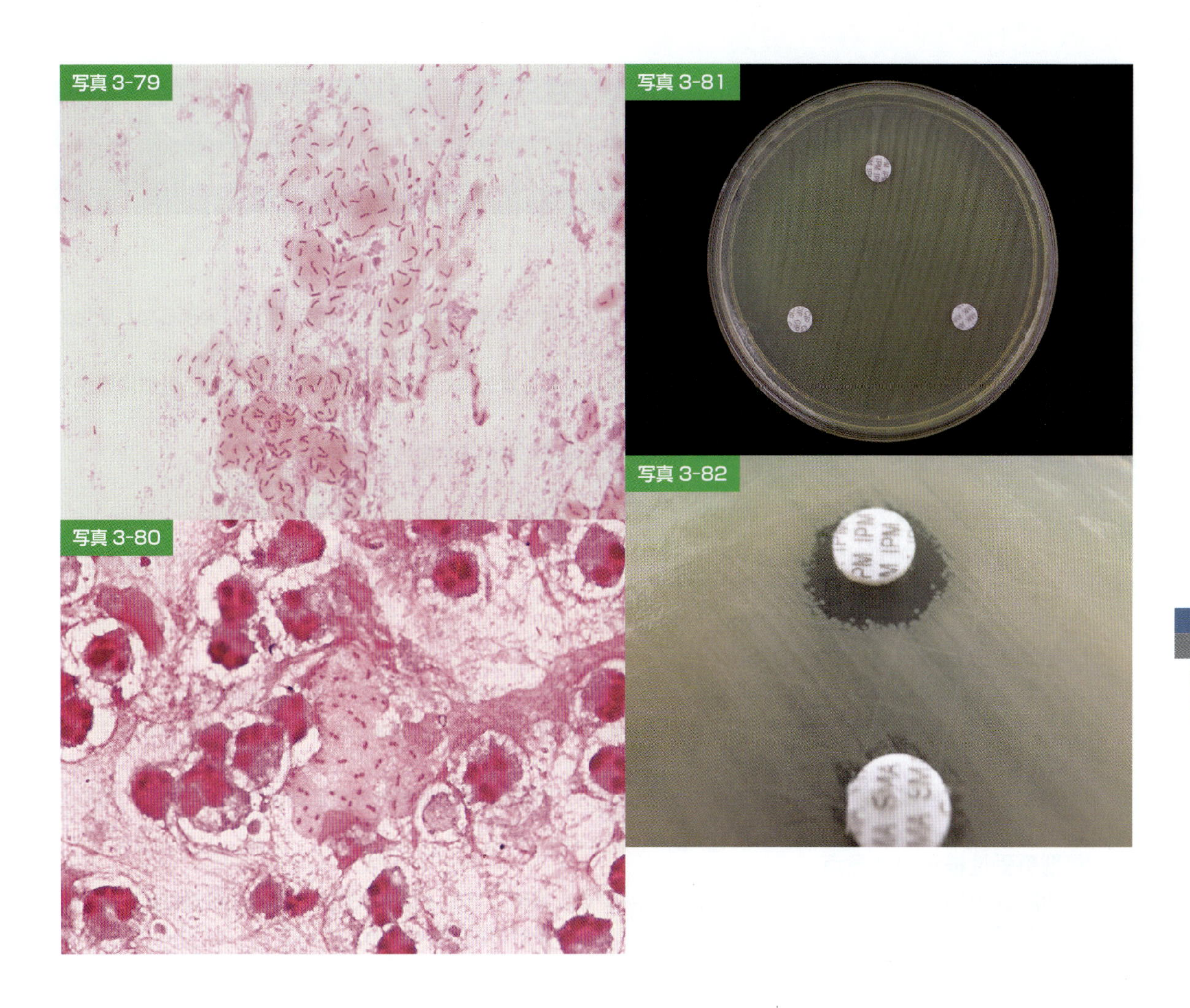

写真 3-79 グラム染色。喀痰グラム染色で認めたムコイド型緑膿菌。ピンク色の粘液物質に包まれている。びまん性汎細気管支炎や気管支拡張症などの慢性気道感染症患者によく認められる。

写真 3-80 ムコイド型緑膿菌。このように肺炎桿菌的な菌体が短い形態を示す場合には，肺炎桿菌との鑑別に迷うが，集塊を形成しているところが緑膿菌らしさを表している。

写真 3-81 多剤耐性緑膿菌（MDRP）。カルバペネム系薬，アミノグリコシド系薬，ニューキノロン系薬の 3 系統に耐性の緑膿菌であり，治療上も感染対策上でも，大きな問題となる。

臨床上のポイント

- 多剤耐性の場合，治療が必要であれば，CL の使用を検討したが，最近は新規 β-ラクタマーゼ阻害薬の合剤がよいとされる。感染症専門医への相談が望ましい。

写真 3-82 メタロ-β-ラクタマーゼ産生緑膿菌。メタロ-β-ラクタマーゼは活性中心に亜鉛を有する金属酵素。キレート作用のある EDTA やメルカプト酢酸などを近くに配置すると亜鉛と結合し加水分解を阻止するため，阻止帯の拡大が認められる。

写真上：イミペネム（IPM）含有ディスク，下：SMA 含有ディスク。

アシネトバクター・バウマニー・コンプレックス（*Acinetobacter baumannii*）complex

特徴

・ブドウ糖非発酵菌，オキシダーゼ陰性の好気性グラム陰性球桿菌であるが，グラム陽性に染まるなど変化に富み，グラム染色では，しばしばモラキセラ・カタラーリス（*Moraxella catarrhalis*）とも紛らわしい。
・環境面に存在するが，緑膿菌とは違い，湿潤環境のみならず乾燥した場所でも生存するため，医療関連感染を起こすと厄介である。
・世界的に多剤耐性菌が問題となっている。対照的に国内においては耐性菌は少ない。

生じうる代表的感染症

・HCAP〔特に人工呼吸器関連肺炎（VAP）〕，CRBSI，手術部位感染症，皮膚感染症（イラク戦争，津波などの震災後の創傷感染が有名）

培養同定の方法と技師からの注意点

・通常，グラム陰性球桿菌～桿菌の形態を示す。グラム陽性に観察されることもあり，注意が必要である。
・ブドウ糖非発酵菌の多くはオキシダーゼテスト陽性であるが，*Acinetobacter* 属菌はオキシダーゼ陰性である。
・比較的大きく盛り上がった元気なコロニーを形成し，不慣れな場合は腸内細菌目細菌と間違うこともある。

薬剤感受性検査の注意点

・緑膿菌と同様に，カルバペネム系薬，ニューキノロン系薬，アミノグリコシド系薬の 3 系統に耐性のものを多剤耐性アシネトバクター（MDRA）とし，厳重な感染対策が必要となる。

選択すべき抗菌薬と感染症専門医からの注意点

・定着菌であることも多く，治療するかどうか慎重に判断する。ABPC / SBT，カルバペネム系薬，抗緑膿菌セフェム系薬（CAZ，CFPM），PIPC / TAZ，ニューキノロン系薬，アミノグリコシド系薬，多剤耐性菌の場合には TGC，CL を単剤あるいは併用で使用。
・緑膿菌と異なり，特徴として SBT が単独で有効であるため，ABPC / SBT に感受性があれば第 1 選択薬とするが，SBT 単独の効果によって治療するため，大量投与が必要。

◎詳細は『感染症プラチナマニュアル』の第 2 章の「アシネトバクター・バウマニー」参照。

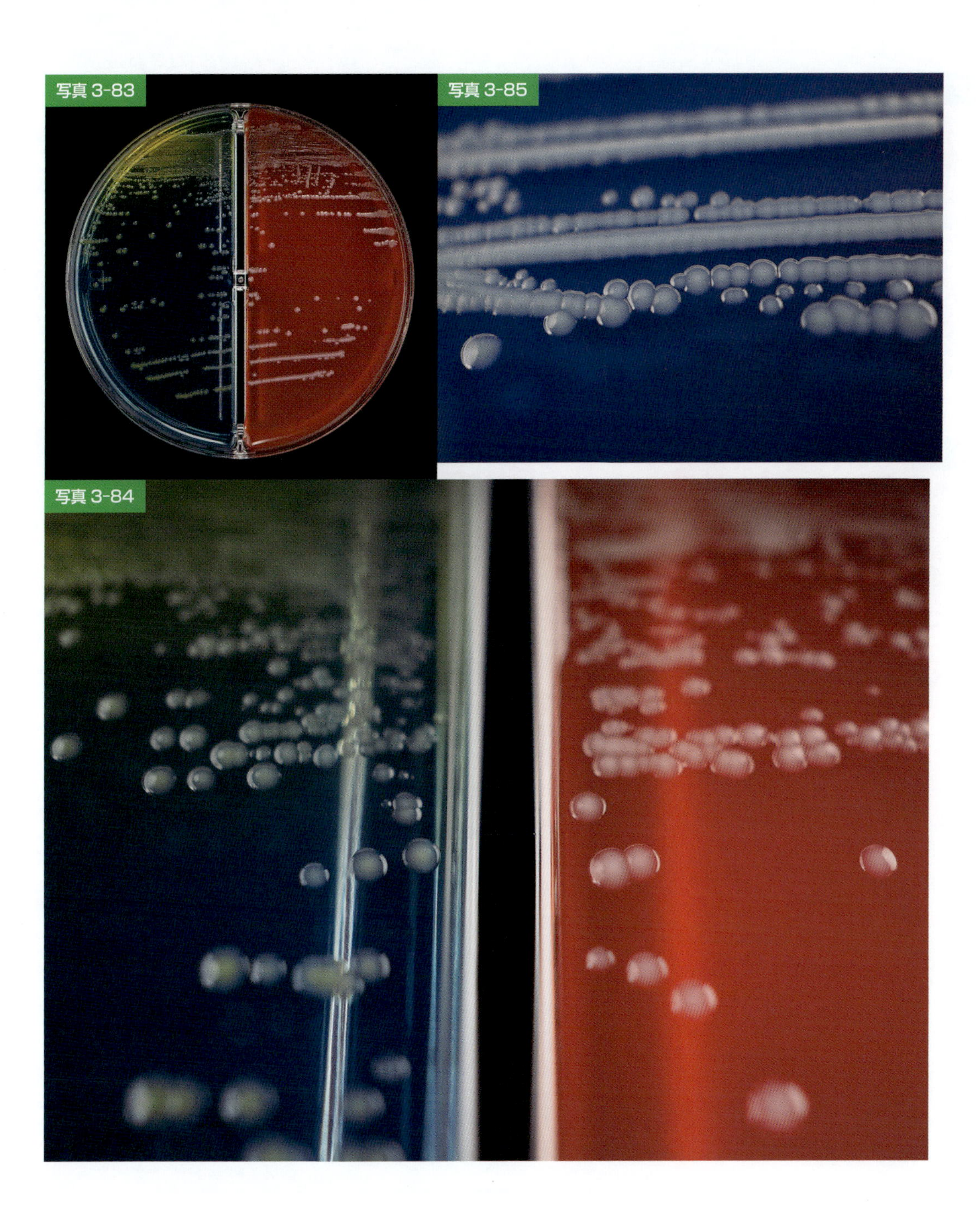

写真 3-83　BTB / ヒツジ血液寒天培地上のアシネトバクター・バウマニー（*Acinetbacter baumannii*）のコロニー。発育は良好で盛り上がったコロニーを形成する。BTB のほうは写真のように黄色調のものから白色のコロニーまで株により異なる。

写真 3-84　BTB / ヒツジ血液寒天培地上の *A. baumannii* のコロニー。拡大像。やや水々しいコロニーを形成する。

写真 3-85　BTB 寒天培地上の *A. baumannii* のコロニー。白色を示すコロニーで BTB での発育はよい。マッコンキー寒天培地にも発育するが BTB に比較してやや抑制傾向にあるかもしれない。

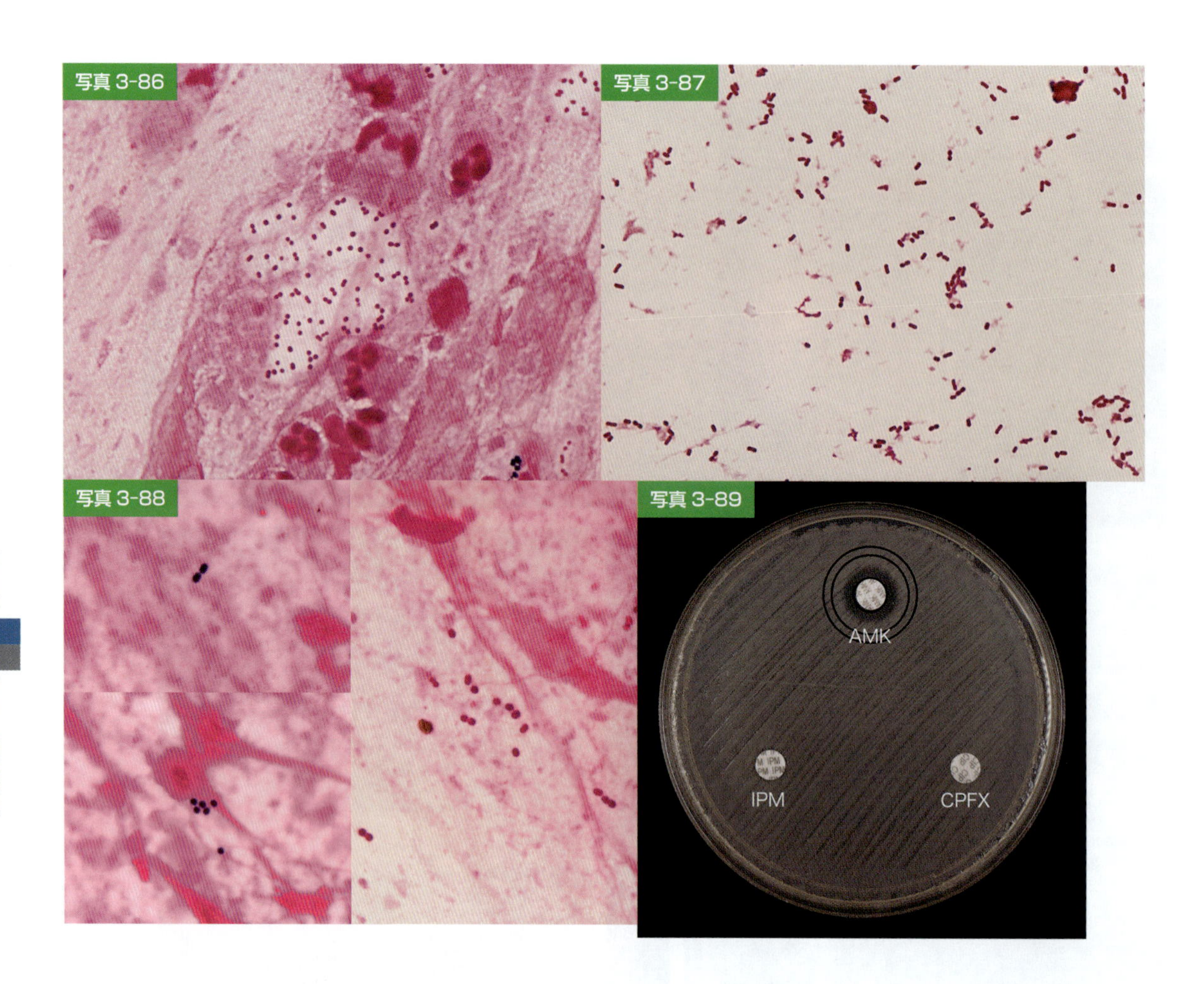

写真 3-86 グラム染色。喀痰グラム染色で認めた厚い莢膜を有する *A. baumannii*。

臨床上のポイント

- モラキセラ（*Moraxella*）との区別も難しい。このような場合には，ともに有効な ABPC / SBT を高用量で使用するとよい。
- 重篤ならカルバペネム系薬をはじめとした抗緑膿菌作用のある薬剤の使用もやむをえない。

写真 3-87 グラム染色。血液培養。*A. baumannii*。双球菌形態のものと桿菌様のものが混在している。

写真 3-88 グラム染色。喀痰。*A. baumannii* のみが培養で検出された症例。同一標本中にグラム陽性，陰性が混在。脱色しにくい細胞膜でありこのようにグラム陽性菌として観察される場合があり注意が必要である。

写真 3-89 多剤耐性アシネトバクター（MDRA）。カルバペネム系薬，アミノグリコシド系薬，ニューキノロン系薬の 3 系統に耐性の *Acinetbacter* であり，治療上も感染対策上も，大きな問題となる。。

臨床上のポイント

- 治療が必要であれば，新規β-ラクタマーゼ阻害薬との合剤や TGC や CL の使用を考慮する。
- 感染症専門医への相談が望ましい。

ステノトロフォモナス・マルトフィリア（*Stenotrophomonas maltophilia*）

特徴

・ブドウ糖非発酵菌で，オキシダーゼ陰性グラム陰性桿菌である。
・病院の水回りなど湿潤環境に生息し，医療関連感染を起こす。
・さまざまな消毒薬，カルバペネム系薬を含めた各種抗菌薬に耐性がある。

生じうる代表的感染症

・肺炎，CRBSI，菌血症

培養同定の方法と技師からの注意点

・細い小型のグラム陰性桿菌として観察され，特に，VAP などの医療関連感染の原因菌として目にすることが多い。
・培養 1 日では小さなコロニーであるが，2 日以上の培養でしっかりとしたコロニーを形成し，黄色がかったコロニーとなる。
・この菌もブドウ糖非発酵菌であるがオキシダーゼ陰性である。
・慣れるとグラム染色やコロニーから推定しやすい菌である。

薬剤感受性検査の注意点

・染色体性にメタロ-β-ラクタマーゼを産生するため，カルバペネム系薬に耐性である。

選択すべき抗菌薬と感染症専門医からの注意点

・定着菌であることも多く，治療するかどうか慎重に判断する。カルバペネム系は耐性である。第 1 選択薬は ST 合剤，第 2 選択はニューキノロン系薬や TC 系薬，またはそれらの併用を行う。

◎詳細は『感染症プラチナマニュアル』の第 2 章の「ステノトロフォモナス・マルトフィリア」参照。

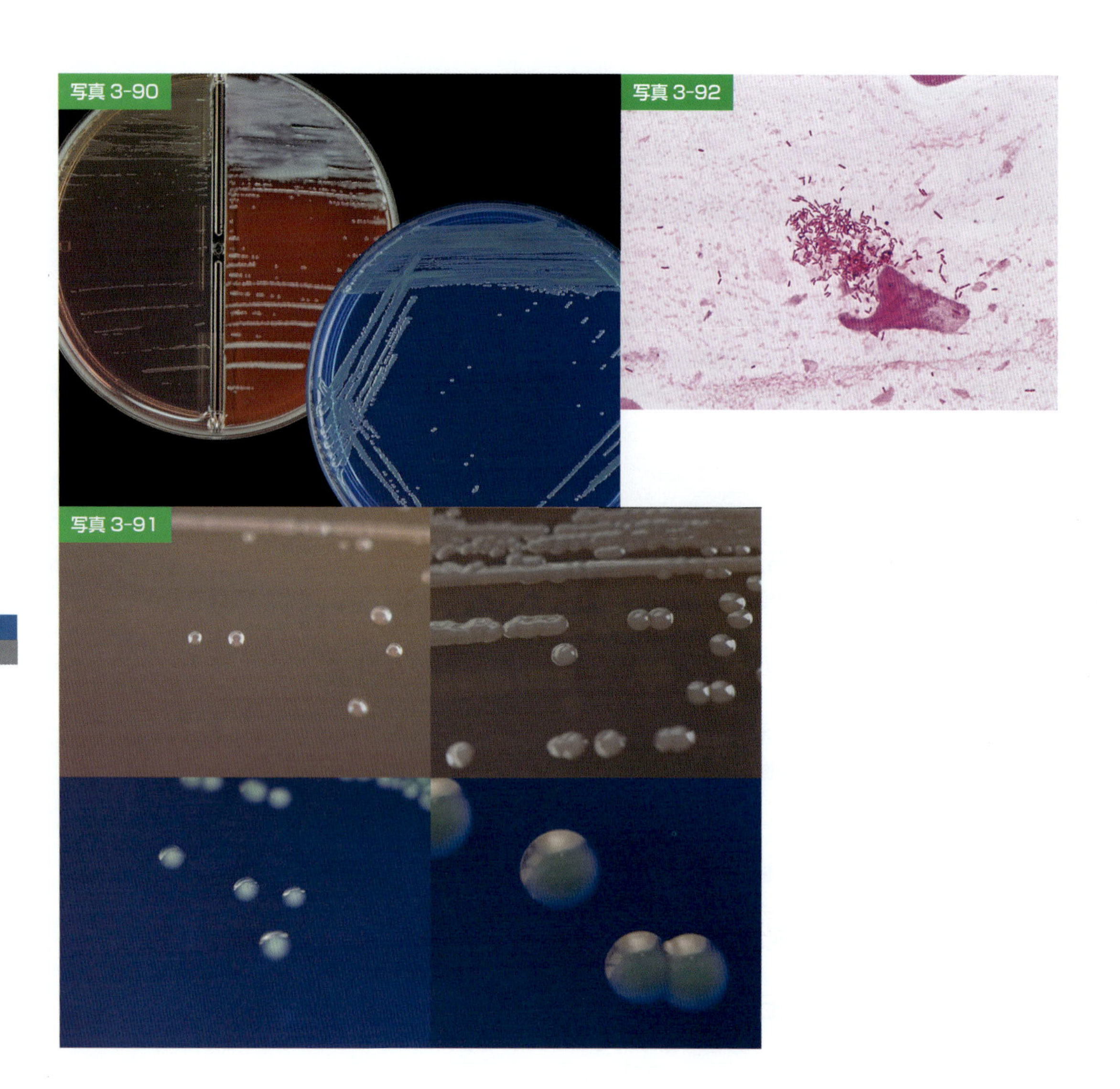

写真 3-90 ヒツジ血液 / マッコンキー分画培地と BTB 寒天培地上の *Stenotrophomonas maltophilia*。1 日培養のコロニー。小さなコロニーとして観察される。さらに 1 日培養を継続するとコロニーサイズが大きくなる。

写真 3-91 1 日培養でのマッコンキー寒天培地（左上）と BTB 寒天培地(左下)，2 日培養でのマッコンキー寒天培地(右上)と BTB 寒天培地（右下）コロニー拡大写真。1 日培養では小型のコロニーだが，2 日培養では十分に大きなコロニーとなり，BTB では緑色が濃くなる。

写真 3-92 グラム染色。喀痰グラム染色で一面に小型のグラム陰性桿菌を認める。ICU 患者や人工呼吸器装着患者などに認められることが多く，健常人ではまれである。

臨床上のポイント

・カルバペネム系薬投与中に生じたグラム陰性菌の感染症で疑い，この段階で ST 合剤やミノサイクリン（MINO）を開始できるかがポイント。

その他のブドウ糖非発酵グラム陰性桿菌

下記の菌については，遭遇頻度は高くはないものの環境菌として土壌や水，植物などに普遍的にみられる日和見感染菌であり，写真の紹介のみ行う。ただし，*Burkholderia pseudomallei* は主に東南アジアからの輸入感染症として知られ，類鼻疽の原因として知られる病原菌である。

・エリザベスキンギア・メニンゴセプチカ（*Elizabethkingia meningoseptica*）
・クリセオバクテリウム・インドロゲネス（*Chryseobacterium indologenes*）
・アルカリゲネス・フェカーリス（*Alcaligenes faecalis*）
・バークホルデリア・セパシア（*Burkholderia cepacia*）
・バークホルデリア・シュードマレー（*Burkholderia pseudomallei*）

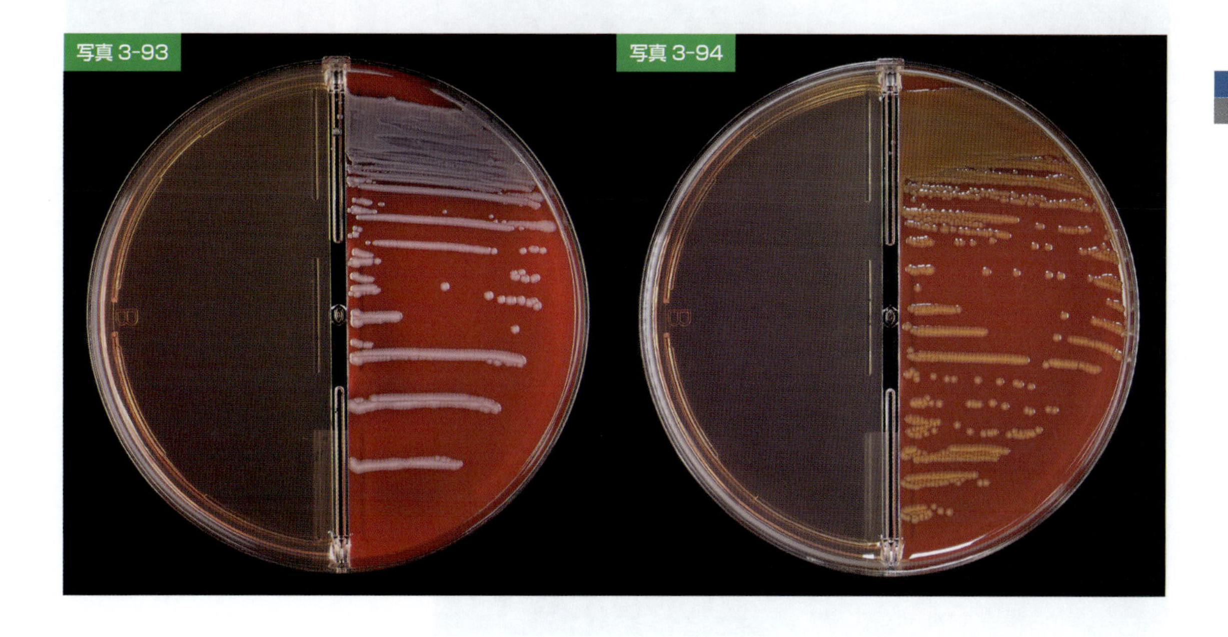

写真 3-93 *Elizabethkingia meningoseptica*。ヒツジ血液／マッコンキー分画培地。血液寒天培地，BTB 寒天培地にも発育するが，写真のようにマッコンキー寒天培地では発育しないか発育しても微弱な発育であることが多い。淡い黄色調を示すことも多い。米国の微生物学者である *Elizabeth O. King* 氏由来の属名で，"meningo-" は髄膜を，"septica" は敗血症を意味しており，その名のとおり髄膜炎や敗血症の原因となることが知られている。

写真 3-94 *Chryseobacterium indologenes*。ヒツジ血液／マッコンキー分画培地。血液寒天培地，BTB 寒天培地にも発育するが，写真のようにマッコンキー寒天培地では発育しない。属名はギリシャ語の "chrysos"（黄金）から来ており，写真のように鮮やかなオレンジ～黄色の色調を示す。菌種名は indol（インドール）を genes（産生）するという意味をもつ。

写真 3-95 *Alcaligenes faecalis*。BTB 寒天培地。培地や株により異なるが，多くの株は培養時間の経過とともに広がるコロニーを形成し，コロニー同士が接する部分は皺のように見えることがある。

写真 3-96 *Burkholderia cepacia*。ヒツジ血液 / マッコンキー分画培地。培養 1 日目は微小コロニーで観察され，コロニーの成長は時間がかかる。乳糖分解菌であるが，1 日培養では写真のように非分解として観察される。米国の微生物学者 Walter H. Burkholder に由来した属名で，菌種名はラテン語でタマネギを意味する cepa が由来で，農業分野ではタマネギ腐敗病の原因菌として知られる。

写真 3-97 *Burkholderia pseudomallei*。マッコンキー寒天培地（左上），BTB 寒天培地（右上），ヒツジ血液寒天培地（下）の培養数日後のコロニー。特徴的な皺を形成する。

c. ビブリオ属菌

コレラ菌（*Vibrio cholerae*），腸炎ビブリオ（*Vibrio parahaemolyticus*），ビブリオ・バルニフィカス（*Vibrio vulnificus*）

特徴

- 好塩菌で海水，魚介類に存在（真水では死滅）するグラム陰性桿菌。
- コレラ菌は下水施設の不完全な地域での流行を起こす。
- 腸炎ビブリオは魚介類に付着しており，真水での洗浄が不十分な魚介類や，まな板の不十分な水洗いで感染する。
- *V. vulnificus* や *V. alginolyticus* は，海水中での創傷によって感染する。

生じうる代表的感染症

- **コレラ菌**：コレラ下痢症（大量の米のとぎ汁様水様便）
- **腸炎ビブリオ**：食中毒性下痢症（夏季に魚介類摂取後の水様性下痢）
- ***V. vulnificus*，*V. alginolyticus***：菌血症，蜂窩織炎，壊死性筋膜炎

培養同定の方法と技師からの注意点

- *Vibrio* 属菌の培養は，TCBS（thiosulfate citrate bile sucrose）寒天培地などのビブリオ用の選択分離培地を用いることで検出が可能である。TCBS 寒天培地には白糖が含まれているため，この分解性と各種食塩濃度（0%，3%，7%，10%）のアルカリペプトン水での発育性，各種性状から同定を行う。
- *V. chorelae* は白糖分解性のため，TCBS 寒天培地では黄色コロニーを形成し，0%と 3%食塩濃度のアルカリペプトン水に発育を認める。*V. parahaemolyticus* は白糖非分解菌なので，TCBS 寒天培地では緑色コロニーで，3%と 7%食塩濃度のアルカリペプトン水に発育を認める。ともに名前の由来（鞭毛のバイブレーション）のとおりに活発な運動性を示す。
- TCBS 寒天培地に発育した時点で，臨床症状と合わせてある程度の推測が可能なため，培養提出翌日に検査室に訪れてみるとよい。
- コレラの原因はコレラ菌の血清型が O1 と O139 でコレラトキシン（CT）を産生しているものであり，産生していないものはコレラの原因菌ではない。CT などが検査できない場合には，地方衛生研究所などに相談するとよい。
- *V. vulnificus* による壊死性筋膜炎は死亡率が高く，すみやかな報告が必要である。白糖非分解菌であるため，TCBS 寒天培地では緑色でやや大型のコロニーを形成する。患者背景や検査所見から本菌を疑う場合には，すみやかに担当医に連絡する。

薬剤感受性検査の注意点

- Clinical and Laboratory Standards Institute（CLSI）M45 に，*Vibrio* 属菌として通常の 0.85%の滅菌生理食塩水（生食）で菌液を調整する微量液体希釈法，ディスク拡散法が記載されている。

選択すべき抗菌薬と感染症専門医からの注意点

- 腸炎ビブリオには，抗菌薬は必ずしも必要ではない。
- コレラ菌：ドキシサイクリン（DOXY），ニューキノロン系薬，AZM，ST 合剤
- *V. vulnificus*，*V. alginolyticus*：DOXY＋CAZ，CTX，ニューキノロン系薬を静注する。

◎詳細は『感染症プラチナマニュアル』の第 2 章の「ビブリオ属」参照。

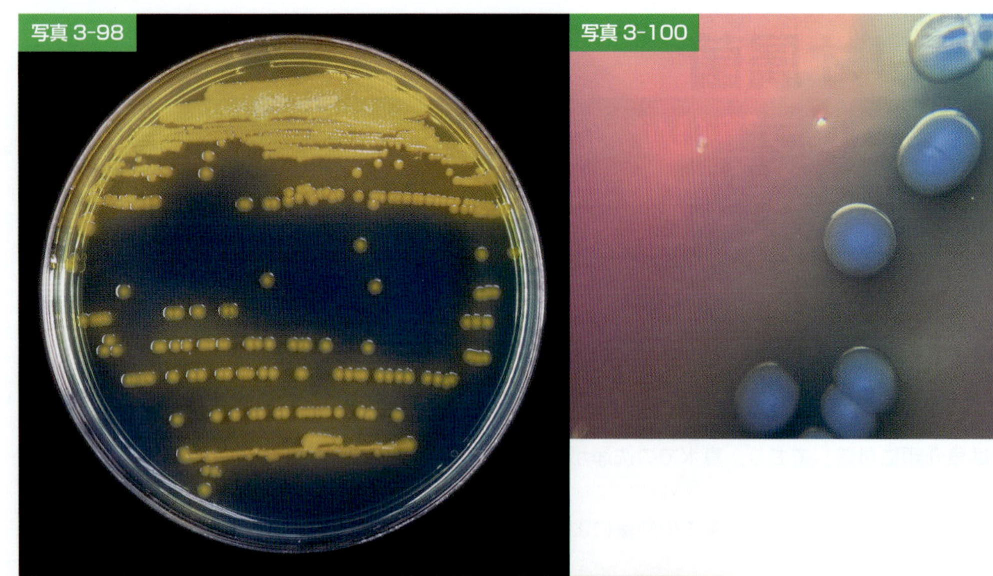

写真 3-98 コレラ菌（*Vibrio cholerae*）。*Vibrio* 属菌の選択分離培地である TCBS 寒天培地。白糖を含有し分解する菌は黄色のコロニーを示す。

写真 3-99 コレラ菌。TCBS 寒天培地。拡大像。*Vibrio* 属菌以外の多くの菌の発育が抑制されるため検出は容易である。

写真 3-100 コレラ菌。*Vibrio* 寒天培地。拡大像。白糖を分解する菌はウォーターブルーの発色により青みを帯びたコロニーを形成する。

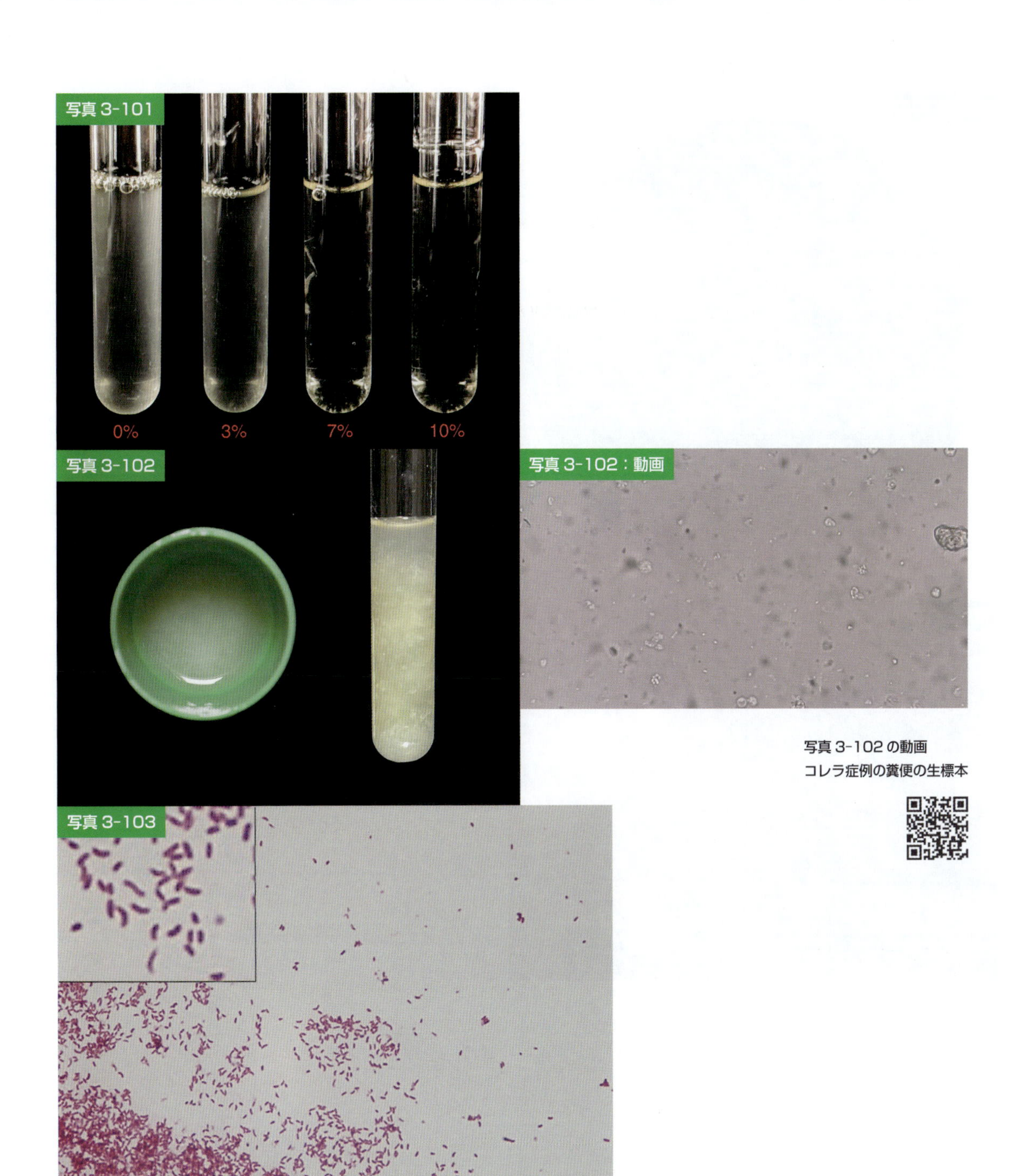

写真 3-102 の動画
コレラ症例の糞便の生標本

写真 3-101 コレラ菌。アルカリペプトン水。塩化ナトリウムが存在しなくても発育することが可能である。このことからも河川での分布を想像することが容易である。混濁を認める左側の 2 本のアルカリペプトン水（0%，3%）に発育を認める。

写真 3-102 コレラ症例の糞便。いわゆる「米の研ぎ汁様」であり，コレラの特徴である。

写真 3-102：動画 コレラの糞便の生標本。活発な運動性を示し高速に移動するのが特徴である。米の研ぎ汁様検体の生標本で認められればコレラを想定して検査を進める。

写真 3-103 グラム染色。コレラ菌。アルカリペプトン水から染色。らせん状に伸長するが，回転数が 0.5 ～ 1 回程度のため，コンマ状の桿菌として観察される。

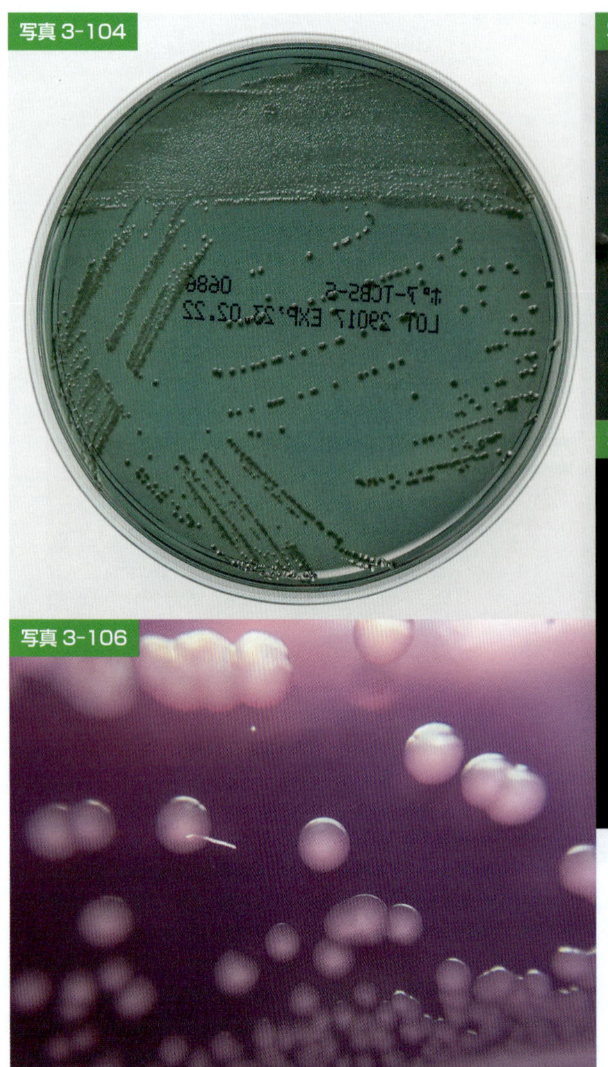

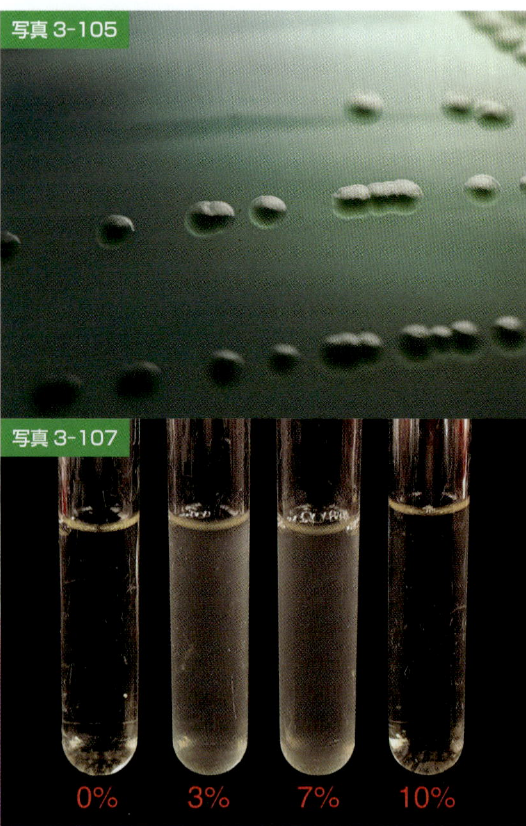

写真 3-104 腸炎ビブリオ(*Vibrio parahaemolyticus*)。TCBS 寒天培地。白糖非分解の腸炎ビブリオは緑色コロニーを形成する。TCBS 寒天培地は塩化ナトリウムを含有しているため，*Vibrio parahaemolyticus* の検出が可能であるが，塩化ナトリウムを含まない培地には発育しないため注意が必要である(ただし，血液寒天培地などには発育する)。

臨床上のポイント

- このように，コレラ菌と異なり，高塩分を好むことから，海水魚の刺身などの感染性腸炎の下痢症の原因となる。
- コロニーを見ると，経験のある検査技師に相談すれば一目瞭然である。

写真 3-105 *V. parahemolyticus*。TCBS 寒天培地。拡大像。中央部が盛り上がった緑色コロニー。

写真 3-106 *V. parahemolyticus*。*Vibrio* 寒天培地。拡大像。白糖非分解菌は赤みがかったやや半透明のコロニーを形成する。

写真 3-107 *V. parahemolyticus*。アルカリペプトン水。発育には塩化ナトリウムを要求する。このことからも，海水に分布することが容易に想像できる。混濁を認める 2，3 番目の 2 本のアルカリペプトン水(3%，7%)に発育を認める。

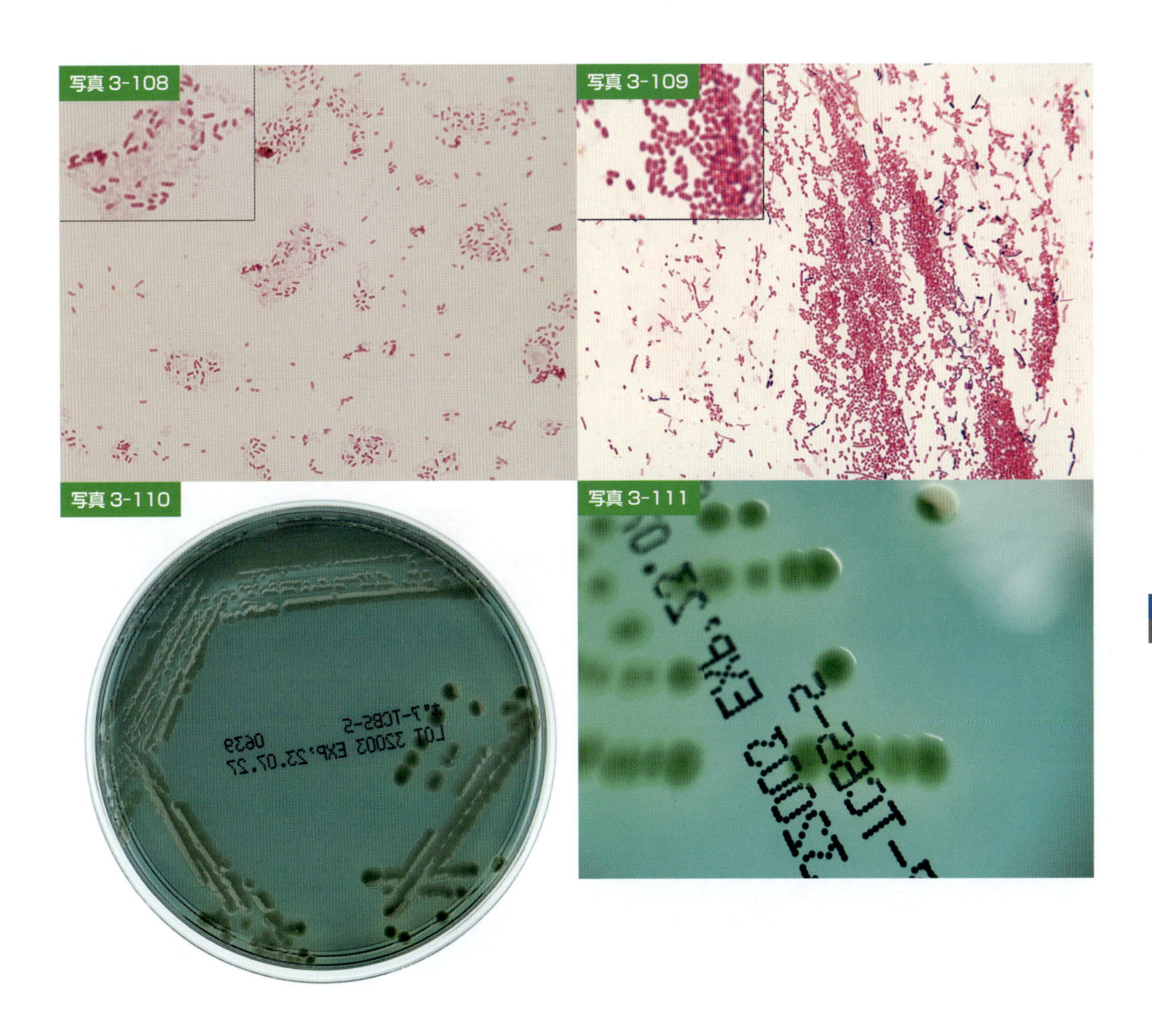

写真 3-108　グラム染色。*V. parahemolyticus*。コロニーから染色。コレラ菌とは異なり真っ直ぐな形態を示す。

写真 3-109　糞便のグラム染色。*V. parahemolyticus*。小型のグラム陰性桿菌を圧倒的有意に認める。*V. parahemolyticus* を推定するが，形態での鑑別は困難である。

写真 3-110　ビブリオ・バルニフィカス（*V. vulnificus*）。TCBS 寒天培地。白糖非分解菌であるため，緑色のコロニーを形成する。腸炎ビブリオと比較して大型のコロニーを形成する。

写真 3-111　*V. vulnificus*。TCBS 寒天培地。拡大像。

臨床上のポイント

・*V. vulnificus* は肝硬変やヘモクロマトーシスの患者に敗血症や壊死性筋膜炎を生じて，時に致死的である。このような患者では，海水曝露や海産物摂取に注意が必要。

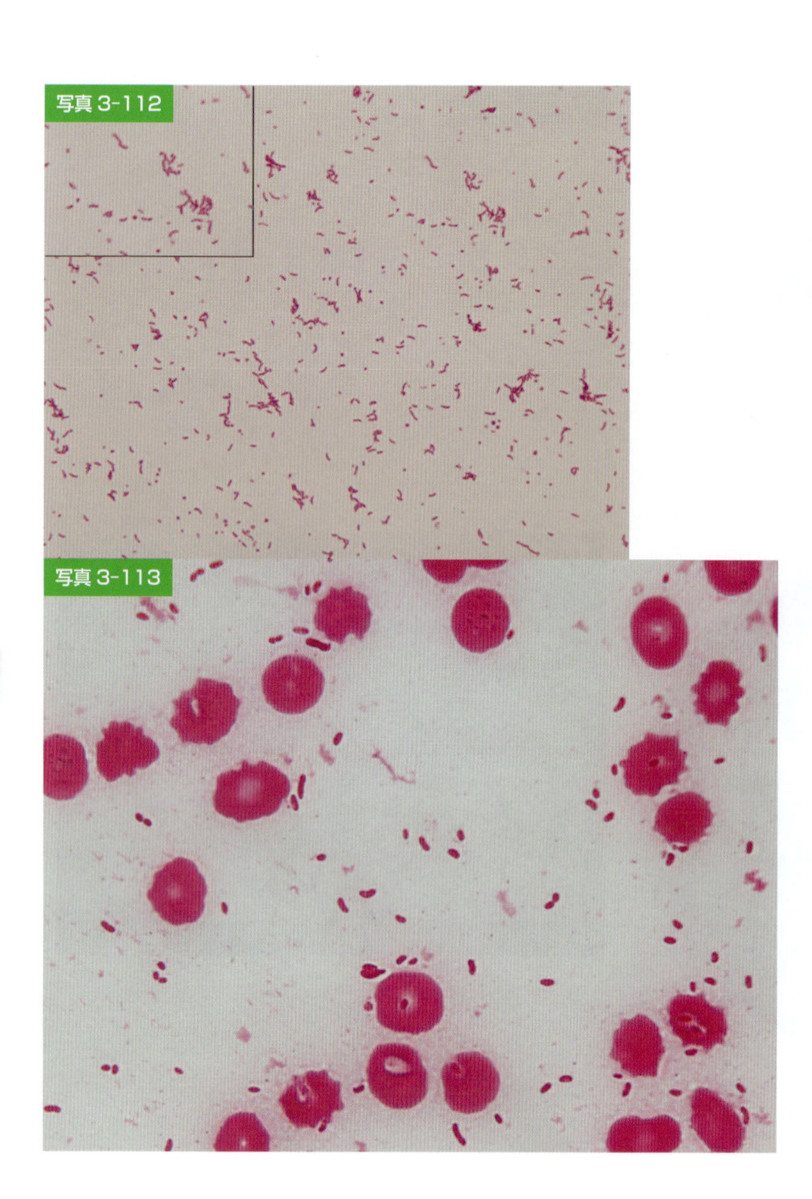

写真 3-112 コロニーからのグラム染色。やや湾曲したグラム陰性桿菌。

臨床上のポイント

・*V. vulnificus* を疑えば，CAZ+DOXY やレボフロキサシン（LVFX）を開始。壊死性筋膜炎へのデブリードマンも必須である。

写真 3-113 血液培養陽性ボトルからのグラム染色。バナナ状に湾曲したグラム陰性桿菌。

d. エロモナス（*Aeromonas*）属菌

エロモナス・ハイドロフィラ（*Aeromonas hydrophilia*）

特徴

- 好気性グラム陰性桿菌であり，淡水や汽水中に存在。
- 感染性腸炎が最もよくある感染症であるが，淡水曝露からの壊死性筋膜炎，菌血症も起こす。ヒル吸血後の感染も有名。

生じうる代表的感染症

- 感染性腸炎，蜂窩織炎，壊死性筋膜炎，菌血症

培養同定の方法と技師からの注意点

- ヒツジ血液寒天培地で溶血を示す大型コロニーを形成する。
- オキシダーゼ陽性である。
- 乳糖非分解・白糖分解菌であるため，SS 寒天培地では無色半透明，DHL 寒天培地では白糖を分解し，ピンク色のコロニーを形成する。胆道感染症などで遭遇することが多い。

薬剤感受性検査の注意点

- CLSI M45 に感受性検査実施方法・判定基準が記載されている。
- 一部にメタロ-β-ラクタマーゼ産生菌がいるので注意を要する。

選択すべき抗菌薬と感染症専門医からの注意点

- 基質特異性拡張型β-ラクタマーゼ（ESBLs）や AmpC などでβ-ラクタム薬に耐性傾向であり，キノロン系薬を用いることが多いが，薬剤感受性を確認する。
- 経験的治療は LVFX，ST 合剤，CFPM などから選択する。

◎詳細は『感染症プラチナマニュアル』の第 2 章の「エロモナス属」参照。

写真 3-114

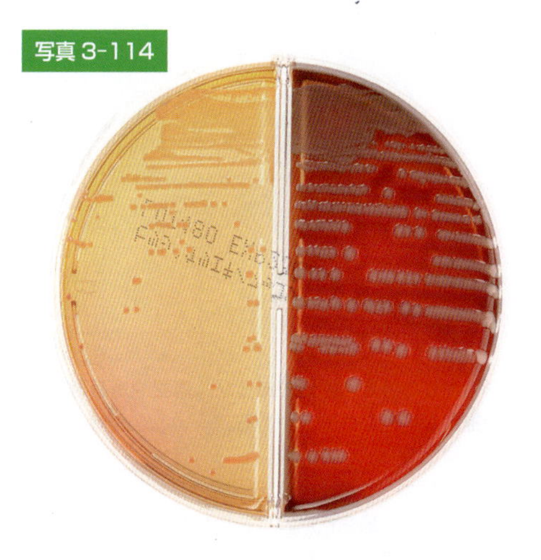

写真 3-114　エロモナス・ハイドロフィラ（*Aeromonas hydrophila*）。血液・マッコンキー（MacConkey）分画培地。どちらの培地にも良好な発育を示し，大型のコロニーを形成する。血液寒天培地ではβ溶血を示す。

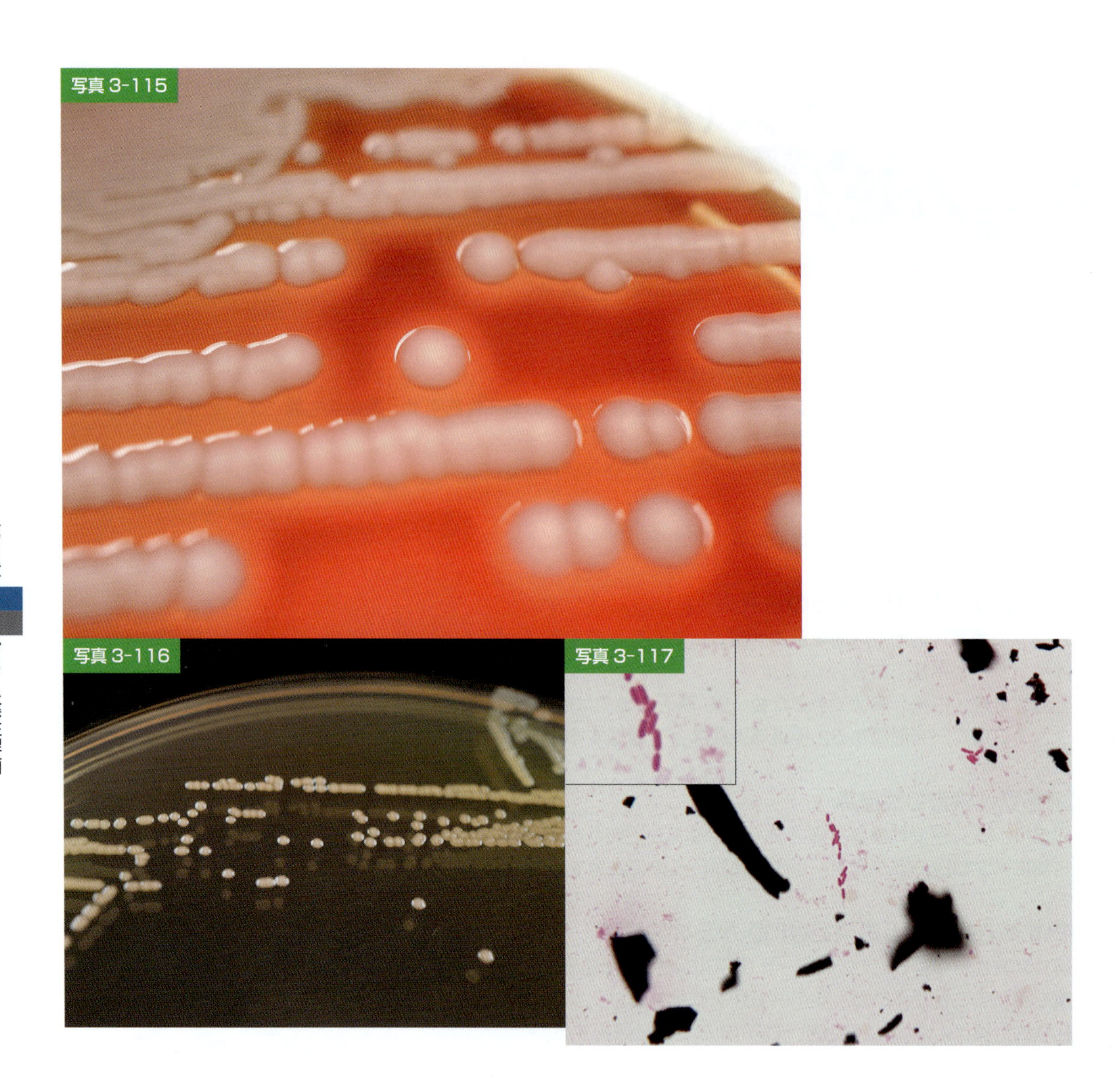

写真 3-115 *A. hydrophila*。血液寒天培地。拡大像。β溶血を示す白色大型コロニー。

写真 3-116 *A. hydrophila*。SS 寒天培地。乳糖非分解のコロニーを示し良好に発育する。

写真 3-117 *A. hydrophila*。壊死性筋膜炎症例。創部スワブ拭い検体。形態からの推定は困難であるが，病歴や患者背景から，ある程度の推定が可能なケースがある。

臨床上のポイント

- 本菌は淡水曝露に伴い，壊死性筋膜炎を生じた際に想起する。
- 菌血症への経験的治療では，感受性判明まで，CFPM，LVFX，ST 合剤などを投与する。

e. その他のグラム陰性桿菌

インフルエンザ菌（*Haemophilus influenzae*）

特徴

・小型のグラム陰性球桿菌。
・下気道（小児では 20 ～ 30%）に定着しており，主に気道感染症を引き起こす。
・a ～ f までの型があり，b 型は Hib と呼ばれ，髄膜炎，喉頭蓋炎，敗血症，脾摘後敗血症などの侵襲性感染症を起こす。

生じうる代表的感染症

・肺炎，慢性閉塞性肺疾患（COPD）増悪，髄膜炎，喉頭蓋炎，副鼻腔炎，中耳炎，化膿性関節炎，眼窩周囲蜂窩織炎

培養同定の方法と技師からの注意点

・ヒツジ血液寒天培地やマッコンキー（MacConkey）寒天培地などのグラム陰性桿菌用の選択分離培地に発育できない。発育に X，V 因子を必要とするためで，チョコレート寒天培地を利用して培養する必要があり，炭酸ガス（CO_2）により培養が促進される。
・灰白色のコロニーを形成し，クリの花臭に近い独特の臭気を出す。
・呼吸器検体の場合はグラム染色での推定が可能な場合が多いが，菌体が小さいことから，グラム染色に慣れていないと細菌と認識できていない場合があるため，一度，実際のグラム染色標本を目にしておくとよい。

薬剤感受性検査の注意点

・ディスク拡散法・微量液体希釈法が Clinical and Laboratory Standards Institute（CLSI）で規定されているが，注意が必要なのが HTM（*Haemophilus* Test Medium）を推奨している点である。
・しかし，本邦の多くの検査室では，発育性の問題から日本化学療法学会推奨の溶血ウマ血液や発育補助剤などを添加した MHB（Mueller-Hinton broth）を用いて実施している。
・インフルエンザ菌は耐性菌が問題となっており，β-ラクタマーゼを産生して ABPC に耐性を示すもの〔β-ラクタマーゼ産生アンピシリン耐性菌（BLPAR）〕，ペニシリン結合蛋白の変異によりβ-ラクタマーゼを産生せずに ABPC に耐性を示すもの〔β-ラクタマーゼ非産生アンピシリン耐性菌（BLNAR）〕，β-ラクタマーゼを産生し，かつペニシリン結合蛋白の変異をもちアモキシシリン（AMPC）/ CVA に耐性を示すもの〔β-ラクタマーゼ産生アモキシシリン / クラブラン酸耐性菌（BLPACR）〕などの耐性が問題となっている。

選択すべき抗菌薬と感染症専門医からの注意点

・本来は ABPC で治療してきたが，地域により異なる耐性菌が増加している。
・本邦では，BLNAR が多いという特徴があり，重症例における経験的治療では，CTRX あるいはニューキノロン系薬を選択する。
・軽症例では AZM も使用できる。
・感受性が確認できれば，ABPC，AMPC が第 1 選択薬として選択できる。

◎詳細は『感染症プラチナマニュアル』の第 2 章の「インフルエンザ菌」参照。

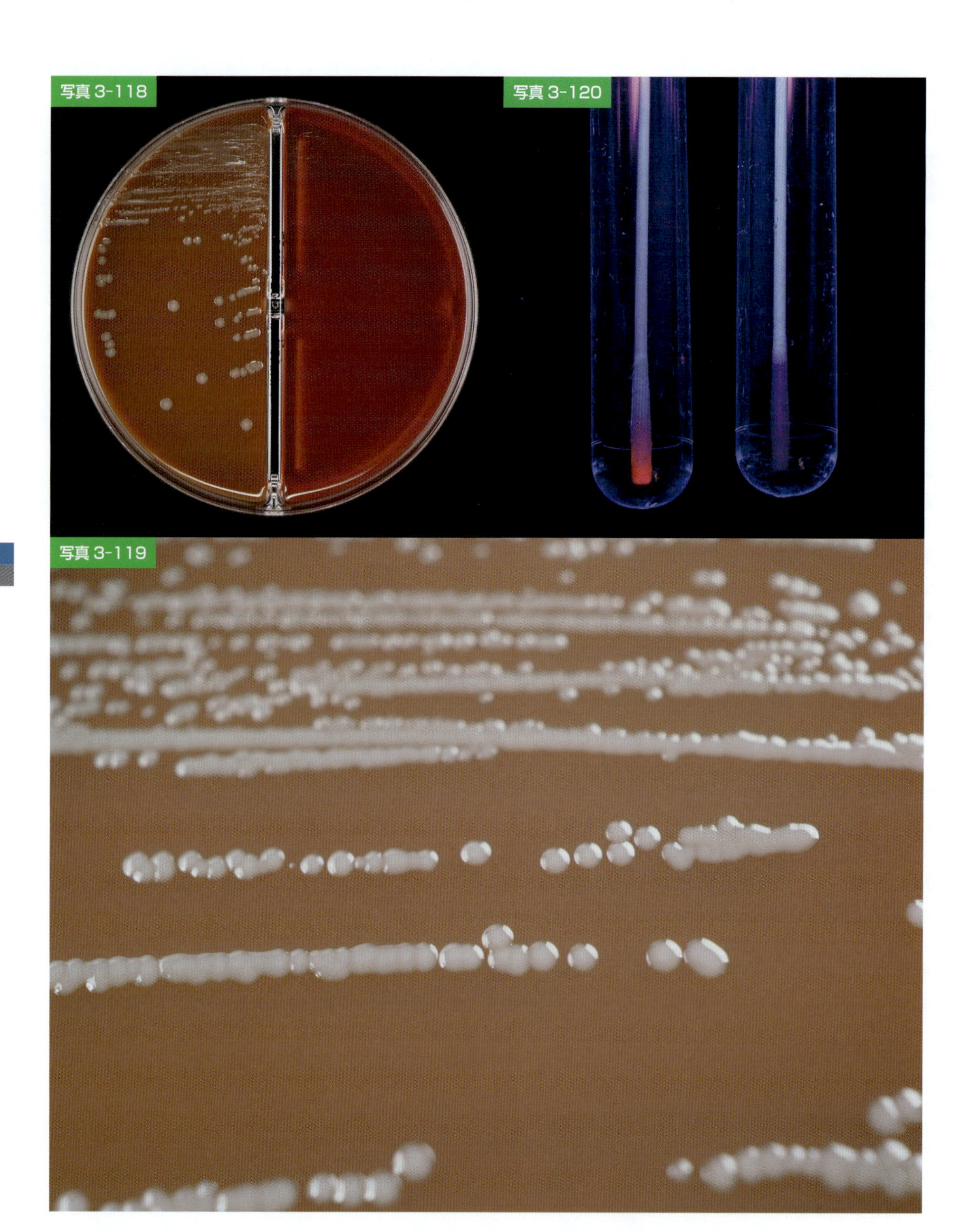

写真 3-118 ヒツジ血液 / チョコレート寒天分画培地上のインフルエンザ菌（*Haemophilus influenzae*）。ヒツジ血液寒天培地ならびにマッコンキー寒天培地などのグラム陰性桿菌分離用培地には発育できない。発育にX因子（ヘミン），V因子〔NAD（ニコチンアミドアデニンジヌクレオチド）〕を必要とするためである。

写真 3-119 チョコレート寒天培地上のインフルエンザ菌。拡大像。

写真 3-120 ポルフィリン試験。X因子を要求する菌種は，ポルフィリン合成ができないことを利用した簡易検査。

写真左：陽性（*Haemophilus parainfluenzae*），右：陰性（インフルエンザ菌）。

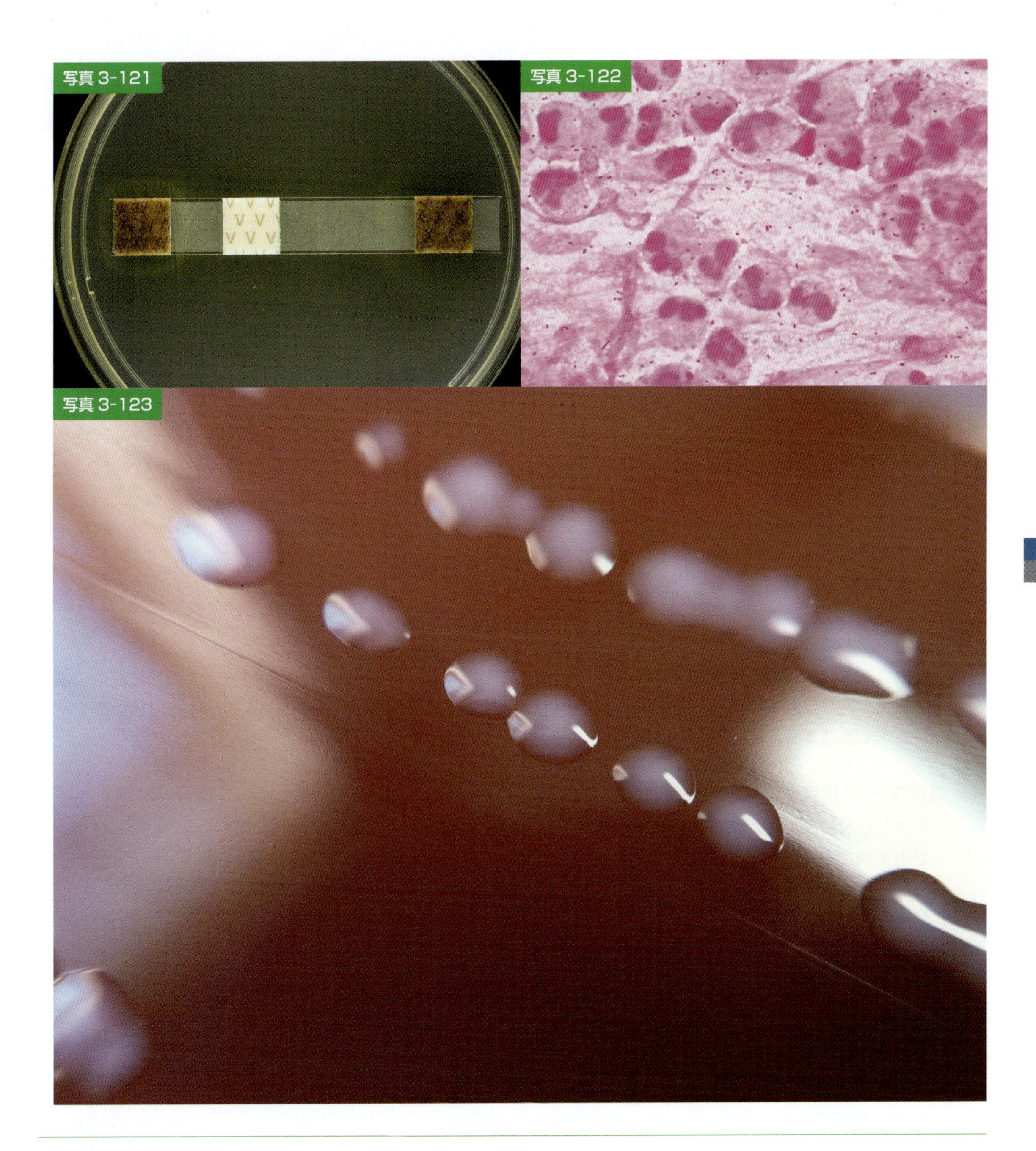

写真 3-121　XV因子要求性確認検査。
写真左からXV，V，X因子を含んだディスク。インフルエンザ菌を全面に塗布した培地に配置し培養。インフルエンザ菌は発育にX因子，V因子両方を要求するため，左端のXV両方を含んだディスク周囲に発育を認める。また，V因子とX因子の間にうっすらと発育帯を認める。

写真 3-122　グラム染色。喀痰グラム染色で一面に小型のグラム陰性短桿菌を認める。菌量が少ない場合には見落としがちであるが，主たる原因菌である場合には，このように一面に菌体を認める。

臨床上のポイント
- 肺炎球菌との混合感染に注意する。
- 注意して背景を観察する。慣れると見逃さない。
- 経験的にはCTRXを選択する。

写真 3-123　インフルエンザ菌。莢膜b型菌〔インフルエンザ菌b型（Hib）〕。通常のインフルエンザ菌と比較して，ムコイドコロニーを形成する。髄膜炎の原因となるなど侵襲性の強い型として知られているが，Hibワクチンの普及により症例数は減少傾向である。

臨床上のポイント
- Hibの侵襲感染症患者との濃厚接触者では，予防抗菌薬内服も検討されるため，感染管理者と相談する。
- ワクチンの接種で疫学が変わった。

パスツレラ・ムルトシダ（*Pasteurella multocida*）

特徴

・主にネコの口腔内に常在する菌，グラム陰性球桿菌。
・ネコ咬傷後の蜂窩織炎，骨髄炎，化膿性関節炎，敗血症の重要な原因菌。
・他の口腔内常在菌と混合感染が多い。
・肺炎を起こすこともあり，グラム染色標本での形態ではインフルエンザ菌と紛らわしいがネコやイヌによる咬傷の場合は *Pasteurella* 属菌の可能性が高い。

培養同定の方法と技師からの注意点

・*Haemophilus* 属菌に似たコロニー形状を示すが，ヒツジ血液寒天培地に発育せずチョコレート寒天培地に発育を認める *Haemophilus* 属菌と異なり，*Pasteurella* 属菌は両培地に発育を認める。
・株によってはインフルエンザ菌と同様に，クリの花臭のような独特の臭気を発するものがある。
・検体のグラム染色ではインフルエンザ菌に類似した小型のグラム陰性短桿菌の形態で，*P. multocida* による気管支炎の症例などは塗抹検査では鑑別できない。
・血液寒天培地に発育しているコロニーを見て気づくことがほとんどである。

薬剤感受性検査の注意点

・溶血ウマ血液を添加した MHB を利用した微量液体希釈法またはミューラー・ヒントン血液寒天培地によるディスク拡散法が CLSI で推奨されている。ペニシリンに良好な感受性を示すが，まれに β-ラクタマーゼ産生株に遭遇する。

選択すべき抗菌薬と感染症専門医からの注意点

・ペニシリンに感受性があるが，口腔内嫌気性菌と混合感染があり，咬傷や軟部組織感染症で β-ラクタマーゼ阻害薬でペニシリン系薬の AMPC / CVA，ABPC / SBT を用いる。クリンダマイシン（CLDM）や第 1 世代セフェム系薬が無効であることに注意。

◎詳細は『感染症プラチナマニュアル』の第 2 章の「パスツレラ属」参照。

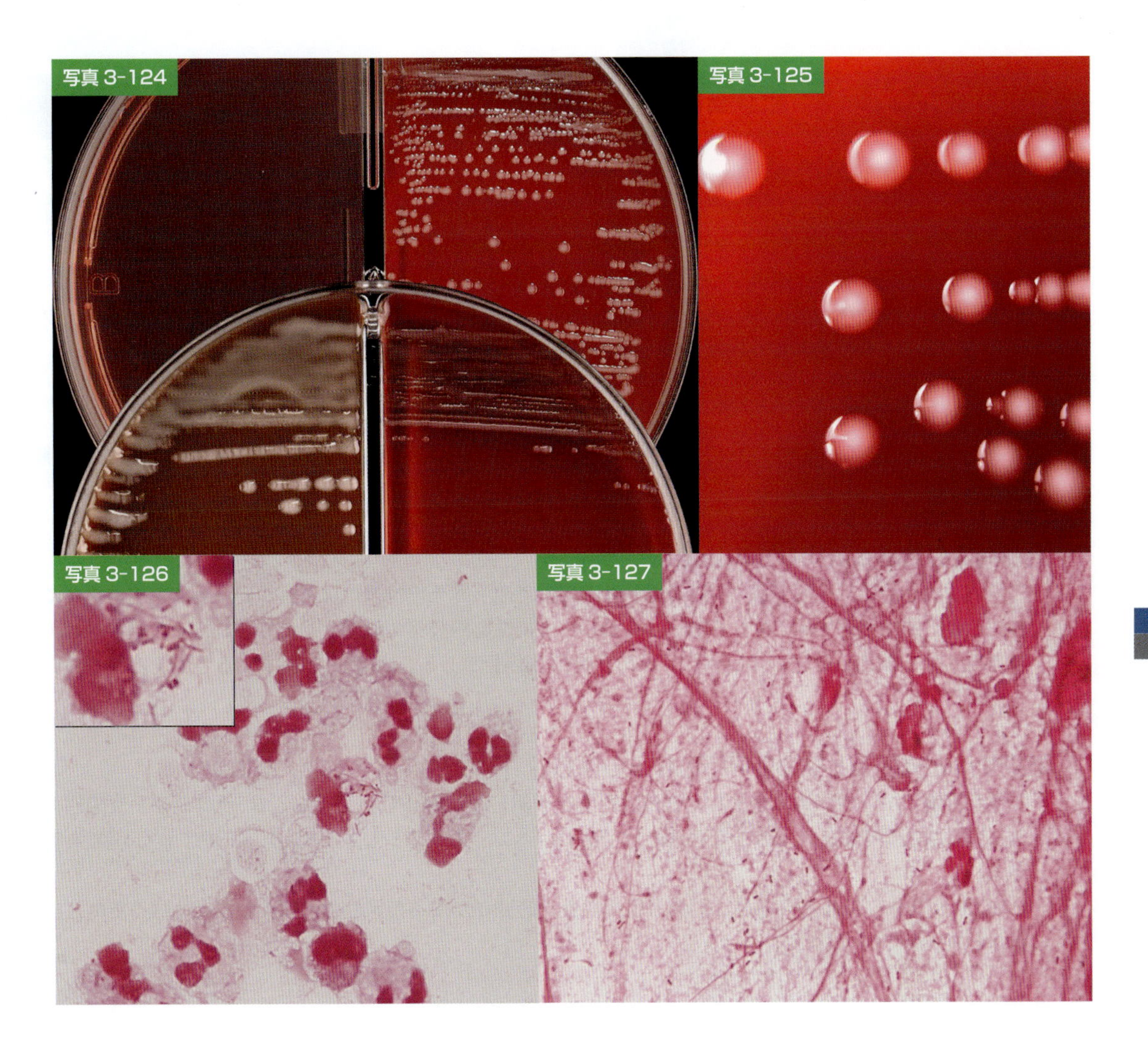

写真 3-124　ヒツジ血液 / マッコンキー寒天分画培地（上）とヒツジ血液 / チョコレート寒天分画培地（下）のパスツレラ・ムルトシダ（*Pastuerella multocida*）。インフルエンザ菌にとても似たコロニーを形成するが，大きな違いは *Pasteurella* 属菌はヒツジ血液寒天培地にも発育できることである。

下はムコイド型の *P. multocida* である。

写真 3-125　ヒツジ血液寒天培地上の *P. multocida*。

写真 3-126　グラム染色。イヌ咬傷症例。提出された患部の膿。小型のグラム陰性短桿菌（*P. multocida*）と紡錘状グラム陰性桿菌（*Fusobacterium nucleatum*）を認める。

写真 3-127　グラム染色。喀痰。グラム陰性短桿菌の形態を示し，インフルエンザ菌と類似した形態であり区別できない。動物咬傷の原因菌として知られるが，呼吸器感染症の原因菌として検出されることも少なくない。

臨床上のポイント

- 第 1 世代セフェム系が効かないため注意。
- 咬傷では口腔内嫌気性菌や本菌を疑い AMPC / CVA を選択する。
- 咬傷では破傷風トキソイド接種も忘れない。

エイケネラ・コロデンス（*Eikenella corrodens*）

特徴

・栄養要求性の強い（培養検出の条件が厳しい）グラム陰性球桿菌である。
・ヒトの口腔内常在菌で，膿瘍など複数菌感染の原因菌の 1 つになる。
・HACEK（H：*Haemophilus*，A：*Aggregatibacter*，C：*Cardiobacterium*，E：*Eikenella*，K：*Kingella*）グループの 1 つでもあり，感染性心内膜炎の原因となる。

生じうる代表的感染症

・ヒトを中心とした咬傷からの軟部組織感染症，歯原性感染症，深部頸部膿瘍，肺化膿症，感染性心内膜炎，脳膿瘍など

培養同定の方法と技師からの注意点

・口腔内や消化管の常在菌であり，呼吸器検体の培養で血液寒天培地またはチョコレート寒天培地などで観察されるが，通常検査対象とはならない。しかし，感染性心内膜炎の原因として知られ，血液培養などの無菌検体などから検出した際にはしっかりと同定を行う必要がある。pitting と呼ばれる目玉焼き状のコロニーを形成する。

選択すべき抗菌薬と感染症専門医からの注意点

・咬傷や膿瘍では，他の嫌気性菌など複数菌感染を考慮して，ABPC / SBT など β-ラクタマーゼ阻害薬配合ペニシリン系薬を選択するが，この菌だけであればベンジルペニシリン（PCG），ABPC や CTRX も有効である。
・HACEK グループの 1 つであり，培養陰性や培養に時間がかかる感染性心内膜炎の原因となるため，血液培養から検出時には注意。

◎詳細は『感染症プラチナマニュアル』の第 3 章の「感染性心内膜炎」参照。

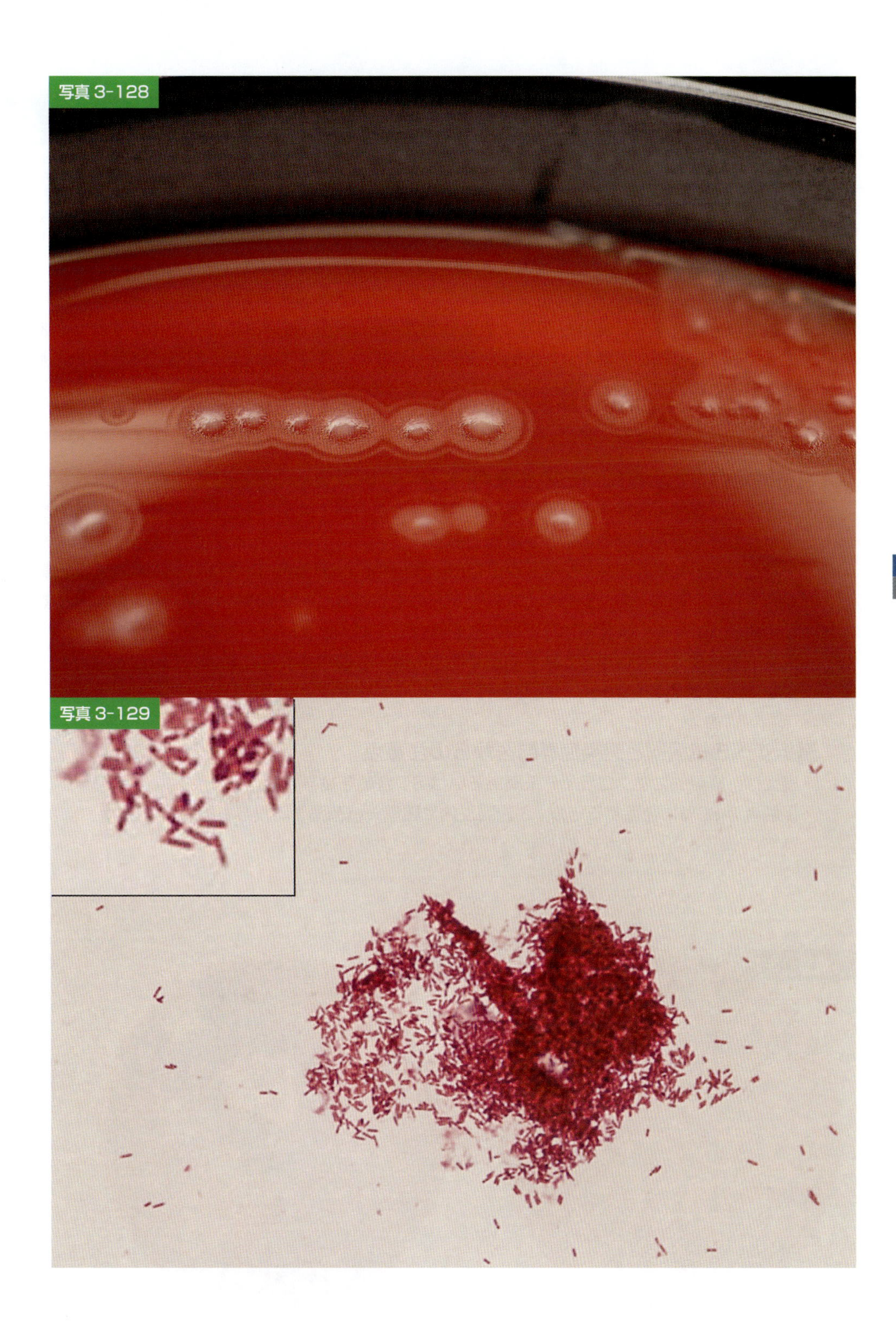

写真 3-128 エイケネラ・コロデンス（*Eikenella corrodens*）。35℃，2日間，5% 炭酸ガス培養。ヒツジ血液寒天培地。pitting colony（培地に食い込んだ二重集落）。

写真 3-129 グラム染色。*E. corrodens*。コロニーから染色。

臨床上のポイント

- 咬傷では複数菌感染を考慮して ABPC / SBT を選択。
- 血液培養で単独菌で複数検出なら，HACEK の 1 つであり感染性心内膜炎を疑う。CTRX や ABPC で治療する。

百日咳菌（*Bordetella pertussis*）

特徴

・百日咳（whooping cough）を引き起こすグラム陰性桿菌。菌種名は per（ラテン語で激しい）-tussis（ラテン語で咳）が由来となり，この菌種の症状を表している。

・潜伏期は 5〜21 日。

・2 週間以上続く咳で，発作性の咳，吸気性笛声（whoop），咳込み後の嘔吐のいずれかがある場合に疑い，成人では予防接種の影響で，典型的な症状を生じずに，慢性咳となる。気管支炎として見逃されやすい。

・血清学的に診断することが多い。

◎詳細は『感染症プラチナマニュアル』の第 2 章の「百日咳菌」参照。

培養同定の方法と技師からの注意点

・レジオネラ属菌と同様に，分離培養には特殊培地が必要であることから，百日咳菌を目的としていることをしっかりと検査室へ伝えることが重要である。

・分離培地としてボルデー・ジャング（Bordet-Gengou）培地が利用され，十分に湿潤した環境で 1 週間好気培養を行う。通常，4〜5 日で真珠様の光沢のあるコロニーが観察される。培地を準備していない施設も多いと思われるため，検査室に培地の存在を確認しておくとよい。

・培養を実施していない場合や結果を急ぐ場合には，核酸増幅検査〔LAMP（loop-mediated isothermal amplification）法や FilmArray®など〕を行う。

選択すべき抗菌薬と感染症専門医からの注意点

・疑えば，経験的にマクロライド系薬あるいは ST 合剤を投与する。

・接触者の 80%に発症するため，3 週間以内に曝露後抗菌薬予防投与も検討してよい

◎詳細は『感染症プラチナマニュアル』の第 2 章の「百日咳菌」参照。

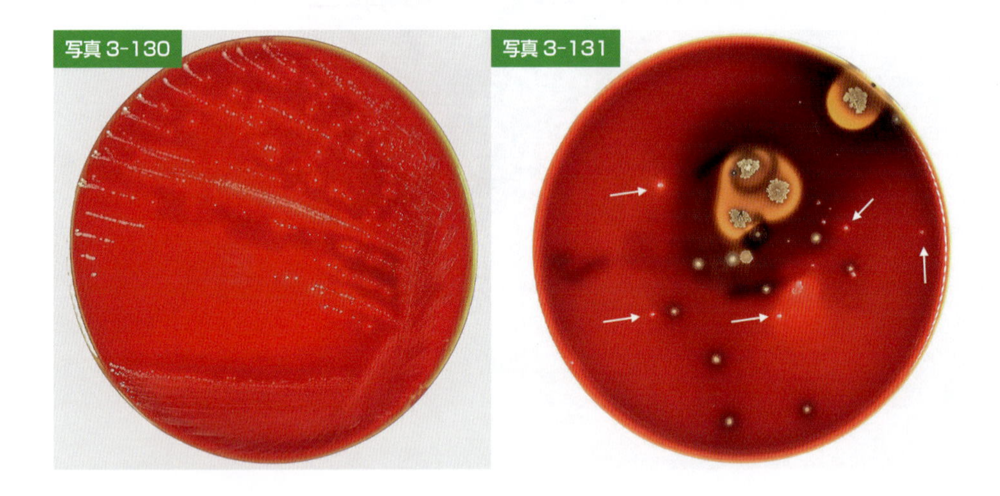

写真 3-130 ボルデー・ジャング（Bordet-Gengou）培地。百日咳菌（*Bordetella pertussis*）。β溶血を示す真珠様光沢を示すコロニー。好気培養開始 4〜5 日後にコロニーを形成する。

臨床上のポイント

・カタル期に気づけば培養や核酸増幅検査を，慢性期では抗体検査で診断する。

写真 3-131 ボルデー・ジャング培地上に直接咳を吹き付けて培養したもの。口腔内常在菌とともに溶血を示す百日咳菌を認める。

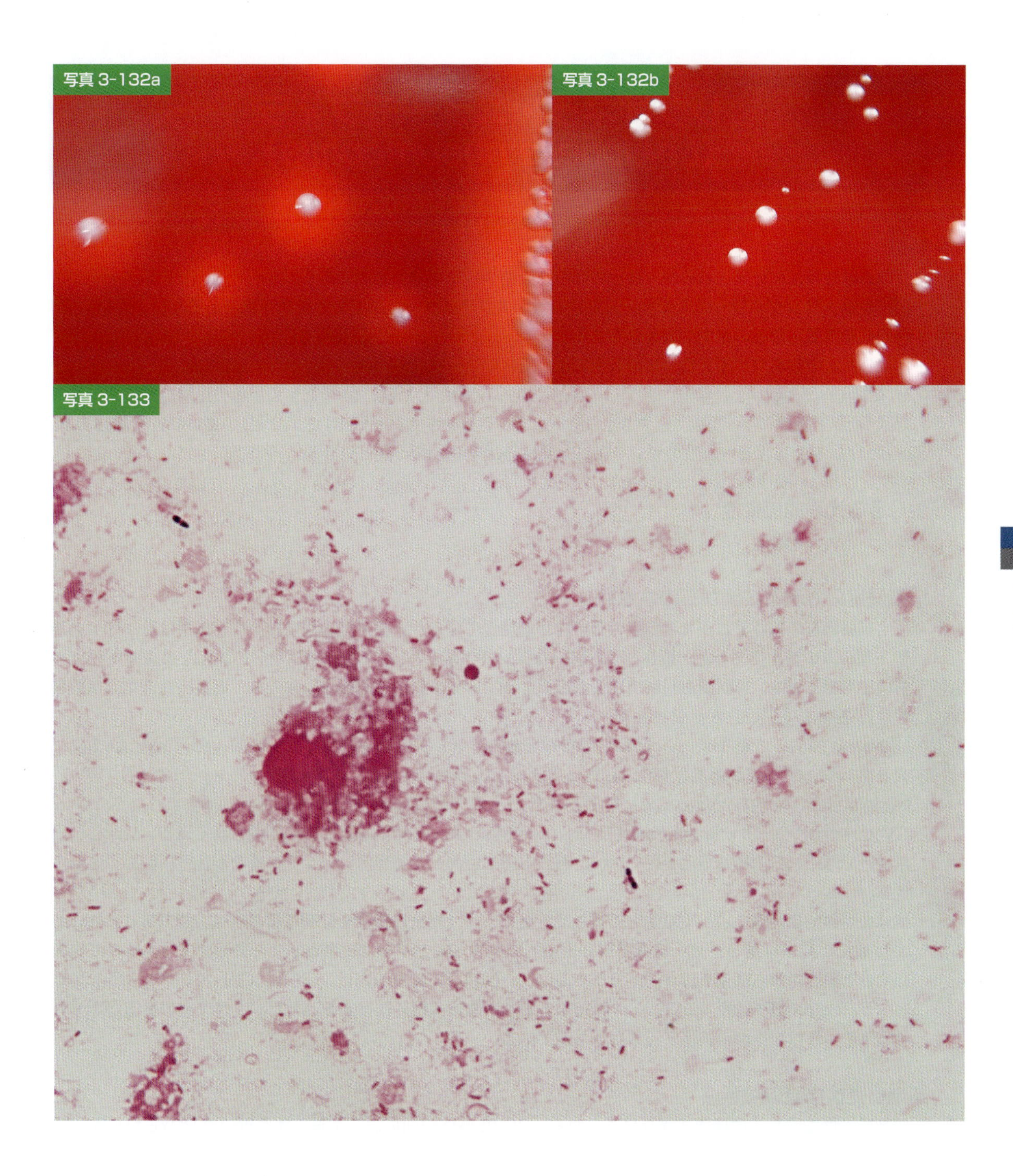

写真 3-132　ボルデー・ジャンゲ培地上の百日咳菌。拡大像。β溶血を認める。b では真珠様光沢を明確に認める。

写真 3-133　グラム染色。喀痰。小型のグラム陰性短桿菌でインフルエンザ菌に非常によく似ている。検体のグラム染色でインフルエンザ菌を疑う所見であるにもかかわらず培養で発育を認めない場合には，臨床症状的に矛盾しなければ百日咳菌の可能性を考える。

レジオネラ・ニューモフィラ（*Legionella pneumophila*）

特徴

・グラム陰性桿菌に分類されるが，検出には特殊染色や特殊培地が必要である。
・河川やクーリングタワーの冷却水，人工呼吸器，ネブライザー，高温でも生息可能であるため，温泉や 24 時間循環式風呂などの水中に広く分布する。
・汚染した水の誤嚥や，エアロゾルの吸引により潜伏期 2～10 日で発症する。
・リスク因子（50 歳以上，喫煙，ステロイドや免疫抑制剤使用，曝露歴）を有する患者の重篤な肺炎や，肺外症状〔頭痛，意識障害，下痢，P や Na の低下，クレアチンキナーゼ（CK）増加など〕の強い肺炎で想起する。
・*Legionella* 感染による一過性のインフルエンザ様症状を Pontiac 熱という。

生じうる代表的感染症

・肺炎，Pontiac 熱

培養同定の方法と技師からの注意点

・尿中抗原検査の普及でレジオネラ症の報告数が増加しているが，従来型の尿中抗原検査試薬は基本的に血清型 1 型のみの検出であった。現在，リボソームタンパク質 L7 / L12 をターゲットに加えた血清型 1 型以外も検出できる尿中抗原試薬も利用できるようになっている。尿中抗原検査以外では，培養検査または核酸増幅検査（LAMP 法など）が必要となる。
・*Legionella* 属菌の培養には，*Legionella* 用特殊培地である BCYE（buffered charcoal-yeast extract agar）やαケトグルタル酸が添加された BCYEα寒天（buffered charcoal-yeast extract agar with 0.1% α-ketoglutalate）培地などが必要で，呼吸器検体からの分離には抗菌薬などの選択剤が含まれた WYO-α（Wadowsky-Yee-Okuda agar with 0.1% α-ketoglutalate）培地などが広く利用されている。しかし，日常検査ではこれらの特殊培地を用いないため，本菌を目的とする場合は必ずその旨を検査室へ伝える必要がある。
・検体の加熱や酸処理によって雑菌を処理して培養するが，完全に雑菌を抑制することは困難である。*Legionella* 属菌の発育は遅いため，培養開始 2 日以内に発育してきた菌は雑菌として除外し，3 日目以降に発育してきた菌を対象に精査を行う。発育したコロニーは独特の酸臭を発し，暗所に放置した雑巾のような臭気となる。*Legionella* 属菌のコロニーは斜光を当てて実体顕微鏡で観察するとカットグラス様の構造が観察されるため，これを指標に釣菌することが可能となる。

薬剤感受性検査の注意点

・薬剤感受性に関しては標準法がないことから，BCYE 液体培地による微量液体希釈法や BCYE 培地を用いた E-test 法などが行われている。

選択すべき抗菌薬と感染症専門医からの注意点

・ニューキノロン系薬 LVFX または AZM を使用する。
・尿中レジオネラ抗原検査は，特異度は高いが感度は 70%程度と低い。よって，陰性であっても感染を否定できない。そのため，重症市中肺炎で原因菌が不明な場合には，旅行歴や温泉歴，尿中抗原検査の結果によらず，*Legionella* 属菌をカバーする必要がある。

◎詳細は『感染症プラチナマニュアル』の第 2 章の「レジオネラ・ニューモフィラ」参照。

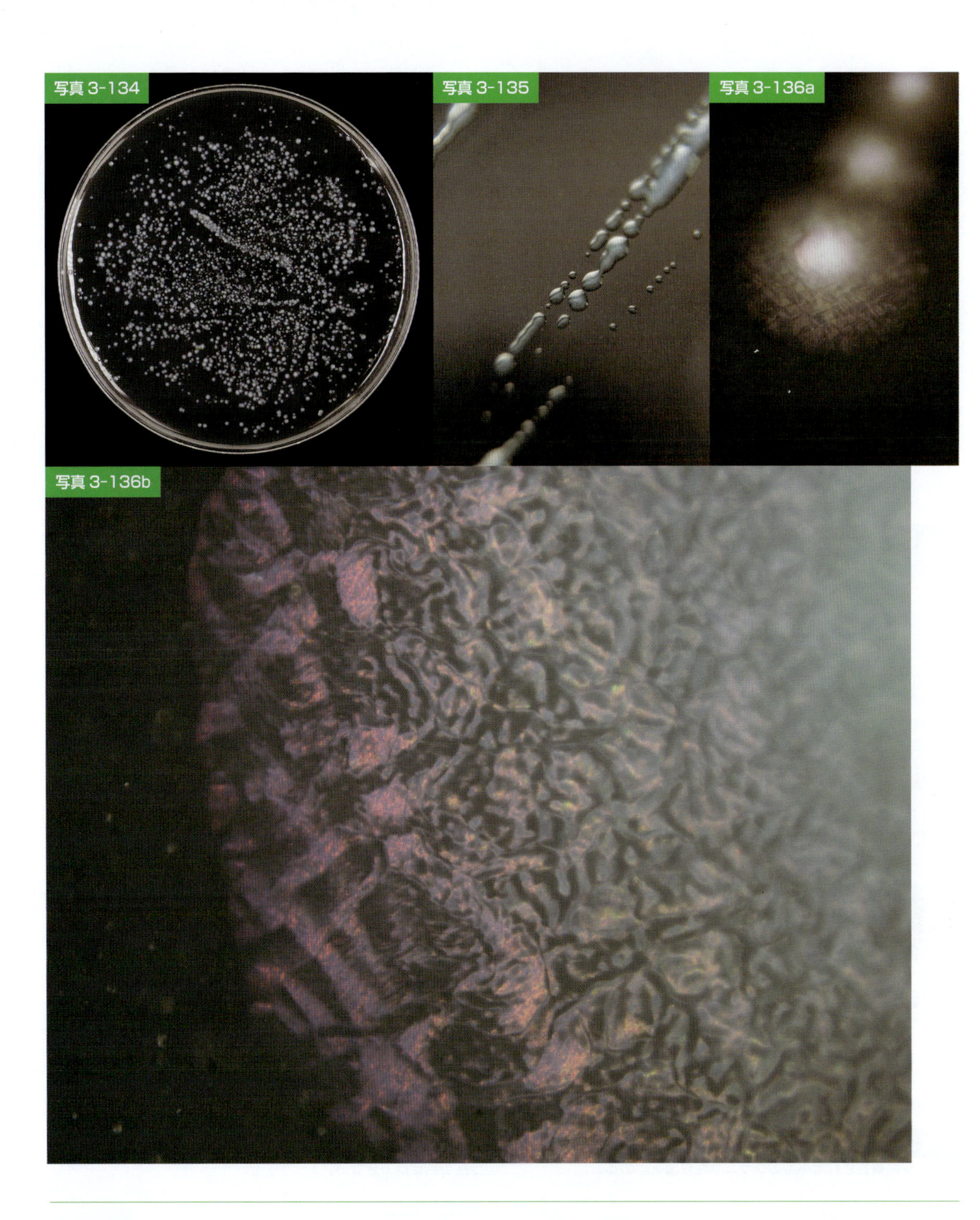

写真 3-134 レジオネラ・ニューモフィラ（*Legionella pneumophila*）。WYO-α寒天培地（好気培養4日目）。培養開始から3日目以降のコロニーを検査対象として，それ以前に発育したコロニーは無視する。培養3日目に0.5～1 mm程度のフラットなコロニーを形成し，培養を継続するに従い，中央部が隆起しエッジが広がる。

臨床上のポイント

・*Legionella* を疑う場合には特殊培地が必要であり，検査室にその旨を伝達する必要がある。

写真 3-135 WYO-α寒天培地での培養3日目のコロニー。培養3日目以降に写真のような小さな白色コロニーを形成し始める。

写真 3-136 WYO-α寒天培地での培養開始数日後のコロニー。エッジが広がったコロニーに対して30度の斜光を当てて実体顕微鏡で観察すると，カットグラス様の表面構造を認める。別症例のコロニー辺縁部分を拡大して観察すると，カットグラス様からモザイク様の表面構造が認められる（b）。

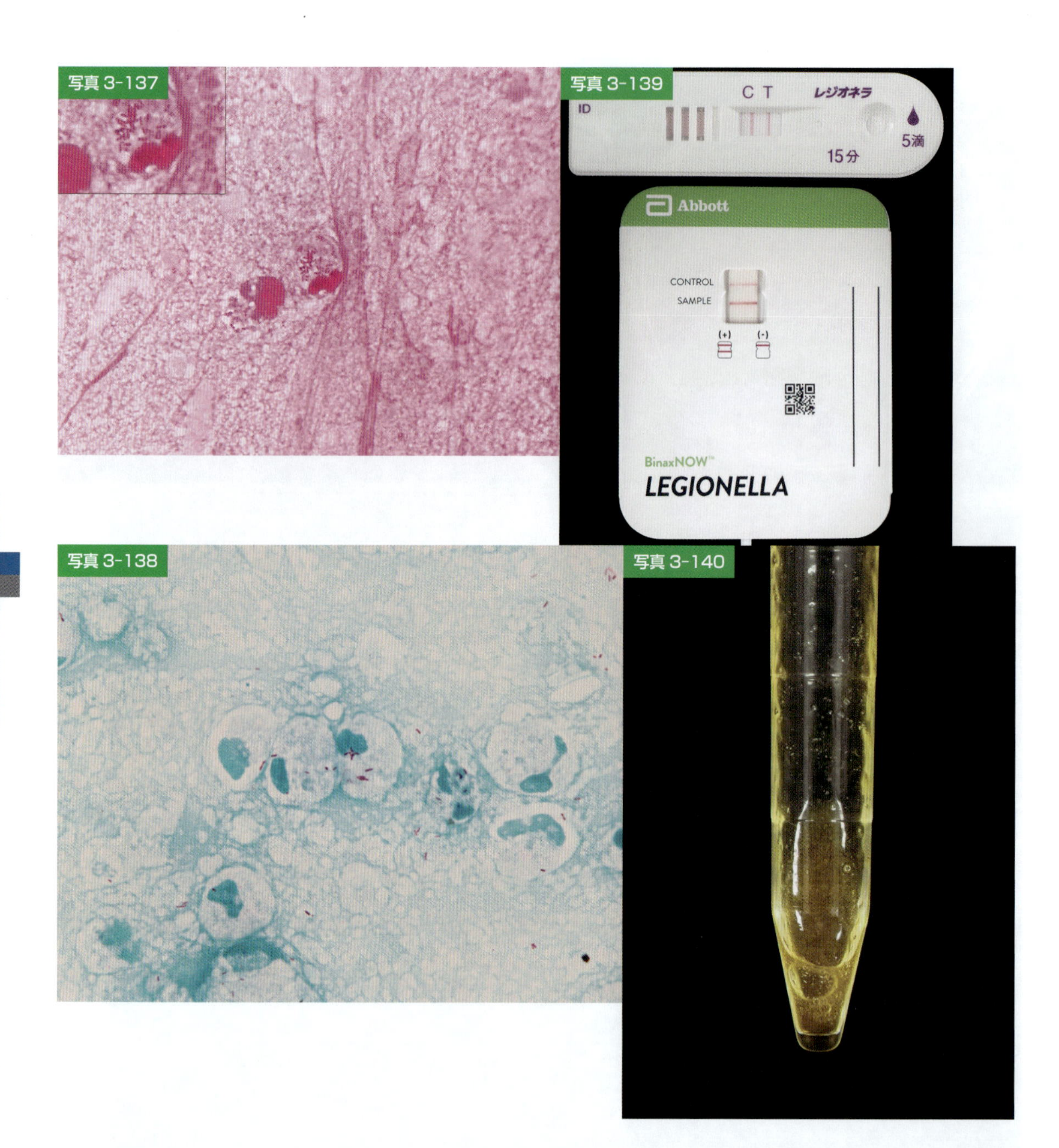

写真 3-137 *Legionella* 肺炎症例。グラム染色。マクロファージに貪食された小型のグラム陰性桿菌を認める。

臨床上のポイント

・*Legionella* を疑う場合には，ヒメネス（Gimenez）染色など特殊染色も可能なら依頼する。

写真 3-138 ヒメネス染色。胸水。マクロファージに貪食された *L. pneumophila*。菌体は赤く染まる。ただし，*Legionella* 属菌に特異的に染まるわけではないため，陽性所見の判断には注意が必要である。

写真 3-139 尿中 *Legionella pneumophila* 血清型 1LPS 抗原検査。血清型 1 を検出する尿中抗原検査。侵襲性がなく 15 分で結果が得られるが，陰性であっても血清型 1 以外のレジオネラ症の否定はできない。

臨床上のポイント

・原因菌不明の重症肺炎，β-ラクタム薬の効かない肺炎，肺外症状の強い肺炎などでは，尿中抗原検査の結果によらず，*Legionella* の治療を考慮する。

◎詳細は『感染症プラチナマニュアル』の第 2 章の「レジオネラ・ニューモフィラ」参照。

写真 3-140 肺炎症例の吸引痰。オレンジ色の痰も特徴的な所見であり，肺炎症例でオレンジ色の痰が認められた場合には，本菌による感染症を想定すべきである。

アグリゲイティバクター・アクチノミセテムコミタンス（*Aggregatibacter actinomycetemcomitans*）

特徴

・感染性心内膜炎の原因菌の１つ。HACEK と呼ばれる弱毒性グラム陰性桿菌に含まれる。
・発育速度が遅いため数日以上の培養時間を要する。
◎詳細は『感染症プラチナマニュアル』の第３章の表 3-9 参照。

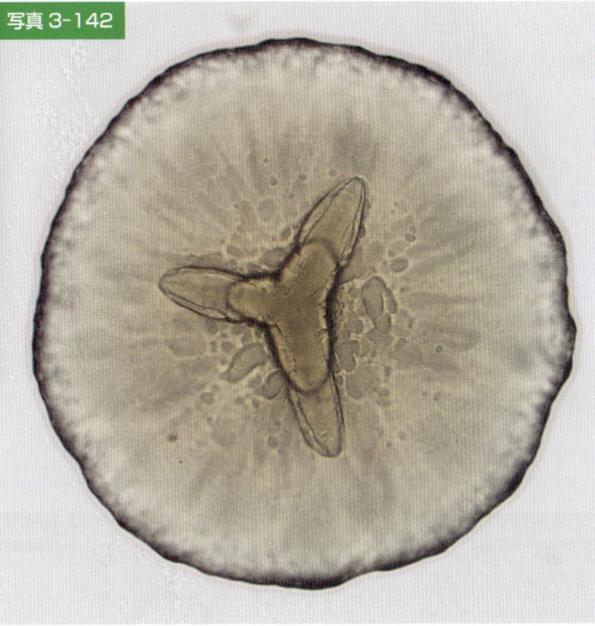

写真 3-141　変法 GAM 寒天培地に発育した *A. actinomycetemcomitans*。コロニー形成には数日を要する。

写真 3-142　コロニーを顕微鏡で観察。特徴的な星状構造物が内部に認められる。

ガードネレラ・バギナリス（*Gardnerella vaginalis*）

特徴

・細菌性腟症（BV）の原因菌の１つとして知られる。妊娠中の BV は流産や早産のリスクが高まる。
・グラム染色不定の桿菌として観察される。
◎詳細は『感染症プラチナマニュアル』の第３章の「腟炎」参照。

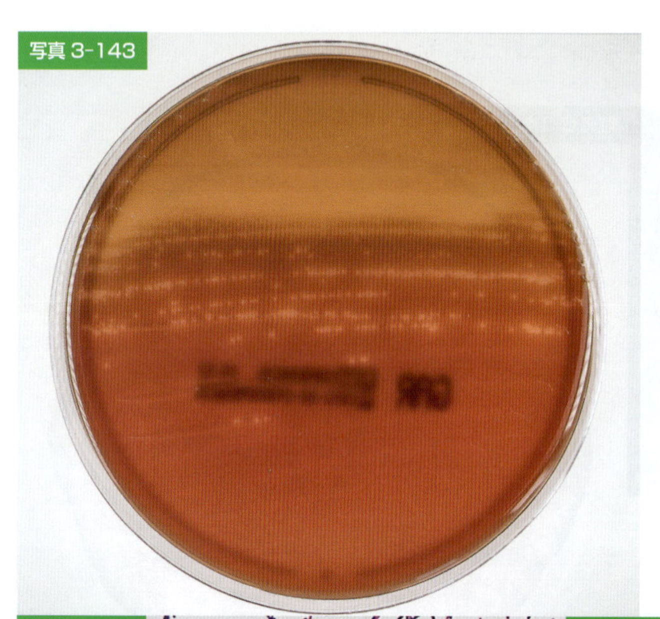

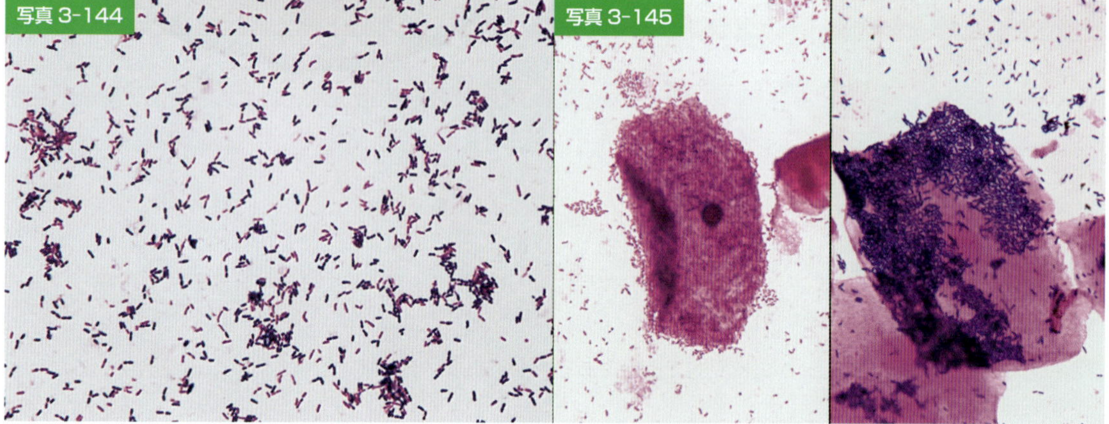

写真 3-143　ガードネレラ寒天培地に発育した *G. vaginalis*。微小コロニーでβ溶血を示す。

写真 3-144　コロニーからグラム染色実施。グラム陽性と陰性が混在している。写真のような混在例もあれば，グラム陰性または陽性に偏る場合などさまざまな染色態度を示す。

写真 3-145　腟分泌物のグラム染色で認めた clue cell。左右どちらも細菌性腟症のグラム染色で，左はグラム陰性に，右はグラム陽性に染まった *G. vaginalis* が扁平上皮に張り付いている。この細胞は clue cell と呼ばれる。

f. らせん菌

回転数が1回のものはビブリオ(*Vibrio*)属等が該当，2～4回のものはカンピロバクター(*Campylobacter*)属，ヘリコバクター(*Helicobacter*)属等が該当し，それを超える回転数のものをスピロヘータと総称される。

カンピロバクター属菌(*Campylobacter* spp.)

特徴

- *Campylobacter* 属の属名はギリシア語で「曲がった(καμπύλος/Campylo)」，「細菌(bacter)」が由来となる。
- ニワトリなどの動物の腸管に存在するグラム陰性桿菌。
- 潜伏期は2～7日程度。細胞内に寄生する。
- 生肉や加熱が不十分なトリ肉・ブタ肉から感染する。
- 高熱が先行して，しばしばインフルエンザ様症状をとる。
- 本邦では細菌性腸炎で最も頻度が高い。

生じうる代表的感染症

- 感染性腸炎(感染後の免疫応答として Guillain-Barré 症候群がある)，菌血症

培養同定の方法と技師からの注意点

- 臨床的に *Campylobacter* 感染が疑われ，糞便のグラム染色でガルウイング状のグラム陰性らせん菌が確認できれば，*Campylobacter* 感染を推定できる。*Campylobacter* 分離培養には，CCDA(charcoal cefoperazone desoxycholate agar)寒天培地など *Campylobacter* 属菌の選択培地を用いて，37℃または42℃で微好気培養(酸素濃度 5%，CO_2 10%，窒素ガス 85%)を行う。
- 同定は質量分析や市販の同定キットを利用することになるが，グラム染色で発育集落をグラム陰性らせん菌であることを確認したうえで，馬尿酸加水分解(*C. jejuini* 陽性，*C. coli* 陰性)やナリジクス酸(NA)とセファロチン(CET)の感受性，培養温度などにより，ある程度の鑑別が可能となる。菌種同定が必要なく，オキシダーゼ陽性のグラム陰性らせん菌であれば *Campylobacter* 属菌として問題ない。

薬剤感受性検査の注意点

- CLSI M45 にて微量液体希釈法またはディスク拡散法が掲載されている。
- エリスロマイシン(EM)，シプロフロキサシン(CPFX)などのブレイクポイントが設定されている。

選択すべき抗菌薬と感染症専門医からの注意点

- 診断には便のグラム染色が迅速かつ特異的で有用である。マクロライド系薬を選択するが，自然治癒するため，ルーチンに投与する必要はない。
- 血液培養で検出されたらせん菌の場合には，短いらせん菌の場合は *Campylobacter* 属菌を，長い菌体は *Helicobacter cinaedi* を考える。以前は血液培養で *Campylobacter* 属菌を推定した場合は *C. fetus* が多かったが近年，筆者の施設では多くが *C. jejuni* である。
- *C. fetus* は腸炎よりも，菌血症，感染性動脈瘤，化膿性関節炎，感染性心内膜炎などの原因となり，MEPM や GM で治療する。

◎詳細は『感染症プラチナマニュアル』の第2章の「カンピロバクター・ジェジュニ，カンピロバクター・コリ」参照。

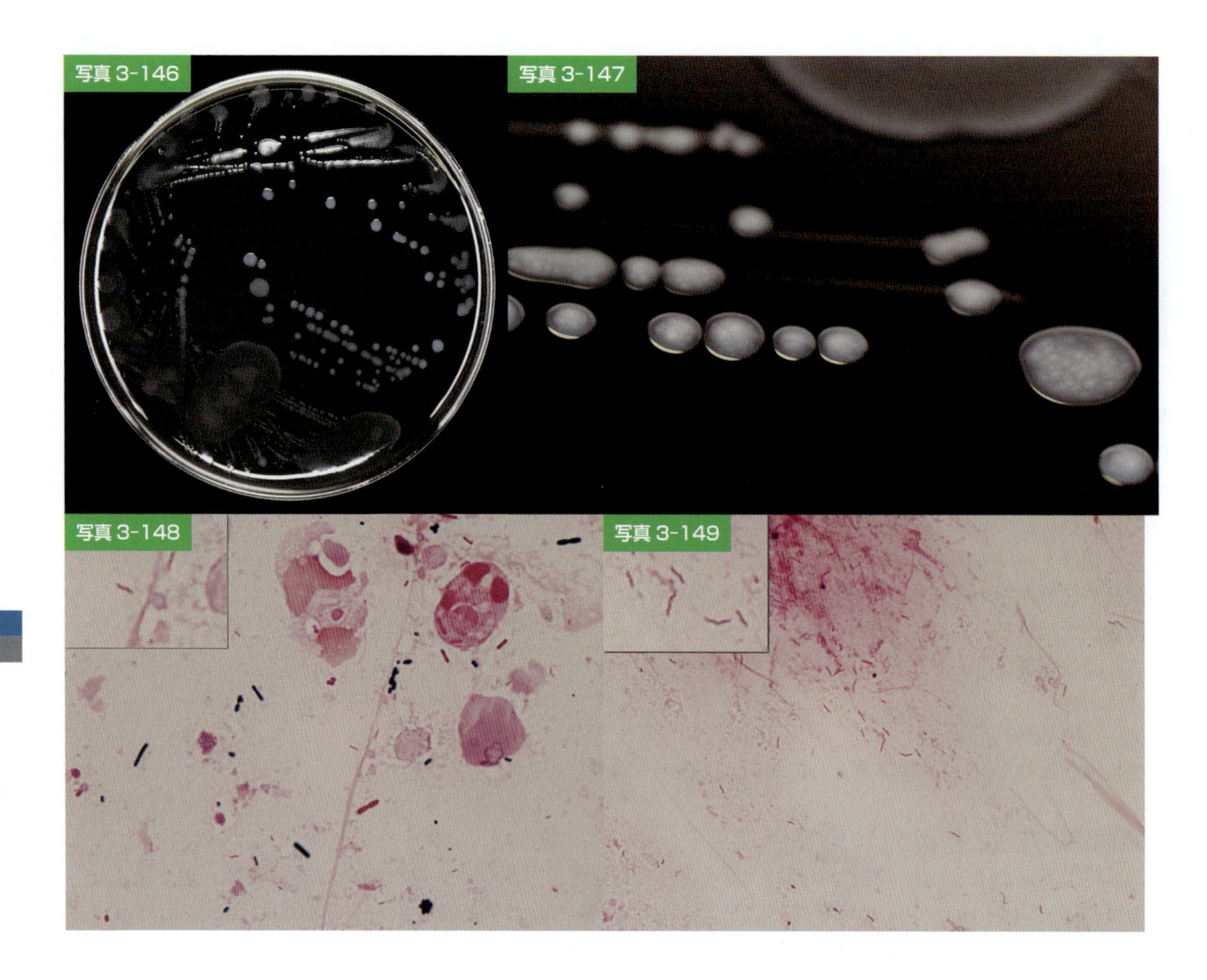

写真 3-146 カンピロバクター・ジェジュニ(*Campylobacter jejuni*)。CCDA 寒天培地(42℃, 2日間, 微好気培養)。*Campylobacter* 属の培養にはスキロー(Skirrow)培地やバツラー(Butzler)培地が利用されてきたが, 血液成分を含まないCCDA培地も広く利用されている。培養は酸素濃度が低い微好気条件を必要とし, 2～3日間の培養時間を必要とする。また, 培養温度は42℃と高温環境が検出率を高める。

写真 3-147 *C. jejuni*。CCDA 寒天培地(42℃, 2日間, 微好気培養)。コロニー拡大像。乳白色のコロニーを形成する。

写真 3-148 グラム染色。*Campylobacter* 腸炎の糞便グラム染色像。白血球を認め, らせん状の小型のグラム陰性桿菌を認める。

臨床上のポイント

- *Campylobacter* 腸炎を疑う患者では, 便のグラム染色が有用である。
- 感度は低いが, 特異度は高いため, 特徴的な菌が確認できれば, その時点で迅速に確定診断がつく。

写真 3-149 グラム染色。*Campylobacter* 腸炎の糞便グラム染色像。やや長いらせん状の小型のグラム陰性桿菌を認める。

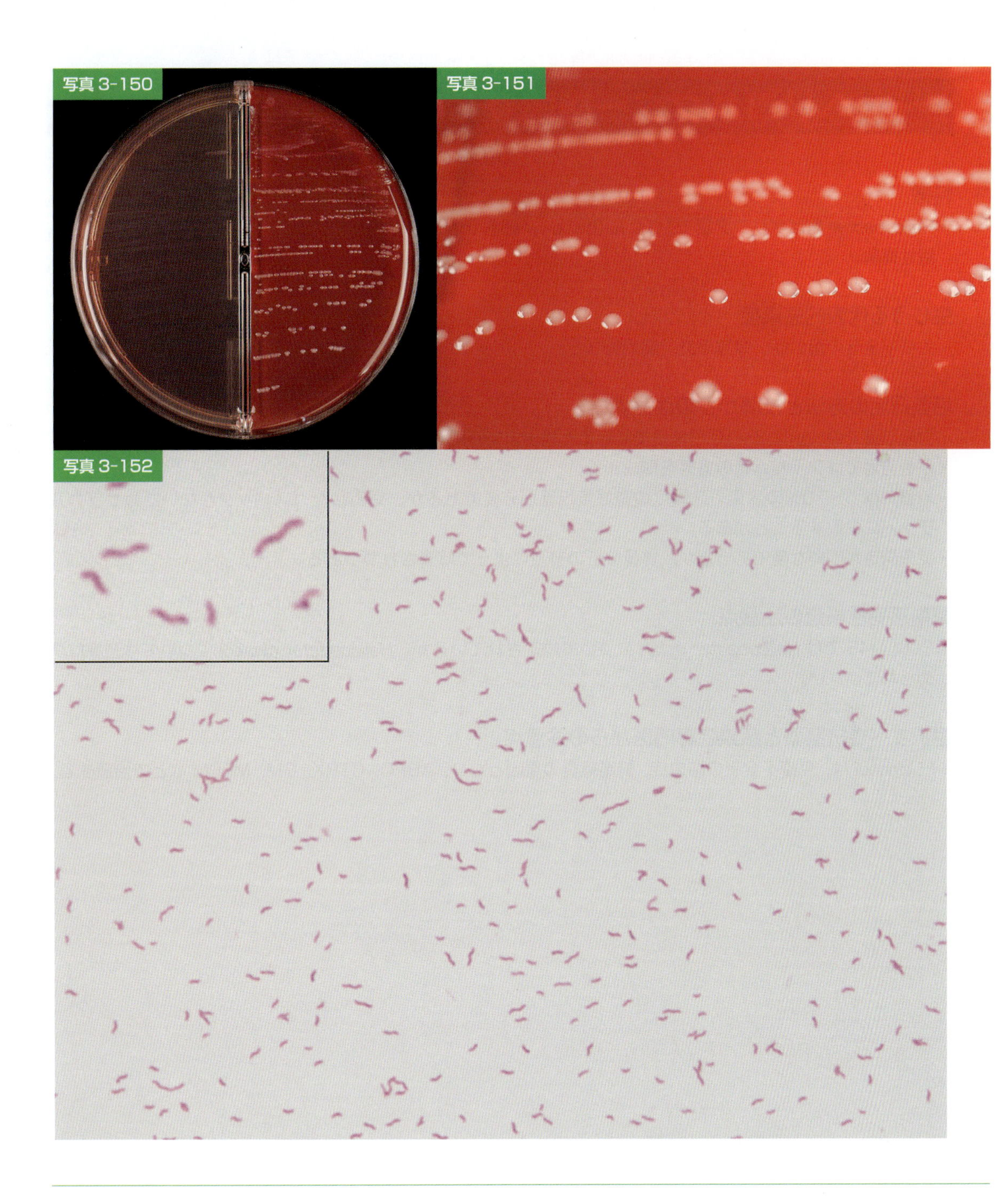

写真 3-150 カンピロバクター・フィタス（*Campylobacter fetus*）。血液 / マッコンキー寒天培地（35℃，4 日間，5％炭酸ガス培養）。*Campylobacter* 属のなかで腸管外感染症の原因となることが多いのが *C. fetus* である。腸管病原性のある *C. jejuni* とは異なり，42℃では分離が困難であるため，温度には注意を要する（必ずしも発育しないわけではない）。血液培養でらせん菌を検出した場合，菌体が細長い場合にはヘリコバクター・シネディ（*Helicobacter cinaedi*），短い場合には *Campylobacter* 属菌を念頭において，臨床情報を確認しつつ検査を進める。

臨床上のポイント

- 血液培養でらせん菌が検出されれば，感染性動脈瘤など腸管外病変を検索する。
- 特に腸炎症状を欠くときには注意が必要である。
- 経験的治療にはキノロン系薬は使用せず，CTRX，アミノグリコシド系薬，カルバペネム系薬などで開始して同定感受性を待つ。

写真 3-151 *C. fetus*。血液寒天培地（35℃，3 日間，5％炭酸ガス培養）。拡大像。やや小型の乳白色コロニー。

写真 3-152 *C. fetus* コロニーから。らせん状のグラム陰性桿菌。

ヘリコバクター属菌（*Helicobacter* spp.）

特徴

・*Helicobacter* 属はギリシア語で「らせん（helix）」,「細菌（bacter）」が由来となる。2～4 巻のらせん状グラム陰性桿菌。

生じうる代表的感染症

・免疫不全者の菌血症，蜂窩織炎，関節炎など

培養同定の方法と技師からの注意点

・血液培養での検出は 3～10 日培養で陽転化と検出まで時間がかかる。
・平板培地ではフィルム状の集落を形成する。
・培養には 5～10%の水素ガス濃度の微好気培養が必要であるが，対応したガスパックがないためサブカルチャーに失敗することがある。
・従来同定が困難な菌であったが，質量分析の普及によって解消されつつある。

薬剤感受性検査の注意点

・CLSI M45 では *Helicobacter pylori* について規定されているが，*Helicobacter cinaedi* については基準は決められていない。

選択すべき抗菌薬と感染症専門医からの注意点

・*H. cinaedi* は，免疫不全者の菌血症，蜂窩織炎の原因となり，ABPC，CTRX，GM，MEPM などで治療する。

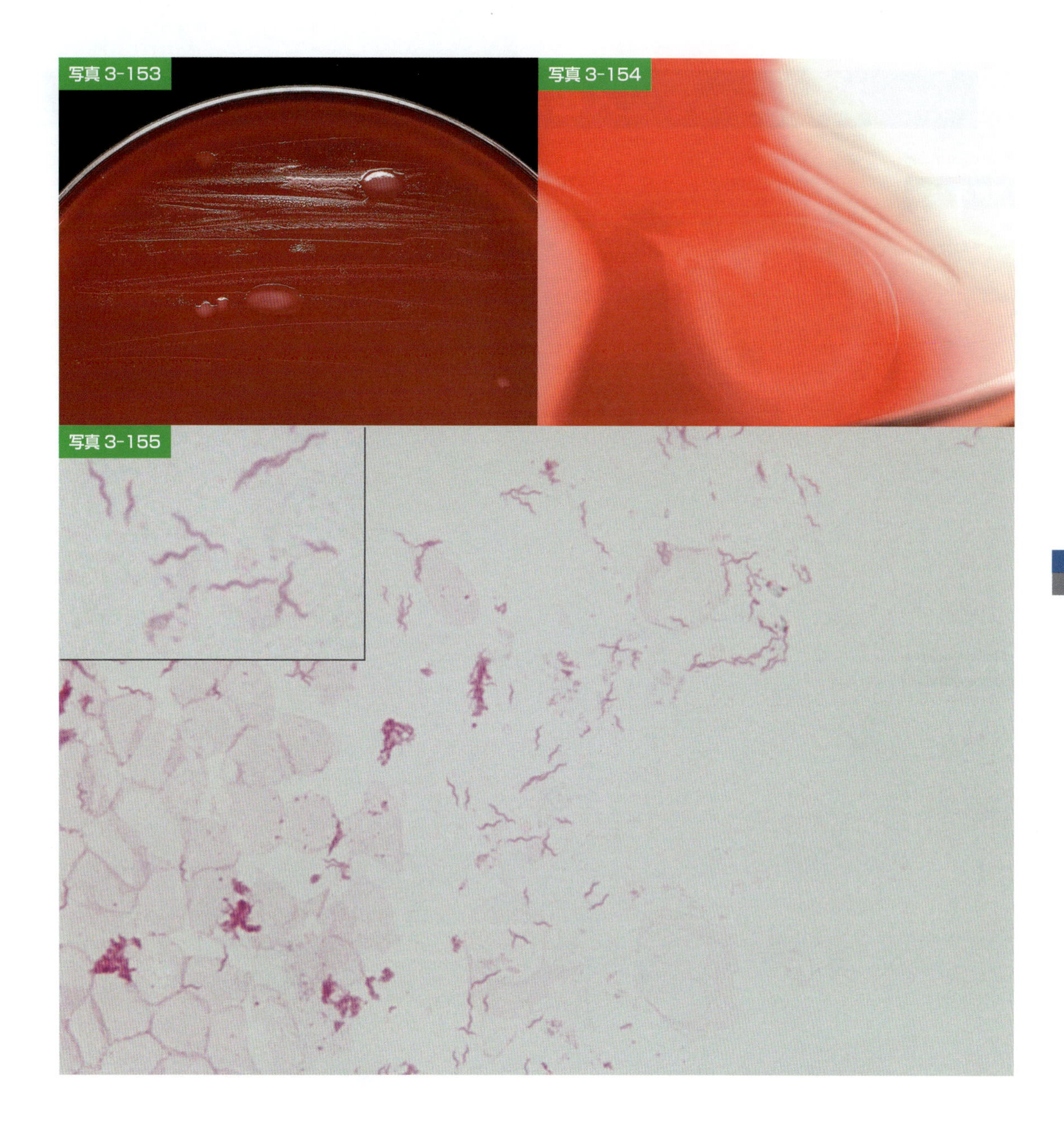

写真 3-153 *Helicobacter cinaedi*。血液寒天培地（35℃，5日間，微好気培養）。臨床検体としては，血液培養での検出が多く，好気ボトルで3～10日後に陽性となるケースがほとんどである。サブカルチャーする場合には，高濃度の水素ガスが必要で，条件を満たせない場合にはサブカルチャーに失敗することも多い。

写真 3-154 コロニー拡大像。フィルム状に薄く広がるコロニーを形成する。

写真 3-155 グラム染色。血液培養ボトル内容液を染色。グラム陰性のらせん状桿菌で，*Campylobacter* 属菌よりも長く，スピロヘータよりも短い。血液培養でこのような菌体を認めた場合には本菌を疑い，培養条件に注意しながらサブカルチャーを実施する。

臨床上のポイント

- 免疫不全者に菌血症，軟部組織感染症を伴うことが多い。
- 経験的治療では ABPC，CTRX，アミノグリコシド系薬，カルバペネム系薬，ミノサイクリン（MINO）を開始して，同定感受性を待つ。
- 再発しやすいため長期間の治療が望ましい。

スピロヘータ

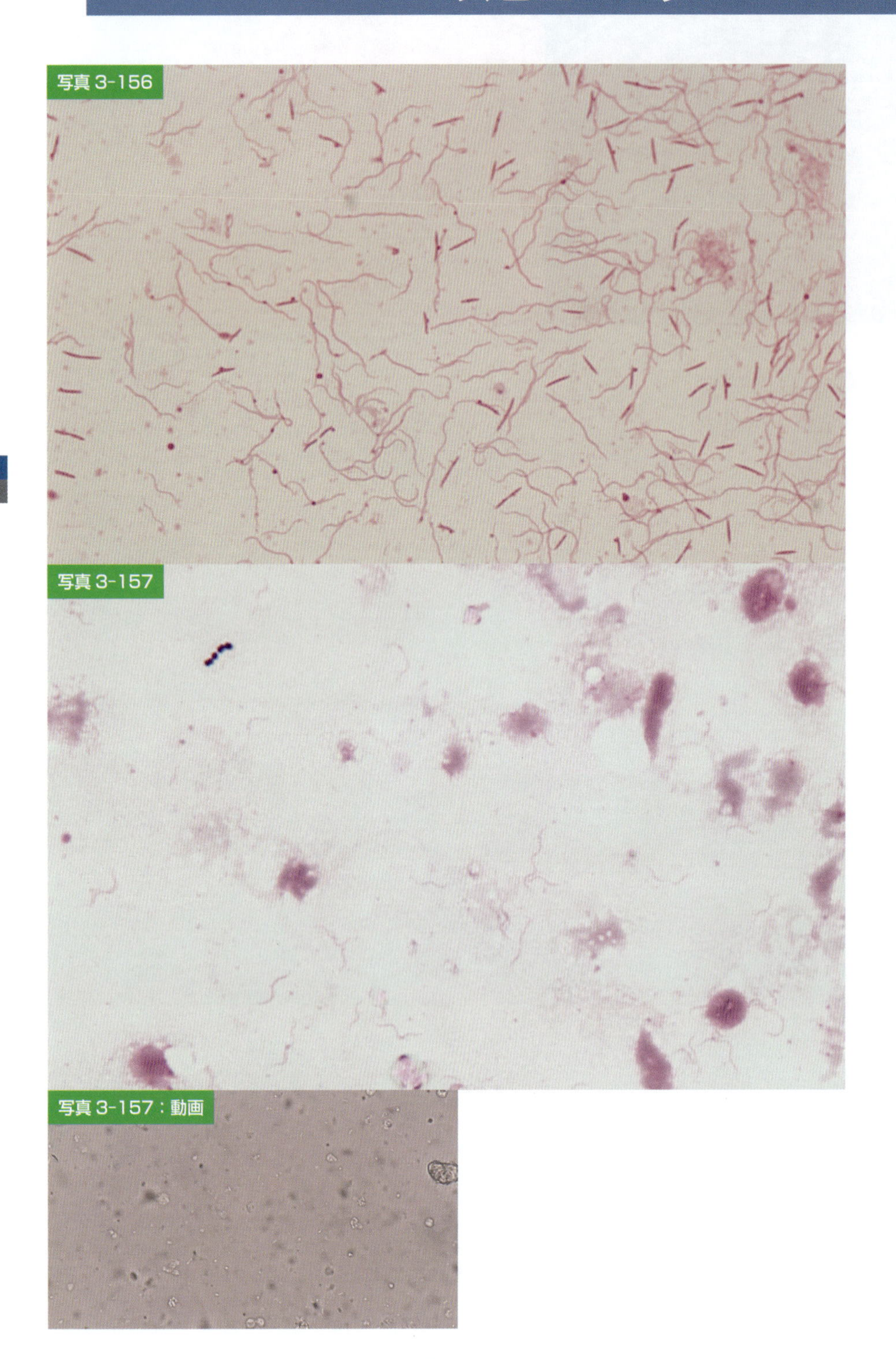

写真 3-157 の動画
スピロヘータの運動性

写真 3-156 咽頭スワブのグラム染色。紡錘状のグラム陰性桿菌（*Fusobacterium* 属）と大量のスピロヘータを認める。口腔スピロヘータであり，このような所見は偽膜性の口峡炎であるワンサン・アンギーナ（Vincent's angina）を疑う。

写真 3-157 腸管洗浄液のグラム染色。スピロヘータを大量に認める。生標本では激しい運動性を確認できる（動画あり）。

第４章　グラム陰性球菌

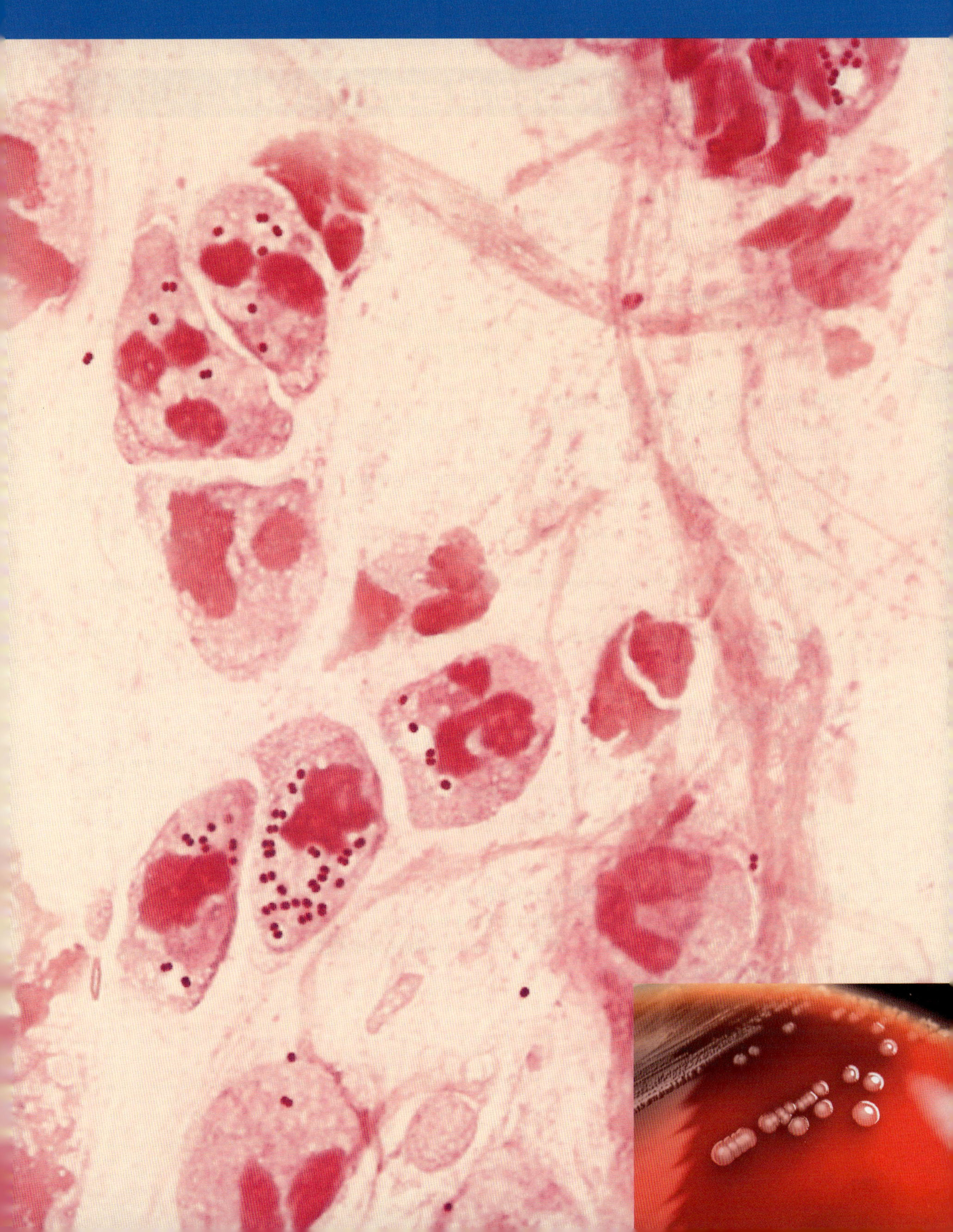

臨床的に問題となるグラム陰性球菌は主として，ナイセリア属菌（*Neisseria* spp.），モラキセラ属菌（*Moraxella* spp.）であり，特に取り上げる3菌種については見落としてはならない菌である。

・淋菌（*Neisseria gonorrhoeae*）
・髄膜炎菌（*Neisseria meningitidis*）
・モラキセラ・カタラリス（*Moraxella catarrhalis*）

淋菌（*Neisseria gonorrhoeae*）

特徴

・性感染症（STI）による尿道炎の原因となるグラム陰性球菌。検出された場合にはまず原因菌と考える。
・男性の場合は多くは症候性だが，女性の半数は無症候である。
・播種性感染症では，皮膚病変，関節炎，腱鞘炎，肝周囲炎を特徴とする。

生じうる代表的感染症

・STI〔男性：尿道炎，女性：子宮頸管炎，骨盤内炎症性疾患（PID）〕，前立腺炎，精巣上体炎，直腸炎，咽頭炎，肝周囲炎（Fitz-Hugh Curtis 症候群），単～少関節性関節炎，結膜炎，播種性感染症

培養同定の方法と技師からの注意点

・培養同定成功の肝は，死滅しやすい細菌であることから検体採取後にすみやかに培養を開始することと，低温に弱いことから冷蔵保存も厳禁である点である。
・微生物検査室に「淋菌」目的の培養であることを伝えることも重要である。特に腟分泌物や咽頭など常在菌が存在する検体では，選択分離培地であるサイアー・マーチン（Thayer-Martin）培地を利用することが重要である。バンコマイシン（VCM），コリスチン（CL），ナイスタチン（NYS）が含まれ，陽性菌，陰性菌，真菌を抑制する。
・淋菌と髄膜炎菌は他の多くの *Neisseria* 属菌と異なり CL に耐性を示すため，サイアー・マーチン培地を用いて選択的に検出することができる。
・培養が困難な施設は PCR 法での検出となるが，薬剤感受性検査が実施できないデメリットを考えて判断する必要がある。

薬剤感受性検査の注意点

・薬剤耐性が問題となっていることから，薬剤感受性検査は重要度を増している。
・Clinical and Laboratory Standards Institute（CLSI）では，微量液体希釈法ではなく，GC（淋菌）寒天培地を利用したディスク拡散法または寒天平板希釈法を推奨しているが，実際に GC 寒天培地を利用して感受性検査を実施している施設は限られ，他法を代替法として参考値で対応している施設が多いものと考えられる。

選択すべき抗菌薬と感染症専門医からの注意点

・耐性化が深刻である。ニューキノロン系薬は使用できない！
・セフトリアキソン（CTRX）を用いる。同時に *Chlamydia* 感染も治療すること。
・難治例は専門医へコンサルトする。

◎詳細は『感染症プラチナマニュアル』の第2章の「淋菌」参照。

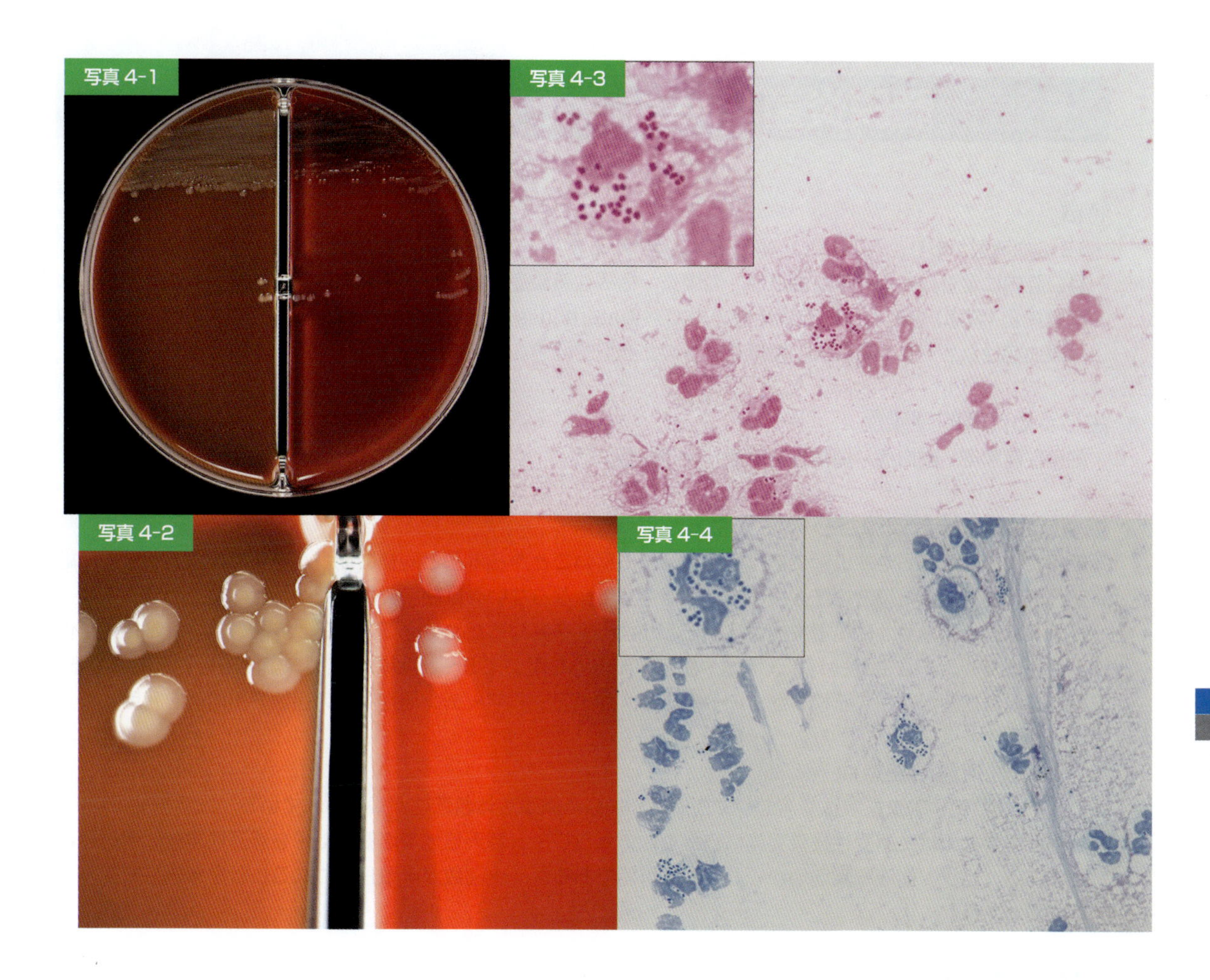

写真 4-1 淋菌（*Neisseria gonorrhoeae*）。ヒツジ血液 / チョコレート寒天培地（35℃，24 時間，5％炭酸ガス培養）。低温において死滅してしまうため，検体採取後はすみやかに培養開始することが検出率向上につながる。血液寒天培地，チョコレート寒天培地での炭酸ガス培養で検出が可能である。18 時間培養で小型のコロニー（集落）を認め，さらに培養を継続すると 24〜48 時間にかけてぐんと大きなコロニーを形成する。尿道分泌物での検出は比較的容易だが，腟分泌物や咽頭など常在菌が存在する検体の場合には，選択分離培地であるサイアー・マーチン選択培地などを使うべきである。

写真 4-2 ヒツジ血液 / チョコレート寒天培地上の淋菌。48 時間培養後には中央部が盛り上がったコロニーを形成する。

写真 4-3 グラム染色。尿道分泌物。好中球に貪食されたグラム陰性双球菌（淋菌）を認める。

臨床上のポイント
- 尿道炎でこの菌が見えれば，ニューキノロン系薬は無効である。CTRX を投与する。
- 同時に *Chlamydia* 感染の治療も行う。
- 他の STI のスクリーニングも忘れない。

写真 4-4 メチレンブルー単染色。尿道分泌物。好中球に貪食された双球菌（淋菌）を認める。グラム染色で白血球の中が観察しにくい場合には，メチレンブルー単染色も有効である。

髄膜炎菌（*Neisseria meningitidis*）

特徴

・13の血清型があり，A，B，C，W135，X，Yが重要。
・鼻口腔内に定着して，一部が菌血症，髄膜炎，播種性感染症を起こしうるグラム陰性球菌。
・脾臓摘出（脾摘）患者では劇症感染症となり，Waterhouse-Friderichsen症候群（副腎出血）が有名。急激な敗血症性ショックや髄膜炎に紫斑を伴うのが典型的経過。

生じうる代表的感染症

・細菌性髄膜炎，敗血症，播種性感染症，呼吸器感染症

培養同定の方法と技師からの注意点

・髄膜炎検出は死滅しやすい菌であり，特に低温に弱いことから淋菌と同様の配慮が必要である。一般的に細菌性髄膜炎を疑った場合に髄液検体を冷蔵保存してはならないのは髄膜炎菌を死滅させないためである。
・検体採取後にすみやかに培養を開始することが検出率を高めるために必要である。炭酸ガス培養が発育を促進させるため，チョコレート寒天培地や血液寒天培地を用いて5～10％の炭酸ガス濃度で培養を実施する。咽頭など常在菌が存在する検体からの分離には，サイアー・マーチン培地などの選択分離培地を利用する。

薬剤感受性検査の注意点

・CLSIによりディスク拡散法や溶血ウマ血液を添加した微量液体希釈法が規定されている。
・注意が必要なのは，感受性検査実施に当たり，チョコレート寒天培地で培養した菌を感受性検査に用いることである。ヒツジ血液寒天培地からも実施は可能であるが，生菌数が半数程度になることを考慮して調整する必要がある。

選択すべき抗菌薬と感染症専門医からの注意点

・ベンジルペニシリン（PCG）あるいはCTRXを用いる。
・患者に濃厚に曝露した場合には，できれば24時間以内に接触者（曝露者）へのリファンピシン（RFP）やシプロフロキサシン（CPFX）内服の予防投与を検討するため専門医へ相談。ワクチンもある。

◎詳細は『感染症プラチナマニュアル』の第2章の「髄膜炎菌」参照。

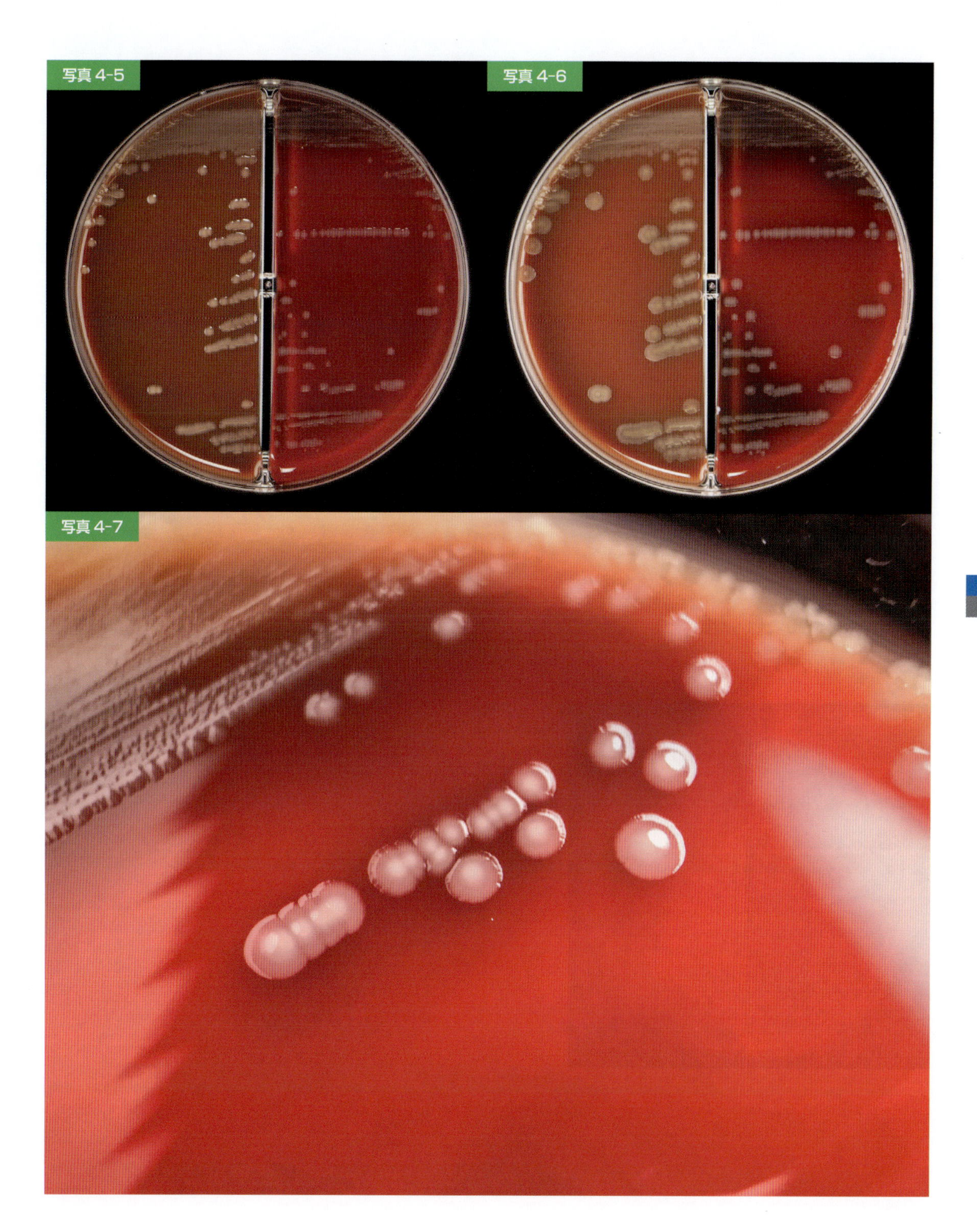

写真 4-5　髄膜炎菌（*Neisseria meningitidis*）。ヒツジ血液 / チョコレート寒天培地（35℃，24 時間，5％炭酸ガス培養）。淋菌と比較して大きなコロニーとなる。非病原性の *Neisseria* 属菌と比較しても大きい。髄膜炎菌も淋菌と同様に低温にて死滅するため，検体採取後はすみやかに培養を開始する必要がある。化膿性髄膜炎を疑う髄液検体などで，すぐに検査できない場合には，検査開始まで 35℃で保管する。

写真 4-6　髄膜炎菌。ヒツジ血液 / チョコレート寒天培地（35℃，24 時間，5％炭酸ガス培養）。淋菌と比較して大きなコロニーを形成する。

写真 4-7　髄膜炎菌。35℃，48 時間，5％炭酸ガス培養。ヒツジ血液寒天培地。中央部が白く隆起したようなコロニーを形成する。

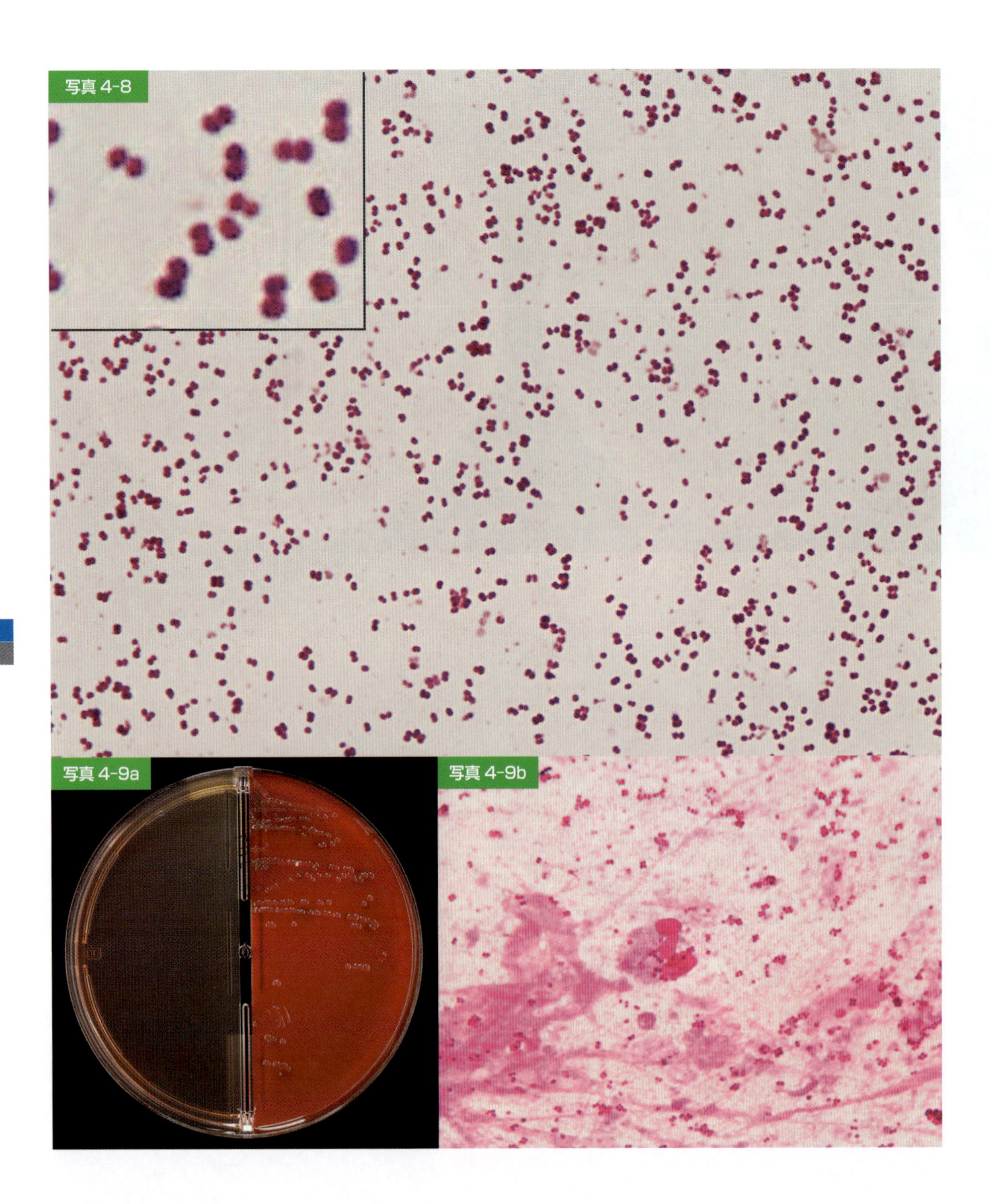

写真 4-8　グラム染色。コロニーを染色した所見。グラム陰性双球菌の形態を示す。

臨床上のポイント

- 本菌の髄膜炎は菌血症を診断したら，必ず感染管理責任者と相談して，濃厚接触者の予防内服を検討する必要がある。
- CTRX やペニシリン系薬で治療する。
- 髄膜炎の経験的治療に VCM やステロイドを使用していたら，中止できる。

写真 4-9　喀痰から検出した症例。ヒツジ血液 / マッコンキー寒天培地。*α-Streptococcus* とともに認める光沢のあるコロニーが髄膜炎菌である。非病原性 *Neisseria* 属菌とは明らかに異なり存在感が異質である。また，b は同症例の喀痰グラム染色であるが，グラム陰性双球菌を一面に認める。

モラキセラ・カタラリス（*Moraxella catarrhalis*）

特徴

・しばしば鼻腔に定着しているグラム陰性球菌。

・病原性は強くはないものの，慢性閉塞性肺疾患（COPD）（肺気腫，慢性気管支炎）の急性増悪，副鼻腔炎，長引く中耳炎などの閉塞起点がある場合に病原性を発揮する。

生じうる代表的感染症

・COPD 急性増悪，中耳炎，副鼻腔炎，喉頭炎，気管支炎，市中肺炎

培養同定の方法と技師からの注意点

・呼吸器感染症の原因菌として日常的によく遭遇する菌であり，分離・同定は難しくない。

・コロニーの端から白金耳などで押すとコロニーごとスライドするのが特徴である。

・上気道の常在性ナイセリア属菌（*Neisseria* spp.）などと大きく異なる点が滅菌生理食塩水などで容易に均一な菌液を作成しやすい点である。

・β-ラクタマーゼ産生株が多いため，分離培養したコロニーのβ-ラクタマーゼをセフィナーゼディスクで調べることにより推定することも可能である。

薬剤感受性検査の注意点

・通常の微量液体希釈法で実施が可能である。

・β-ラクタマーゼ（ペニシリナーゼ）産生株が多いため，ペニシリン系薬には多くが耐性を示す。

選択すべき抗菌薬と感染症専門医からの注意点

・ペニシリナーゼを産生するためアンピシリン（ABPC）/ スルバクタム（SBT）を用いる。

◎詳細は『感染症プラチナマニュアル』の第 2 章の「モラキセラ・カタラリス」参照。

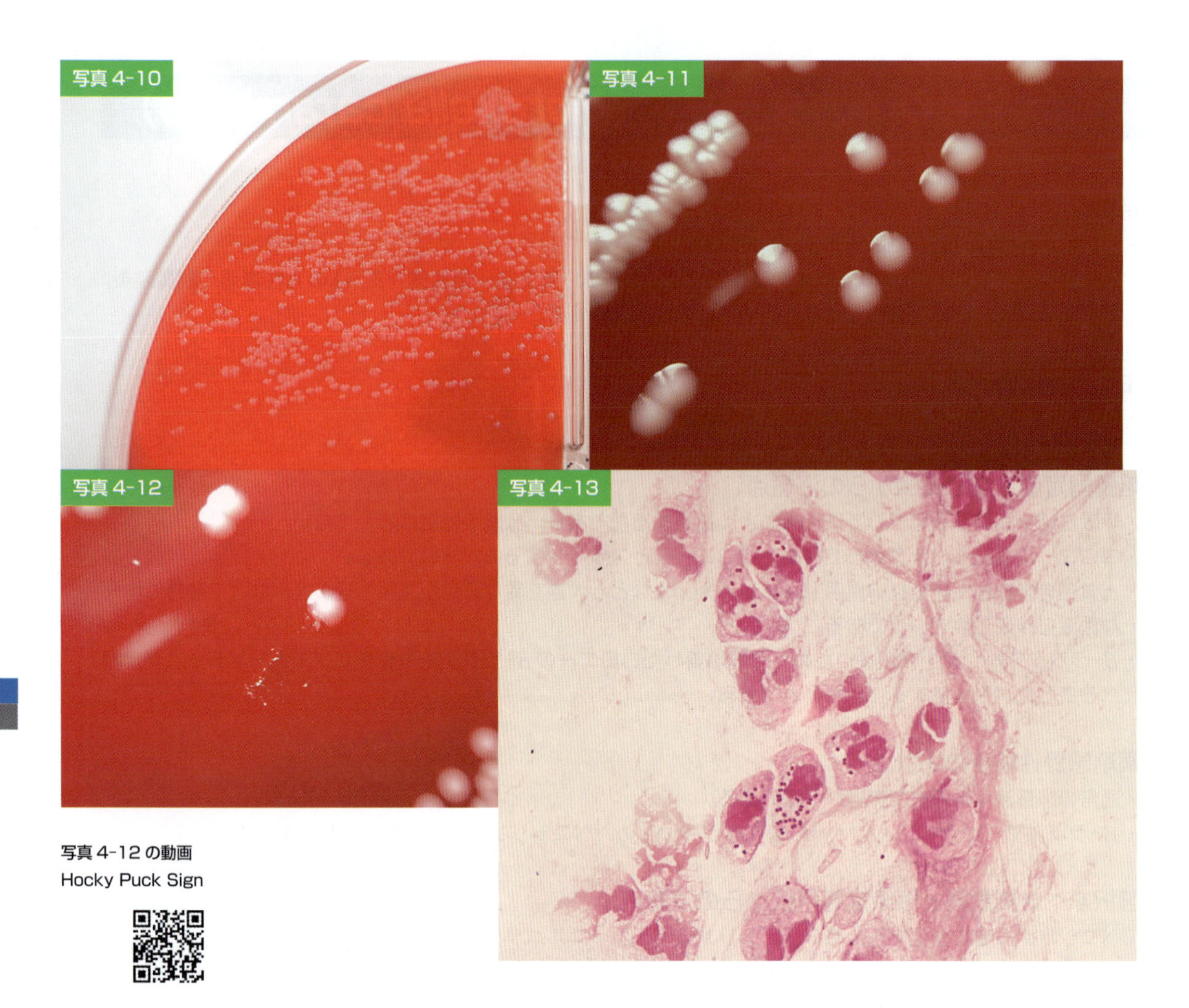

写真 4-12 の動画
Hocky Puck Sign

写真 4-10 モラキセラ・カタラリス（*Moraxella catarrhalis*）。35℃，18 時間，5％炭酸ガス培養。乳白色の S 型コロニーを形成する。口腔内常在性 *Neisseria* 属菌と異なり，コロニーは水に溶解しやすく菌液を作成しやすい。

写真 4-11 血液寒天培地上の *M. catarrhalis*。光沢のある S 型コロニーで，白金耳などでコロニーに触れると壊れやすく「こし餡」のような崩れ方をする。

写真 4-12 血液寒天培地上の *M. catarrhalis*。白金耳などでコロニーを横に動かすとコロニーごときれいにスライドする。この所見も推定同定の一助となる。写真中央左下から右上にコロニーをスライド（動画あり）。

写真 4-13 グラム染色。*M. catarrhalis* 感染の喀痰。グラム陰性双球菌の貪食像が認められる。このような所見を認めた場合，淋菌・髄膜炎菌のリスクがなければ，*M. catarrhalis* を第 1 に考える。

臨床上のポイント

・本菌を疑えば，ペニシリナーゼを産生するため，ABPC / SBT やアモキシシリン（AMPC）/ クラブラン酸（CVA）を選択する。

第５章　グラム陽性桿菌

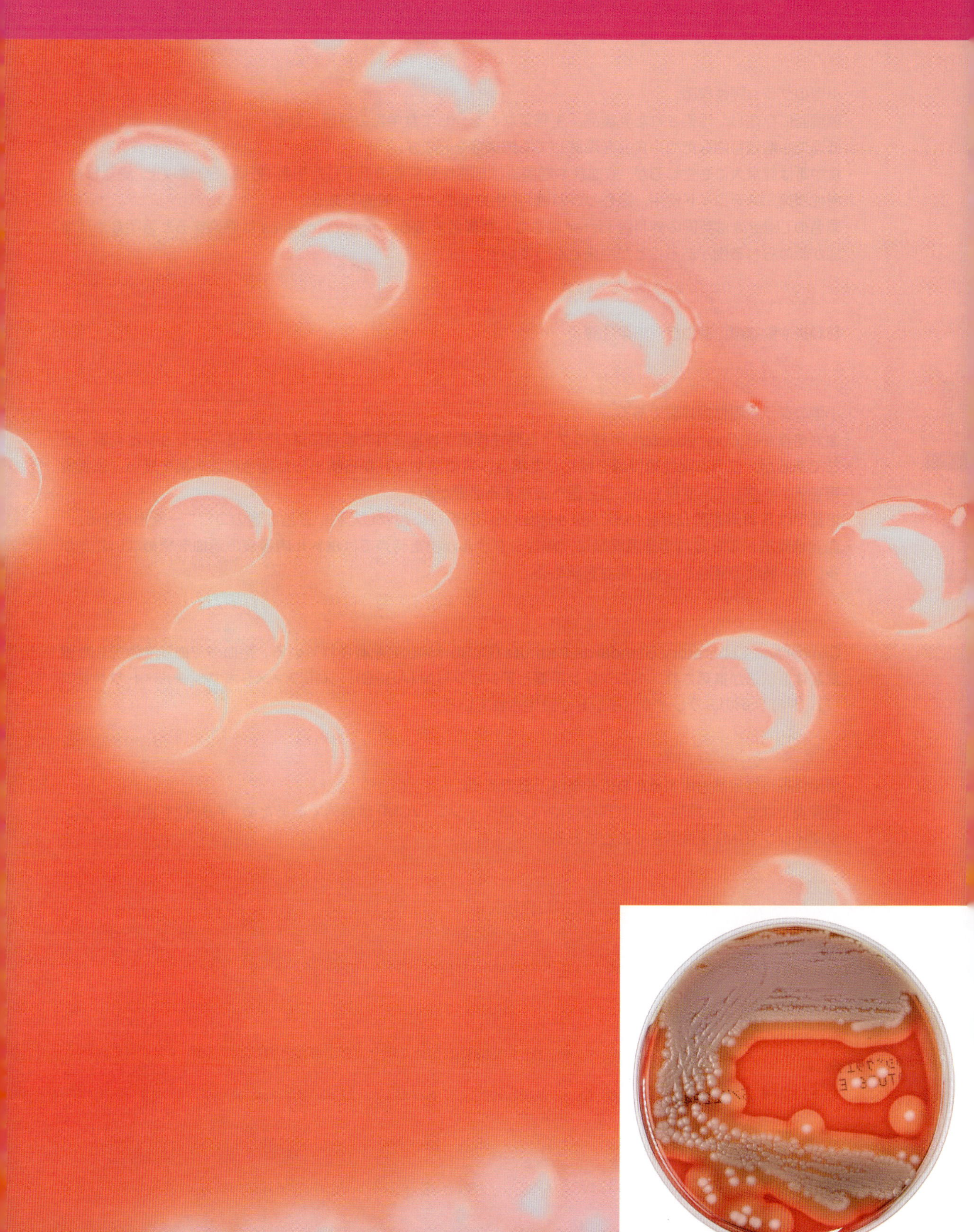

リステリア・モノサイトゲネス (*Listeria monocytogenes*)

特徴

・小型のグラム陽性桿菌。
・環境面に存在し，汚染された乳製品，生野菜などを介して食中毒の原因となる。
・低温でも増殖可能なため，食品を冷蔵しても感染症を起こす。
・食中毒は健常人にも生じるが，敗血症や髄膜炎は細胞性免疫能の低下した患者（妊婦，50歳以上，臓器移植，悪性腫瘍，ステロイド使用，悪性リンパ腫）に生じることが一般的である。
・属名の *Listeria* は英国の外科医 Lister にちなんだ属名である。*monocytogenes* は感染すると著明な単球増加が認められる例があることが由来となっている。

生じうる代表的感染症

・髄膜炎や脳膿瘍，菌血症，感染性腸炎

培養同定の方法と技師からの注意点

・小型のグラム陽性短桿菌である。
・血液培養から *Corynebacterium* 様のグラム陽性桿菌が検出された場合にはコンタミネーションと判断しがちであるが，グラム陽性短桿菌を検出した場合，特に2セットから検出した場合には本菌を疑い，患者情報をチェックして，すみやかに担当医へ連絡する必要がある。
・培養ではB群溶連菌〔*Streptococcus agalactiae*（GBS）〕に類似した弱いβ溶血環のコロニーを形成する。
・血液培養ボトルもB群溶連菌同様に，陽性シグナルが出た時点ではボトル内容液の溶血を認めないことが多いが，時間の経過とともに溶血を認める。

薬剤感受性検査の注意点

・Clinical and Laboratory Standards Institute（CLSI）M45に記載されている。溶血ウマ血液を添加した微量液体希釈法が推奨され，ペニシリン系薬とアンピシリン（ABPC），スルファメトキサゾール・トリメトプリム（ST）合剤のみブレイクポイントが設定されている。

選択すべき抗菌薬と感染症専門医からの注意点

・感染性腸炎は自然治癒するため抗菌薬は不要である。
・髄膜炎ではセフトリアキソン（CTRX）やバンコマイシン（VCM）は無効であるため，ABPCを用いる。ゲンタマイシン（GM）を併用することもある。

◎詳細は『感染症プラチナマニュアル』の第2章の「リステリア・モノサイトゲネス」参照。

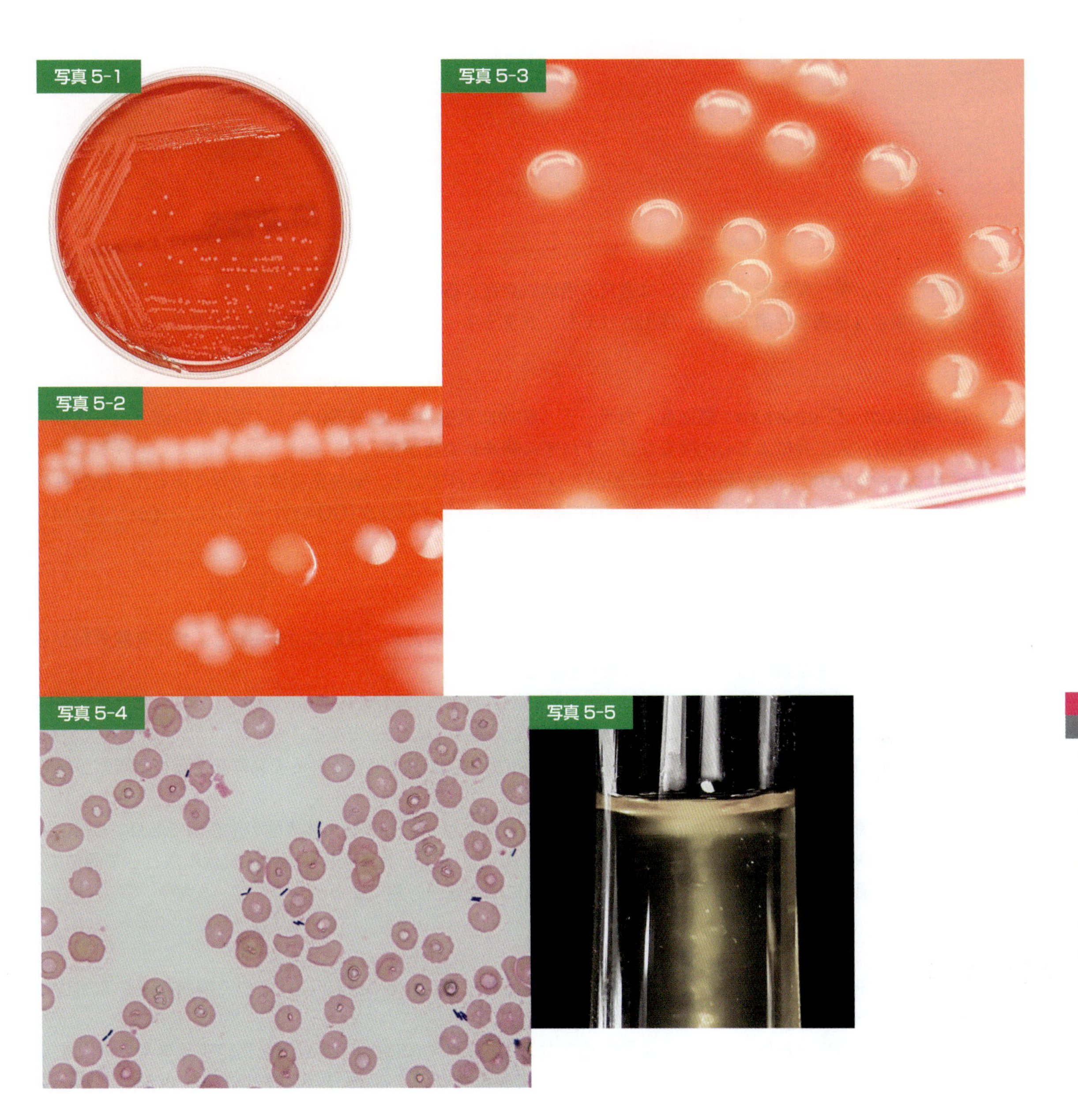

写真 5-1 リステリア・モノサイトゲネス(*Listeria monocytogenes*)。ヒツジ血液寒天培地(35℃, 24時間, 5%炭酸ガス培養)。

写真 5-2 *L. monocytogenes*。ヒツジ血液寒天培地(35℃, 48時間, 5%炭酸ガス培養)。B群溶連菌(*Streptococcus agalactiae*)と似た狭いβ溶血環のコロニーを形成する。コロニーを除去すると溶血を確認しやすい。

写真 5-3 *L. monocytogenes*。さらに培養を継続すると溶血が確認しやすくなる。

写真 5-4 グラム染色。*L. monocytogenes*。血液培養。小型の coryneform bacteria。

臨床上のポイント

- *Listeria* の髄膜炎では,肺炎球菌と形態での区別が難しければ,培養判明まで VCM+CTRX に ABPC を加えておくほうが安全。
- *Listeria* と判明すれば,ABPC と GM 併用で治療する。
- 膿瘍を形成しやすいため,頭部 MRI で評価するとよい。

写真 5-5 umbrella motility。*L. monocytogenes* を SIM (Sulfide-Indol-Motility) などの試験管培地に接種すると上層部に雨傘のような運動性を認める。これを umbrella motility という。

ジフテリア以外のコリネバクテリウム属菌 (*Corynebacterium* spp.)

特徴

・好気性グラム陽性桿菌で，たいていは通常の培地に発育する。
・多くの場合は皮膚常在菌であり，検出されてもコンタミネーションや定着菌であることが多い。

生じうる代表的感染症

・*C. jeikeium*，*C. striatum*：菌血症，カテーテル関連血流感染症（CRBSI）や人工関節感染症，ペースメーカー感染症，人工弁による心内膜炎など，デバイス関連感染症が主。
・*C. kroppenstedtii*：肉芽腫性乳腺炎の原因として注目されている。薬剤感受性は良好であるが，脂好性の菌であり，乳腺への組織移行性がよい脂溶性抗菌薬〔ドキシサイクリン（DOXY），アジスロマイシン（AZM），キノロン系薬〕を勧める意見もある。

培養同定の方法と技師からの注意点

・皮膚の常在菌であるため報告を見過ごしやすい菌である。そのため，採取部位を確認し，特に乳腺外科からの検体はこの菌を念頭において培養を実施する必要がある。
・脂好性のない *Corynebacterium* 属菌は培養は特に困らないが，脂好性の *C. kroppenstedtii* などはヒツジ血液寒天培地で培養が可能であるが，発育が遅く非常に小さなコロニーである。
・脂質要求性の *Corynebacterium* 属菌は培地に Tween 80 などを添加することで発育を促進し，観察が容易となる。
・ジフテリア菌などを除き，*Corynebacterium* 属菌は皮膚をはじめとする人体表面の常在菌であり，*C. striatum* や *C. jeikleium* など薬剤耐性傾向が強いものが多いことから，抗菌薬投与後に菌交代現象として優位に，または単一菌として検出される場合もあるため解釈には注意が必要である。

薬剤感受性検査の注意点

・CLSI では M45 document に記載されている。Mueller-Hinton broth（MHB）にウマ溶血血液を添加し微量液体希釈法を実施する。
・*C. kroppenstedtii* などは上述のように脂質要求性があるため，微量液体希釈法を実施する場合に失敗することがある。ブロスに Tween 80 を添加することで発育を支持するが，規定された方法ではないため結果は参考値と考える。

選択すべき抗菌薬と感染症専門医からの注意点

・1 セットの血液培養陽性では汚染菌であることがほとんどであり，治療の必要は慎重に判断する。
・まれに肺炎（定着菌との区別にグラム染色が重要！）。
・医療関連感染では，多剤耐性傾向があり，経験的治療には VCM を使用する。

◎詳細は『感染症プラチナマニュアル』の第 2 章の「ジフテリア以外のコリネバクテリウム属」参照。

写真 5-6 ヒツジ血液寒天培地上の *Corynebacterium striatum*。発育は良好で S 型の白色コロニーを形成する。培養 18 時間ではやや小さめのコロニーサイズだが，48 時間後には十分なサイズに成長する。

写真 5-7 グラム染色。喀痰。貪食されている *C. striatum* を認める。薬剤耐性傾向の強い菌も多く，誤嚥性肺炎の治療の過程でこのように見えることから，この所見から原因菌と判断するには注意を要する。

臨床上のポイント

・医療関連感染で *Corynebacterium* による感染症と判断すれば VCM を選択する。

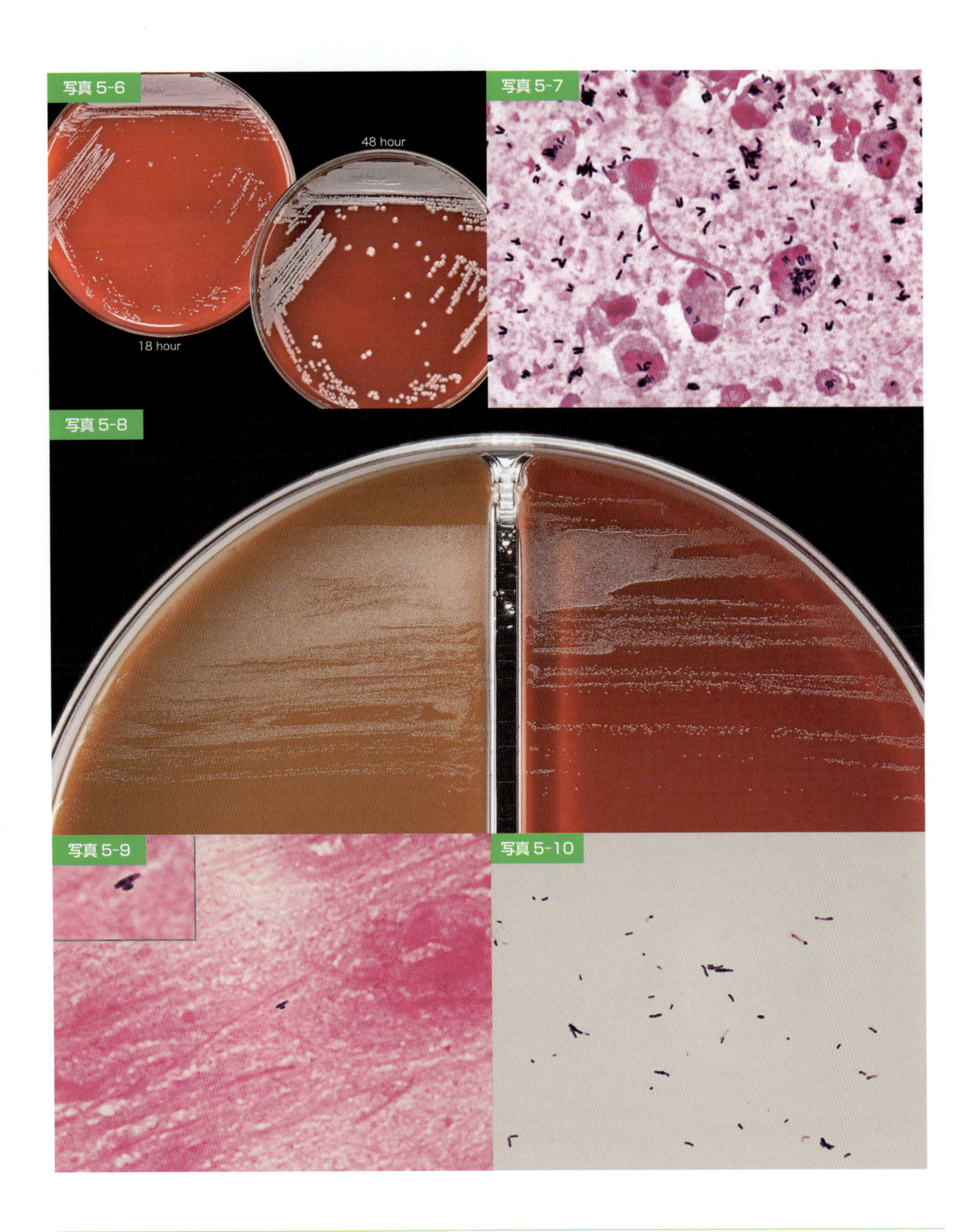

写真 5-8　血液 / チョコレート寒天培地上の *Corynebacterium kroppenstedtii*。35℃，５％炭酸ガス培養，数日後。脂質要求性の菌であるため，*C. striatum* と比較し発育が遅くコロニーも小さいため，数日間培養を継続する必要がある。Tween 80 などの脂質を含む界面活性剤の添加で発育が促進される。

写真 5-9　グラム染色。乳腺炎症例の膿汁。*C. kroppenstedtii*。

臨床上のポイント
- 肉芽腫性乳腺炎の有力な原因菌である。
- 組織移行性がよい脂溶性抗菌薬（DOXY，AZM，キノロン系薬）で治療する。

写真 5-10　グラム染色。コロニーから染色。*C. kroppenstedtii*。やや多形性を示す菌体である。

ジフテリア菌（*Corynebacterium diphtheriae*）

特徴

・ヒトのみが保有するグラム陽性桿菌。
・ワクチンにより制御されているが，インド，南米，旧ソ連諸国などで流行やアウトブレイクがある。
・潜伏期間は 2 ～ 5 日。

生じうる代表的感染症

・ジフテリア毒素により，咽頭炎，心筋炎，ニューロパチーを起こす。

培養同定の方法と技師からの注意点

・ワクチンの普及により遭遇する可能性がまれな菌となった。
・血液寒天培地に発育が可能であるが，他の *Corynebacterium* 属菌と外観上での鑑別は困難であるため，扁桃・咽頭偽膜などの培養を行う場合には，亜テルル酸を含んだ荒川変法培地などを用いる。
・荒川変法培地では，亜テルル酸が還元され，ジフテリア菌（*C. diphtheriae*）は黒色コロニーとなり，他の菌との鑑別が容易となる。
・疑わしい菌を検出した場合，毒素の証明が必要となるため地方衛生研究所に相談する。

選択すべき抗菌薬と感染症専門医からの注意点

・渡航歴，偽膜を認める咽頭炎や呼吸困難（気道閉塞に注意），心筋炎（不整脈や心不全），脱力など全身症状を伴う咽頭炎ではジフテリアを疑うこと。
・治療はすみやかにジフテリア抗毒素を投与して，エリスロマイシン（EM）を投与する。
・患者は個室隔離し飛沫予防策をとる。

◎詳細は『感染症プラチナマニュアル』の第 2 章の「ジフテリア」参照。

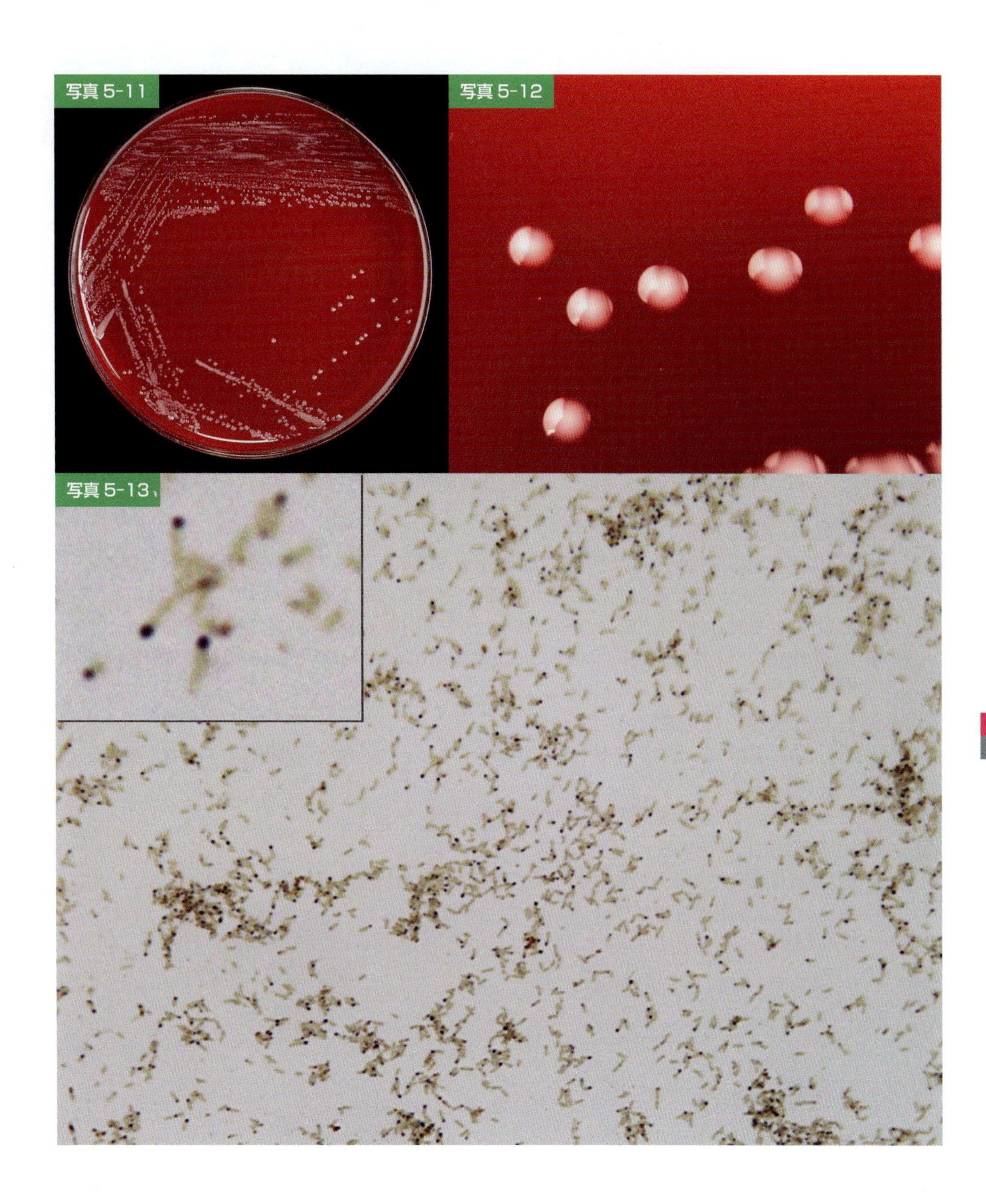

写真 5-11　ジフテリア菌（*Corynebacterium diphtheriae*）。ヒツジ血液寒天培地（35℃，18時間，5％炭酸ガス培養）。小型の乳白色コロニーを形成する。

写真 5-12　ジフテリア菌。拡大像。ヒツジ血液寒天培地（35℃，18時間，5％炭酸ガス培養）。小型の乳白色コロニーを形成する。

臨床上のポイント

- 渡航歴，偽膜を認める咽頭炎ではジフテリアを疑う。
- ジフテリアでは感染予防策を行い，接触者の予防投与も考慮する。

写真 5-13　異染小体染色。ナイセル（Neisser）染色による異染小体の染色。異染小体は黒褐色に，菌体は黄色に染まる。異染小体はDNA成分の顆粒である。

バチルス・セレウス（*Bacillus cereus*）

特徴

・好気性で，芽胞形成するグラム陽性桿菌。
・皮膚の常在菌であり，環境面にも存在する。*Bacillus cereus* は運動性と溶血性がある。
・芽胞形成により，アルコール消毒に耐性があり，医療機器やリネンを介した医療関連感染の報告がある。
・毒素を産生して食中毒の原因となる（チャーハンが有名）。
・血行性や外傷後の眼内炎も有名。

生じうる代表的感染症

・菌血症，眼内炎，感染性心内膜炎，髄膜炎（多くは術後，シャント関連），感染性腸炎

培養同定の方法と技師からの注意点

・ヒツジ血液寒天培地で非常に大きなβ溶血を示すコロニーとして観察されるため，分離は容易である。
・環境菌であるため培養で検出された場合の判断に迷うこともあるが，汚染リネンやおしぼりを介したデバイス感染症なども知られており，カテーテルなどから検出した場合には注意を要する。
・食中毒の検査の場合には NGKG（Nacl-Glycine-Kim-Goepfect）培地などの選択分離培地を用いる。

薬剤感受性検査の注意点

・染色体上にメタロ-β-ラクタマーゼ産生遺伝子を有し，カルバペネム耐性となる株がある。

選択すべき抗菌薬と感染症専門医からの注意点

・VCM を経験的に使用する。
・感染性腸炎は毒素によるものであり，自然治癒するため抗菌薬は不要。
・1 セットの血液培養陽性ではコンタミネーションが多い。

◎詳細は『感染症プラチナマニュアル』の第 2 章の「バチルス・セレウス」参照。

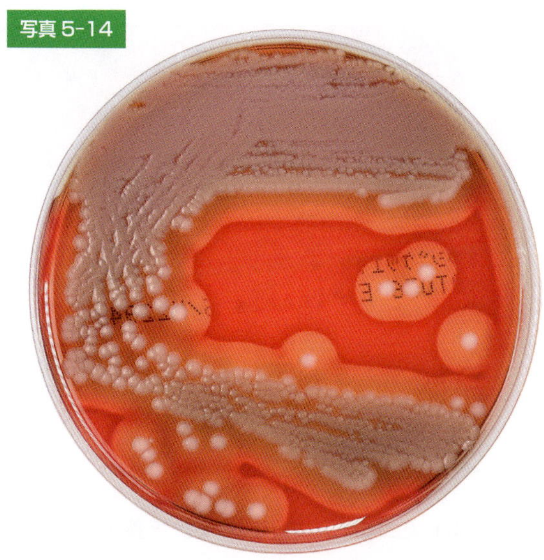

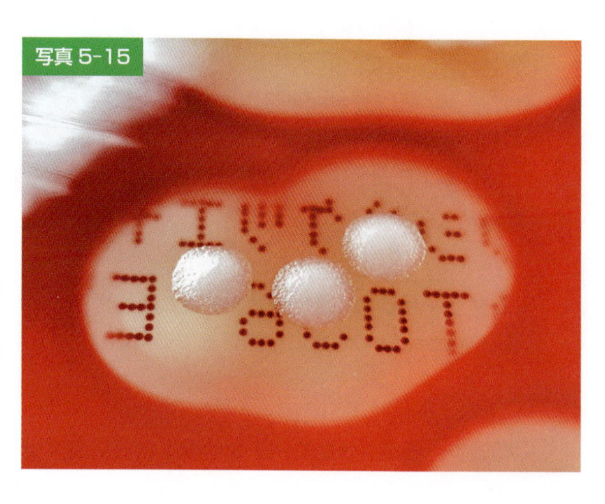

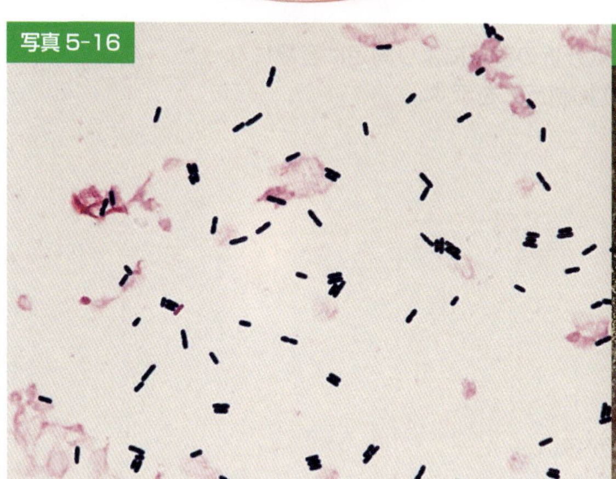

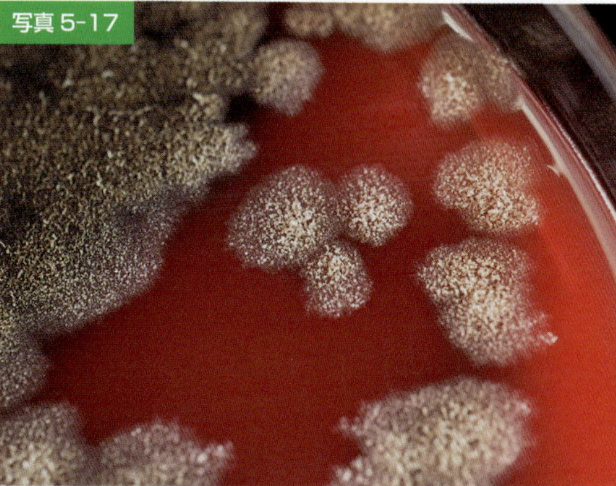

写真 5-14 血液寒天培地上のバチルス・セレウス（*Bacillus cereus*）。35℃，18 時間，5％炭酸ガス培養。強い β 溶血を示す大型コロニーを形成する。

写真 5-15 血液寒天培地上の *B. cereus*。拡大像。35℃，18 時間，5％炭酸ガス培養。

写真 5-16 グラム染色。血液培養ボトル内容液の *B. cereus*。太く大型のグラム陽性桿菌である。

臨床上のポイント

- 1 セットの血液培養検出ではコンタミネーションを疑うが，真の感染では CRBSI が多い。
- VCM を経験的に開始する。
- アミノ酸製剤と CRBSI の関連も指摘されている。

写真 5-17 血液寒天培地上の枯草菌（*Bacillus subtilis*）。拡大像。35℃，18 時間，5％炭酸ガス培養。*B. cereus* と異なり，辺縁が不整なコロニーを形成する。

アルカノバクテリウム・ヘモリチカム（*Arcanobacterium haemolyticum*）

特徴

・カタラーゼ陰性の通性嫌気性グラム陽性桿菌。
・*Corynebacterium* 属に分類されていた。

生じうる代表的感染症

・咽頭炎，膿瘍，骨髄炎，その他皮膚軟部組織感染症

培養同定の方法と技師からの注意点

・ヒツジ血液寒天培地で弱いβ溶血を示し，B 群溶連菌に類似したコロニーを形成する。培養 1 日目では溶血の確認が困難な場合が多い。
・従来は比較的同定に苦慮する細菌であったが，質量分析の普及により同定は容易になった。
・CAMP（Christie, Atkins, and Munch-Peterson）抑制反応を示す。

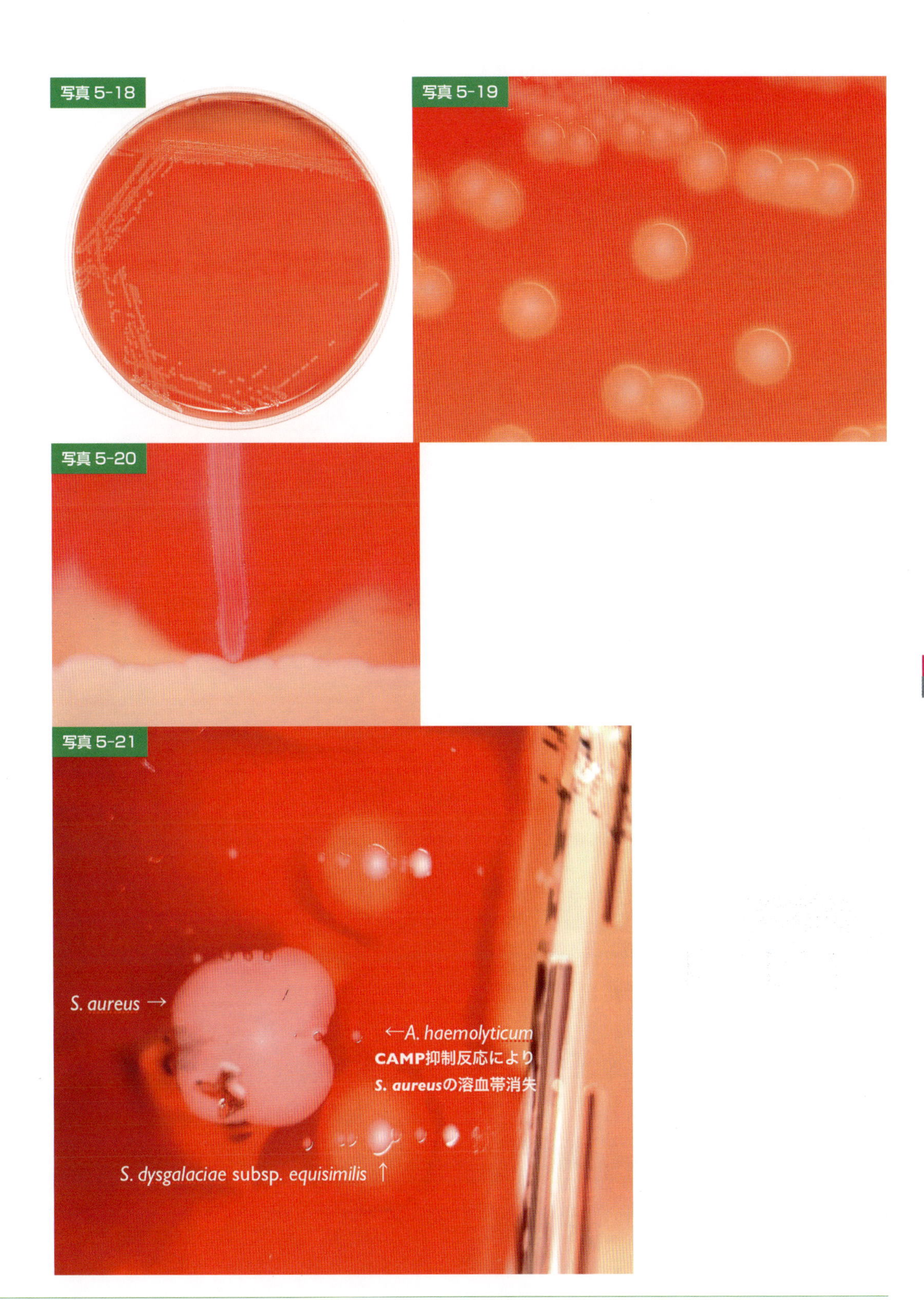

写真 5-18　ヒツジ血液寒天培地（35℃，24 時間培養）。わずかな溶血を認める。

写真 5-19　培養 48 時間後のコロニー。弱い溶血環を示す B 群溶連菌に類似したコロニー。

写真 5-20　CAMP 抑制反応。B 群溶連菌とは逆に CAMP 試験にて矢じり状に溶血を抑制する。

写真 5-21　臨床検体において CAMP 抑制反応が菌種推定に役立つ場合がある。黄色ブドウ球菌と混在した場合に溶血の阻害から本菌種を推定する一助となる。

第６章　抗酸性を有するグラム陽性桿菌

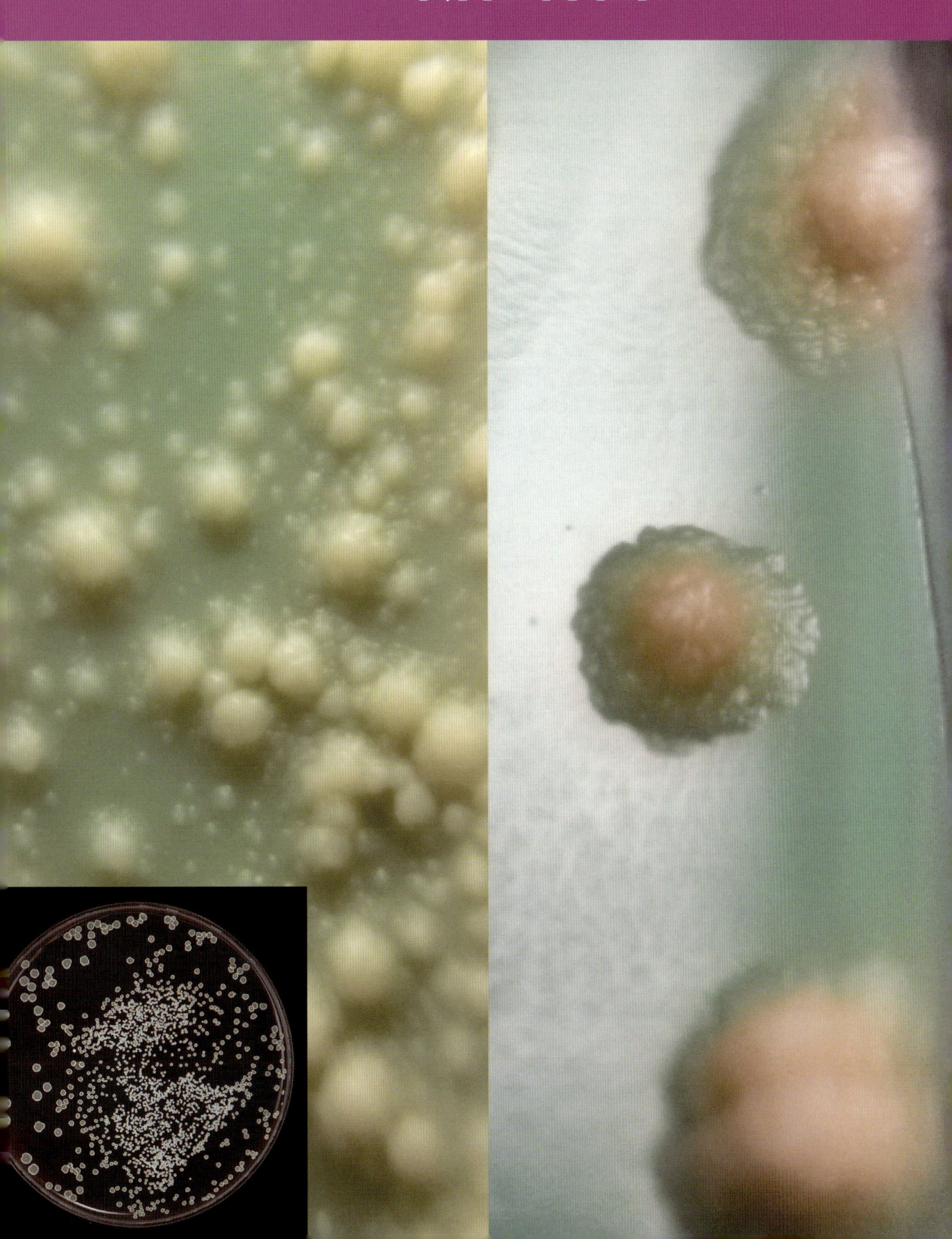

結核菌（*Mycobacterium tuberculosis*）

特徴

・結核菌は抗酸菌に属し，結核菌群（ヒト型結核菌，ウシ型結核菌など）の代表的菌に属する偏性好気性菌。空気感染を起こす。
・結核に初めて感染すると，一部はそのまま発症して 1 次結核を生じるが，多くは無症状に終わり，潜伏した状態となる。この状態でツベルクリン反応やインターフェロンγ遊離試験（IGRA）が陽転化する（潜伏結核）。そのうちの約 10%が一生涯のうちに再燃して発症する（2 次結核）。
・2 週間以上続く咳，発熱，寝汗，体重減少，血痰のある患者で強く考慮する。
・胸部 X 線では，上肺野に優位の陰影。空洞形成することもある。
・診断は喀痰検査などで微生物同定により行う。

培養同定の方法と技師からの注意点

・塗抹染色での検出が重要で，チール・ネルゼン（Ziehl-Neelsen）染色よりも蛍光法が検出感度が高く，直接塗抹ではなく集菌法で実施する。
・培養は固形培地よりも自動機器による液体培地が迅速性に優れるため，液体培地と固形培地を併用することで，検出時間，複数菌への対応などが可能となる。
・結核菌は小川培地などの固形培地ではラフ（R）型コロニー（集落）として観察される。培養で検出した抗酸菌の同定には，PCR 法，DDH（DNA-DNA hybridization）法や質量分析法などがあるが，イムノクロマト法が簡便である。

薬剤感受性検査の注意点

・比率法や微量液体培地法などさまざまな方法がある。比率法では固形培地を利用したものや MGIT システムによる液体培地を利用したものなどがある。
・薬剤耐性遺伝子検査として，リファンピシン（RFP）耐性遺伝子，イソニアジド（INH）耐性遺伝子検出が保険収載されている。

選択すべき抗菌薬と感染症専門医からの注意点

・画像所見は非典型例も多く，画像所見だけで結核を安易に除外しないこと。
・塗抹検査は 50%程度の感度であり，疑われれば繰り返す。培養は 80%までの感度とされる。
・PCR は塗抹が陽性の場合には高感度であるが，塗抹陰性の場合やほとんどの肺外結核での感度は高くないため，除外には使えない。
・ツベルクリン反応や IGRA 検査は潜伏結核と活動性結核を区別できず，活動性結核でも 25%は陰性になる。
・治療は原則，4 剤の抗結核薬の併用を行う 2HRZE → 4HR（E）の 6 か月治療が基本〔H：INH，R：リファンピシン（RFP），Z：ピラジナミド（PZA），E：エタンブトール（EB）〕。

◎詳細は『感染症プラチナマニュアル』の第 2 章の「抗酸菌」参照

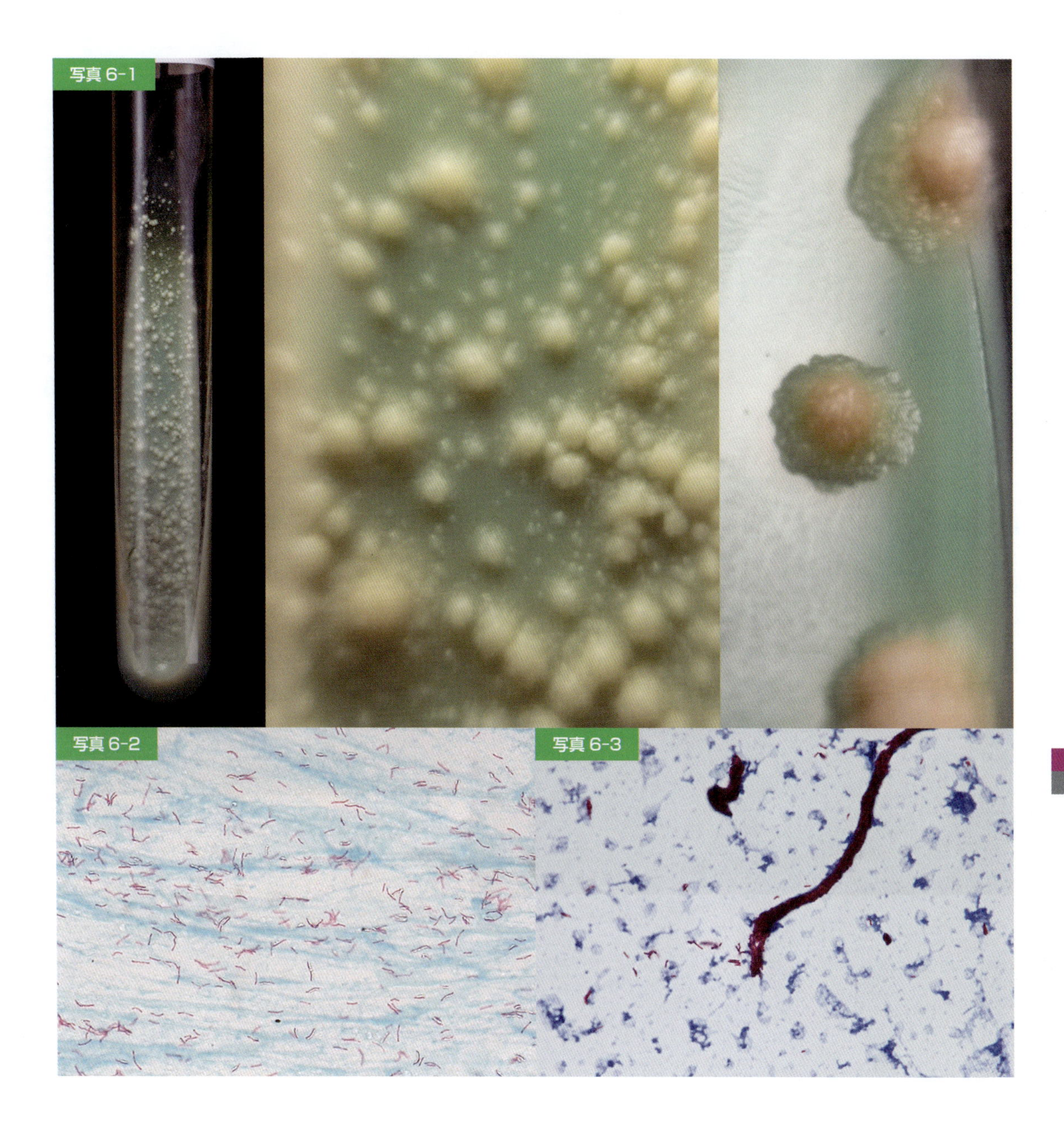

写真 6-1　2％小川培地上の結核菌(*Mycobacterium tuberculosis*)のコロニー。コロニー表面が粗いR型のコロニーを形成する。固形培地は検出までに時間がかかるため，自動機器を用いた液体培地による培養が早期検出に役立つ。

写真 6-2　チール・ネルゼン染色。結核菌。*Mycobacterium* 属は細胞壁にミコール酸を有する。ミコール酸が石炭酸フクシンで染色されると，酸やアルコールによる脱色に対して抵抗を示す。これを抗酸性と呼ぶ。

臨床上のポイント

・ノカルジア属菌(*Nocardia*)，ロドコッカス属菌(*Rhodococcus*)なども弱い抗酸性を有するがチール・ネルゼン染色では染まらない。

写真 6-3　チール・ネルゼン染色。結核菌。液体培地に発育した結核菌は紐状に重なり合い，コード形成と呼ばれる写真のような形態を示す。陽性となった固形培地の凝固水などでも観察される。

臨床上のポイント

・塗抹，PCR は死菌でも陽性となる。治療効果判断には塗抹検査を半定量的に評価する。

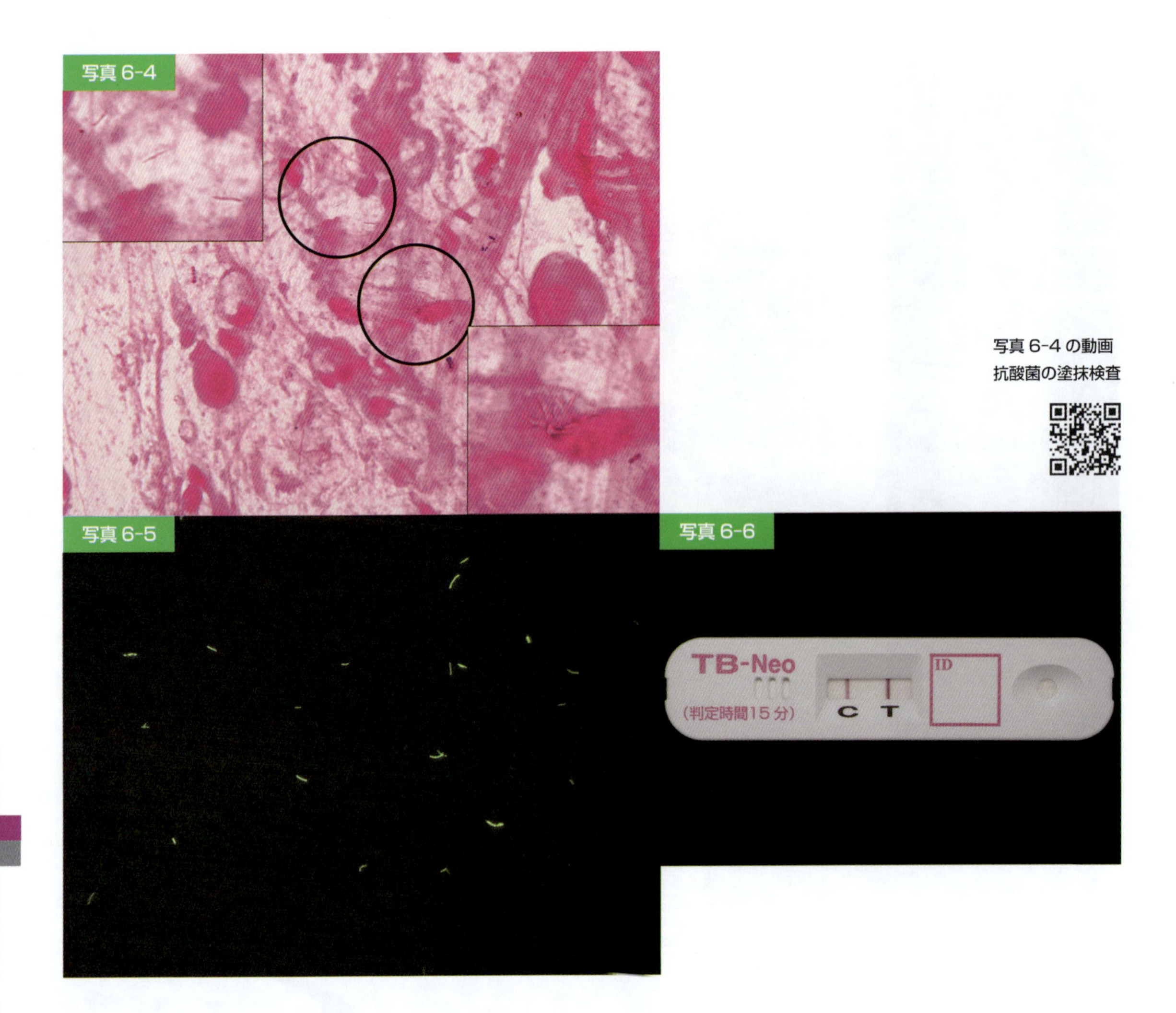

写真 6-4 の動画
抗酸菌の塗抹検査

写真 6-4 グラム染色。結核菌。喀痰。*Mycobacterium* 属はグラム陽性桿菌に分類されるが，グラム難染性であり，このように桿菌が抜けたような形態が認められる。顕微鏡のステージを上下させてみると，白く抜けたように見えたりガラスの傷のように見えたりする（動画あり）。

臨床上のポイント

・典型的な画像所見で結核が疑わしい場合，または改善しない肺炎，亜急性経過の肺炎，免疫不全者の肺炎などでは，結核を常に疑い，喀痰を検査する。このような患者では，特にニューキノロン系薬の安易な投与は耐性結核を促し，診断を遅らせるため，慎む。

写真 6-5 蛍光染色。結核菌。喀痰。抗酸菌を検出する際には，蛍光染色による観察が高感度で効率的に検出できる。ただし，菌体以外の蛍光に発色する成分などにより偽陽性となる可能性があるため，蛍光法陽性の場合にはチール・ネルゼン染色での確認が必要である。

写真 6-6 キャピリア TB。液体培養で抗酸菌陽性または固形培地で抗酸菌のコロニーが検出された場合には，PCR，質量分析法などさまざまな同定手段がある。結核に関しては写真のようなイムノクロマト法が簡便に利用できる。

臨床上のポイント

・塗抹陽性では，PCR 法で結核の確定，除外が可能であるが，塗抹陰性例では困難である。

非結核性抗酸菌（NTM）：MAC（*Mycobacterium avium* complex），マイコバクテリウム・カンザシ（*Mycobacterium kansasii*），迅速発育菌など

特徴

- 結核菌群とらい菌を除く抗酸菌を非結核性抗酸菌（NTM）という。
- 培地より 1 週間以内に検出される抗酸菌では迅速発育菌を考える。
- 菌は環境面に存在し，結核と異なり定着やコンタミネーションとの区別が必要。
- ヒト-ヒト感染を起こさないため，隔離は不要。
- 多くの抗結核薬が効きにくい。
- MAC（*Mycobacterium avium* complex）が最も一般的で，次いで，マイコバクテリウム・カンザシ（*M. kansasii*），まれに迅速発育抗酸菌〔マイコバクテリウム・アブセッサス（*M. abscessus*），マイコバクテリウム・ケロネエ（*M. chelonae*），マイコバクテリウム・フォチュイタム（*M. fortuitum*）〕が原因となる。
- ラニヨン（Runyon）分類により遅速発育抗酸菌（SGM）と迅速発育抗酸菌（RGM）に分類され，さらに遅速発育抗酸菌はコロニーに光を当てた際の反応により，光を当てると発色する光発色菌（I 群菌：*M. kansasii* が代表的），光を当てなくても発色する暗発色（II 群菌：*M. gordonae* が代表的），発色しない非光発色菌（III 群菌：MAC が代表的）に分類される。

生じうる代表的感染症

- 健常な中年女性の中葉舌区に気管支拡張症と小葉中心性粒状陰影を起こす肺感染症が最も一般的。
- HIV など高度の細胞免疫不全の患者に播種性感染症，皮膚軟部組織感染症。

培養同定の方法と技師からの注意点

- 培養で検出した抗酸菌の同定には PCR 法，DDH 法や質量分析法などがある。検査にかかるコスト・時間，同定可能菌種数などの理由により，今後は質量分析法による同定検査が広がっていくものと考えられる。
- 一般細菌培養で遭遇する可能性が高いものとして，迅速発育菌群〔RGM（*M. abscessus*，*M. fortuitum*，*M. chelonae* など）〕があり，血液寒天培地などから検出することがある。
- グラム陽性または染まりの悪い桿菌を検出した際には，抗酸性を調べることが同定への道標となる。
- *M. kansasii* は，塗抹検査で推定できる抗酸菌で，他の抗酸菌に比較して大型であり，クロスバンディングと呼ばれる縞模様の染まりが特徴である。また，光発色試験が陽性で，小川培地などの固形培地に発育してきたコロニーに蛍光灯などの光を 1 時間ほど照射して再び培養を継続するとコロニーが黄色に着色する。
- 一般細菌培養で遭遇する可能性が高いものとして，迅速発育菌群（*M. abscessus*，*M. fortuitum*，*M. chelonae* など）があり，血液寒天培地などから検出することがある。

薬剤感受性検査の注意点

- Clinical and Laboratory Standards Institute（CLSI）M24-A にて微量液体希釈法が標準法として推奨されている。またブレイクポイントについては M62 にて定められている。
- NTM に対する抗結核薬の感受性は仮に耐性であってもあてにならない。MAC では RFP や EB は耐性でも使用することができる。
- MAC ではクラリスロマイシン（CAM）の感受性が，*M. kansasii* では RFP の感受性が効果の参考となる。
- 本邦では感受性検査の市販キットとしてブロスミック NTM が広く利用されてきたが，現在の CLSI 法に準拠していないため，今後は準拠したブロスミック SGM に切り替わっていく。
- 迅速発育菌に対してブロスミック NTM や SGM を用いて RGM の薬剤感受性検査を行ってはならない。RGM 用のブロスミック RGM が市販されているが，薬剤感受性検査結果に対するコメントなど十分な注意が必要であり，薬剤感受性検査を行うに当たり，しっかりと CLSI document を読み込むことが求められる。

- *M. abscessus* は *M. abscessus* subsp. *abscessus*, *M. abscessus* subsp. *bolletii*, *M. abscessus* subsp. *massiliense* の 3 亜種に分類されマクロライド感受性が異なり，予後も異なることが知られている。*M. abscessus* や *M. bolletii* は感受性検査の初期判定ではマクロライドに感性を示すものの，14 日間の培養により耐性が誘導される。*M. abscessus* の一部と *M. massiliense* は誘導耐性が生じないためマクロライドに感性である。したがって正しい薬剤感受性検査は当然のこと，正確な菌種同定が重要となる。

選択すべき抗菌薬と感染症専門医からの注意点

- 喀痰からの単回の菌の検出では，確定診断とはならない。また，確定診断したら，すぐに治療をしなければならないわけではない。
- 診断には典型的な画像所見と細菌学的所見（気管支鏡による組織所見や培養検出，喀痰なら複数回の NTM 検出）が必要。
- MAC では RFP + EB + CAM の治療期間は培養陰性化から 12 か月あるいはそれ以上。
- *M. kansasii* の治療は，結核同様に INH，RFP，EB の 3 剤で治療できる。治療は結核より長く，培養陰性化から 12 か月行う。
- 迅速発育菌では，菌種と CAM，ドキシサイクリン（DOXY），レボフロキサシン（LVFX），スルファメトキサゾール・トリメトプリム（ST）合剤，アミカシン（AMK），イミペネム（IPM）などの感受性により，併用療法を行う。

◎詳細は『感染症プラチナマニュアル』の第 2 章の「非結核性抗酸菌」参照。

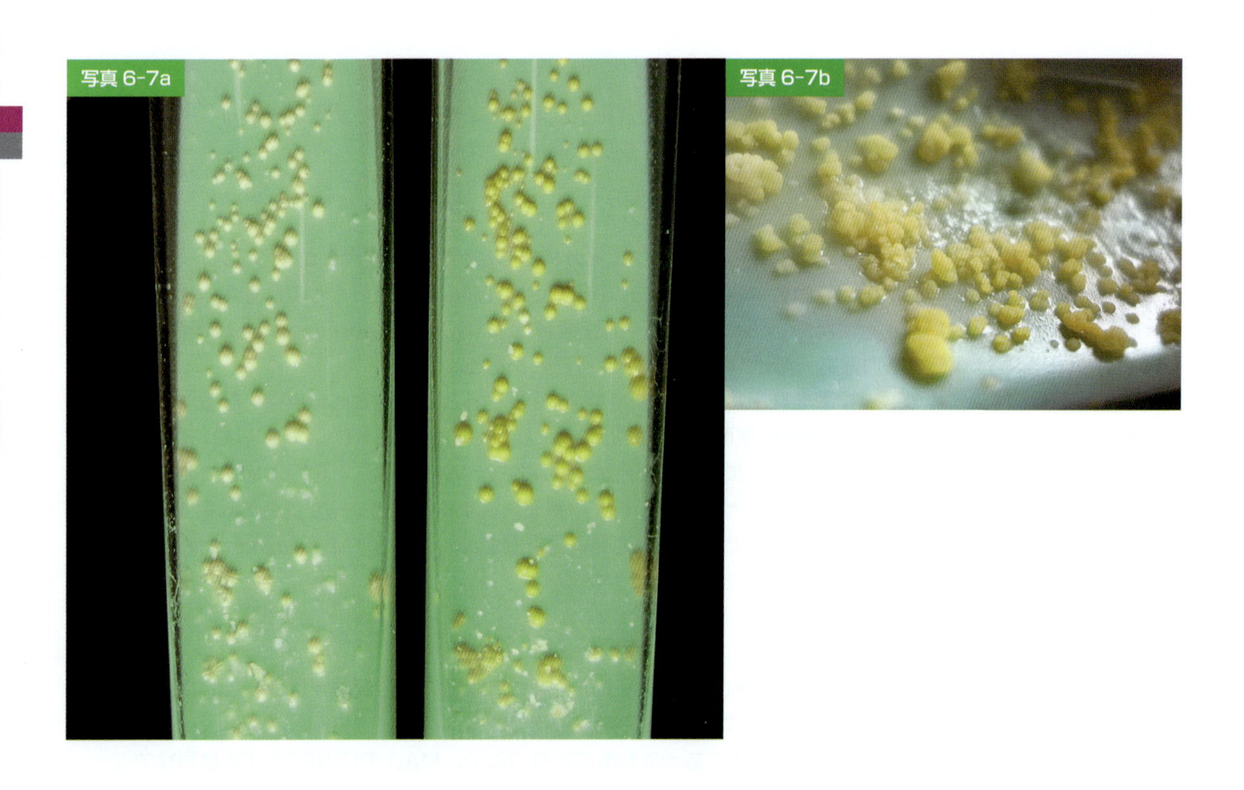

写真 6-7 2%小川培地上のマイコバクテリウム・カンザシ（*Mycobacterium kansasii*）。左側は発育したコロニーで，発育したコロニーに対して右は蛍光灯などの光を照射したものである（光発色試験）。*M. kansasii* は光発色試験陽性であるため，黄色～橙色を呈する。b は光照射後のラフ（R）型コロニー。

臨床上のポイント

- 結核と同じく，抗結核薬（PZA を除く）で治療する。

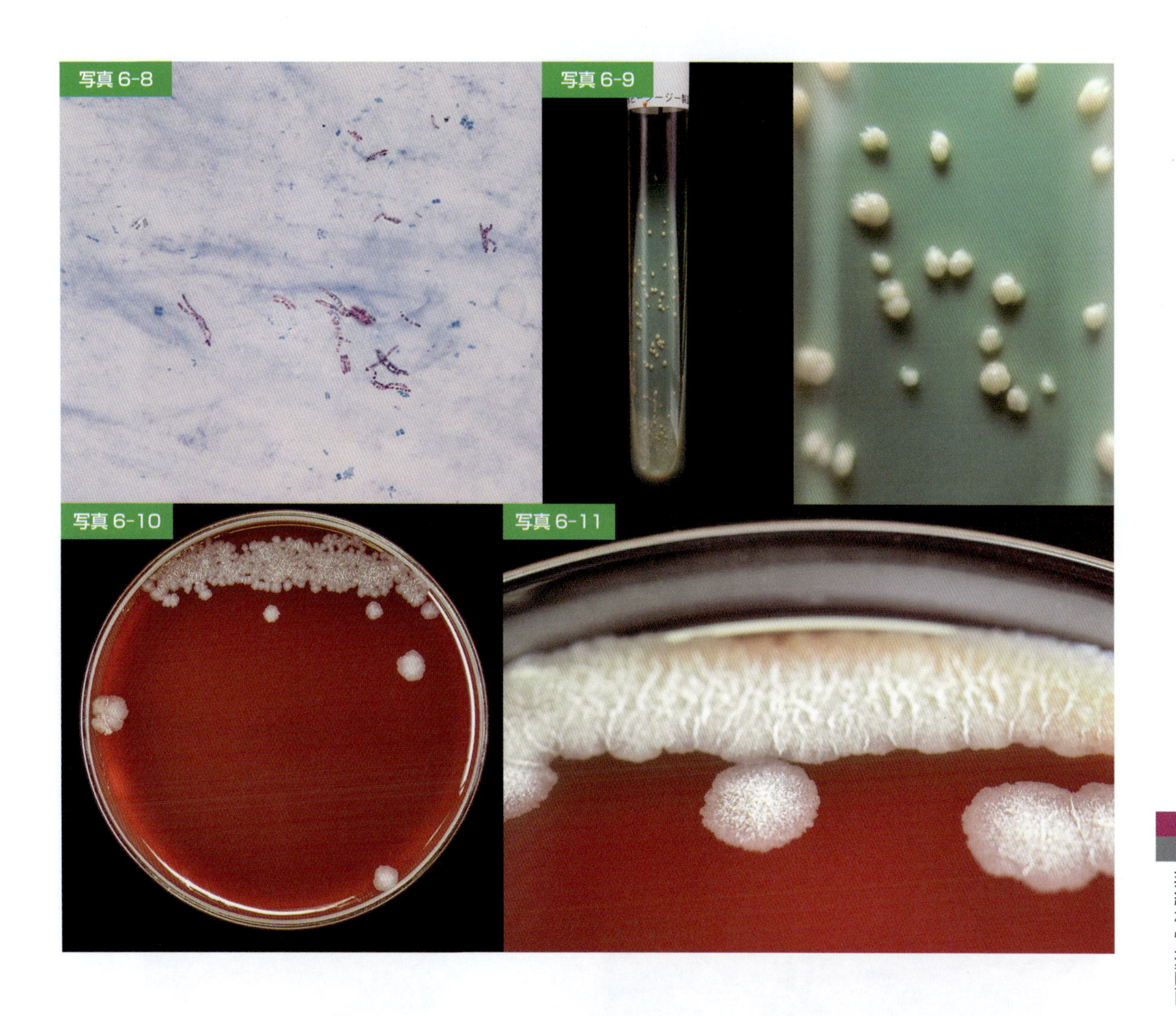

写真 6-8　チール・ネルゼン染色。*M. kansasii*。クロスバンディングと呼ばれる縞模様の染まりで，形態も大型であることから塗抹で推定することができる。

写真 6-9　2％小川培地上の *M. avium*。結核菌と比較して，スムースなコロニー（S 型）を形成する。

臨床上のポイント

- 単回検出では確定診断にはならない。
- 抗結核薬の薬剤感受性は参考としてはいけない。

写真 6-10　マイコバクテリウム・アブセッサス（*Mycobacterium abscessus*）。R 型コロニー。血液寒天培地（35℃，5 日間，好気培養）。ラニヨン（Runyon）の分類でⅣに分類され，他の抗酸菌群と異なり 3 ～ 7 日以内にコロニーを形成するため迅速発育菌群と呼ばれる。したがって，通常の寒天平板培地検出されることが多い。

臨床上のポイント

- 呼吸器以外にカテーテル関連血流感染症（CRBSI），皮膚軟部組織感染症もよくみられる。
- 感受性のある一般的な抗菌薬の併用を行う。

写真 6-11　*M. abscessus*。血液寒天培地（35℃，5 日間，好気培養）。皺のよった R 型コロニー。

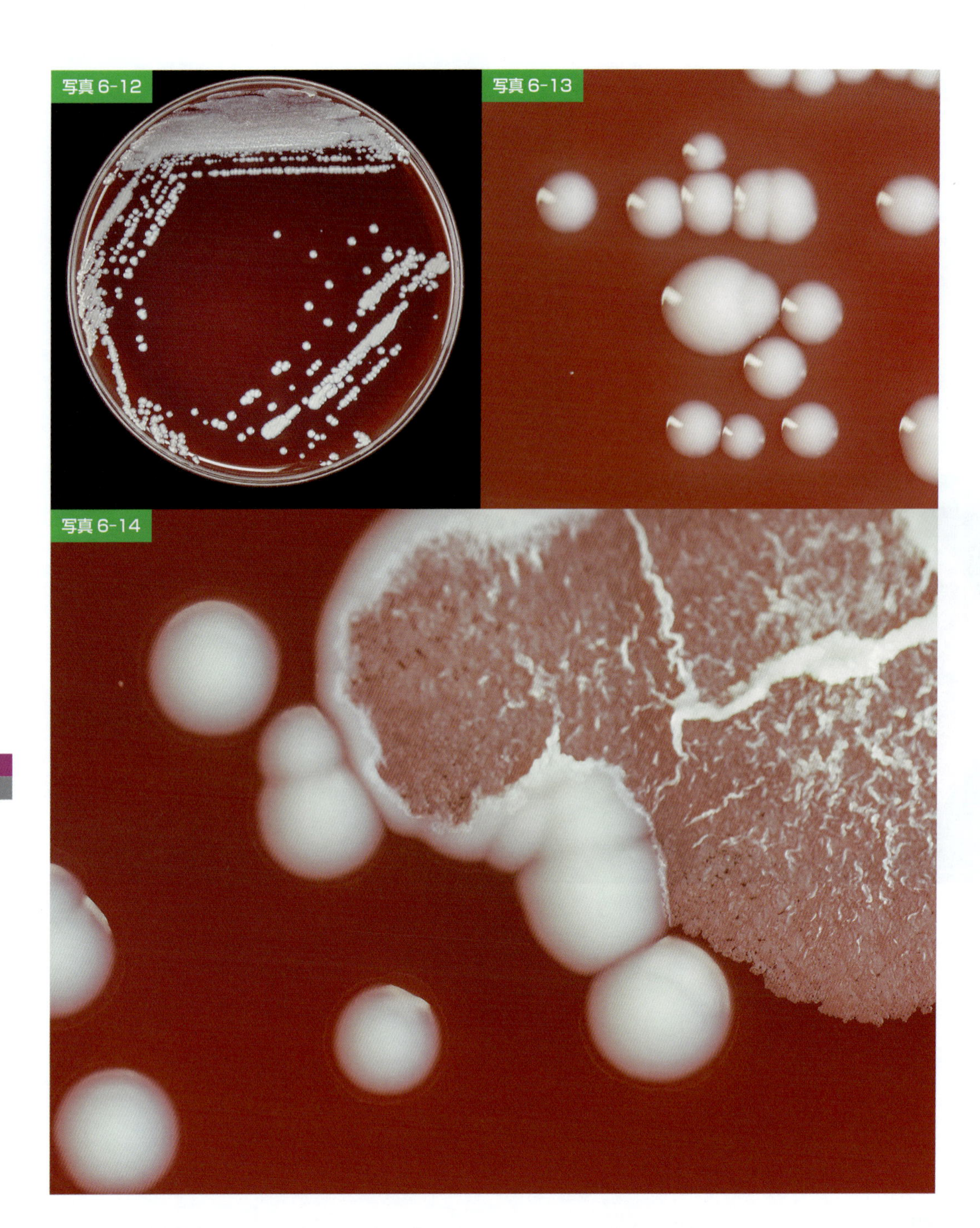

写真 6-12 *M. abscessus*。血液寒天培地（35℃，72 時間，好気培養）。R 型コロニー以外にこのような S 型のコロニーを形成することもある。

写真 6-13 *M. abscessus*。写真 6-12 の拡大像。血液寒天培地（35℃，72 時間，好気培養）。しっとりとした S 型コロニーとなっているのがよくわかる。

写真 6-14 *M. abscessus*。S 型と R 型コロニー混在。

ノカルジア属菌（*Nocardia* spp.）[注意]

特徴

・属名はフランスの獣医師・微生物学者であるエドモンド・ノカール（Edmond Nocard）に由来。
・フィラメント状の分枝した形態が特徴のグラム陽性桿菌。
・弱い抗酸性がある。
・肺，中枢神経感染症を生じる。
・ノカルジア・ファルシニカ（*N. farcinica*）の予後は悪い。ノカルジア・ブラジリエンシス（*N. brasiliensis*）は皮膚感染症が多い。
・ステロイド薬，免疫抑制剤使用，HIV 患者など細胞免疫不全者にゆっくりと進展する感染症を起こす。

生じうる代表的感染症

・亜急性肺炎，肺膿瘍，脳膿瘍，皮下膿瘍，播種性感染症

培養同定の方法と技師からの注意点

・臨床的に *Nocardia* 属菌を疑った検体が提出された場合に，塗抹検査の鏡検で観察し *Nocardia* 属菌の集塊にあたりをつけて強拡大で観察すると，効率的にみつけることができる。
・*Nocardia* 属菌はミコール酸を有するが，含有量が少なくその抗酸性が弱いため，チール・ネルゼン染色では，3%塩酸アルコールにより脱色されるため抗酸性を確認できない。
・キニヨン（Kinyoun）染色は脱色に 0.5～1%程度の硫酸水を用いるため，チール・ネルゼン染色よりも脱色が弱いことから抗酸性を確認できる。チール・ネルゼン陰性，キニヨン染色陽性が *Nocardia* 属菌などの弱抗酸性を示す菌の染色態度である。
・グラム染色で *Nocardia* 属菌と似たような形態を示すアクチノマイセス属菌（*Actinomyces* spp.）には抗酸性がないことから，鑑別が可能である。
・呼吸器検体などの常在菌が存在する検体から *Nocardia* 属菌を分離する場合には，レジオネラ（*Legionella*）属菌用の WYO（Wadowsky-Yee-Okuda agar with 0.1% α-ketoglutalate）-α 培地を用いると，多くの常在菌を抑制し，*Nocardia* 属菌を検出しやすくなる。
・菌種同定に関しては，生化学的性状や薬剤感受性からの同定が実施されてきたが，正確性を欠くため，質量分析や 16S rRNA のシークエンス解析が確実である。

薬剤感受性検査の注意点

・CLSI M24 にて，好気性放線菌のカテゴリーで薬剤感受性方法が記載されている。

選択すべき抗菌薬と感染症専門医からの注意点

・スルファメトキサゾール・トリメトプリム（ST）合剤，イミペネム（IPM），セフトリアキソン（CTRX），アモキシシリン（AMPC）/ クラブラン酸（CVA），マクロライド系薬，ミノサイクリン（MINO），キノロン系薬，アミカシン（AMK）などから選択する。重症では併用し，長期間治療。
・中枢病変を合併しやすいため頭部画像を評価する。

◎詳細は『感染症プラチナマニュアル』の第 2 章の「ノカルジア属」参照。

注意：16S rRNA や質量分析法の普及で，おそらく *N. asteroides* という菌名は今後は論文などではみられなくなるだろう。これまでノカルジア症はその基準菌種である *N. asteroides* による感染症が多かったが，当時の *N. asteroides* の菌種はヘテロジーナスな菌種であることが明らかになっている。広義の *N. asteroides* に対しては *N. asteroides* sensu lato が用いられるようになったため，検出頻度は下がり，*N. farcinica* が最多となっている。

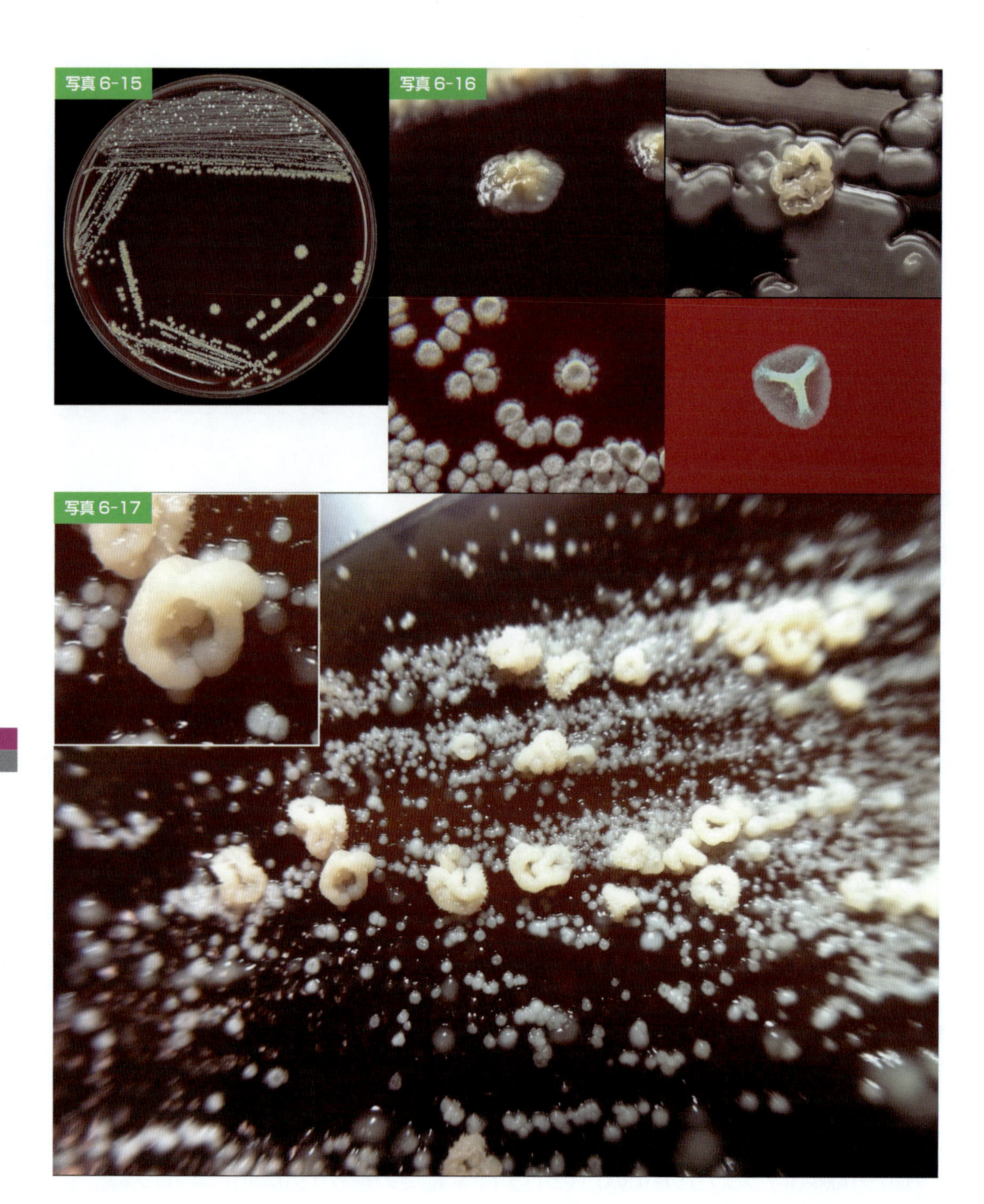

写真 6-15 ノカルジア・ファルシニカ（*Nocardia farcinica*）。ヒツジ血液寒天培地（35℃，数日間，好気培養）。*Nocardia* 属菌は発育に時間がかかるため，最低 2〜3 日以上の培養時間が必要である。

臨床上のポイント

・*Nocardia* 属菌など特殊培地が必要であったり，培養に時間がかかる菌の感染症では，微生物の鑑別や臨床情報を細菌検査室に伝える必要がある。

写真 6-16 *N. farcinica*。血液寒天培地（35℃，数日間，好気培養）。培地や株により顔が異なって見える。コロニー表面に気中菌糸を認める株は粉っぽい外観となる。

写真 6-17 *N. farcinica*。喀痰培養。常在菌の中から顔を出している。数日間培養しないと見落とす可能性がある。

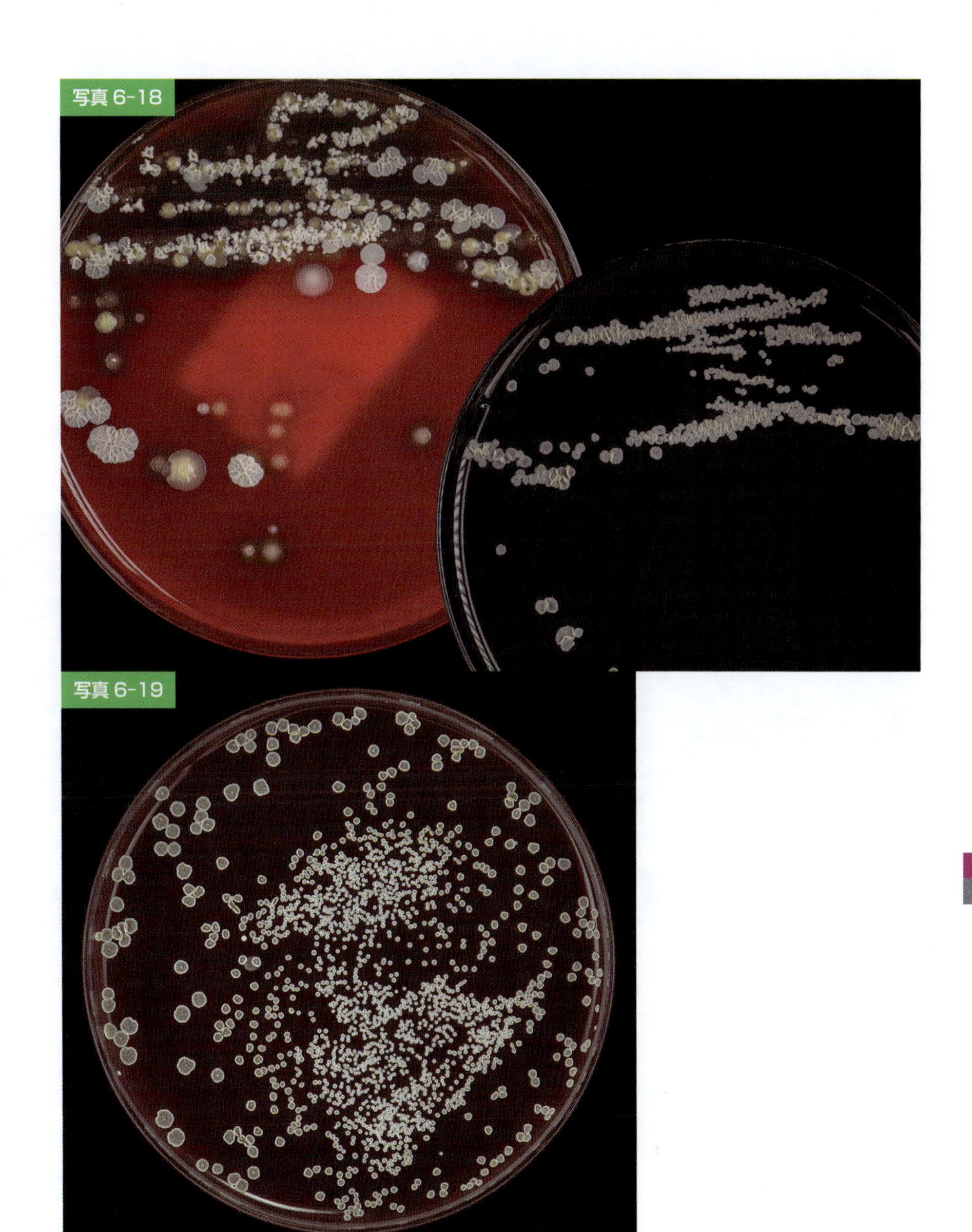

写真 6-18　*Nocardia* 感染症例の喀痰培養。WYO-α寒天培地とヒツジ血液寒天培地。常在菌などが多い喀痰などの検体では，常在菌を抑制し *Nocardia* 属菌を選択的に検出できることから，レジオネラ（*Legionella*）属菌用の選択分離培地である WYO-α寒天培地が非常に有用である。

写真 6-19　*Nocardia cyriacigeorgica*。ヒツジ血液寒天培地（35°C，数日間，好気培養）。菌種・培地によりコロニーの顔が異なる。延長培養で，気中菌糸を認めるものや見慣れない形態のコロニーを検出した場合には，積極的に染色し抗酸性の確認を実施する。

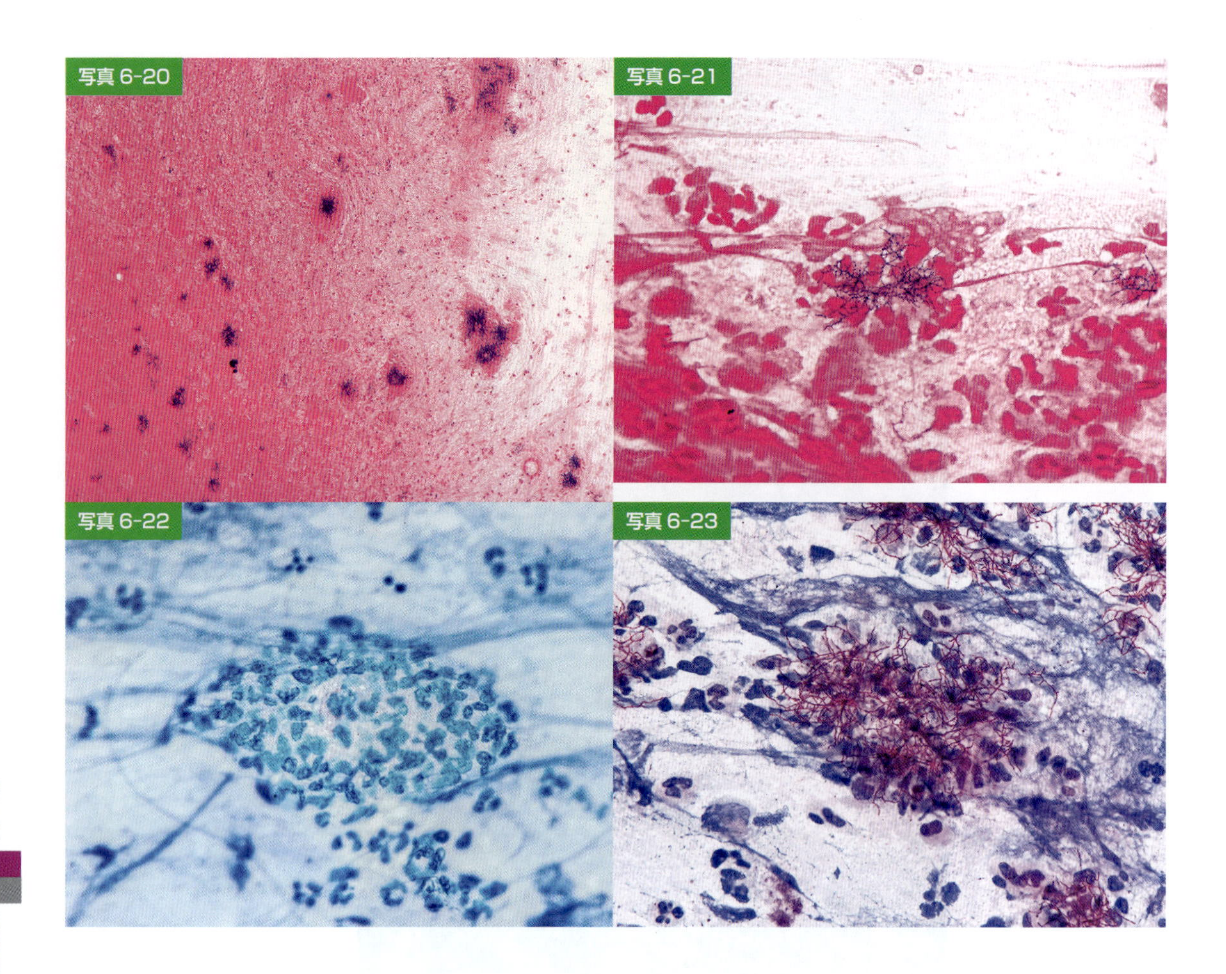

写真 6-20　グラム染色。ノカルジア症喀痰。弱拡大。*Nocardia* 属菌の探索はまず弱拡大（100倍）で探すことから始める。写真のようにグラム陽性（青）に染まっている集塊を1,000倍で観察する。

写真 6-21　グラム染色。*N. farcinica*。細長い菌糸状の菌体が伸び，絡み合い，グラム染色はビーズ状に不均一に染まる。菌体がこのように大きな集塊となることから，白血球が取り囲むように認めることが多い。

写真 6-22　抗酸性染色。*N. farcinica*。チール・ネルゼン染色。チール・ネルゼン染色では，脱色が強すぎるため，弱抗酸性である *Nocardia* 属菌は染まらない。しかし，このような白血球の集塊を認めた場合，*Nocardia* 属菌を推定して弱抗酸性の確認を行うことが重要である。

写真 6-23　抗酸性染色。*N. farcinica*。キニヨン変法染色。ミコール酸を有し抗酸性をもつが弱い抗酸性であり，チール・ネルゼン染色では脱色が強すぎて陰性となる。3%塩酸アルコールの代わりに0.5～1.0%の硫酸水を用いて脱色を行うと，抗酸性を確認できる。

臨床上のポイント

・*Nocardia* 感染を疑えばキニヨン変法染色を依頼する。
・アクチノマイセス（*Actinomyces*）属菌と異なり，①抗酸性があること，②培養で検出されれば原因菌と考えられる（*Actinomyces* 属菌は口腔・上気道，消化管の常在菌である）。

ロドコッカス・エキ（*Rhodococcus equi*）

特徴

・非運動性で，多形性に富んだグラム陽性球桿菌。
・ウマやブタの曝露歴があることがある。
・弱い抗酸性がある。

生じうる代表的感染症

・HIVなど細胞性免疫不全のある患者に結核類似の空洞，結節性の肺感染症を生じる。他に菌血症，脳膿瘍，骨髄炎，皮膚軟部組織感染症，播種性感染症がある。

培養同定の方法と技師からの注意点

・ラフ（R）型，クリーム状またはムコイド半透明のコロニーを形成し，次第に黄色，オレンジ〜赤色の色素が認められる。
・グラム陽性で，球菌〜桿菌の形態をとる。
・弱抗酸性を示し，チール・ネルゼン染色では陰性でキニヨン染色を実施すると一部の菌体が抗酸性を示す。
・CAMP（Christie, Atkins, and Munch-Peterson）テスト陽性である。

選択すべき抗菌薬と感染症専門医からの注意点

・バンコマイシン（VCM），イミペネム（IPM），ニューキノロン系薬，マクロライド系薬などとリファンピシン（RFP）の併用を行う。
・治療は4〜8週間の導入治療ののちに3〜6か月の維持治療を行う。

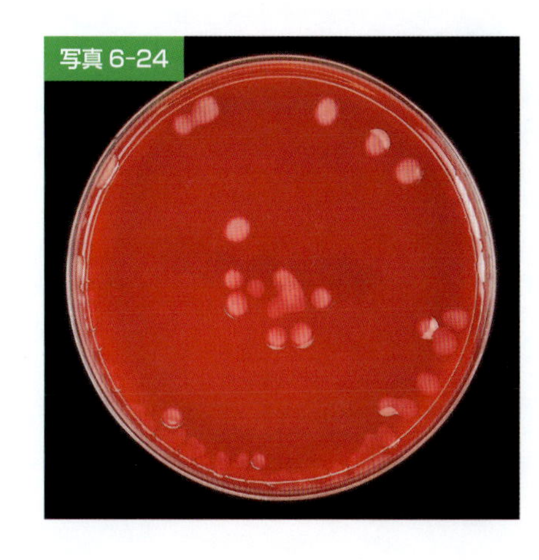

写真 6-24　ロドコッカス・エキ（*Rhodococcus equi*）。ヒツジ血液寒天培地（35℃，48時間，5%炭酸ガス培養）。

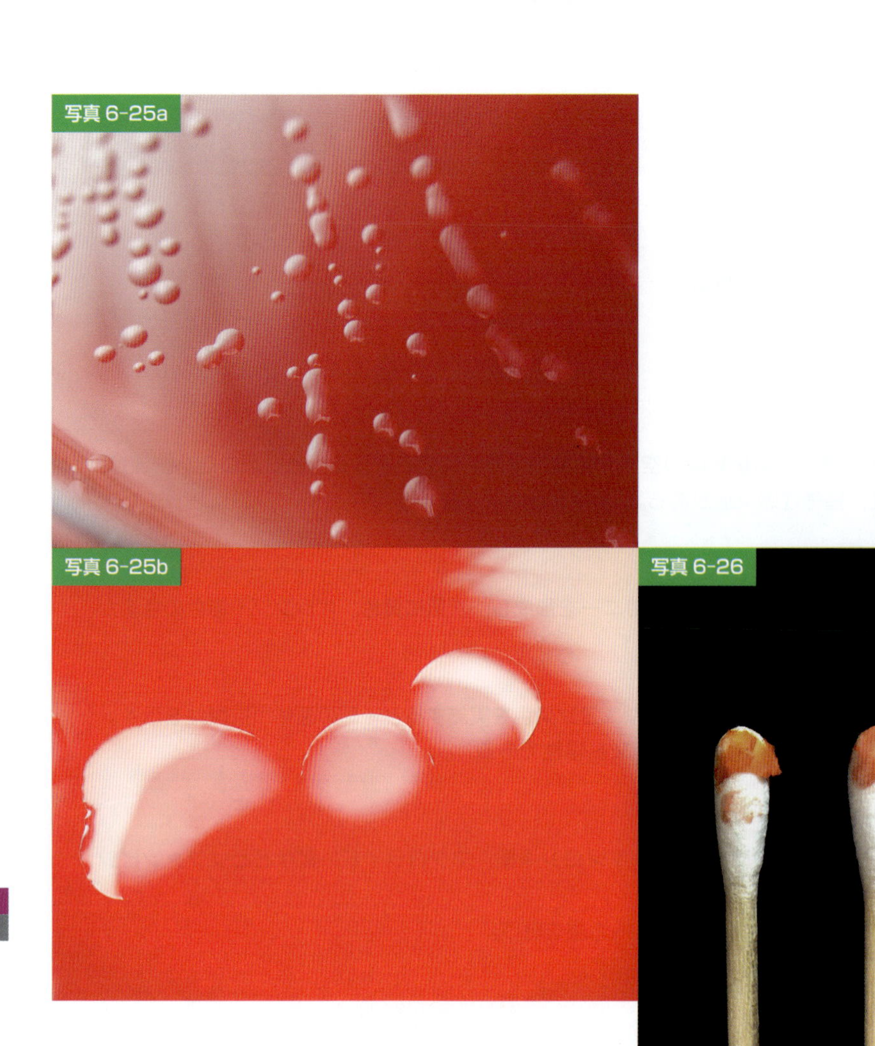

写真 6-25 *R. equi*。ヒツジ血液寒天培地(35℃, 24 時間, 5%炭酸ガス培養)。ムコイド型のコロニーを形成する。白色半透明～クリーム色コロニーを形成する。b は 48 時間培養後のコロニー。

写真 6-26 色素比較。写真左から, *Gordonia terrae*, *Roseomonas mucosa*, *R. equi*。*Rhodococcus* 属菌はカロチノイド色素を産生する。

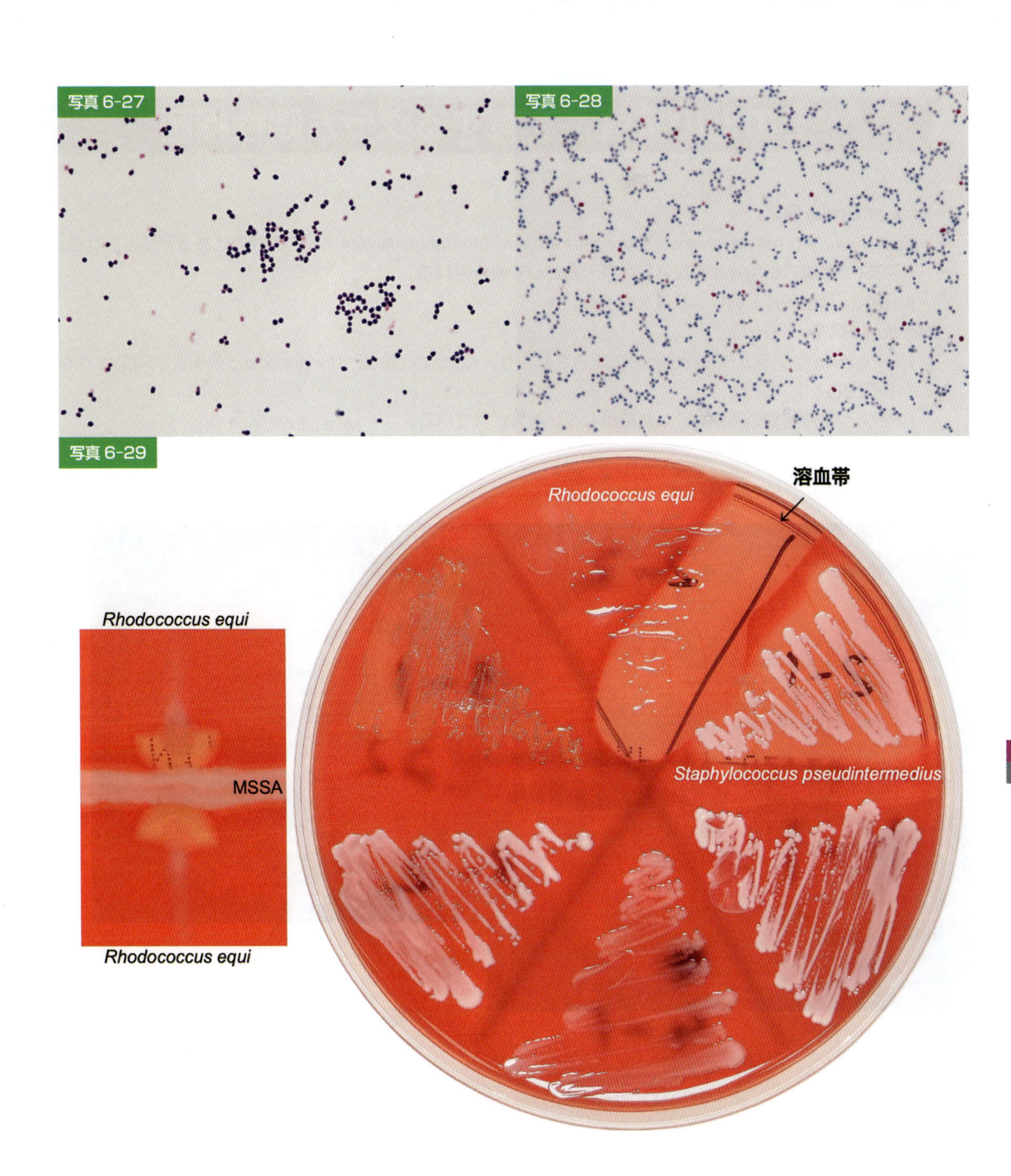

ロドコッカス・エキ

写真 6-27　グラム染色。コロニーを染めたもの。グラム陽性球菌。グラム陽性桿菌にも観察される。

写真 6-28　抗酸性染色。コロニーをキニヨン染色したもの。一部の菌が抗酸性（赤色）を示している。

写真 6-29　*R. equi* はCAMPテスト陽性である（写真左）。写真右側は動物病院の環境培養を行っていた際に，偶然，*Staphylococcus pseudintermedius* の隣に分離したため，CAMP陽性反応として隣り合う部分に溶血帯が出現した。

その他の抗酸性を有するグラム陽性桿菌

Tsukamurella 属菌

・*Tsukamurella tyrosinosolvens* や *Tsukamurella paurometabola* などが比較的まれではあるが検出される。
・CRBSI や腹膜透析関連腹膜炎などの原因菌として報告される。
・*Nocardia* 属菌同様に弱い抗酸性を有する。

***Gordonia* 属菌**

・coryneform 型グラム陽性桿菌として報告されたり，*Nocardia* 属菌，*Rhodococcus* 属菌と誤同定されやすい細菌である。
・CRBSI や医療器具の汚染を介した感染などが報告されている。

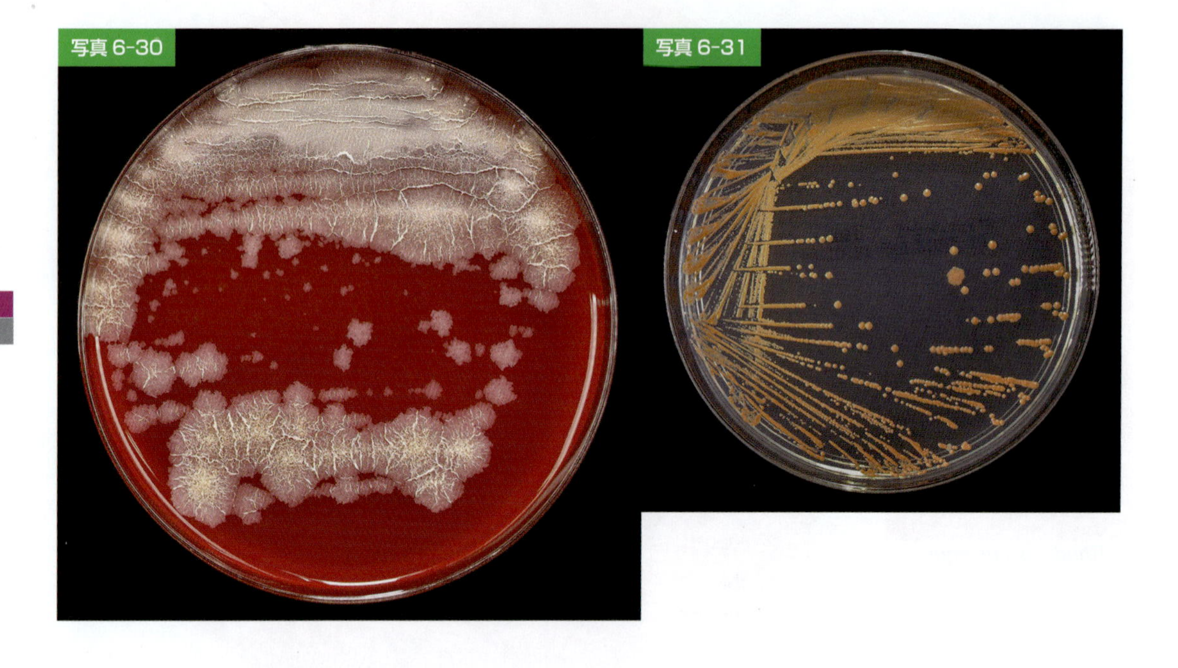

写真 6-30　ヒツジ血液寒天培地に発育した *Tsukamurella tyrosinosolvens*。比較的発育は速く，2，3 日でこの大きさになり，皺がよったラフなコロニーとなる。

写真 6-31　ミューラー・ヒントン寒天培地で 5 日間培養した *Gordonia* 属菌。カロテノイド色素により黄色～オレンジ色のコロニーとなる。

第７章　嫌気性菌

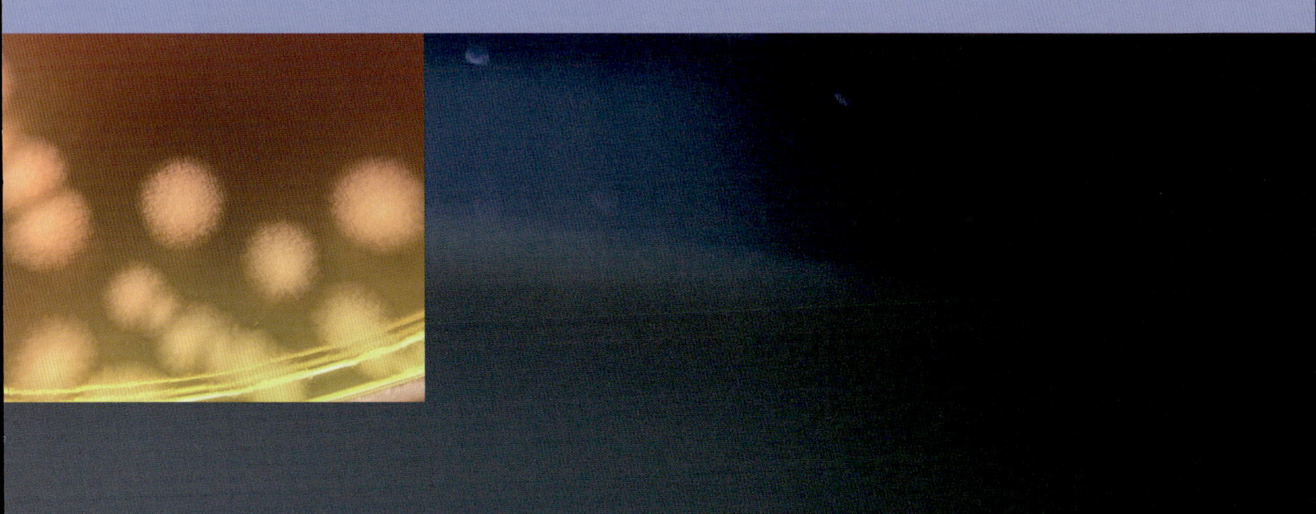

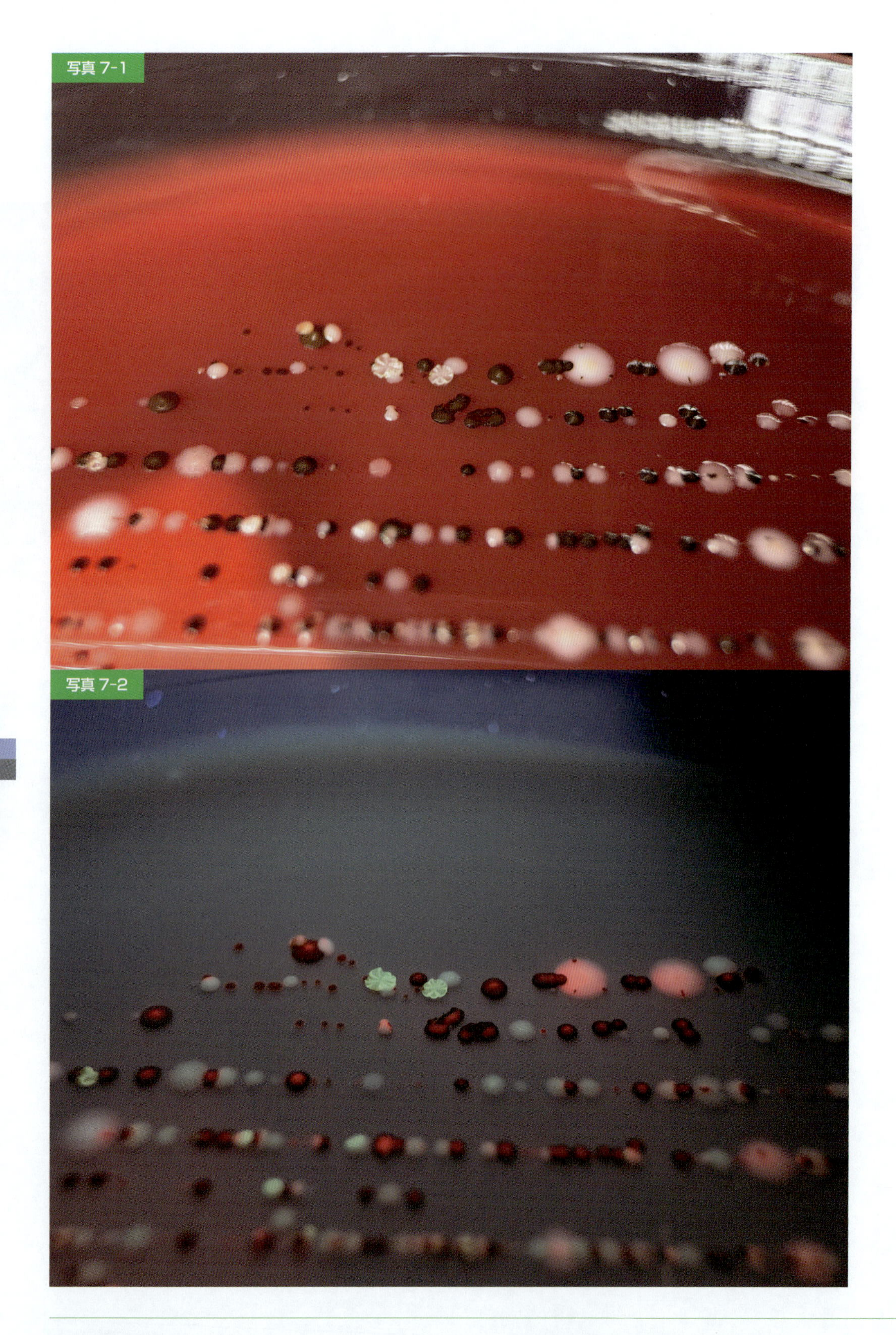

写真 7-1 ブルセラ HK(hemin vitamin K1) 寒天培地。35℃, 72 時間嫌気培養。嫌気性菌は複数菌感染となることが多く，この症例も嫌気培養で各種嫌気性菌が分離されている。

写真 7-2 写真 7-1 に紫外線(UV) ライトを照射した写真。このように蛍光色や赤色となる菌種が存在し，推定同定に役立つ。とても美しいシーンである。

クロストリジオイデス・ディフィシル (*Clostridioides difficile*：CD)

特徴

・抗菌薬投与中や投与後に発熱，腹痛，下痢を生じた場合，CD による腸炎〔クロストリジオイデス・ディフィシル（*Clostridioides difficile*）感染症（CDI）〕を考える。

・*Clostridium* 属菌に含まれていたが 2016 年に *Clostridioides* 属菌として独立した。

・クリンダマイシン（CLDM）だけではなく，すべての抗菌薬（セフェム系薬，ニューキノロン系薬も高率），あるいは一部の抗腫瘍薬や免疫抑制剤，制酸薬が CDI の原因になりうる。

・院内発症の感染性下痢の大部分は CDI である。そのほかの原因としては非感染性が多い（薬剤，経管栄養など）のでしっかり鑑別する。一方で，メチシリン耐性黄色ブドウ球菌（MRSA）腸炎はきわめてまれな病態と認識されている。

・便の CD 抗原トキシン検査（イムノクロマト法）または NAAT（核酸増幅検査）で診断する。

生じうる代表的感染症

・CDI

培養同定の方法と技師からの注意点

・CD 抗原〔グルタミン酸デヒドロゲナーゼ（GDH）〕とトキシン（トキシン A およびトキシン B）を検出できるイムノクロマト法が簡便なため広く利用されている。

・GDH 抗原の検出感度は高いが，トキシンの検出感度は低いため結果の解釈には注意を要する。

・遺伝子検査として NAAT が開発され，簡易に CD が高感度で検出できるようになったが，コストが高く日常検査として導入が難しい。日本臨床微生物学会では，イムノクロマト法の感度不足を補い，NAAT のコストや過剰診断を踏まえたフローチャートを提示しており，イムノクロマト法で GDH 陽性・トキシン陰性の場合に NAAT の実施を推奨している。NAAT を導入していない場合は，培養で検出した菌を用いてイムノクロマト法でトキシン検査を行う toxigenic culture が有用であるが，結果が得られるまでに少なくとも 2 日間かかる。

・培養での検出は CCFA（cycloserine-cefoxitin fructose agar）または CCMA（cycloserine-cefoxitin mannitor agar）寒天培地などの選択分離培地を利用して培養を実施する。選択培地がない場合には，糞便検体をアルコール処理してアルコール耐性の芽胞を選択して培養する方法を実施する。

・コロニー（集落）は強い悪臭で，ウマ小屋臭という言葉がまさに適切である。

選択すべき抗菌薬と感染症専門医からの注意点

・CD トキシン検査の感度が十分でないため，CD トキシン陰性でも CDI は否定できないが，陽性であれば確定。

・イムノクロマト法による GDH 抗原検査は比較的高感度であるため GDH 抗原陰性なら CDI は除外されると考えるが，イムノクロマト法の CD トキシン陰性で GDH 抗原陽性の場合は核酸検査や培養検査で確認する。

・基本は抗菌薬の中止とメトロニダゾール（MNZ）またはバンコマイシン（VCM）内服を行う。

◎詳細は『感染症プラチナマニュアル』の第 3 章の「クロストリジオイデス・ディフィシル感染症」参照。

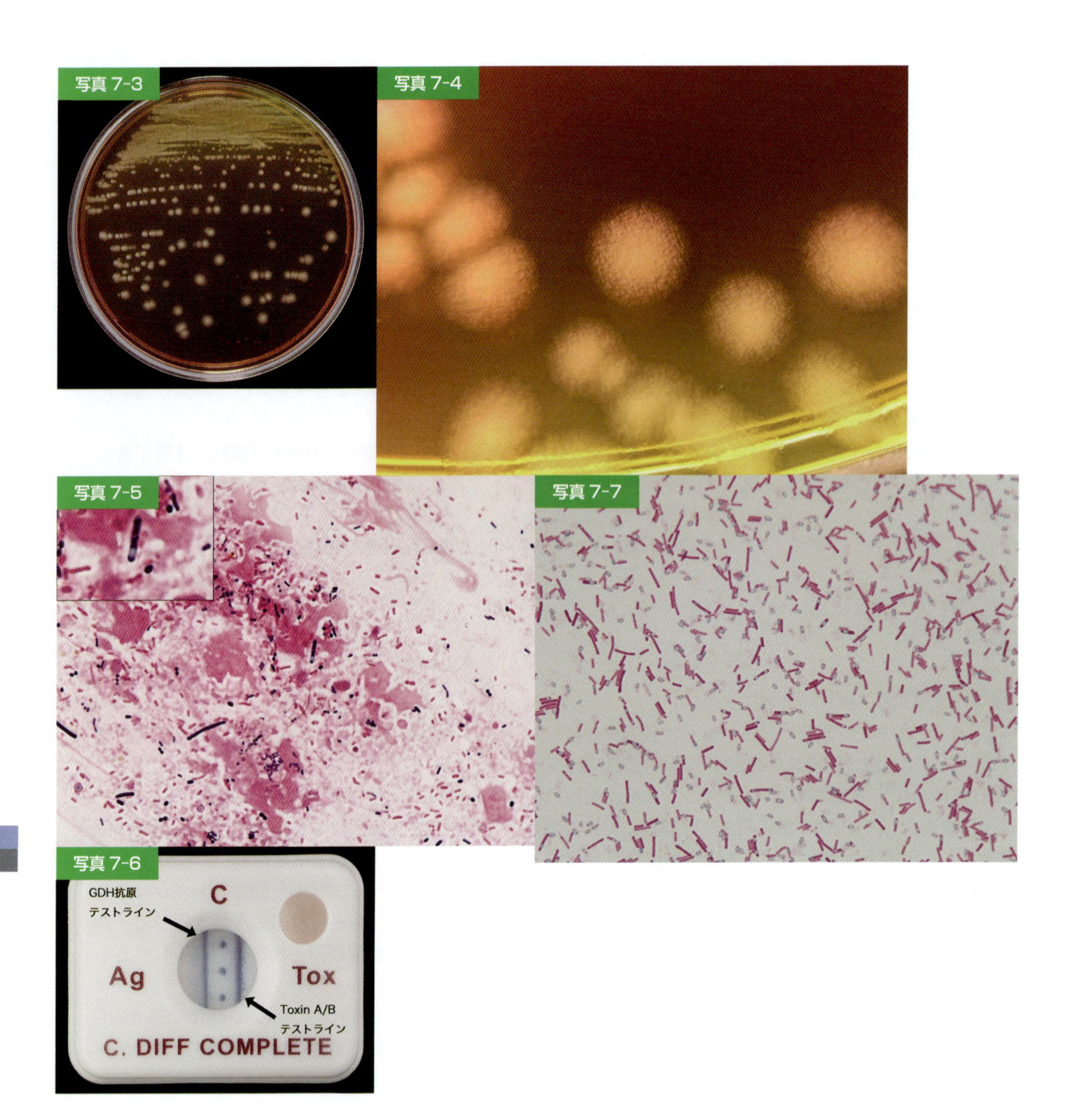

写真 7-3 クロストリジオイデス・ディフィシル(*Clostridium difficile*)。CCMA 培地(35℃, 2日間, 嫌気培養)。黄色の大型コロニーを形成する。検査室によって *C. difficile* 検出のための培養実施状況は異なると思われるため, 検査の内容は確認しておくとよい。

写真 7-4 *C. difficile*。CCMA 培地(35℃, 2日間, 嫌気培養)。隆起しやや粗い表面を示すコロニー。

写真 7-5 CDI 症例の糞便グラム染色。白血球を認める背景に *C. difficile* を疑う芽胞を有するグラム陽性桿菌を認める。このようなグラム陽性桿菌を認め, 症状的にも疑われる場合には, トキシンの検査または培養などを考慮する。

臨床上のポイント
- トキシンの産生が診断治療上, 重要である。
- 軽症なら MNZ で治療するとコストも安い。
- 接触感染予防と流水手洗いを行う。

写真 7-6 GDH 抗原とトキシン(トキシン A, トキシン B)のイムノクロマト法による簡易検査。検査時間が 30 分程度であり迅速性に優れることから, 多くの検査室で利用されている。しかし, コロナ禍で各種の遺伝子機器の整備が進み NAAT による検査も進み始めている。

臨床上のポイント
- トキシン陰性, GDH が陽性の場合には, CDI の疑いが強ければ治療を試みる。
- 下痢が改善していれば, トキシン抗原検査の再検は不要。

写真 7-7 芽胞染色〔ウィルツ(Wirtz)法〕。菌体は赤に, 芽胞はマラカイトグリーンにより緑色に染まる。

クロストリジウム・パーフリンジェンス〔*Clostridium perfringens*（ウェルシュ菌）〕

特徴

・グラム陽性桿菌。
・芽胞形成する。
・ヒトの皮膚，腸管に存在する。したがって，血液培養での検出はコンタミネーションも考慮する必要がある。

生じうる代表的感染症

・ガス壊疽，壊死性腸炎，肝胆道感染症，トキシンによる食中毒

培養同定の方法と技師からの注意点

・強い溶血を示すラフで大型コロニーを形成するため，コロニーから識別しやすい菌である。
・グラム染色では，大型のグラム陽性桿菌として観察される（動画あり）。
・血液培養で検出される場合には，ガス産生によりボトル内圧が高いため，ゴム栓の膨らみを観察でき，ボトル内容も強い溶血が観察される。
・血液培養では，比較的培養検出時間が短いことから，*C. perfringens* の存在を推定することは比較的容易である。
・腸管内常在菌であることから，糞便から検出しても感染症の原因菌とはならない。症状から腸管感染を疑う場合には，エンテロトキシンの証明が必要である。また，糞便のグラム染色で通常の形態と異なるぷっくりと膨らんだ菌体と芽胞を認める場合，*C. perfringens* の存在ならびにトキシンを産生している可能性が考えられるため，（1）糞便中のトキシン，（2）培養による菌体検出，（3）菌体のトキシンの証明を行う。

選択すべき抗菌薬と感染症専門医からの注意点

・食中毒は抗菌薬不要。
・ガス壊疽など重篤な場合にはベンジルペニシリン（PCG）＋ CLDM。
・抗菌薬投与と同時にデブリードマンも重要。

◎詳細は『感染症プラチナマニュアル』の第 2 章の「クロストリジウム・パーフリンジェンス」参照。

動画
ガス産生の確認

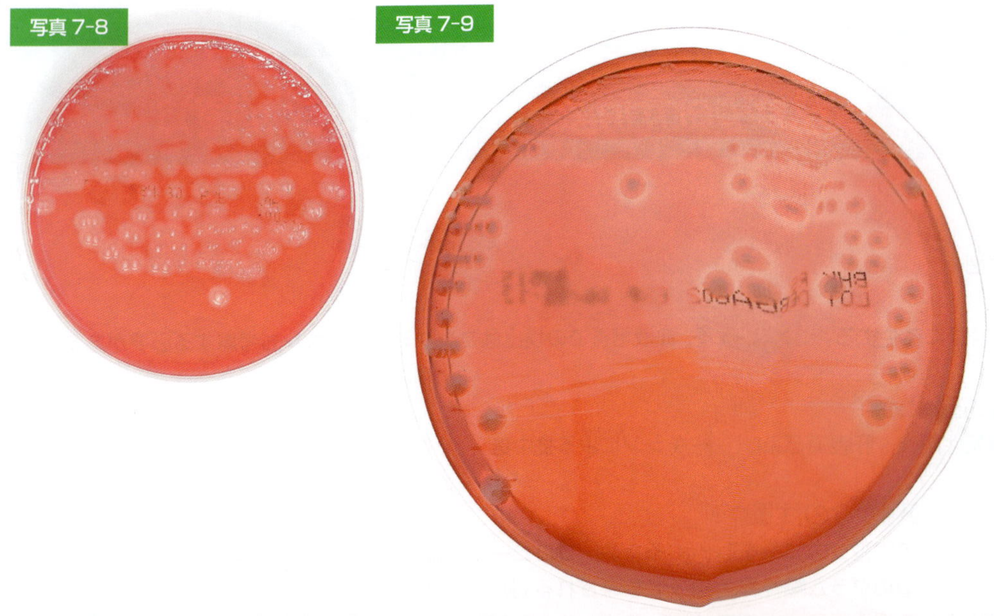

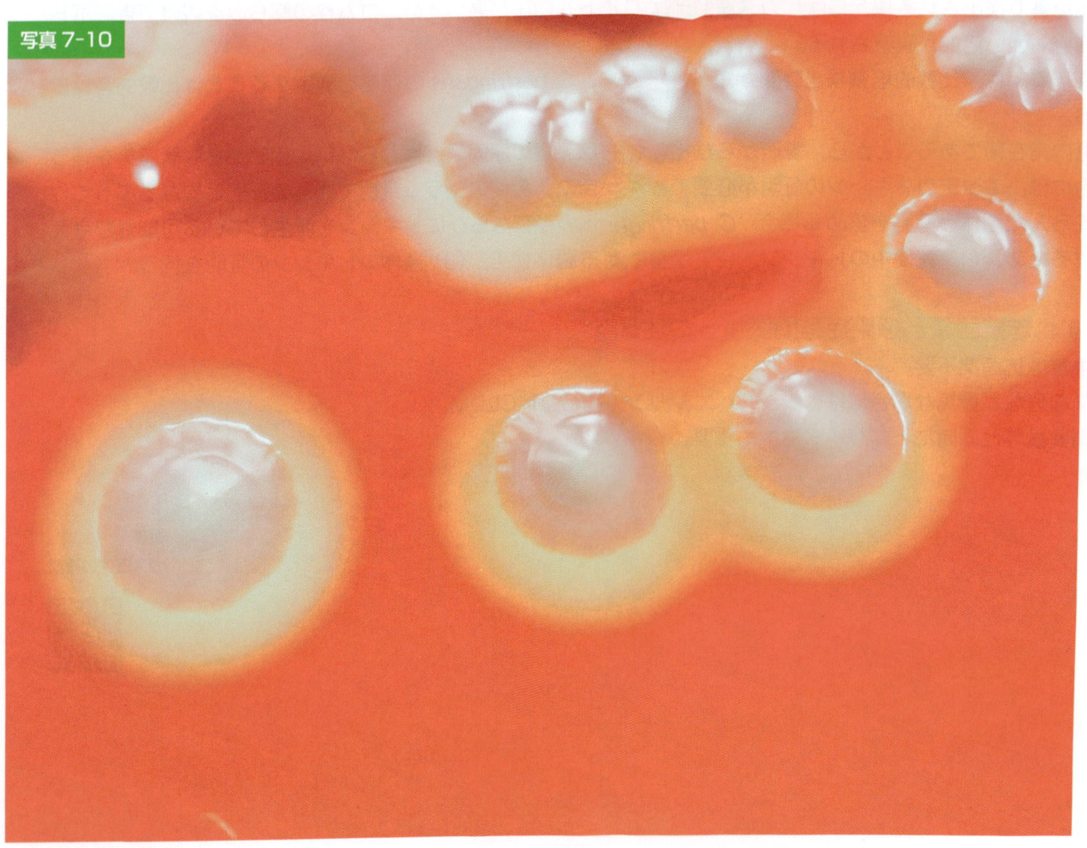

写真 7-8　クロストリジウム・パーフリンジェンス（*Clostridium perfringens*）。ブルセラ HK 寒天培地（35℃，30 時間，嫌気培養）。溶血を示す大型コロニーを形成する。

写真 7-9　*C. perfringens*。ブルセラ HK 寒天培地（35℃，48 時間，嫌気培養）。非常に強い溶血で，完全溶血環と不透明な溶血の 2 重溶血環を認める。

写真 7-10　*C. perfringens*。ブルセラ HK 寒天培地（35℃，48 時間，嫌気培養）。拡大像。灰白色不透明で光沢のあるコロニー。

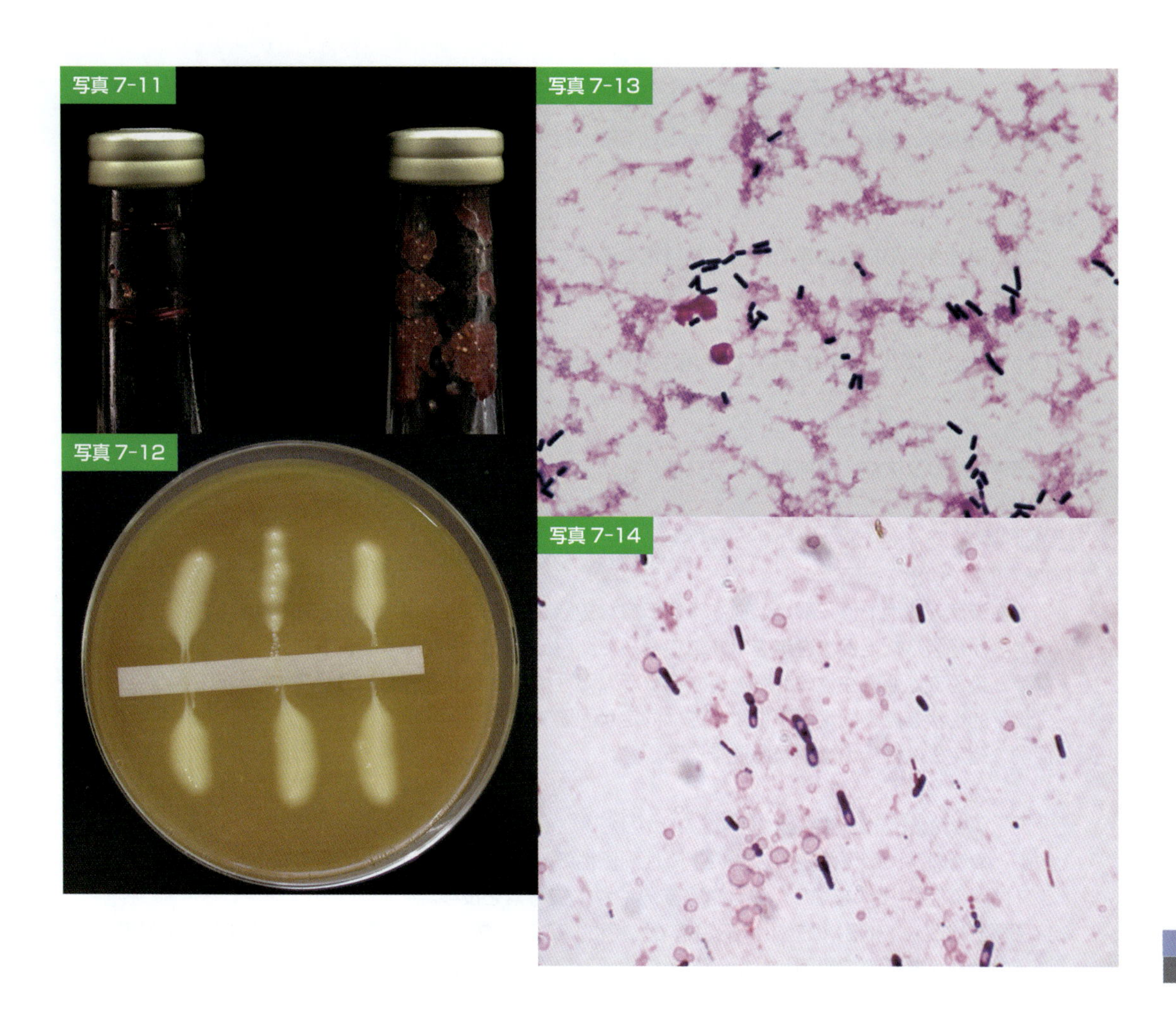

写真 7-11 血液培養嫌気ボトルのガス産生所見。
写真左：*C. perfringens* 検出，右：その他のガス非産生菌。ガスを強く産生する *C. perfringens* では，ボトルの頭部がガス産生による内圧上昇により膨らんでいる。

写真 7-12 「α抗毒素濾紙」を用いたレシチナーゼ抑制試験。*C. perfringens* のα毒素はレシチナーゼと呼ばれ，レシチンをホスホリールコリンとジグリセリドに分解する酵素である。卵黄を含む培地では，卵黄レシチンを分解し白濁した様子が認められる。α抗毒素濾紙はレシチナーゼを抑制するため，濾紙に近い部位では白濁が抑制される。現在，この濾紙は市販されていないため入手困難である。

写真 7-13 グラム染色。*C. perfringens*。血液培養検出例。大型のグラム陽性桿菌で，*Corynebacterium* 属菌との鑑別は容易である。溶血のため背景に赤血球は認めない。

臨床上のポイント
- *C. perfringens* の菌血症，ガス壊疽では，毒素産生を抑えるため，CLDM を併用する。

写真 7-14 糞便グラム染色。*C. perfringens* 検出例。芽胞を有する菌であるが，芽胞を観察することはまれである。腸管において芽胞形成時にエンテロトキシンが放出され腸炎となるため，このような芽胞が確認される。グラム染色でこの芽胞形態を多く認めた場合には，培養ならびにトキシンの確認が必要である。

ボツリヌス菌（*Clostridium botulinum*）

特徴

・グラム陽性芽胞形成性の嫌気性菌で神経毒を産生する。
・汚染された食品の摂取により特徴的な神経症状と食中毒を起こす。
・通常，発熱はない。
・バイオテロリズム（バイオテロ）に使用される可能性あり。

生じうる代表的感染症

・食餌性ボツリヌス症，創部ボツリヌス症，乳幼児ボツリヌス症

培養同定の方法と技師からの注意点

・嫌気培養で検出を行う。
・通常血液寒天培地では，弱い溶血を示すラフな辺縁を示すコロニーである。
・筆者らが経験した症例は遊走を示すコロニーで，腐った漬物を想像する酸味のある悪臭を発した。
・グラム染色では亜端在性の芽胞を有するグラム陽性桿菌として観察される。
・生化学的性状を見る同定試薬によっては同定が困難である。
・症例の確定には毒素の証明が必要である。

選択すべき抗菌薬と感染症専門医からの注意点

・散瞳，構音障害，嚥下障害ののちに下降性両側性の弛緩性麻痺を呈する症例が同時に多発する場合にボツリヌス菌感染症（中毒）を疑う。疑えば，すみやかに抗毒素を投与。
・抗菌薬（PCG や MNZ）の効果は不明確で，特に，アミノグリコシド系薬は神経筋接合部を阻害して，症状増悪の恐れがあるので使用しない。

写真 7-15　ボツリヌス菌（*Clostridium botulinum*）。ブルセラHK寒天培地（35°C，24時間，嫌気培養）。上端に菌液をスポットして培養。スウォーミング（遊走）により広がっているのが観察される。

臨床上のポイント
・食中毒で神経症状を伴えば，ボツリヌスやフグ毒，キノコ中毒，貝毒，バイオテロなどを疑う。

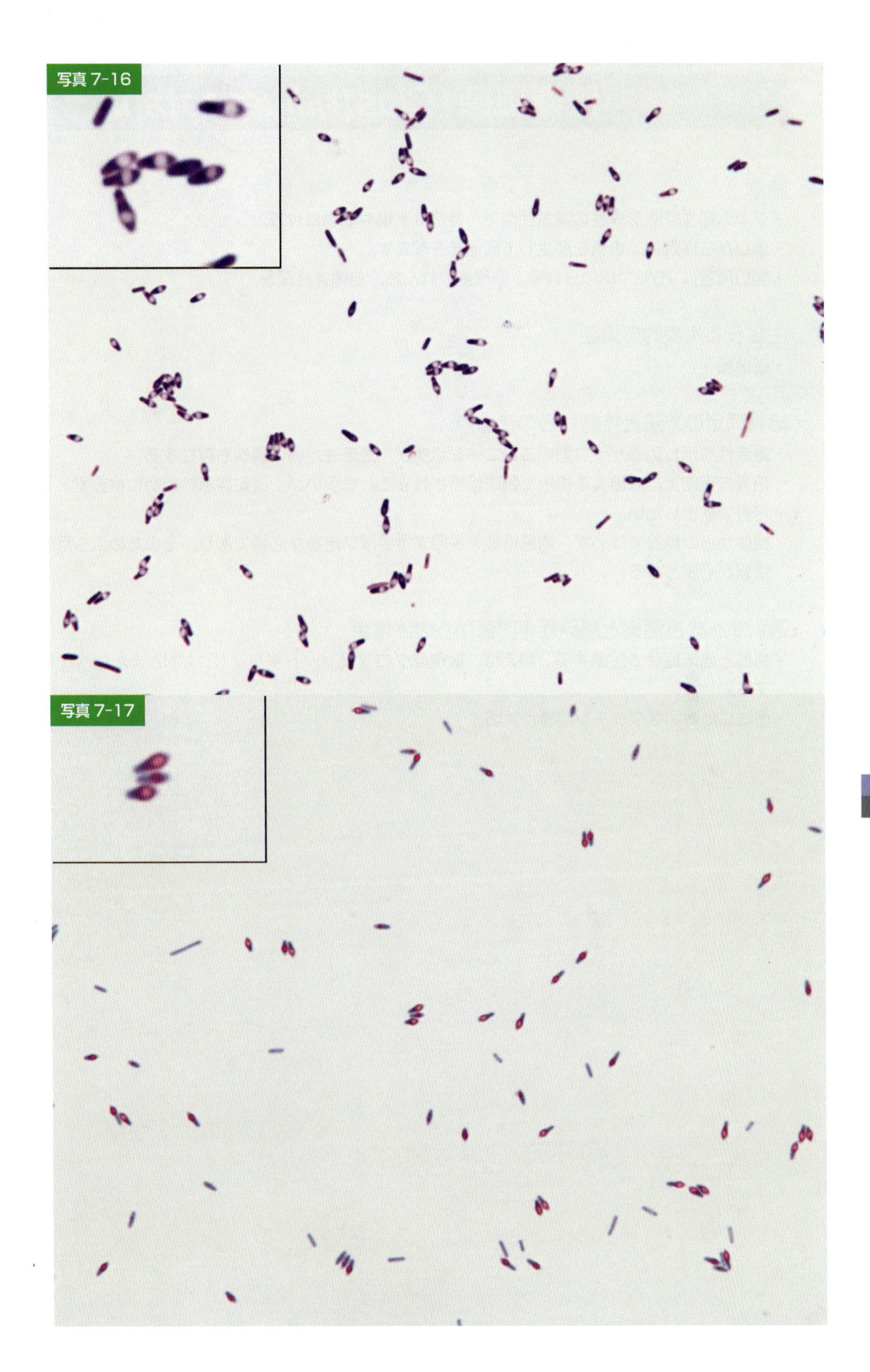

写真 7-16　グラム染色。*C. botulinum*。コロニーから染色。芽胞形成しているのが観察される（染色されずに白く抜ける）。

写真 7-17　芽胞染色。*C. botulinum*。メラー（Möller）法によりコロニーから染色。芽胞形成（赤色）しているのが観察される。

破傷風菌（*Clostridium tetani*）

特徴

・グラム陽性芽胞形成性の嫌気性菌で，芽胞は土壌や動物に付着。
・傷口から侵入し，毒素を産生して破傷風を起こす。
・開口障害は75％で認められる。筋硬直，れん縮，自律神経障害。

生じうる代表的感染症

・破傷風

培養同定の方法と技師からの注意点

・遊走性を示し辺縁がラフ型のコロニーを示すが，遊走性が弱い菌株も存在する。
・培養未実施または培養未検出で臨床診断されることも多いが，確定診断のために検査室としても是が非でも培養で検出したい。
・検体からの培養では必ず，増菌培地を併用する手厚い培養が必要であり，そのためにも目的菌の伝達や臨床情報が必要となる。

選択すべき抗菌薬と感染症専門医からの注意点

・病歴と臨床症状で診断する。疑えば，破傷風グロブリン，トキソイド，MNZまたはペニシリン系薬を投与する。
・予防には適切なワクチン接種が大切。

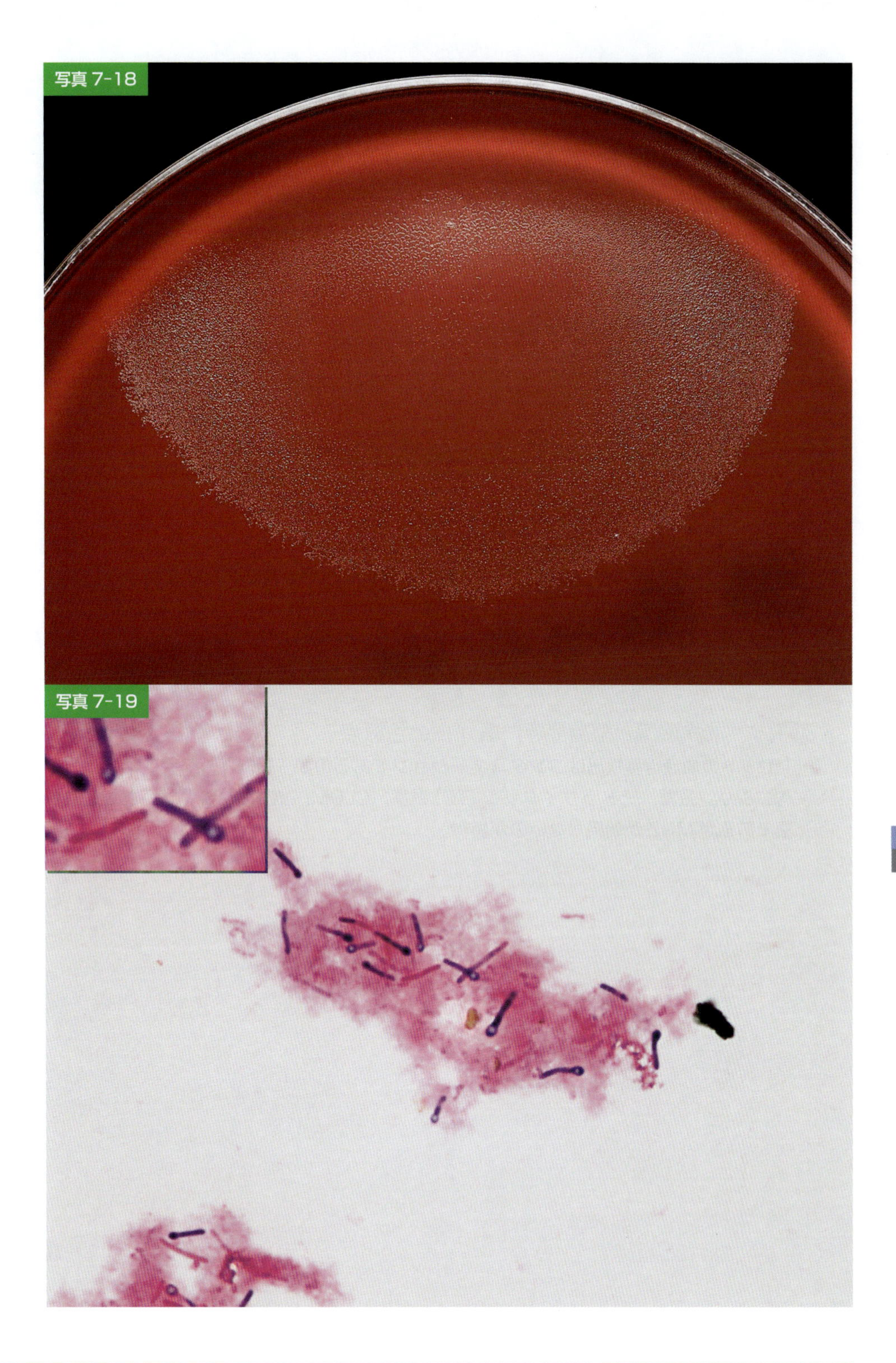

写真 7-18　破傷風菌（*Clostridium tetani*）。ブルセラ HK 寒天培地（35℃，24 時間，嫌気培養）。上端に菌液をスポットして培養。スウォーミングにより広がっているのが観察される。

臨床上のポイント

- 破傷風は臨床診断で治療を開始する。
- 土壌曝露や創傷後，一定の潜伏期ののちに，開口障害や筋硬直があれば疑う。
- 予防（トキソイド接種）が大切である。

写真 7-19　グラム染色。破傷風菌。コロニーから染色。グラム陽性桿菌で端在性に芽胞を有し，いわゆる「太鼓のバチ」状に観察される。

キューティバクテリウム（プロピオニバクテリウム）・アクネス（*Cutibacterium acnes*）注意

特徴

・痤瘡の原因となる多形性のある嫌気性のグラム陽性桿菌。
・皮膚，脂肪腺や鼻咽頭，消化管に存在する。
・培養検出まで時間を要する。

生じうる代表的感染症

・痤瘡，人工関節や脳室シャント，カテーテル関連血流感染症（CRBSI）など異物感染症

培養同定の方法と技師からの注意点

・嫌気性グラム陽性桿菌であるが，耐気性で炭酸ガス培養でも発育が可能である。特に継代培養では，容易に炭酸ガス培養で発育を認める。菌体は多形性を示し，特徴があるため塗抹検査で推定することも可能である。
・まれに巨大な集塊を形成し，アクチノマイセス（*Actinomyces*）属菌と似たグラム染色所見を示すこともある。

選択すべき抗菌薬と感染症専門医からの注意点

・1 セットの血液培養検出はコンタミネーションであるのが一般的。
・ペニシリン系薬，テトラサイクリン（TC）系薬，CLDM，VCM に感受性があり，これらを用いる。嫌気性菌であるが MNZ が効果がないのが特徴。

注意：以前は *Propionibacterium* 属に分類されていた。

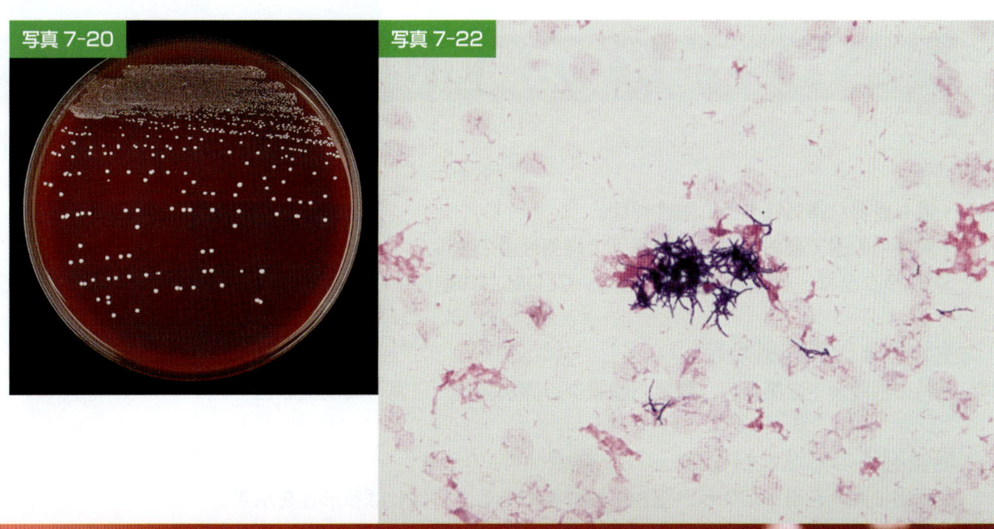

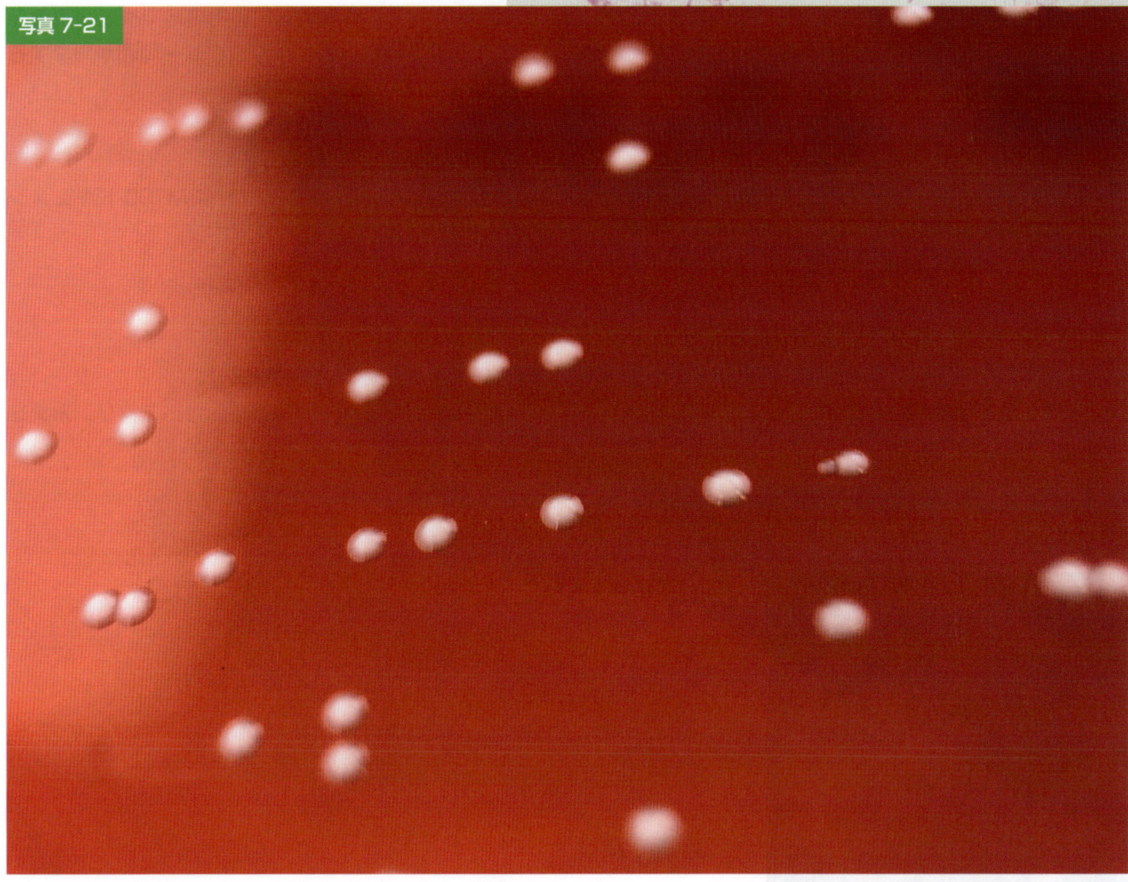

写真 7-20　キューティバクテリウム・アクネス（*Cutibacterium acnes*）。ブルセラHK寒天培地（35℃，48時間，嫌気培養）。

写真 7-21　*C. acnes*。ブルセラ HK 寒天培地（35℃，48 時間，嫌気培養）。乳白色の隆起したコロニー。

写真 7-22　グラム染色。*C. acnes*。血液培養陽性症例。多形性を示し集塊として認められることが多い。放線菌を思わせるが，比較すると *C. acnes* は菌体が短めの集塊である。

臨床上のポイント

- コンタミネーションが多いが，血液培養から検出の場合は複数セットであれば，カテーテルなど異物感染症を疑う。
- 人工関節など異物感染症でも複数の検体から培養検出されれば，原因菌の可能性が高まるため，検体は複数出すとよい。

バクテロイデス属菌（*Bacteroides* spp.）

特徴

・最も重要な嫌気性グラム陰性桿菌。
・糞便中の菌で最も多く，横隔膜下の嫌気性菌の主役。
・β-ラクタマーゼを産生し耐性傾向。CLDM への耐性化が進んでおり，選択すべき抗菌薬は限られている。

生じうる代表的感染症

・特に横隔膜下の感染症，膿瘍，腹膜炎，腹部膿瘍，子宮付属器炎など

培養同定の方法と技師からの注意点

・両端に丸みを帯びたグラム陰性小型桿菌である。しばしば多形性を示す。
・分離頻度が高い嫌気性菌の 1 つで，ブルセラ寒天培地など通常用いられる嫌気性菌用培地で検出が可能である。BBE（Bacteroides bile esculin）寒天培地では，エスクリン加水分解によりコロニー周囲が黒変するため鑑別が容易である。

薬剤感受性検査の注意点

・Clinical and Laboratory Standards Institute（CLSI）法は M に，ブレイクポイントは M100 ドキュメントに記載されている。
・*B. fragilis* の一部は染色体性のメタロ-β-ラクタマーゼの産生を認める。

選択すべき抗菌薬と感染症専門医からの注意点

・MNZ，β-ラクタマーゼ阻害薬配合ペニシリン系薬，カルバペネム系薬の感受性は良好。
・嫌気性菌をカバーする目的で，CLDM とカルバペネム系薬やβ-ラクタマーゼ阻害薬配合ペニシリン系薬を併用する意味はない。

◎詳細は『感染症プラチナマニュアル』の第 2 章の「バクテロイデス・フラジリス」参照。

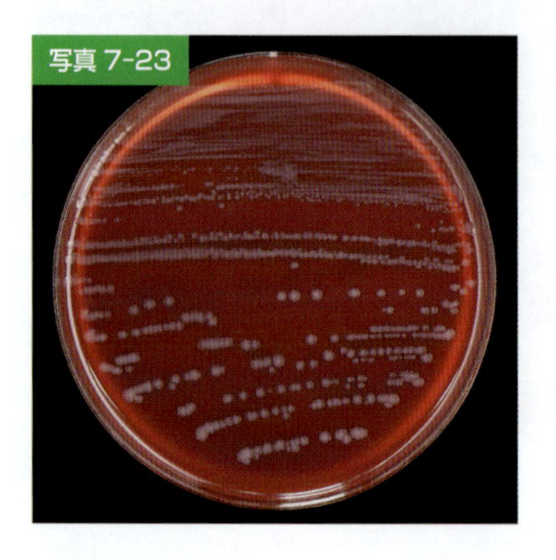

写真 7-23　バクテロイデス・フラジリス（*Bacteroides fragilis*）。ブルセラ HK 寒天培地（35℃，48 時間，嫌気培養）。良好な発育を認める S 型コロニー。

・肺膿瘍，腹膜炎，その他の膿瘍，糖尿病壊疽などでは，検出されなくても嫌気性菌がいると考え，嫌気性菌をカバーする必要がある。

臨床上のポイント

・典型的な悪臭があれば嫌気性菌がいると考える。

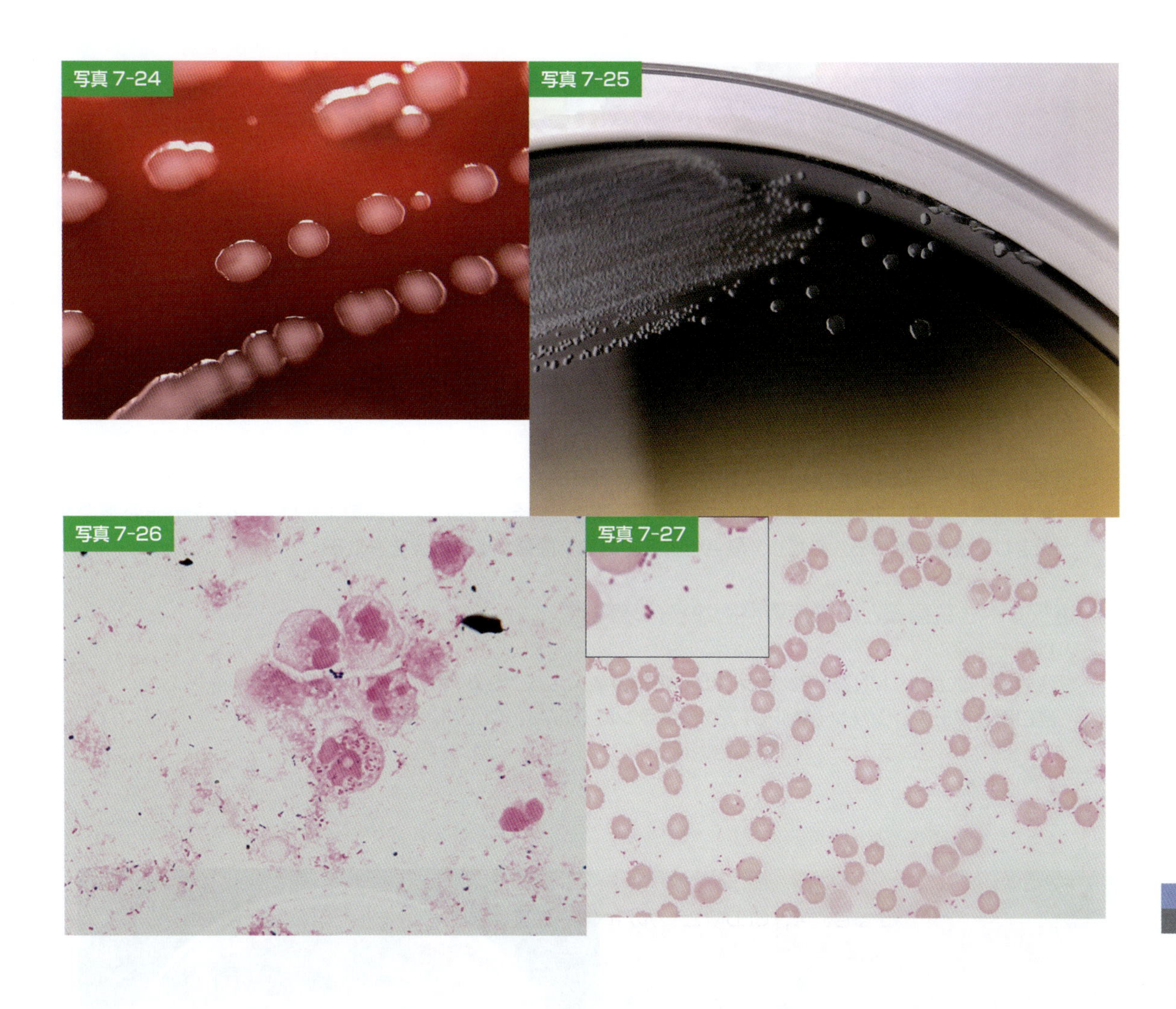

写真 7-24 *B. fragilis*。ブルセラ HK 寒天培地（35℃，48 時間，嫌気培養）。拡大像。良好な発育を認める S 型コロニー。

写真 7-25 BBE 寒天培地上の *B. fragilis*。エスクリン加水分解によりコロニー周囲が黒変する。

写真 7-26 グラム染色。膿瘍から *B. fragilis* と B 群溶連菌（*Streptococcus agalactiae*）が検出された症例。小型のグラム陰性桿菌を一面に認める。

臨床上のポイント

- 嫌気性菌の感染症では，相棒の好気性菌や腸内細菌目細菌など通性嫌気性菌がいることが普通で，混合感染である。
- 嫌気性菌感染症では，特にドレナージなどソースコントロールも重要である。

写真 7-27 グラム染色。血液培養で *B. fragilis* が検出された症例。小型のグラム陰性桿菌を一面に認める。

プレボテラ / ポルフィロモナス属菌（*Prevotella* / *Porphyromonas* spp.）

特徴

・グラム陰性短桿菌。口腔内，腸管，腟の常在菌。

生じうる代表的感染症

・ほかの嫌気性菌と同様。

培養同定の方法と技師からの注意点

・嫌気培養を実施して黒色色素産生のコロニーを認めた場合，*Prevotella* 属菌または *Porphylomonas* 属菌を想定して検査を進める。ただし，黒色色素を認めない菌種が半数以上を占める。

選択すべき抗菌薬と感染症専門医からの注意点

・以下で治療。
注射薬：CLDM，MNZ，アンピシリン（ABPC）/ スルバクタム（SBT）
経口薬：アモキシシリン（AMPC）/ クラブラン酸（CVA），CLDM，MNZ

◎詳細は『感染症プラチナマニュアル』の第 2 章の「プレボテラ属」参照。

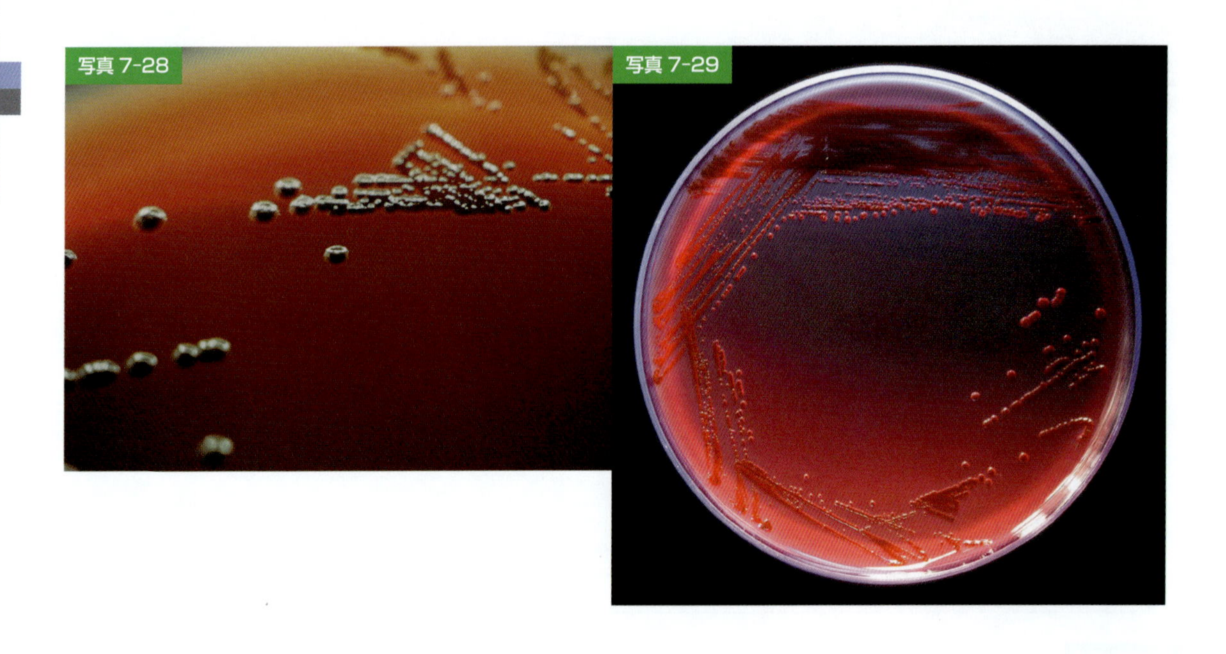

写真 7-28 *Prevotella melaninogenica*。ブルセラ HK 寒天培地（35℃，96 時間，嫌気培養）。黒色の小型コロニー。黒色色素産生の嫌気性グラム陰性桿菌は *Prevotella* / *Porphylomonas* 属菌を推定する。ただし，すべてが黒色色素を産生するわけではなく，*Prevotella* 属菌では黒色色素を産生する菌種は半数以下である。

写真 7-29 *Prevotella melaninogenica*。ブルセラ HK 寒天培地（35℃，48 時間，嫌気培養）。UV ライトを照射すると深い赤の色調となる。

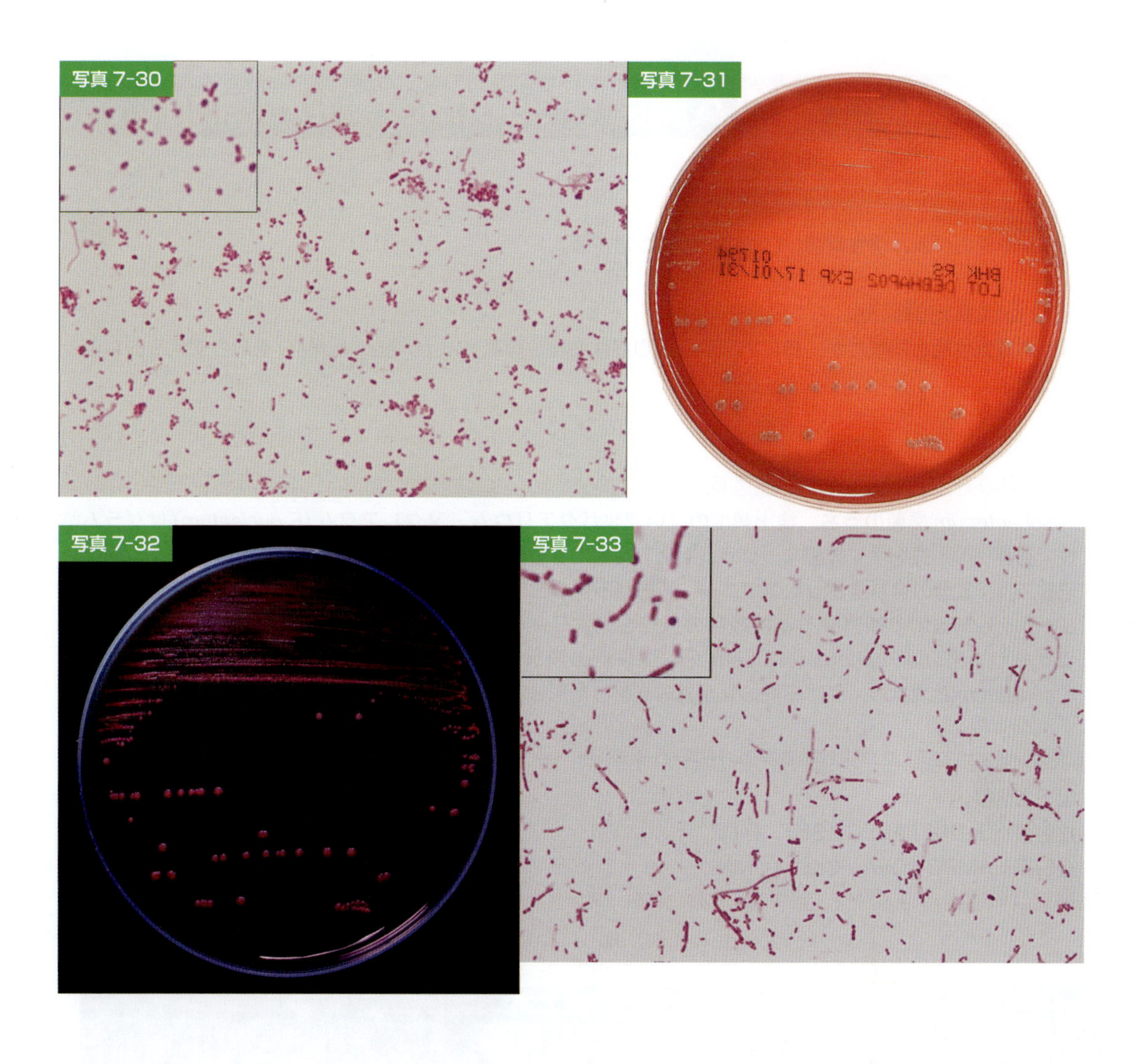

写真 7-30 グラム染色。*P. melaninogenica*。コロニーから染色。小型のグラム陰性短桿菌。

臨床上のポイント

- β-ラクタマーゼを産生することが多いため，ABPC / SBT や AMPC / CVA，CLDM を用いるとよい。
- 他の嫌気性菌と同じく，ドレナージも大切。

写真 7-31 *Prevotella bivia*。ブルセラ HK 寒天培地（35℃，48 時間，嫌気培養）。黒色色素は産生せず灰白色コロニーを形成する。

写真 7-32 *P. bivia*。ブルセラ HK 寒天培地（35℃，48 時間，嫌気培養）。UV ライト照射でピンク色の蛍光を発している。

写真 7-33 グラム染色。*P. bivia*。コロニーから染色。短桿菌から長い桿菌まで混在。

フソバクテリウム属菌（*Fusobacterium* spp.）

特徴

・細長い形態のグラム陰性桿菌。口腔内，腸管の常在菌。

生じうる代表的感染症

・ほかの嫌気性菌と同様だが，特に内頸静脈敗血症性血栓性静脈炎（Lemierre 症候群）を起こす代表的な菌として有名。

◎詳細は『感染症プラチナマニュアル』の第 2 章の「フゾバクテリウム属」参照。

培養同定の方法と技師からの注意点

・*Fusobacterium* 属菌のうち，検出頻度の高いフゾバクテリウム・ヌクレアタム（*F. nucleatum*）はグラム陰性で紡錘状の形態を示す桿菌で，グラム染色で推定できる菌の 1 つである。
・培養では，S 型の盛り上がったコロニー，辺縁が不整なコロニー，パン屑様のコロニーなどを形成する。
・UV ライトを当てて観察すると黄緑色の蛍光を発するため，鑑別に役立つ。フソバクテリウム・ネクロフォーラム（*F. necrophorum*）は Lemierre 症候群の原因菌の 1 つとして知られ，グラム染色の形態は *F. nucleatum* と異なり，大小不同の端が丸みを帯びた形態となる。

選択すべき抗菌薬と感染症専門医からの注意点

・以下で治療。
　注射薬：CLDM，ABPC / SBT，MNZ
　経口薬：AMPC / CVA，CLDM，MNZ

◎詳細は『感染症プラチナマニュアル』の第 2 章の「フゾバクテリウム属」参照。

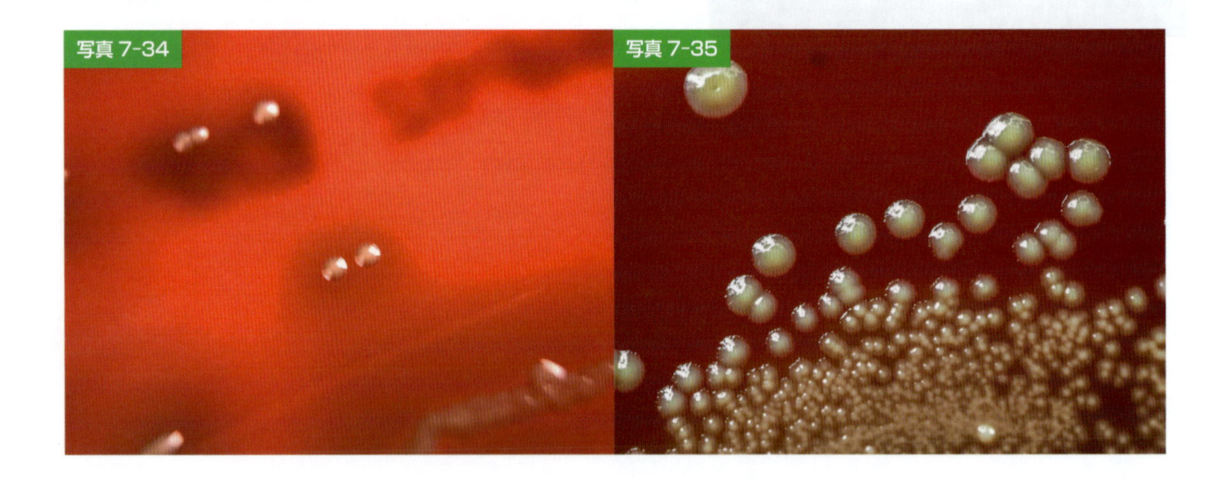

写真 7-34　*F. nucleatum*。ブルセラ HK 寒天培地（35℃，48 時間，嫌気培養）。拡大像。辺縁は円形なコロニー。

写真 7-35　*F. nucleatum*。ブルセラ HK 寒天培地（35℃，72 時間，嫌気培養）。拡大像。辺縁は円形から不整で，中央部が盛り上がった形態を示す。

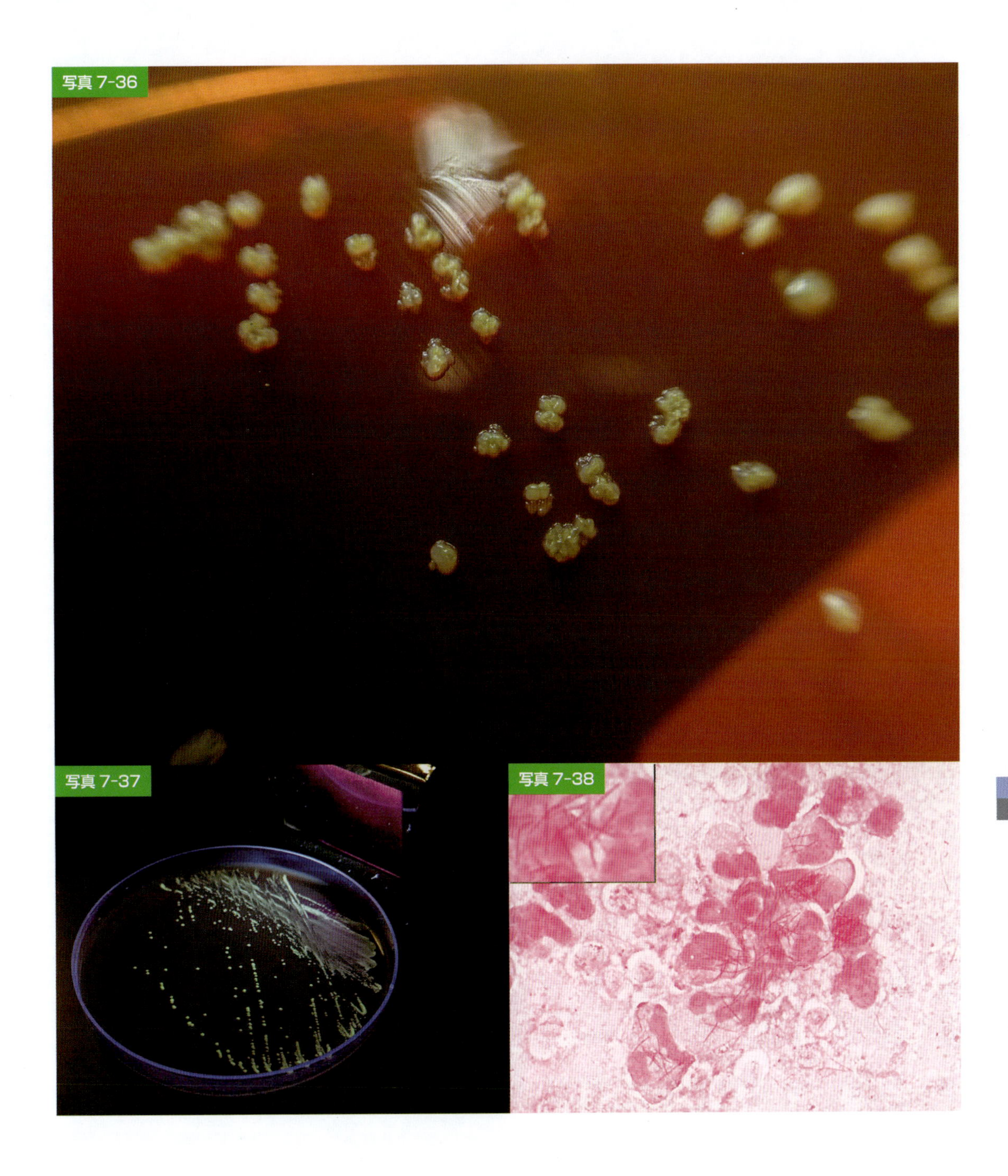

写真 7-36 *F. nucleatum*。ナリジクス酸・バンコマイシン(NV)加 ABHK(anaerobic blood hemin vitamin K1)寒天培地(35℃, 48 時間, 嫌気培養)。拡大像。パン屑様コロニー。*F. nucleatum* はこのように株により異なるコロニー形態となる。

写真 7-37 *Fusobacterium* 属菌のコロニーは UV ライト照射で黄緑色の蛍光色となるため，簡易推定に役立つ。

写真 7-38 グラム染色。*F. nucleatum*。穿刺液。紡錘状の細長いグラム陰性桿菌。紡錘状の菌体を白血球が取り囲み貪食像を認めている。*F. nucleatum* は菌形態から推定が可能な菌である。*Fusobacterium* 属菌や *Porphylomonas* 属菌，*Prevotella* 属菌は *Streptococcus anginosus* group などのレンサ球菌が混在することで発育が抑制されることが知られている。したがって，分離する場合にはパロモマイシン・バンコマイシン(PV)や NV などを選択剤として加えた嫌気性グラム陰性桿菌分離を目的とした培地を使用すべきである。

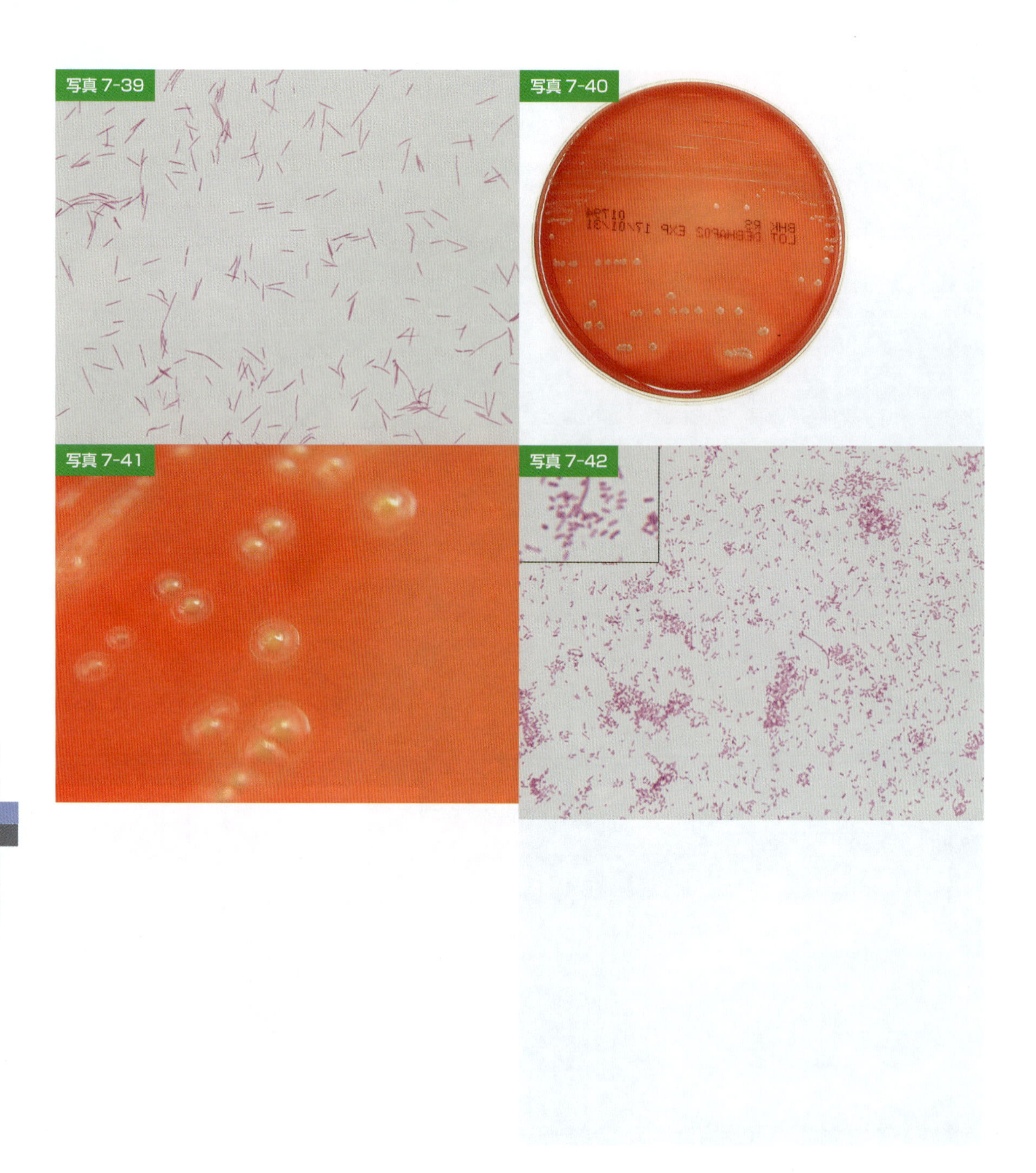

写真 7-39 グラム染色。*F. nucleatum*。コロニーから染色。紡錘状の細長いグラム陰性桿菌。

臨床上のポイント

・β-ラクタマーゼを産生することがあり，CLDM や ABPC / SBT を用いる。

写真 7-40 フソバクテリウム・ネクロフォーラム（*Fusobacterium necrophorum*）。ブルセラ HK 寒天培地（35°C，72 時間，嫌気培養）。溶血が観察される。

写真 7-41 *F. necrophorum*。ブルセラ HK 寒天培地（35°C，72 時間，嫌気培養）。拡大像。辺縁は円形から不整で，中央部が盛り上がった形態を示す。

写真 7-42 グラム染色。*F. necrophorum*。コロニーから染色。長短さまざまな長さの菌体を認める。

臨床上のポイント

・咽頭炎ののちに，発熱が続き，血液培養で本菌が検出されればレミエール（Lemierre）症候群を疑う。

ペプトストレプトコッカス / フィネゴルディア / パルビモナス属菌（*Peptostreptococcus* / *Finegoldia* / *Parvimonas* spp.）

特徴

・グラム陽性球菌。口腔内，腸管，腟の常在菌。

生じうる代表的感染症

・歯原性感染症，深部頸部膿瘍，肺化膿症，脳膿瘍など

培養同定の方法と技師からの注意点

・グラム染色では菌種により大小の差がある。
・多くの菌種は市販同定キットなどによる同定が可能である。

選択すべき抗菌薬と感染症専門医からの注意点

・PCG，CLDM が有効。
◎詳細は『感染症プラチナマニュアル』の第 2 章の「ペプトストレプトコッカス属」参照。

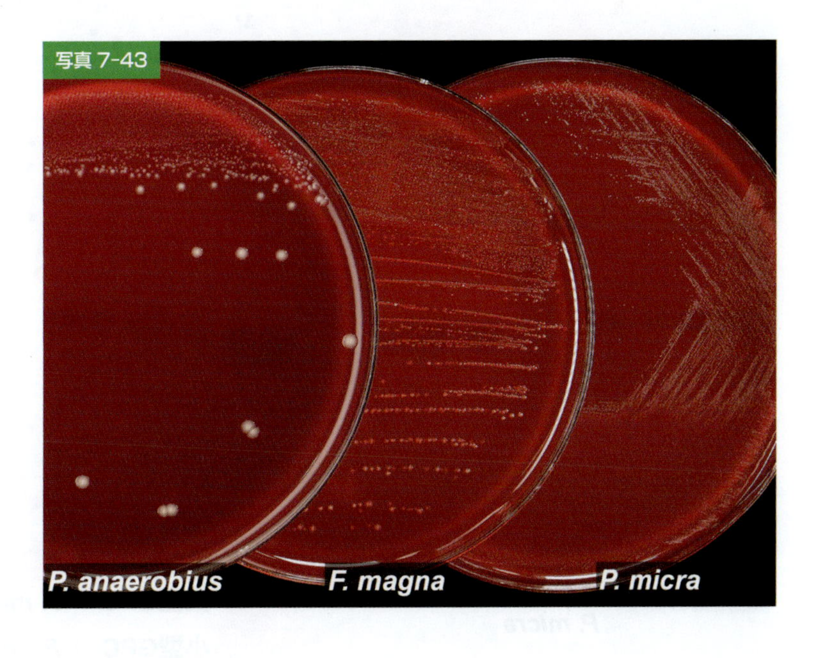

写真 7-43 *Peptostreptococcus anaerobius* / *Finegoldia magna* / *Parvimonas micra*。ブルセラ HK 寒天培地（35°C，72 時間，嫌気培養）。

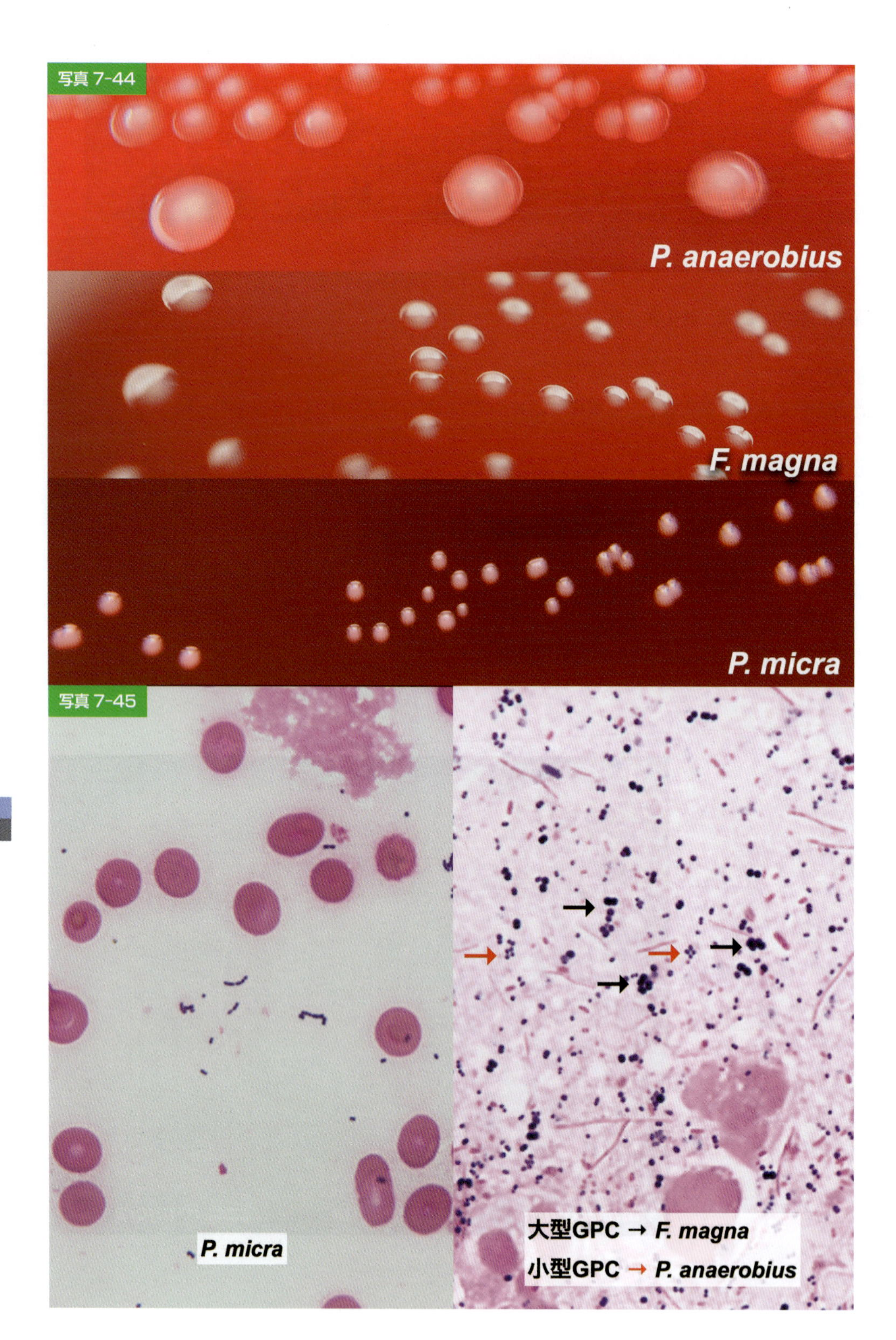

写真 7-44 *P. anaerobius* / *F. magna* / *P. micra*。ブルセラHK寒天培地（35℃，48時間，嫌気培養）。拡大像。

写真 7-45 *P. anaerobius* / *F. magna* / *P. micra*。グラム染色。*P. anaerobius* は血液培養，*F. magna* / *P. micra* は膿瘍検体。*F. magna* は比較的大きな形態でブドウ球菌に類似する。

臨床上のポイント

・通常，PCGが有効である。

アクチノマイセス属菌（*Actinomyces* spp.：放線菌）

特徴

・フィラメント状の嫌気，微好気性グラム陽性桿菌。嫌気性菌のカテゴリに入れているが，aerotolerance（耐気性）のある菌種が多い。
・形態では *Nocardia* と区別できないが，抗酸性がないことが特徴である。
・口腔内，腟内などに定着しており，通常は他の菌と混合感染を起こす。

生じうる代表的感染症

・上気道，肺，腹腔内の膿瘍腫瘤病変，子宮内避妊具のある患者の骨盤内膿瘍，ビスホスホネート製剤内服と歯科治療による顎骨壊死の感染症も有名。

培養同定の方法と技師からの注意点

・培養に際しては，数日間以上は培養を継続する必要がある。
・顕微鏡的検査で *Actinomyces* 属菌を疑っても培養で検出できないことが多い菌である。数多くの培地に培養を実施することで分離できることがある。また，多くの菌種は aerotolerance（耐気性）があることから長期の炭酸ガス培養環境を行うことで検出することもあるため，嫌気性菌に埋もれて検出できない場合には積極的に炭酸ガス培養長期培養を行うべきである。
・アクチノマイセス・イスラエリ（*A. israeli*）は臼歯状のコロニーとなることが知られている。アクチノマイセス・オドントリチカス（*A. odontolyticus*）はピンクから茶色の色素を産生した S 型コロニーを形成するなど，菌種によりコロニーは異なる。

選択すべき抗菌薬と感染症専門医からの注意点

・好発部位は口腔耳鼻科領域，呼吸器，腹腔内骨盤内，骨軟部組織であり，腫瘍を疑うが，悪性腫瘍の証明がされないときや，抗菌薬に反応するが再発性の場合に，この菌による感染症に疑いをもつ。
・培養から検出されるだけでは常在菌との区別がつかないため，組織生検で菌の侵入，硫黄顆粒（ドルーゼ）の証明が必要。
・ペニシリンで長期間治療する。

◎詳細は『感染症プラチナマニュアル』の第 2 章の「アクチノマイセス属（放線菌）」参照。

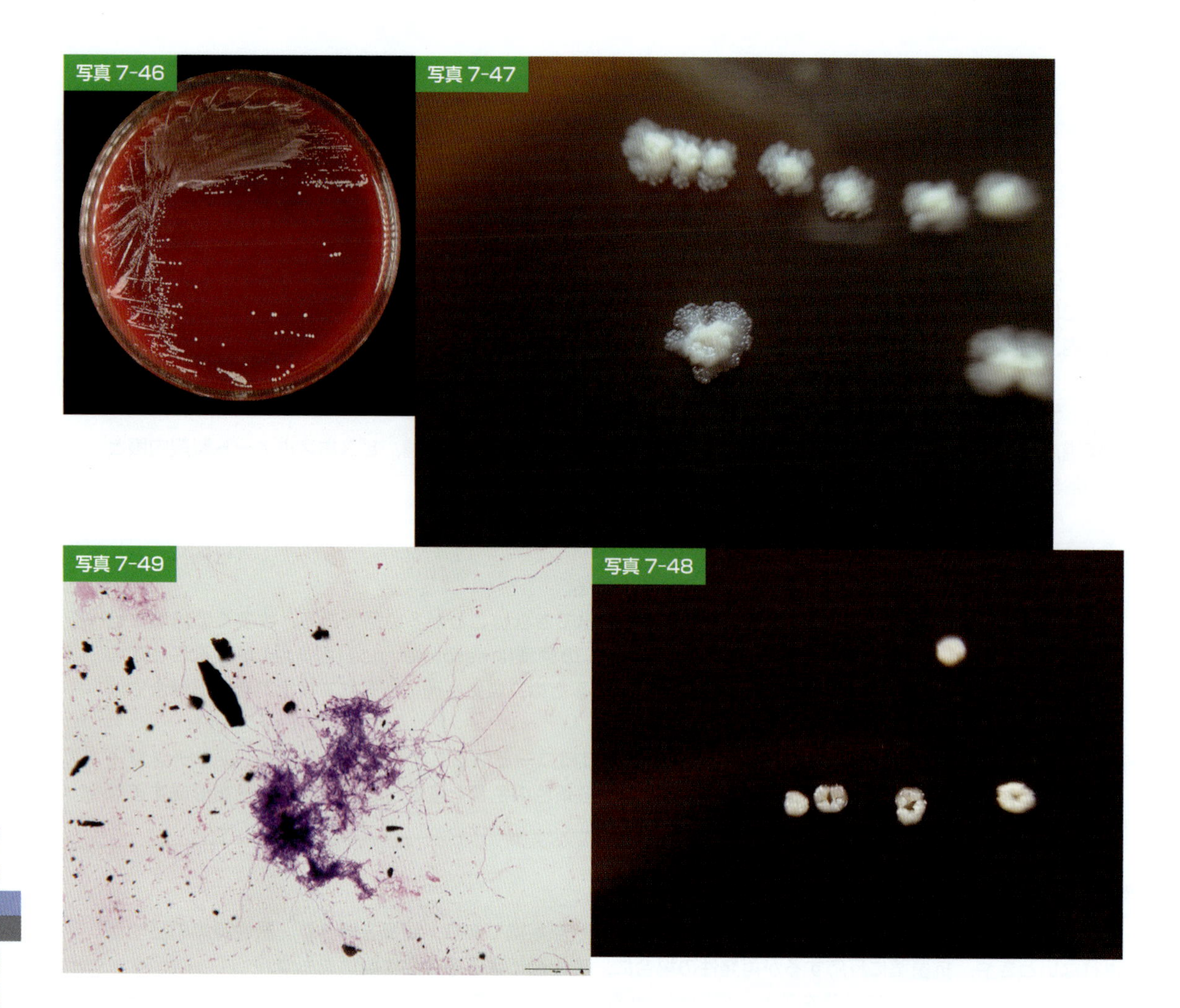

写真 7-46 アクチノマイセス・イスラエリ(*Actinomyces israeli*)。ブルセラ HK 寒天培地(35℃, 5日間, 嫌気培養)。aerotolerance(耐気性)であるが, 嫌気条件下でよく発育するため, 通常は嫌気培養を実施する。発育が遅いため, 3～7日程度の培養期間が必要である。

写真 7-47 *A. israeli*。ブルセラ HK 寒天培地。嫌気培養 10日後のコロニー。臼歯状のコロニーとなる。

写真 7-48 *A. israeli*。ブルセラ HK 寒天培地。嫌気培養 10日後のコロニー。臼歯状のコロニーとなる。

写真 7-49 グラム染色。*A. israeli*。細長い菌糸状の菌体が伸び, 写真のような集塊で認められることが多い。*Nocardia* 属菌と異なり抗酸性を有さない。

臨床上のポイント

・口腔内常在菌であり, アクチノマイセス症の診断には, 組織診断や硫黄顆粒(ドルーゼ)の証明が必要である。

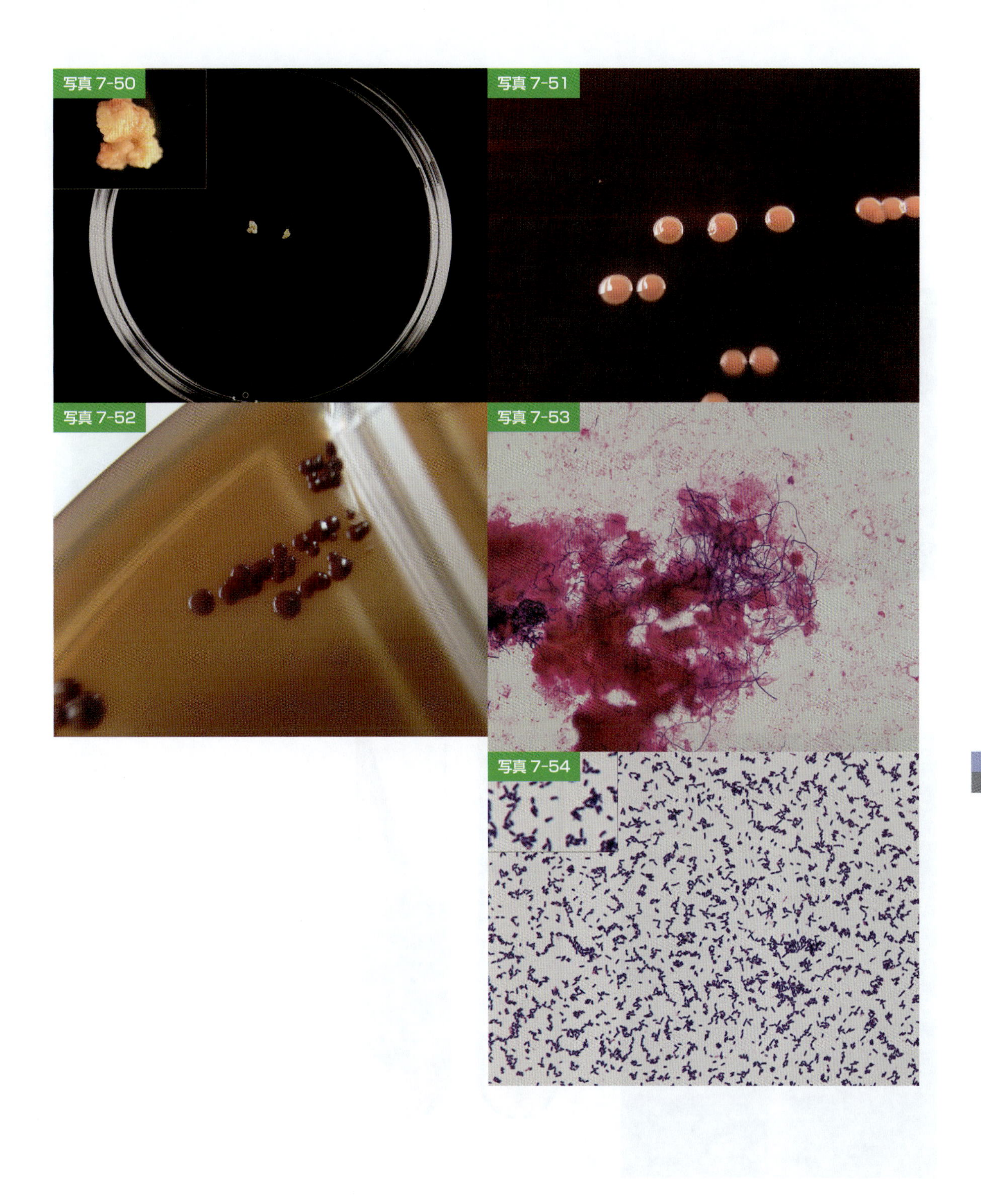

写真 7-50　涙小管結石症例。*A. israeli* が原因菌となることが多く，また，培養での検出も比較的容易である。しかし，その他の検体で顕微鏡的に *A. israeli* を疑っても，培養に成功することは少ない。

写真 7-51　アクチノマイセス・オドントリチカス（*Actinomyces odontolyticus*）。ブルセラ HK 寒天培地上のコロニー。ピンクや赤い色素を産生する。

写真 7-52　*A. odontolyticus*。NV 加 ABHK 寒天培地上のコロニー。ピンクや赤い色素を産生する。

写真 7-53　グラム染色。涙小管炎。*A. odontolyticus*。

写真 7-54　グラム染色。コロニーから染色した *A. odontolyticus*。グラム陽性桿菌であり，コロニーから染色した場合は，検体で認めるような長い菌糸状とは異なる形態である。

その他の嫌気性菌

デスルフォビブリオ属菌（*Desulfovibrio* spp.）

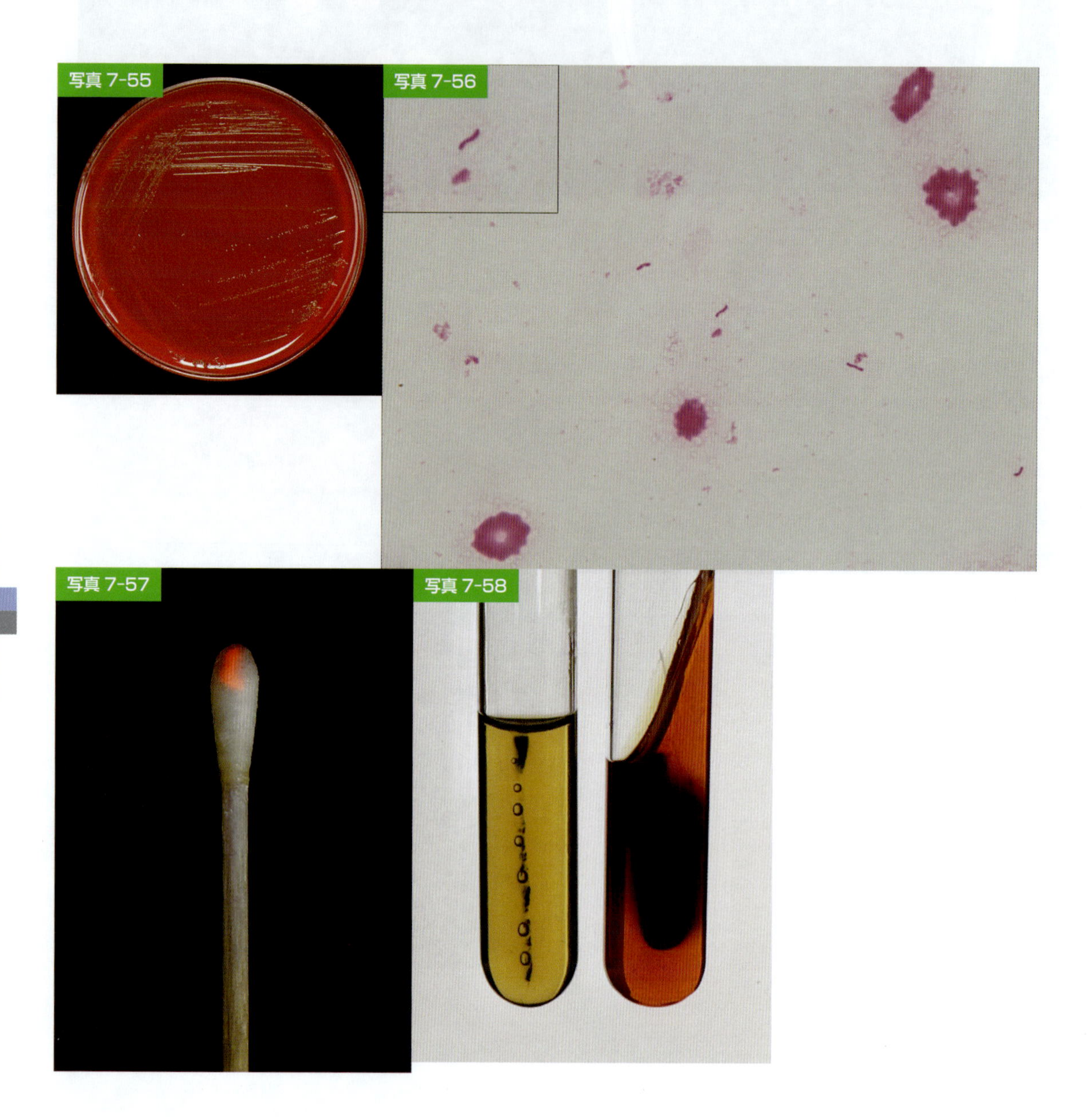

写真 7-55　ブルセラ HK 寒天培地（35℃，72 時間培養）。まれに検出される嫌気性のらせん菌の 1 つが *Desulfovibrio* 属菌である。コロニーは比較的小さなものとなる。

写真 7-56　グラム染色。血液培養陽性症例。湾曲した小型の桿菌を認める。

写真 7-57　desulfoviridin 試験陽性所見。2N-NaOH を染み込ませたスワブでコロニーを掻き取り UV ライト下で観察すると写真のような蛍光色を発する。

写真 7-58　TSI（triple sugar iron）などの試験管培地に穿刺培養すると硫化水素を産生する。

第 8 章　真菌

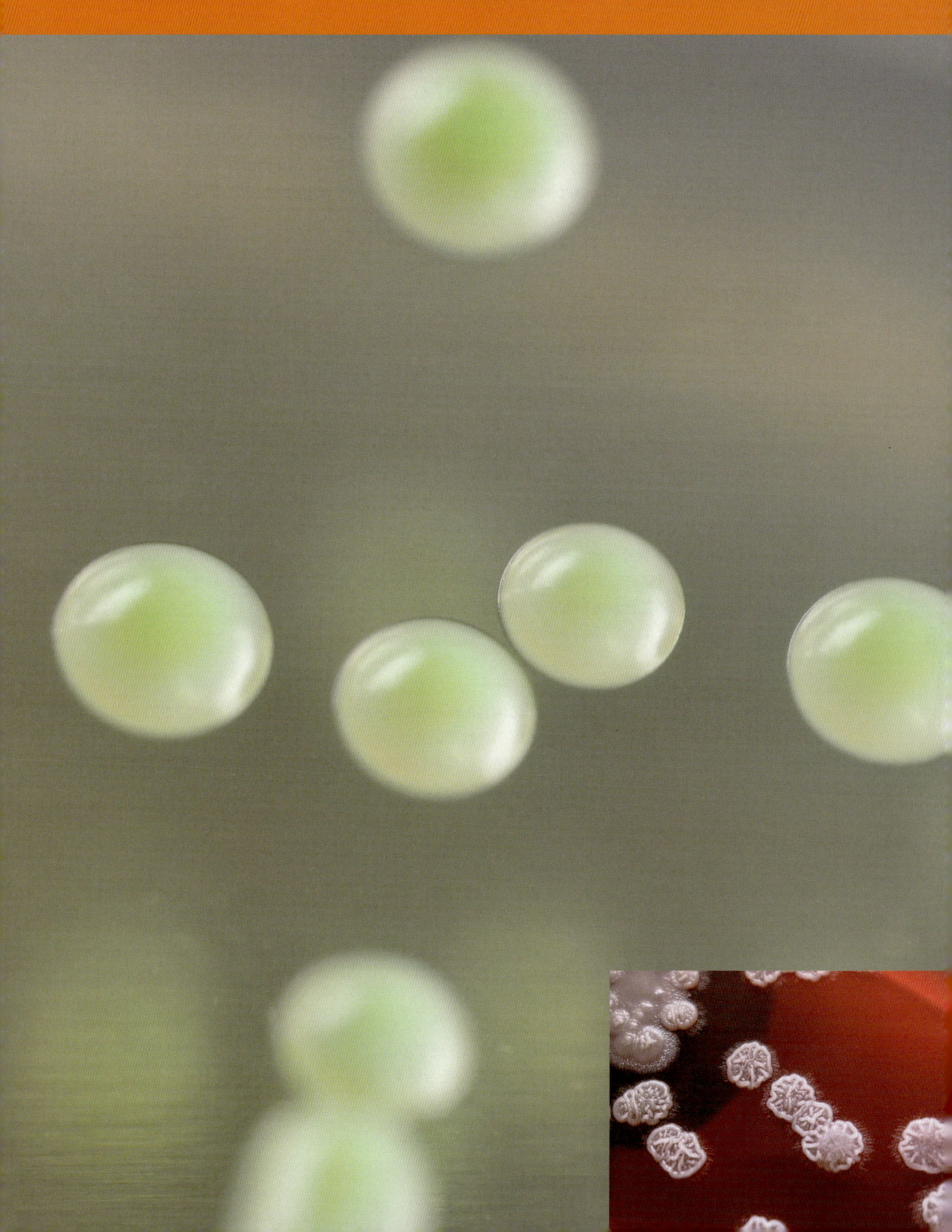

a. 酵母様真菌

カンジダ属菌（*Candida* spp.）

特徴

・グラム陽性に染まり，類円形または菌糸状の形態を示す。
・酵母様真菌であり，ヒトの皮膚や消化管の常在菌である。
・アゾール感受性〔アルビカンス（*C. albicans*），パラプシローシス（*C. parapsilosis*），トロピカリス（*C. tropicalis*），ルシタニアエ（*C. lusitaniae*）〕，アゾール耐性〔グラブラータ（*C. glabrata*），クルセイ（*C. krusei*）〕に区別しておさえる。また，*C. parapsilosis* やギリエルモンディ（*C. guilliermondii*）ではキャンディン系薬の最小発育阻止濃度（MIC）が高い。
・最近では多剤耐性カンジダ・アウリス（*C. auris*）の報告がある。

生じうる代表的感染症

・皮膚病変，口腔や食道カンジダ，腟炎など表在感染症。
・播種性感染症，菌血症，感染性心内膜炎，眼内炎，腹膜炎，化膿性関節炎など深在性感染症。
・広域抗菌薬の使用歴，免疫不全，悪性腫瘍，糖尿病，術後や完全静脈栄養（TPN）を実施している基礎疾患のある患者に表在性感染症と深在性感染症を起こす。

培養同定の方法と技師からの注意点

・日常的に遭遇する真菌で，簡易推定が可能な酵素基質培地も広く利用されている。ただし，同定検査ではないため，血液など無菌検体から *Candida* 属菌を検出した場合には質量分析や真菌同定キットなどを利用し同定する必要がある。
・*C. albicans* の特徴として発芽管形成試験（germ tube test）陽性や厚膜胞子形成陽性などがあるが，*C. dubliniensis* も同様に陽性所見を示すため注意が必要である。*Candida* 属菌は血液培養から検出される場合，好気ボトルから検出されることが多いが，*C. grabrata* は嫌気ボトルのみから検出されることもしばしばあり，菌種の推測に役立つ。

薬剤感受性検査の注意点

・Clinical and Laboratory Standards Institute（CLSI）法は M27 に，ブレイクポイントは M60 のドキュメントに記載されており，準拠した市販品も販売されている。
・菌種により感受性は大きく異なるため，原因菌と考えられる深在性真菌症例，無菌検体からの検出症例など必要に応じた薬剤感受性検査の実施が必要となる。

選択すべき抗菌薬と感染症専門医からの注意点

・表在性カンジダ症は臨床診断して治療する。
・播種性カンジダ症の診断は無菌部位からのカンジダの検出であり，カンジダは皮膚，消化管の常在菌であるため，喀痰，便，尿などから検出されても通常は定着菌と考えるが，一方で血液培養から検出された場合は診断的である。
・しかしながら，血液培養の陽性率は低いため，高リスク症例では病歴，身体所見，β-D-グルカンなどを参考に治療を開始する必要もある。
・経験的治療ではキャンディン系抗真菌薬を用いる。
・アゾール感受性であればフルコナゾール（FLCZ）に変更する。
・播種性カンジダ症では 20 ～ 50%に網膜炎や眼内炎を合併するため，血液培養で *Candida* が検出されたら，視覚症状がなくても必ず眼底を検査する。

◎詳細は『感染症プラチナマニュアル』の第 2 章の「カンジダ属」参照。

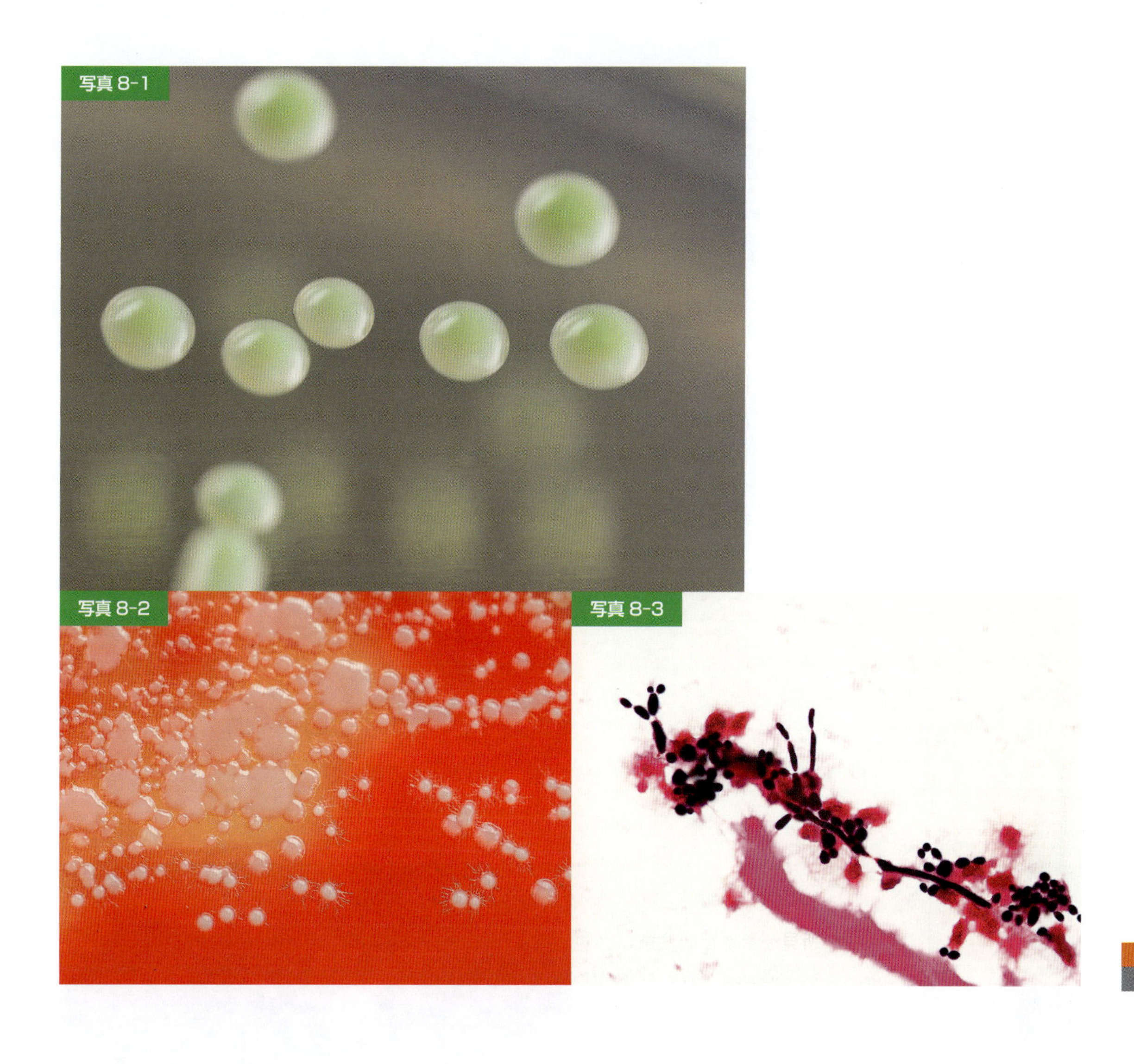

写真 8-1　カンジダ・アルビカンス（*Candida albicans*）。クロモアガー（CHROMagar）カンジダ培地（35℃，48時間培養）。酵素基質培地が広く利用されており，色調で簡易推定が可能となっている。写真はコロニーが緑色を呈する *C. albicans* である。色調は製品によって異なる。

臨床上のポイント

- *Candida* の菌種が推定できれば，アルビカンス（*C. albicans*），パラプシローシス（*C. parapsilosis*），トロピカリス（*C. tropicalis*）では，FLCZ が使用できる。
- 喀痰や尿，便からの検出は汚染菌や定着を疑う。
- 血液や髄液，腹水，関節液など穿刺液の無菌検体からの検出では原因菌である可能性が高い。

写真 8-2　黄色ブドウ球菌と混在する *C. albicans*。ヒツジ血液寒天培地（35℃，48時間培養）。ヒツジ血液寒天培地やチョコレート寒天培地で，このような細い足を周囲に伸ばしているようなR型コロニーの場合，*C. albicans* を推定。

写真 8-3　グラム染色。*C. albicans*。尿。グラム陽性に染まり，この写真では酵母様形態と仮性菌糸を認める。

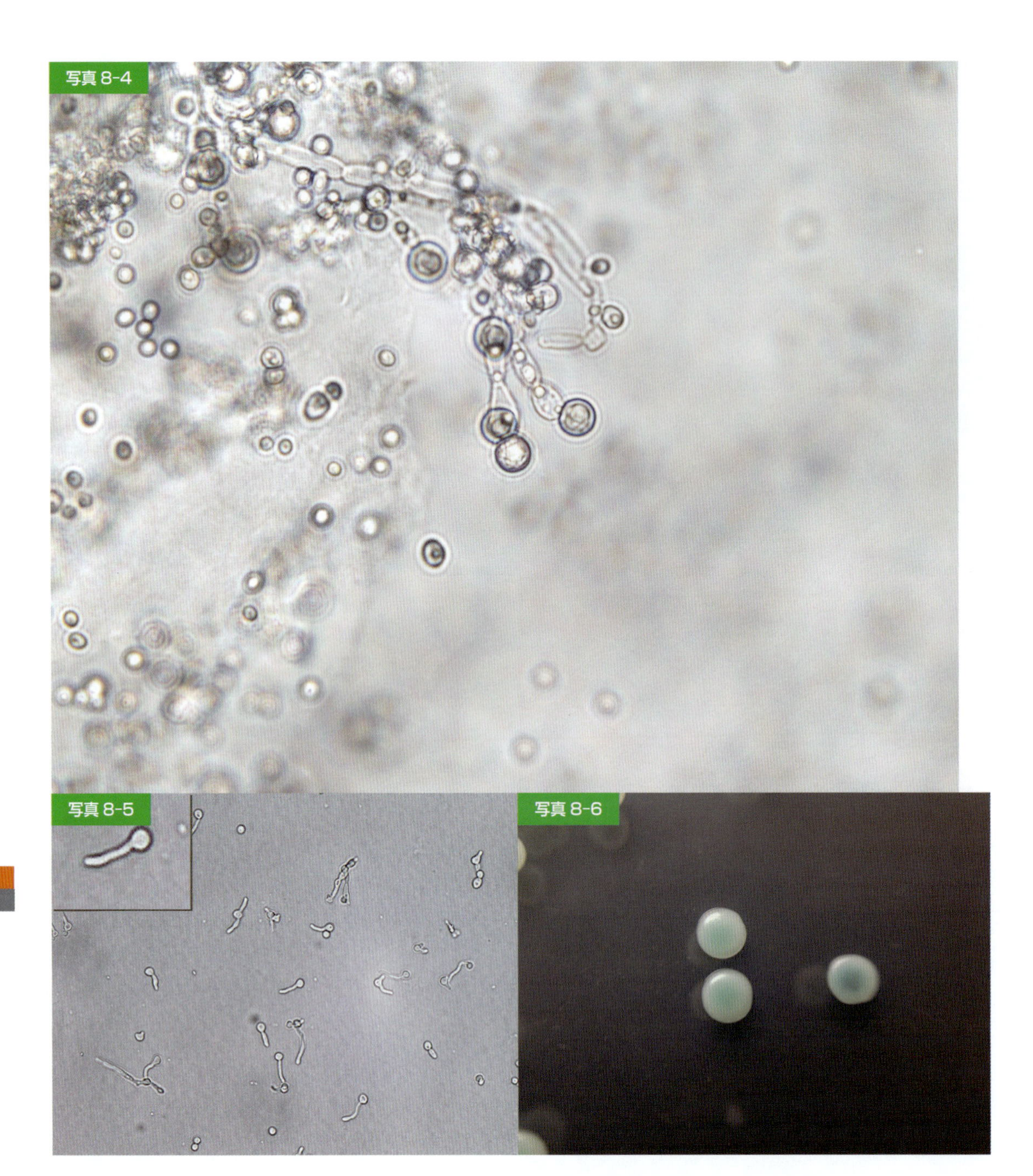

写真 8-4 *C. albicans*。厚膜胞子。コーンミール寒天培地にて培養を実施すると，菌糸先端に厚い膜に包まれた胞子を形成し，菌種同定に役立つ。

写真 8-5 発芽管形成試験（germ tube test）。被検菌をヒト血清に 105 CFU/mL 程度に懸濁して 35℃，2～3 時間，インキュベーションする。

スライドガラスに 1 滴載せてカバーガラスをかけて観察する。

発芽管を形成する場合には酵母からくびれのない発芽管が確認できる。接合部にくびれがあるものは仮性菌糸であり発芽管ではない。

C. albicans がこの性状を示すため同定に用いられるが，カンジダ・ダブリニエンシス（*C. dubliniensis*）も同様の性状を示すため注意を要する。

臨床上のポイント

・*C. albicans* が推定できれば，FLCZ が使用できる。

写真 8-6 *C. dubliniensis*。クロモアガーカンジダ培地（35℃，48 時間培養）。*C. albicans* と同様の色調を呈するが，*C. albicans* は明るい緑，*C. dubliniensis* は濃い色調を呈する。また，*C. dubliniensis* は発芽管形成試験陽性で厚膜胞子を有するなど，*C. albicans* と鑑別が難しいが，この菌は菌糸の先端に複数の厚膜胞子を形成することが知られている。

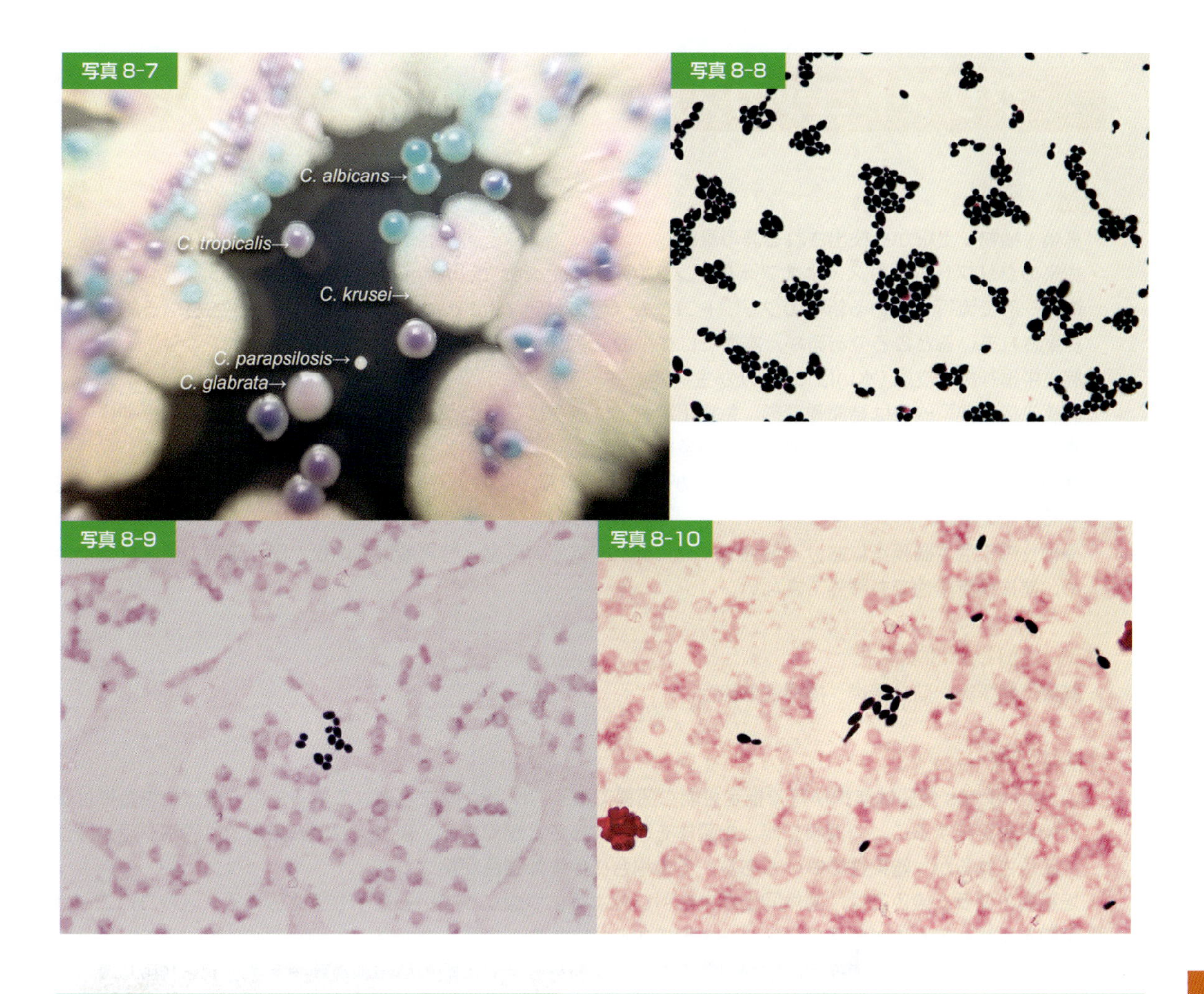

写真 8-7 クロモアガーカンジダ培地に発育した各種カンジダのコロニー。

酵素基質培地は各社からいくつかの製品が出ている。色調はそれぞれ異なるため，添付文書を参照して判断する。ただし，簡易推定であることから，血液培養などで検出された場合には他法でしっかりと同定する必要がある。

クロモアガーカンジダ培地では，以下の 3 菌種のみ推定が可能とされているが，実際には，*C. grabrata*，*C. parapsilosis* なども推定に利用されている。

- *C. albicans*：緑色のスムース型コロニー
- *C. tropicalis*：中心部が濃青色のスムース型コロニーで周囲にハローを形成
- *C. krusei*：ピンク色でラフ型コロニー

臨床上のポイント

- *Candida* が検出されれば，経験のある微生物検査技師と菌種の推定を相談する。

写真 8-8 グラム染色。*C. albicans*。コロニーから染色。グラム陽性に染まる酵母として観察される。

写真 8-9 グラム染色。カンジダ・グラブラータ（*Candida glabrata*）。血液培養。やや小ぶりのグラム陽性に染まる酵母として観察される。嫌気ボトルで発育が可能であることから，嫌気ボトルで検出された小型の酵母は *C. glabrata* と推定することができる。また仮性菌糸を形成しないことも大きな特徴の 1 つである。

臨床上のポイント

- *Candida* 属菌は血液培養からの検出はほぼ治療対象である。カテーテルは抜き，心エコーを行い，血液培養をフォロー採血する。眼底もチェックする。
- *C. glabrata* と推定されれば，FLCZ は用量依存性に耐性であり，ボリコナゾール（VRCZ）も交差耐性があるため，キャンディン系薬やアムホテリシン B リポソーム製剤（L-AMPH）を使用する。中枢神経感染症や眼内炎が明らかなら，L-AMPH を選択する。

写真 8-10 グラム染色。カンジダ・パラプシローシス（*Candida parapsilosis*）。血液培養。卵形から米のような形態まで示す。

臨床上のポイント

- *C. parapsilosis* は TPN 中のカテーテル関連血流感染症（CRBSI）が多い。
- キャンディン系薬の MIC が高めであり，アゾール系薬を勧める専門家もいる。

クリプトコッカス属菌(*Cryptococcus* spp.)

特徴

・鳥類・植物・土壌から検出される酵母真菌。
・従来のクリプトコッカス・ネオフォルマンス(*Cryptococcus neoformans*)と，オーストラリアや北米西海岸の一部で流行している新種のクリプトコッカス・ガッティ(*C. gattii*)に大別されるが，さらなる細分化が提案されているところであるが，本書では従来の2菌種として紹介する。
・肺，中枢神経，皮膚(水いぼに似る)が主病変。
・肺感染症は典型的には結節腫瘤影。免疫正常者では無症状も多いが，免疫不全者では有症状で中枢神経，皮膚，骨，前立腺など播種性病変の合併が多い。
・髄液所見は軽度の単核球増加，糖の低下が一般的。髄液圧はおよそ患者の3分の2で増加し，予後を左右する。
・播種性感染症や髄膜炎における髄液 *Cryptococcus* 抗原の感度・特異度は高いが，墨汁染色の感度は低いため，塗抹検査陰性でも除外できない。

生じうる代表的感染症

・肺炎，髄膜炎，前立腺炎，播種性感染症

培養同定の方法と技師からの注意点

・*Cryptococcus* 属菌は塗抹検査で推定可能な菌種である。厚い莢膜に囲まれているため，疑った場合には墨汁染色を実施することで莢膜を伴った菌体を観察することができる。また，グラム染色では通常グラム陽性に染色されるが，難染性のものもあり，その場合には墨汁染色が役立つ。
・培養菌のグラム染色では，菌体同士が糸を引いたようにつながっている様子も認められる。培養コロニーは莢膜を反映してムコイド状のコロニーを形成する。
・症状・鏡検・コロニーで推定同定が可能であるが，質量分析や市販の酵母様真菌同定キットを利用しての同定ができる。
・近年，*C. gattii* も病原性の強さから問題となっており，必要に応じて分子生物学的な検査を考慮する。

選択すべき抗菌薬と感染症専門医からの注意点

・髄膜炎では血清抗原検査の感度，特異度とも高いが，肺感染症では血清抗原の感度は低い。むしろ血清抗原陽性の場合では，神経症状がなくても腰椎穿刺を行う必要がある。
・肺感染症の場合軽症では FLCZ，重篤であれば L-AMPH を使用する。
・髄膜炎や播種性感染症では L-AMPH＋フルシトシン(5-FC)を開始し，導入治療の後に FLCZ による維持治療を行う。

◎詳細は『感染症プラチナマニュアル』の第2章の「クリプトコッカス属」参照。

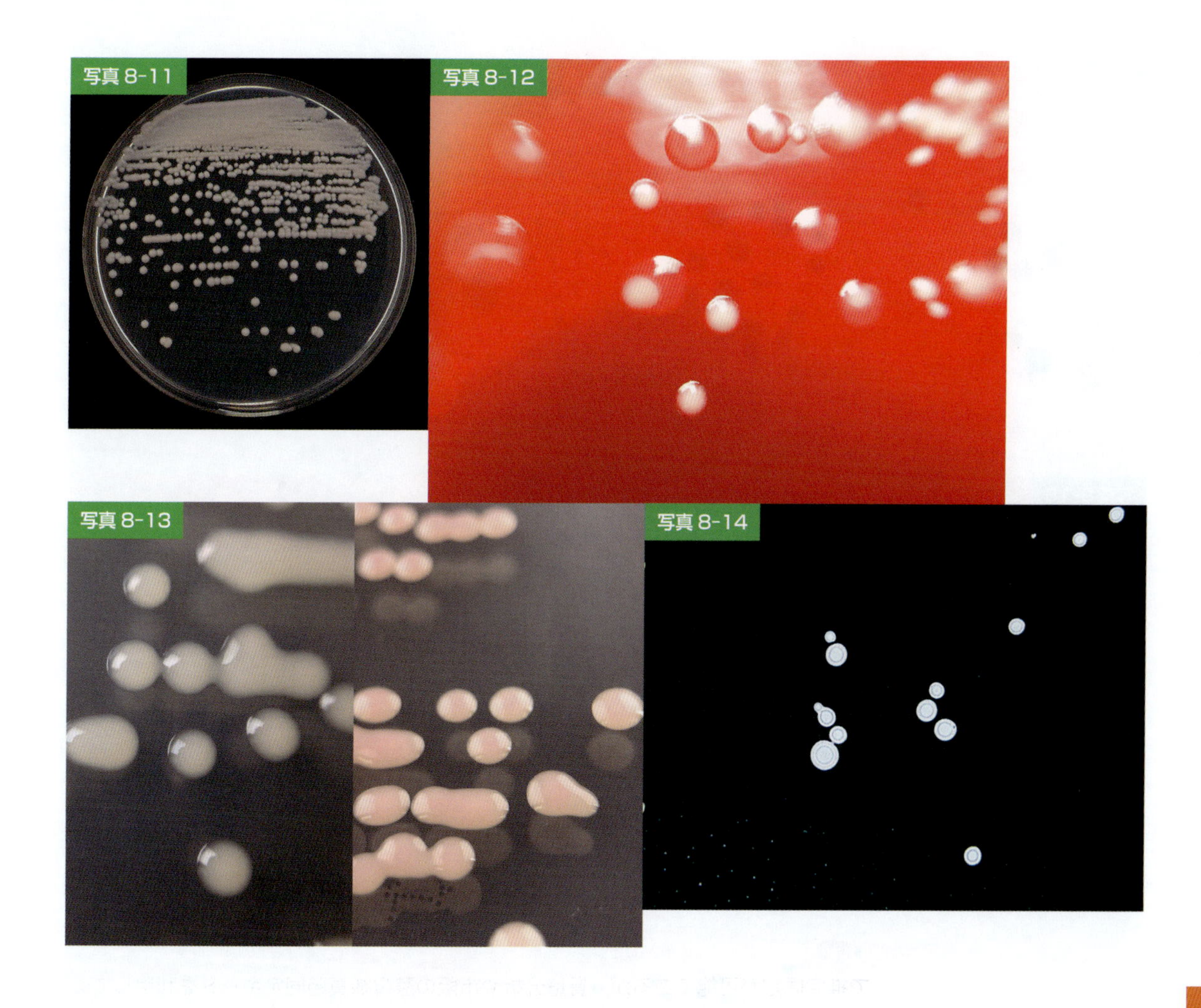

写真 8-11　クリプトコッカス・ネオフォルマンス（*Cryptococcus neoformans*）。クロモアガーカンジダ培地（27℃，48 時間培養）。クロモアガーカンジダ（酵素基質培地）では白色～薄いピンク色のみずみずしいコロニーを形成する。

臨床上のポイント

・*Cryptococcus* が培養，検出されれば，ほぼ病原菌と考えてよい。

写真 8-12　*C. neoformans*。ヒツジ血液寒天培地（27℃，48 時間培養）。菌株によりコロニーは異なり条件にも左右され，白色から無色半透明のムコイドコロニーを形成する。このように同一菌で混在する場合もある。

写真 8-13　クロモアガーでの *Cryptococcus*。白色～薄いピンク色と株によりやや色調が異なる。

写真 8-14　墨汁染色。*C. neoformans*。菌体と囲む莢膜が白く抜けて観察される。

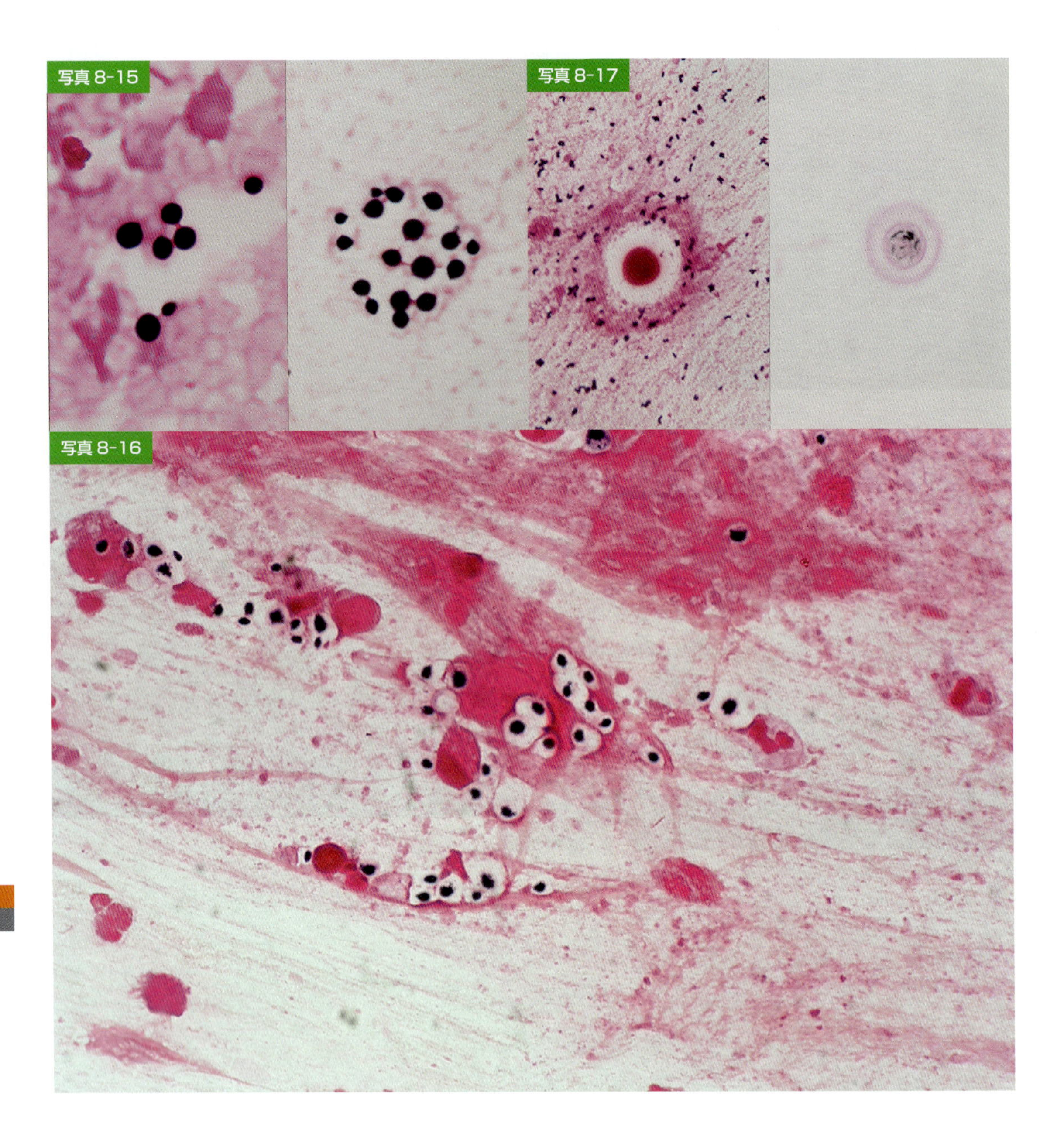

写真 8-15 グラム染色。*C. neoformans*。コロニーから染色。菌体の間が細い糸でつながったように観察されることが多い。

写真 8-16 グラム染色。*C. neoformans*。喀痰。播種性クリプトコッカス症を発症した成人T細胞白血病患者の喀痰。厚い莢膜に包まれた酵母を認める。

臨床上のポイント

・免疫不全者や血清 *Cryptococcus* 抗原が陽性であれば，中枢神経症状がなくても髄液検査を行う。

・本症例も頭痛などはなかったが抗原陽性であり，髄液からも *Cryptococcus* が検出された。

写真 8-17 グラム染色では写真のように染色性がよくないものも認められる。莢膜の存在を見落とさないように注意し，クリプトコッカス症を疑うにもかかわらずグラム染色で認められない場合は，墨汁染色やファンギフローラ染色などを併用する。

トリコスポロン属菌(*Trichosporon* spp.)

特徴

・土壌や水中，植物，ヒトの口腔内や消化管に存在している酵母真菌である。
・主にトリコスポロン・アサヒ(*T. asahii*)やトリコスポロン・ムコイデス(*T. mucoides*)により白血病患者など高度免疫不全者への播種性感染症が問題となる。
・健常人では，皮膚の表在感染症や夏型過敏性肺臓炎の原因となる。

生じうる代表的感染症

・菌血症，播種性感染症，過敏性肺臓炎

培養同定の方法と技師からの注意点

・硬く培地に食い込んだコロニーが特徴であり，そのようなコロニーを染色すると酵母や菌糸の形態を認め本菌を推定することができる。
・分節型分生子をつくる菌である。

選択すべき抗菌薬と感染症専門医からの注意点

・塗抹検査で酵母様の形態を示す場合は *Candida* 属菌との区別は難しい。
・β-D-グルカンは上昇することがあり，*Cryptococcus* 抗原に偽陽性となる。
・移植患者や急性白血病患者でキャンディン系薬が投与されている際に，血液培養から酵母真菌が検出されれば，本菌を疑う。
・キャンディン系薬の MIC は高いため，L-AMPH あるいはアゾール系に感受性があるため，FLCZ や VRCZ を使用する。

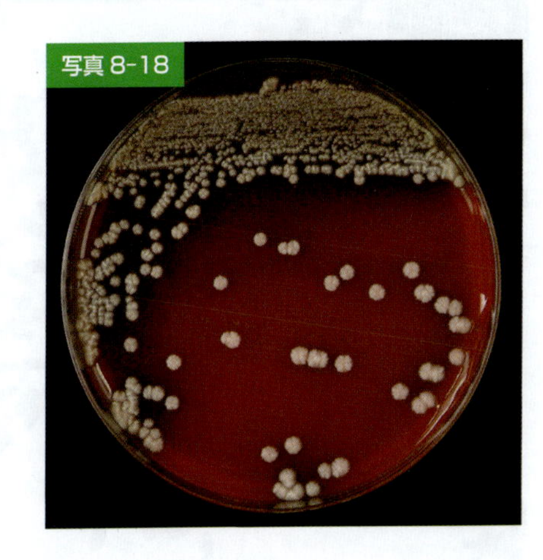

写真 8-18　トリコスポロン・アサヒ(*Trichosporon asahii*)。ヒツジ血液寒天培地(27℃，48 時間培養)。

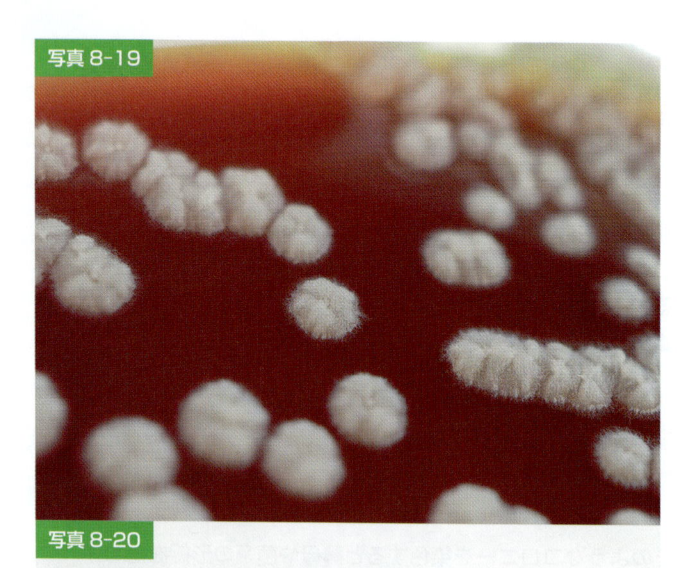

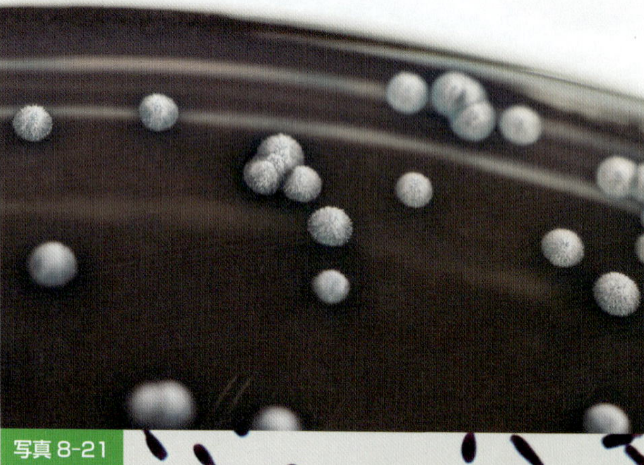

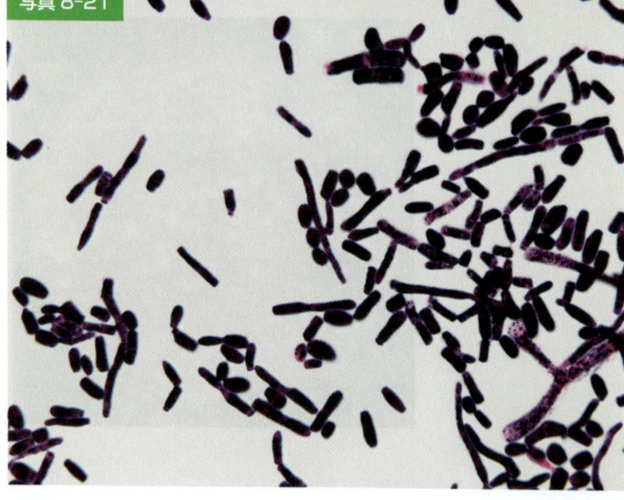

写真 8-19　*T. asahii*。ヒツジ血液寒天培地（27°C，48 時間培養）。培地に食い込むように発育する。

写真 8-20　*T. asahii*。クロモアガーカンジダ培地（27°C，48 時間培養）。青い美しい色調を呈する。

写真 8-21　グラム染色。*T. asahii*。コロニーから染色。酵母形態と菌糸形態を認める。

臨床上のポイント

・キャンディン系薬投与中に血液培養から酵母真菌が検出されれば，この真菌を疑い，VRCZ や L-AMPH を開始する。

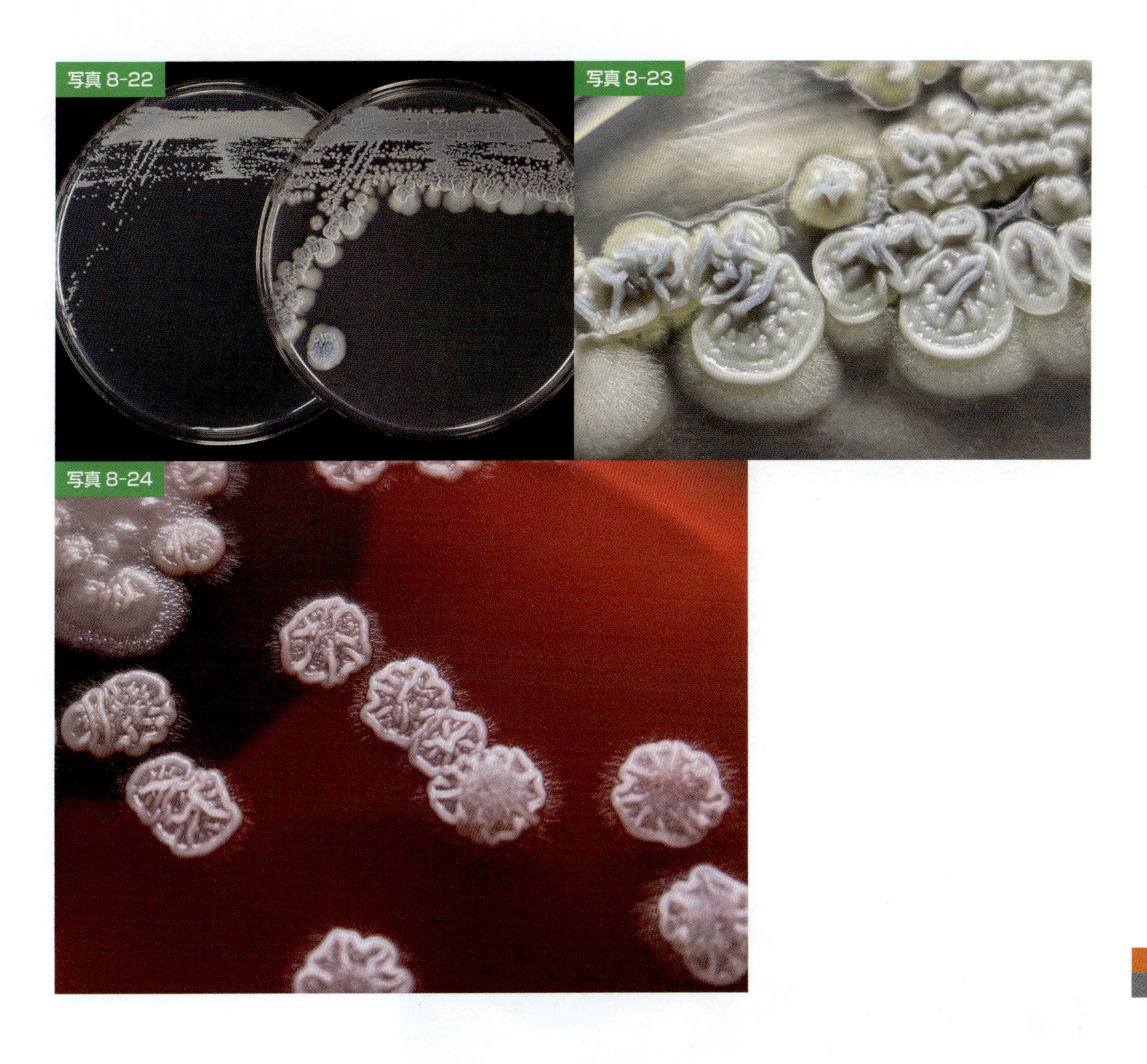

写真 8-22 *T. mucoides*。クロモアガーカンジダ培地。35℃。培養 24 時間後（左）と数日後（右）。

写真 8-23 *T. mucoides*。クロモアガーカンジダ培地。35℃。数日後のコロニー。大脳・クルミのようなひだを有する外観。

写真 8-24 *T. mucoides*。ヒツジ血液寒天培地。35℃。数日後のコロニー。大脳・クルミのようなひだを有する外観。コロニー周囲には菌糸を伸ばしているのが認められる。

その他の酵母様真菌

特徴

・日常検査でまれに原因菌として検出される酵母様真菌。
・*Malassezia* 属菌はヒトの皮膚常在菌であり，発育に脂質を要求する酵母である。
・*Rhodotorula* 属菌は環境中に存在する。ピンク色のカロテノイド色素を産生し，水回りの赤い水垢の原因とされる。

生じうる代表的感染症

・*Malassezia* 属菌は癜風，脂漏性皮膚炎，マラセチア毛包炎など。
・*Rhodotorula* 属菌はカテーテル関連血流感染症（CRBSI），眼内炎，連続携行式腹膜透析（CAPD）関連腹膜炎など。

培養同定の方法と技師からの注意点

・*Malassezia* 属菌については臨床的に疑われる検体にはクロモアガーマラセチアのような脂質を含んだ培地を利用するとよい。クロモアガーマラセチアがなくとも，サブロー（Sabouraud）寒天培地などに滅菌したオリーブオイルを重層することで培養が可能である。また，グラム染色ではボーリングのピンのような形態を示すものも認められることに注目する。
・*Rhodotorula* 属菌の培養は特別注意する点はないが，ピンク色コロニーの酵母を検出した場合には第 1 にこの菌を想定する。

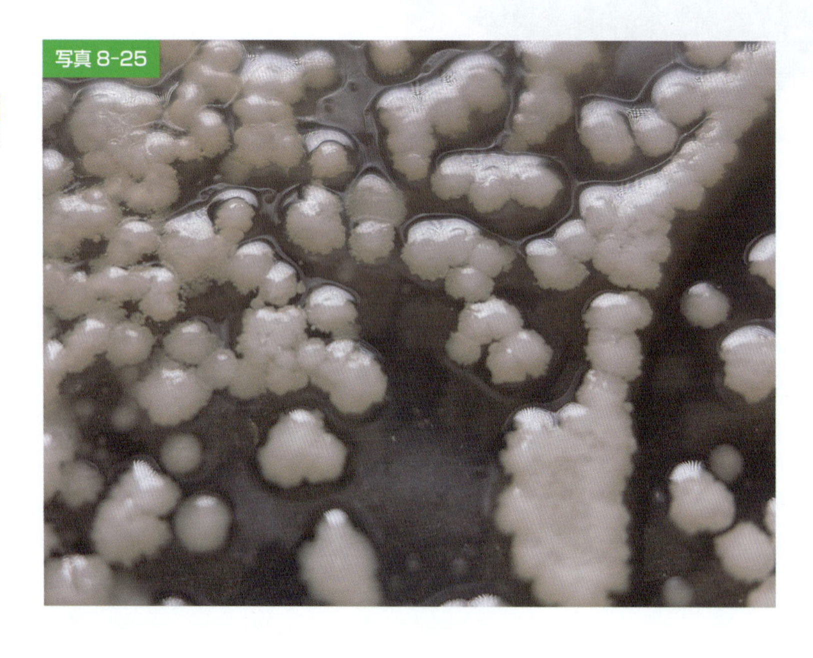

写真 8-25　*Malassezia* sp.。オリーブオイルを重層して培養を実施。

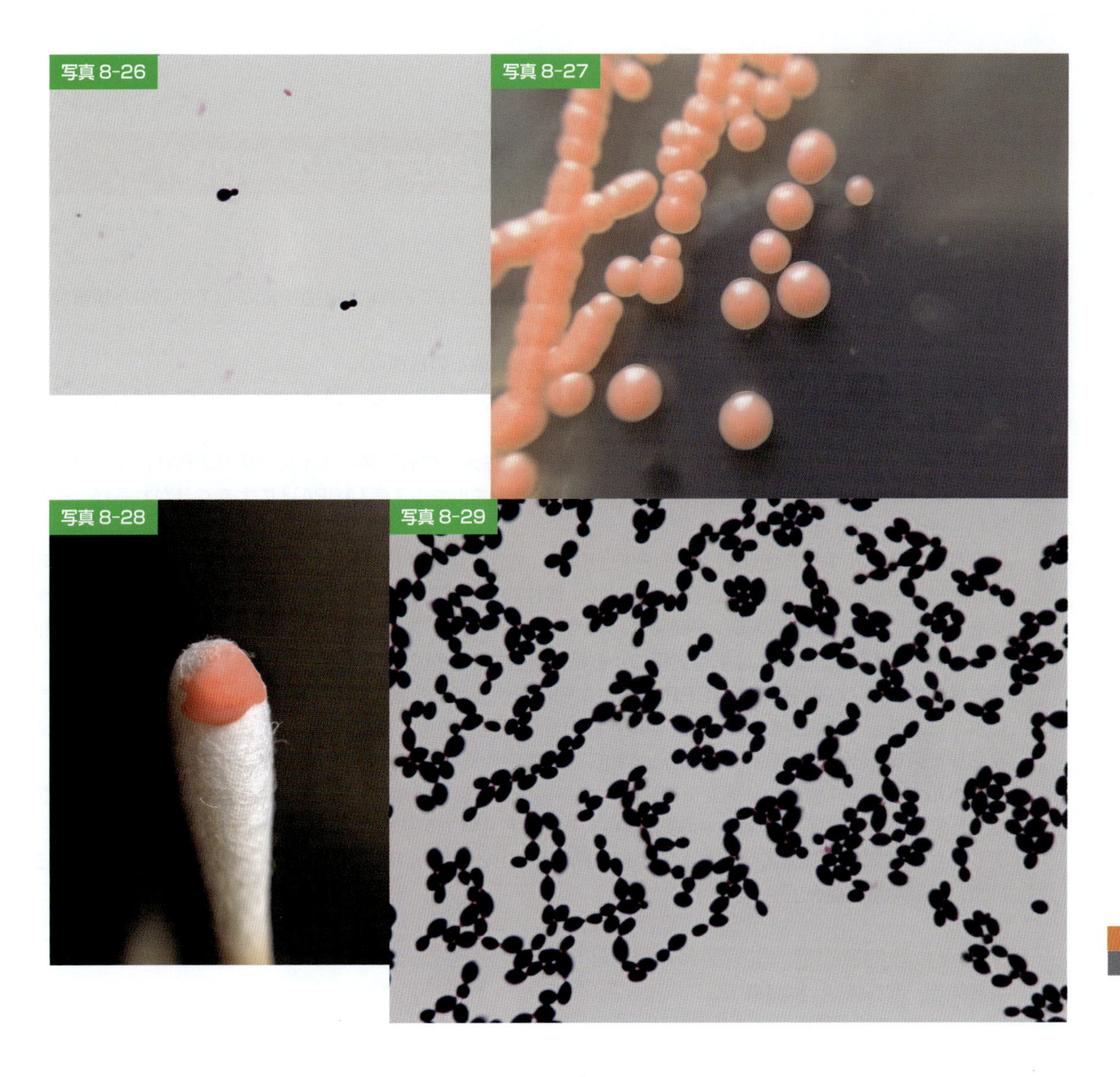

写真 8-26 *Malassezia* sp.。グラム染色。酵母様真菌の形態をとるが，このようにボーリングのピンのような形態を示すものも認められる。検体のグラム染色で，このような形態を認めた場合には，*Malassezia* 属菌を推定する。喀痰や鼻汁などのグラム染色でも常在菌として比較的よく認められる。

写真 8-27 *Rhodotorula* sp.。ミューラー・ヒントン寒天培地上のコロニー。ピンク色の美しいコロニーである。

写真 8-28 *Rhodotorula* sp.。スワブでコロニーを掻き取ったもの。カロテノイド色素によりピンク色となる。

写真 8-29 *Rhodotorula* sp.。コロニーのグラム染色像。

b. 糸状真菌

アスペルギルス属菌（*Aspergillus* spp.）

特徴

・あらゆる環境面に存在する糸状真菌であるがゆえに，検出されても真に感染症を起こしているのか慎重な判断が必要である。
・2～4 μm の幅で，隔壁があり，分岐角が 40 度（接合真菌との鑑別点）。
・アスペルギルス・フミガタス（*A. fumigatus*）が最も高頻度，ほかにニガー（*A. niger*），テレウス（*A. terreus*），フラバス（*A. flavus*）などがある。
・侵襲性〔侵襲性肺アスペルギルス症（IA）〕，半侵襲性〔慢性進行性肺アスペルギルス症（CPPA）〕，定着（アスペルギローマ），アレルギー〔アレルギー性気管支肺アスペルギルス症（ABPA）〕に大きく分かれるが，それぞれ合併，オーバーラップがある。
・**侵襲性肺アスペルギルス症（IA）**：造血幹細胞移植，急性白血病の化学療法など長期間の顆粒球減少，固形臓器移植，免疫抑制剤の使用，進行した AIDS，慢性肉芽腫症のある患者で，抗菌薬が奏効しない進行性肺炎を呈する。CT では結節陰影，浸潤陰影，結節周囲のスリガラス影である halo sign（必ずしも特異的ではない）などで疑うが，確定には気管支鏡による組織培養や生検が必要である。
・**慢性進行性肺アスペルギルス症（CPPA）**：主に肺基礎疾患がある患者に慢性経過の臨床症状（咳，血痰，息切れ，倦怠感，体重減少など結核様）や進行性の画像所見，典型的な画像所見（空洞，空洞周囲の陰影，胸膜肥厚±菌球）を呈した場合，*Aspergillus* IgG 抗体陽性やその他の微生物学所見で診断する。
・**アスペルギローマ**：慢性の肺病変にアスペルギルスが定着した状態であり，画像所見と *Aspergillus* IgG 抗体で診断する。自覚症状がなければ経過観察するが，有症状で可能なら病変切除を行う。
・**アレルギー性気管支肺アスペルギルス症（ABPA）**：コントロール不良の喘息，粘液栓や気管支拡張を伴う肺炎，好酸球増加症を呈する。

生じうる代表的感染症

・肺感染症，副鼻腔炎，脳膿瘍

培養同定の方法と技師からの注意点

・塗抹検査で見落とされがちな病原体であり，鏡検の実施は必ず強拡大で観察する前に弱拡大で一通り観察したい。また，グラム染色では限界があるため，必要に応じてファンギフローラなどの真菌用の染色を利用することも考慮したい。
・*A. niger* による慢性壊死性肺アスペルギルス症の場合，検体中にシュウ酸カルシウム結晶を認めることがある。*A. niger* の代謝産物であるシュウ酸と組織中のカルシウムが結びついたもので，検体塗抹標本にシュウ酸カルシウム結晶を認めた場合には，菌体の検出がなくても，その旨を医師に伝え相談する必要がある。
・多くの検査室において，質量分析導入施設を除いて糸状菌は培地でのコロニー性状と顕微鏡的な形態から同定を行っているのが現状である。隠蔽種（形態から同一菌種と考えられてきたが，分子生物学的手法により異なる菌種であることが明らかとなった菌種）の存在が知られるようになり，それらは薬剤感受性が異なるなど大きな問題となっている。したがって，治療対象となる症例では，質量分析による同定や，必要に応じて核酸検査など分子生物学的な検査の実施を考慮する。

選択すべき抗菌薬と感染症専門医からの注意点

・補助診断に使用される血清診断の評価は定まっておらず，ガラクトマンナン抗原は一部の抗菌薬投与や他の真菌での偽陽性，抗真菌薬予防投与により感度が下がるため注意。
・β-D-グルカンの感度も不十分で特異的でもない。
・侵襲性感染症を疑えば，血清診断は参考程度として，すみやかに最も感度が高い CT 検査を行い，異常があれば気管支鏡検査と経験的治療を行う。経験的治療ではVRCZが古典的なアムホテリシンB（AMPH）より効果が証明されている。イサブコナゾール（イサブコナゾニウム）のような新規のアゾール薬を使用できるようになった。

- 慢性感染症で自覚症状が乏しい場合には無治療で経過観察し，進行性であったり，自覚症状が強ければ，抗真菌薬で治療を行う。
- アレルギー性ではステロイド薬内服が主体であるが，抗真菌薬も併用する。

◎詳細は『感染症プラチナマニュアル』の第2章の「アスペルギルス属」参照。

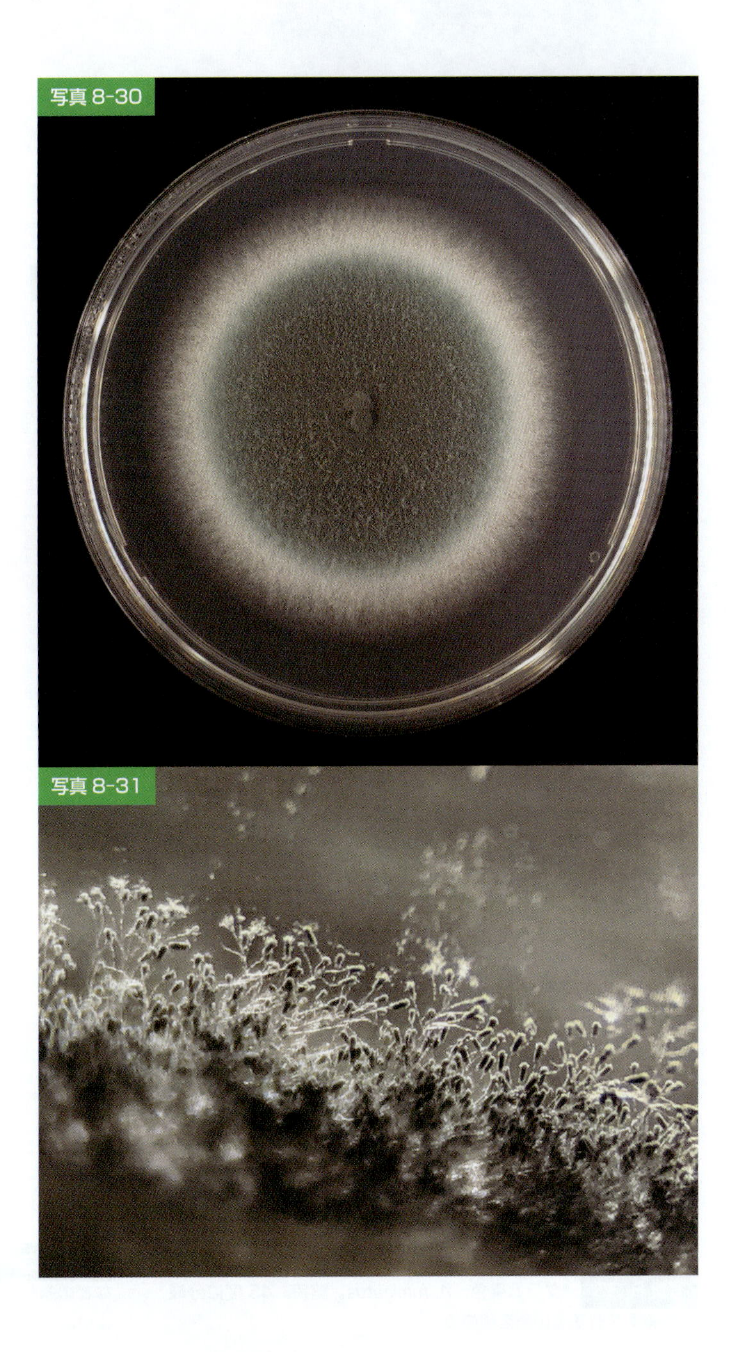

写真 8-30　アスペルギルス・フミガタス（*Aspergillus fumigatus*）。サブロー（Sabouraud）寒天培地（27℃，5日間）。分生子頭が成熟した部分は緑色に着色している。

写真 8-31　*A. fumigatus*。成長した分生子頭。産生された分生子が先端に向けて連なるため，細長く見える。

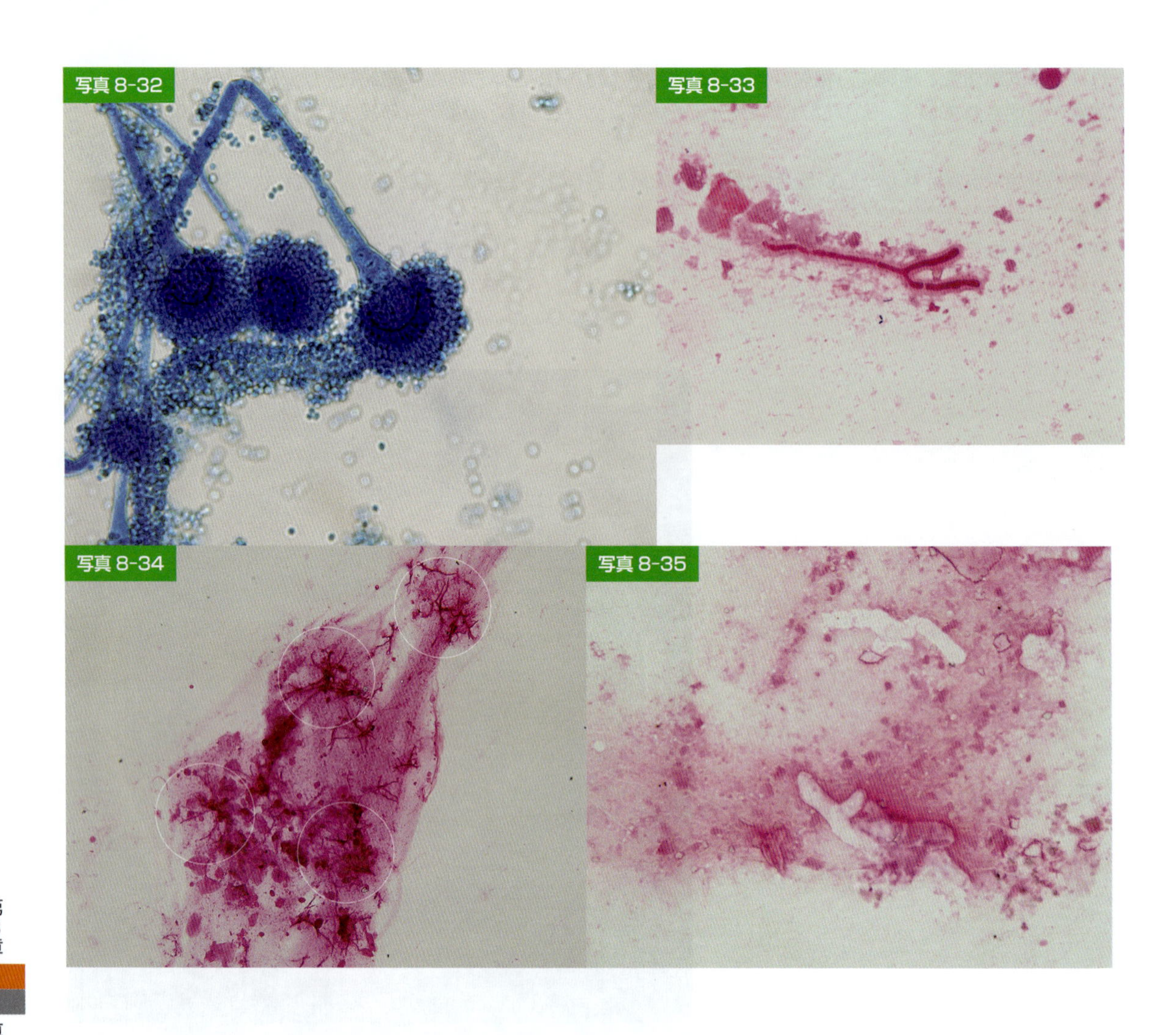

写真 8-32 ラクトフェノールコットンブルー染色。*A. fumigatus*。コロニーを染色。分生子頭を認める。

写真 8-33 グラム染色。*A. fumigatus*。喀痰。45 度に分岐した隔壁を有する菌糸を認める。

臨床上のポイント

・*Aspergillus* は環境面に存在するため，確定診断には組織診断が重要である。
・組織でこのような真菌が認められれば，悩まず VRCZ を開始できる。

写真 8-34 グラム染色。*A. fumigatus*。喀痰。*Aspergillus* などの糸状菌を目的とした場合，まず弱拡大（× 100）で探すとよい。

写真 8-35 グラム染色。*A. fumigatus*。上顎洞内容物。上顎洞アスペルギルス症例。菌糸がこの写真のように染色されないものも認められるため，鏡検で探す場合には注意を要する。

写真 8-36 ファンギフローラ Y 染色。*A. fumigatus*。喀痰。写真 8-35 のように菌糸が染まらない場合や，検体中の菌要素が少ない場合も多く，塗抹検査における *Aspergillus* 検出率は低い。濃厚に真菌感染症を疑う場合には，蛍光染色であるファンギ・フローラ Y 染色を用いることを考慮したほうがよい。

写真 8-37 アスペルギルス・ニガー（*Aspergillus niger*）。サブロー（Sabouraud）寒天培地（27℃，5 日間）。分生子頭が成熟した部分は黒色に着色している。

写真 8-38 *A. niger*。サブロー寒天培地（27℃，5 日間）。黒色に色づいた部分の分生子頭部分の拡大像。

写真 8-39 *A. niger*。黒色に色づいた部分の分生子頭部分の拡大像。

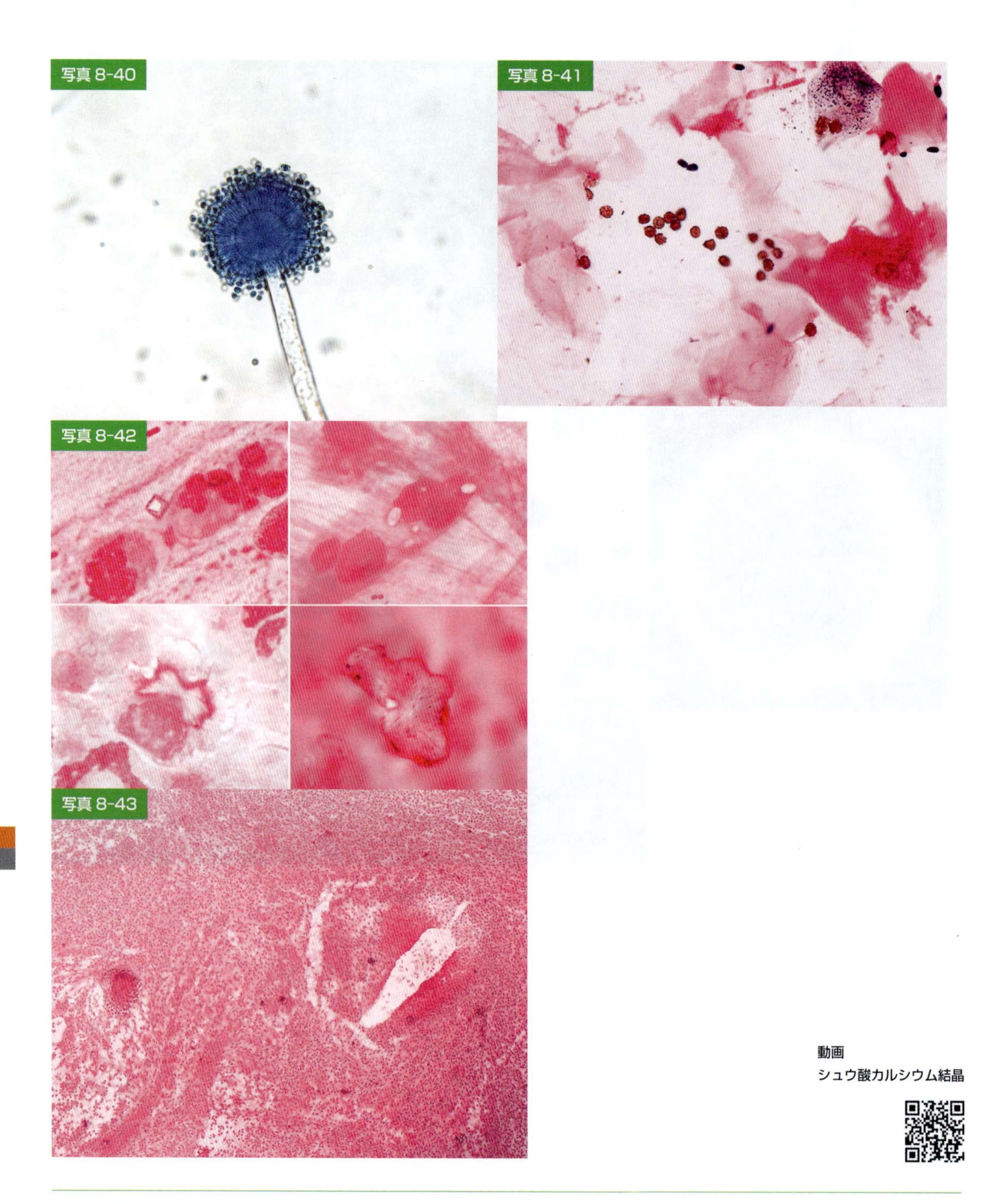

写真 8-40 ラクトフェノールコットンブルー染色。*A. niger*。頂嚢部分。

写真 8-41 グラム染色。*A. niger* の分生子。外耳道。外耳道真菌症の場合にはこのように分生子を観察できることが多い。

写真 8-42 グラム染色。シュウ酸カルシウム結晶。喀痰。慢性壊死性肺アスペルギルス症。

Aspergillus 属菌。特に，*A. niger* による慢性壊死性肺アスペルギルス症では，*A. niger* の代謝産物であるシュウ酸と組織中のカルシウムが結合し結晶化し，この写真のようなさまざまな形態を示す。シュウ酸カルシウム結晶を認めた場合には，菌要素の探索と培養を実施し，担当医に慢性壊死性肺アスペルギルス症の可能性を問い合わせる必要がある。

慢性に経過することで結晶成分が有意に認められると考えられ，*A. niger* による難治性外耳道真菌症でも，シュウ酸カルシウム結晶が観察されることが多い（動画あり）。

写真 8-43 グラム染色。慢性壊死性肺アスペルギルス症の喀痰弱拡大像。菌体は認められない。

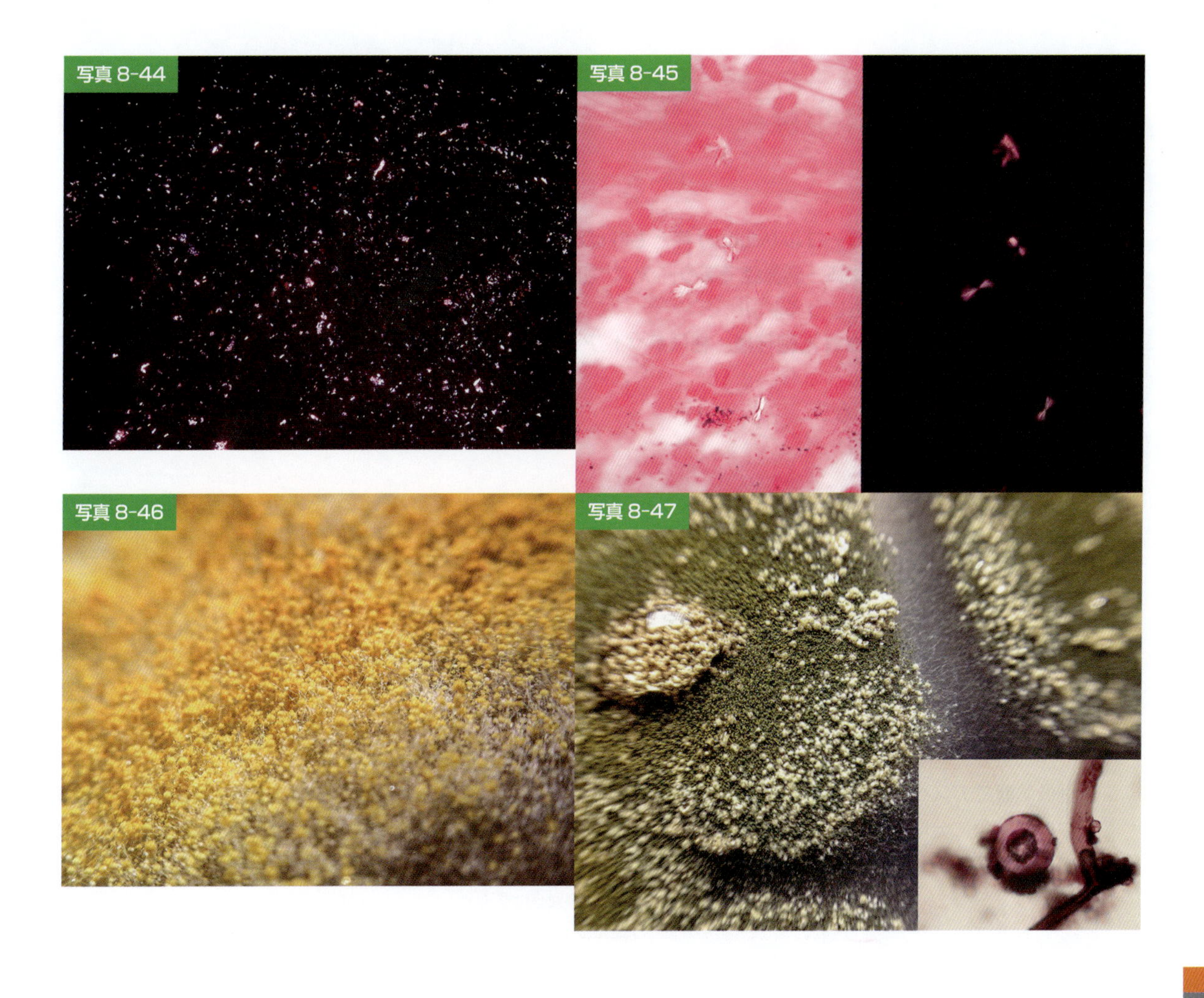

動画
シュウ酸カルシウム結晶

写真 8-44　グラム染色。慢性壊死性肺アスペルギルス症の喀痰弱拡大像。写真 8-43 と同一部位を簡易偏光フィルターを通して観察したもので，光り輝くのがシュウ酸カルシウム結晶である。しかし，偏光フィルターを通して光るものはシュウ酸カルシウムだけではないため注意が必要であるが，とても簡便であるため，このように菌体を認めない症例でも疾患推定に役立つ（動画あり）。

写真 8-45　シュウ酸カルシウム結晶。写真左と同一部位を簡易偏光フィルターで観察したのが右側の写真である（動画あり）。

臨床上のポイント

・*Aspergillus* の培養検出はされなかったが，画像所見と十分な除外診断をもとに，本症例は VRCZ の投与で改善した。

写真 8-46　アスペルギルス・フラバス（*Aspergillus flavus*）。ポテトデキストロース寒天培地。黄色（～緑色）の分生子頭が観察される。菜の花畑のように美しい。

写真 8-47　アスペルギルス・ニドランス（*Aspergillus nidulans*）。ポテトデキストロース寒天培地。緑色から濃緑色の色調を呈する。

右下の写真は培養菌をグラム染色した際に認めたヒューレ細胞（hulle cell）である。

接合真菌（*Zygomycetes*）

特徴

・接合菌による感染症はムーコル（*Mucor*）症とも呼ばれ，600 種類以上の菌種が含まれる。
・ムーコル症の感染部位は肺，副鼻腔であり，アスペルギルス症との鑑別が重要。
・皮膚や消化管も病変を生じうる。
・長期の好中球減少，造血幹細胞移植，糖尿病ケトアシドーシス，鉄キレート薬内服，VRCZ 投与が主なリスク。
・β-D-グルカンは上昇しない。
・進行性で予後不良である。

生じうる代表的感染症

・肺炎，副鼻腔炎，播種性感染症

培養同定の方法と技師からの注意点

・発育が速い点，顕微鏡では隔壁をもたないことなどから，推定が可能である。菌種同定は仮根の有無，胞子嚢柄の分岐，アポフィシスの有無，胞子嚢の形態などから鑑別を行う。

選択すべき抗菌薬と感染症専門医からの注意点

・画像診断でアスペルギルス症との鑑別は困難なため，疑えば，早期に気管支鏡検査を行う。幅広く，隔壁のない，直角に分岐する菌糸の確認ができれば，L-AMPH を高用量で開始するが，免疫不全の回復と可能な限りのデブリードマンも重要である。

◎詳細は『感染症プラチナマニュアル』の第 2 章の「接合真菌」参照。

写真 8-48

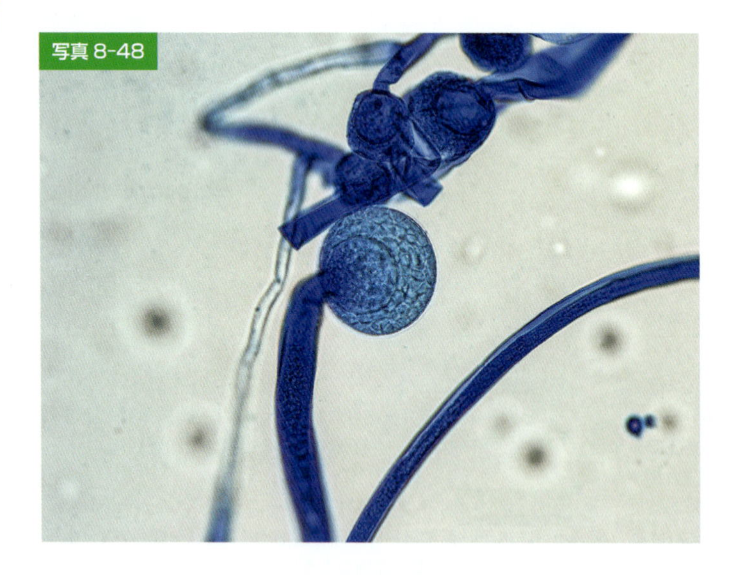

写真 8-48　ラクトフェノールコットンブルー染色。ムーコル（*Mucor*）推定。培養菌を染色。胞子嚢と隔壁のない菌糸を認める。

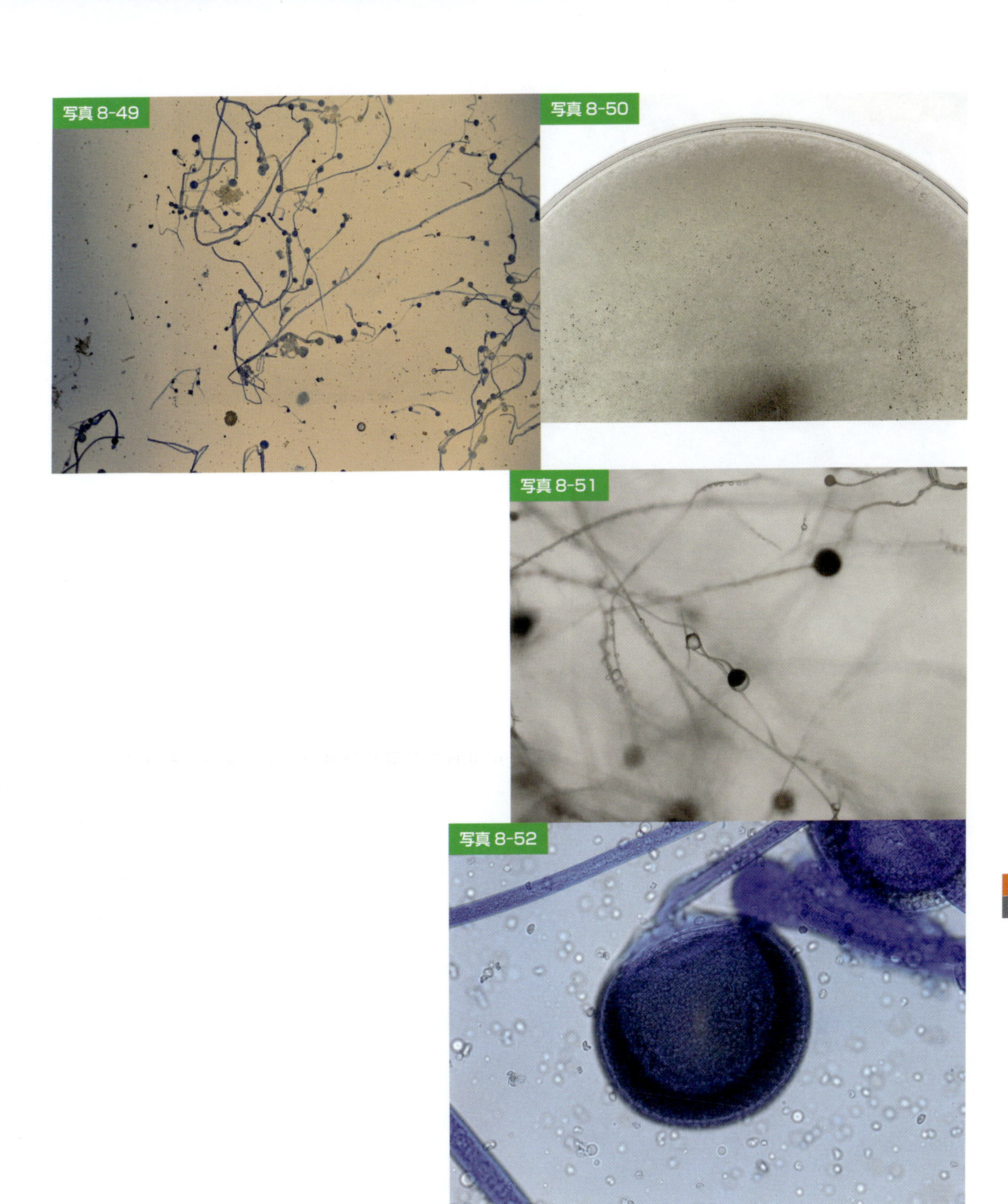

写真 8-49　ラクトフェノールコットンブルー染色。*Mucor* 推定。発育菌を染色。弱拡大。胞子嚢柄などの発育の仕方も同定の一助となる。

臨床上のポイント

- リスク因子のある患者でこのような真菌が組織で確認できれば，VRCZ ではなく，L-AMPH を選択する。新しい抗真菌薬（イサブコナゾール，ポサコナゾール）も選択肢となった。
- 免疫抑制剤の減量やデブリードマンも考慮する。

写真 8-50　リゾプス・オリゼ（*Rhizopus oryzae*）。ポテトデキストロース寒天培地（27℃，2 日間）。培養でシャーレいっぱいに広がり，蓋を押し返す勢いである。

写真 8-51　*R. oryzae*。ポテトデキストロース寒天培地。拡大像。胞子嚢が観察される。

写真 8-52　ラクトフェノールコットンブルー染色。*R. oryzae*。発育菌を染色。胞子嚢。

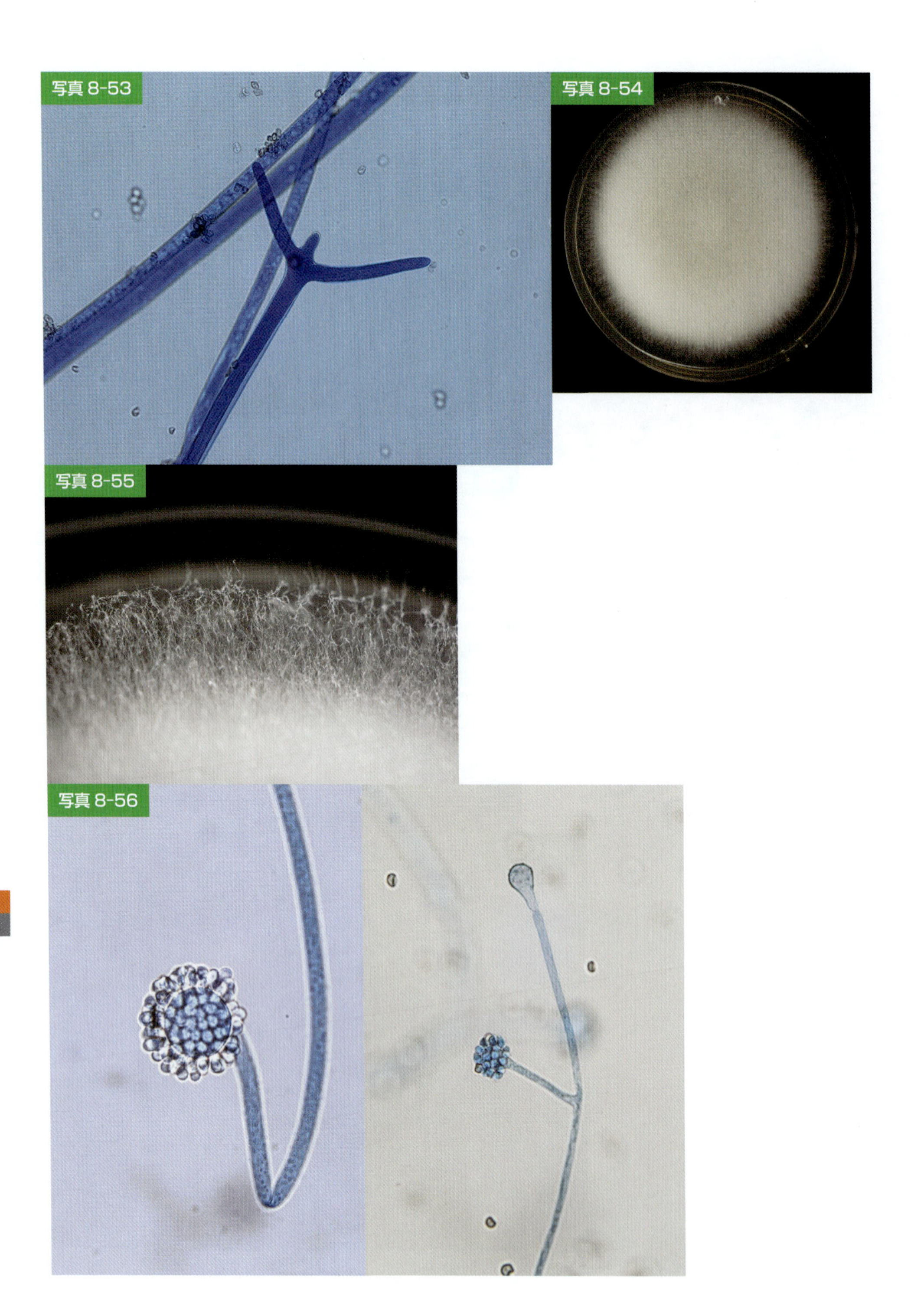

写真 8-53　ラクトフェノールコットンブルー染色。*R. oryzae*。発育菌を染色。仮根を認める。*Mucor* には認められない所見である。

写真 8-54　*Cunninghamella* sp.。ポテトデキストロース寒天培地。培養数日でこのサイズまで大きくなる。

写真 8-55　*Cunninghamella* sp.。ポテトデキストロース寒天培地。コロニー辺縁部分。綿のような質感がよくわかる。

写真 8-56　*Cunninghamella* sp.。ラクトフェノールコットンブルー染色。胞子嚢柄の先端にある頂嚢と，その上に小胞子嚢が多数ある像の様子からクスダマカビと呼ばれる。

スエヒロタケ（*Schizophyllum commune*）

特徴

・南極大陸を除き，どこにでも生息するキノコの一種である。
・アレルギー性気管支肺真菌症（ABPM）の原因菌として知られる。まれに，侵襲性感染の原因となることがある。

生じうる代表的感染症

ABPM，アレルギー性副鼻腔真菌症（AFRS）

培養同定の方法と技師からの注意点

・ABPM を疑う場合には，*Aspergillus* だけではなく，スエヒロタケも念頭に培養を行う。
・特に ABPM を疑う症例において気管支洗浄液や喀痰で好酸球やシャルコー・ライデン（Charcot-Leyden）結晶を認めた場合に注意する。ただし，本菌に特異的な所見ではなく，他の真菌や寄生虫，好酸球性肺炎などの場合にも同様の所見となる。
・一次菌糸体と二次菌糸体があり，二次菌糸体は特徴的な「かすがい連結」や棘状突起を認める。また，子実体（キノコの傘）を形成する能力もあるがまれである。二次菌糸体に対して一次菌糸体の場合には「かすがい連結」などの特徴的な形態は認められないため同定に難渋し，場合によっては雑菌扱いとなってしまう恐れがある。
・近年普及しつつある質量分析による同定は有用である。しかし，同定に難渋する場合には専門機関に相談することを推奨する。
・比較的成長が速く，白いふわふわしたコロニーで顕微鏡的に特徴が認められない場合には本菌の可能性を考慮する。

写真 8-57　サブロー寒天培地。培養数日のコロニー。発育は比較的速い。白い綿状のコロニーを形成する。

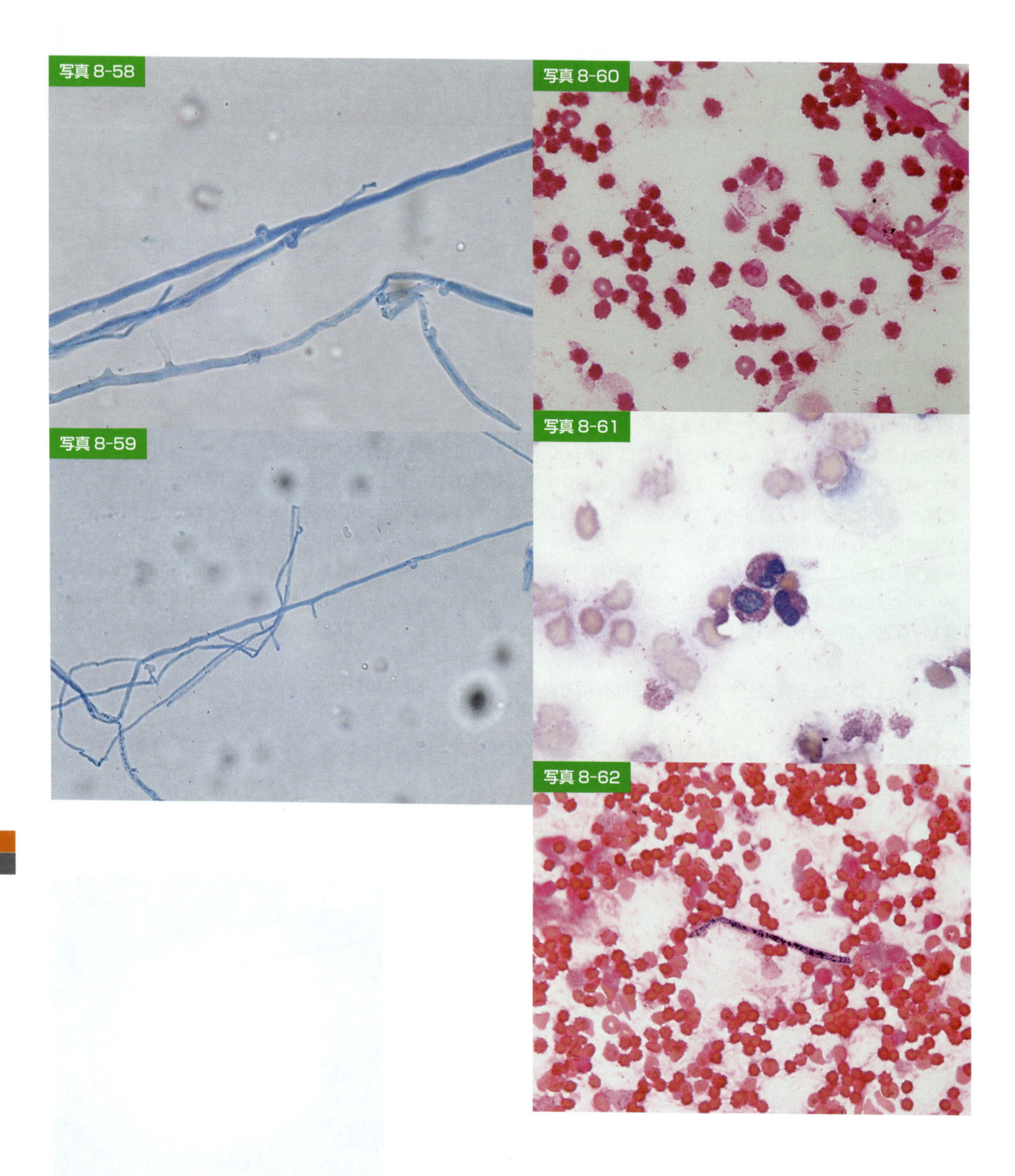

写真 8-58 ラクトフェノールコットンブルー染色。中央部に「かすがい連結」を認める。二次菌糸体で認められる所見で，かすがい連結の存在により担子菌であることがわかる。

写真 8-59 ラクトフェノールコットンブルー染色。菌糸の側壁から棘状突起と呼ばれる突起物を認める。二次菌糸体で認められる。

写真 8-60 アレルギー性気管支肺真菌症（ABPM）の気管支洗浄液。グラム染色。大小さまざまなレンズ状のシャルコー・ライデン結晶を認める。シャルコー・ライデン結晶は好酸球の顆粒成分が結晶化したものである。中央には 2 分葉の核をもつ好酸球を認める。

写真 8-61 ABPM の気管支洗浄液。ディフ・クイック（Diff-Quik）染色。顆粒成分の詰まった好酸球を認める。

写真 8-62 ABPM の気管支洗浄液。グラム染色。菌糸を認める。

c. 黒色真菌（*Dematiaceous fungi*）

エクソフィアラ属菌（*Exophiala* spp.）

特徴

・黒色真菌症の原因菌の 1 つで，名前のとおりに黒色のコロニーを形成する。
・二形性真菌としても知られ，酵母と糸状菌 2 つの形態をとる。
・土壌や腐敗した植物，水回りなどの湿潤した環境に存在し外傷などを介して皮膚に感染症を引き起こす。
・肺感染症や播種性の感染症は分生子の吸入によって発症する。
・基本的には病原性は弱く，易感染性・免疫不全患者において日和見感染として発症することが多い。
・*Fonsecaea pedrosoi* が世界中で最も認められる原因菌であるが，本書では筆者が目にすることが多い *Exophiala* 属菌を取り上げる。

生じうる代表的感染症

・臨床症状や組織内の菌の形態学的特徴から，下記のように分類される。
クロモブラストミコーシス（黒色分芽菌症）（chromoblastomycosis）
フェオヒフォミコーシス（黒色菌糸症）（phaeohyphomycosis）
菌腫（足菌腫，マズラ菌症）（mycetoma）

培養同定の方法と技師からの注意点

・サブロー寒天培地などの真菌用の培地だけではなく，血液寒天培地などの培地にも発育が可能である。
・比較的発育は早く数日でコロニーを検出するが，本菌を疑った場合には長めの培養を実施するとよい。
・オリーブ色から黒色のしっとりとしたコロニーを形成し（培地によってコロニー外観は異なる。粘稠性の強いコロニーを形成する培地もある），培養時間の経過に従い次第にビロード状の糸状菌の形態となってくる。
・質量分析による同定が簡便である。

写真 8-63　*Exophiala dermatitidis*。ヒツジ血液寒天培地，ミューラー・ヒントン寒天培地。培養 2，3 日でこのサイズになる。

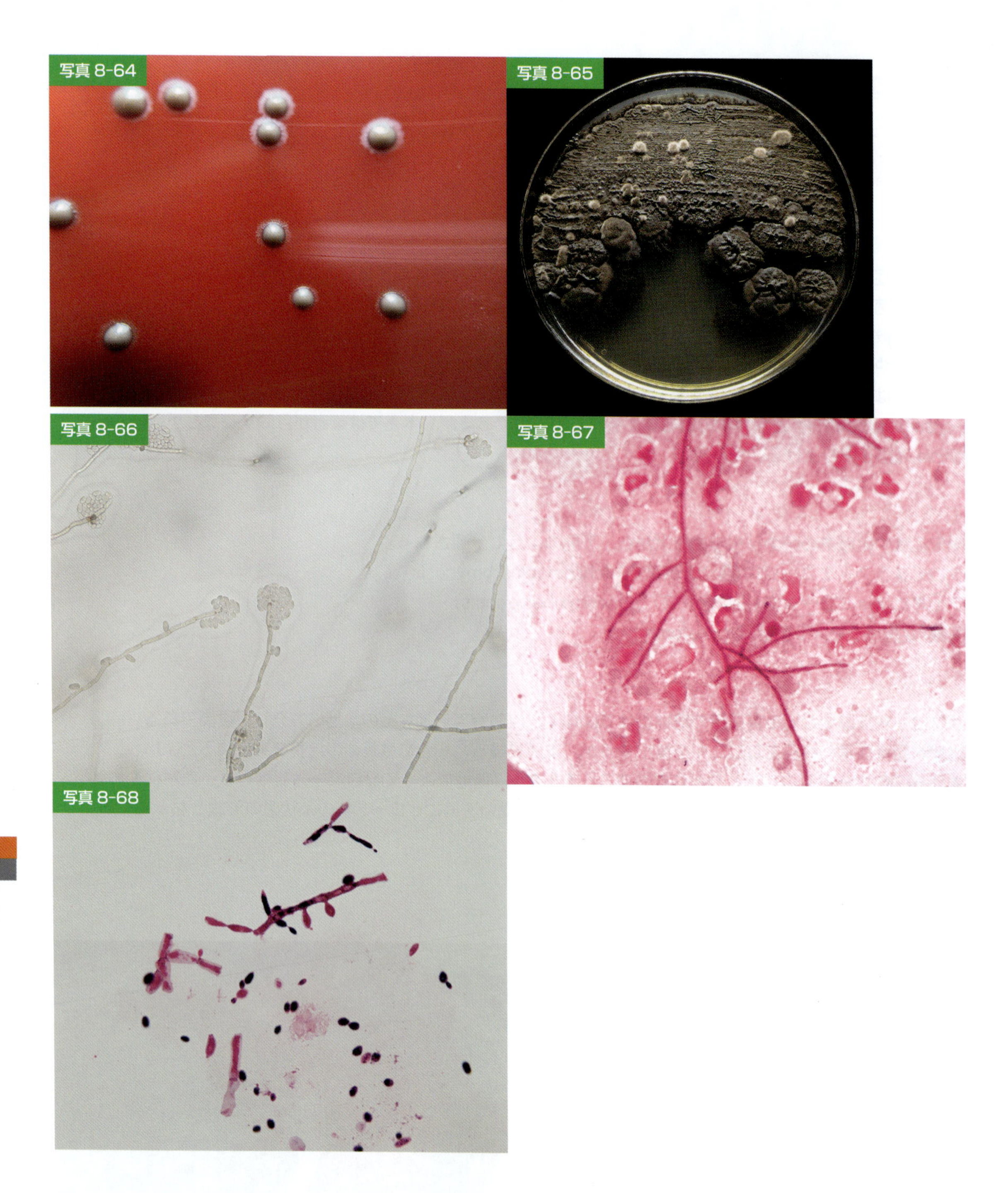

写真 8-64 *Exophiala dermatitidis*。ヒツジ血液寒天培地。オリーブ色の色調を示すしっとりとしたコロニー。コロニー周囲はすでに菌糸が伸びている様子が認められる。

写真 8-65 サブロー寒天培地。1か月以上長期に放置したもの。ビロード状の表面構造となり，糸状菌の印象となる。

写真 8-66 アネロ型分生子。先端や側面に集簇している。

写真 8-67 グラム染色。喀痰。Y字状に分岐している菌糸を認める。*Aspergillus* 属菌に比べてやや直線的な印象。

写真 8-68 コロニーをグラム染色したもの。酵母と菌糸型が混在。両形態を示す二形成真菌ではあるが，温度によるものではなく培養初期が酵母で徐々に菌糸型となってくる。

d. その他

ニューモシスチス・イェロベッチ（*Pneumocystis jirovecii*）

特徴

・細胞免疫不全者に肺炎を起こす真菌。HIV 患者やステロイド薬や免疫抑制剤使用者の肺炎から想起する。
・HIV-ニューモシスチス肺炎（PCP）では潜行性であるが，非 HIV-PCP では急速に進行し予後も不良。
・身体所見では呼吸音の異常は乏しい。
・胸部 X 線は初期には異常が乏しいことも多く，疑えば胸部 CT を行い，胸部 CT で両側のスリガラス影を認めることが一般的である。
・β-D-グルカンの感度が高い。

生じうる代表的感染症

・PCP

培養同定の方法と技師からの注意点

・HIV 患者における PCP では，菌量の多さから塗抹検査での検出が期待できる。
・ギムザ（Giemsa）染色の簡易法である Diff-Quik 染色で栄養体と嚢子（シスト）を観察することができる。
・グラム染色でも観察は可能であるが，見やすさに劣る。
・その他，グロコット（Grocott）染色やトルイジンブルー O 染色など，病理検査領域で行われる染色が行われる。
・PCP の観察も，弱拡大であたりをつけて強拡大で観察するのがコツである。

選択すべき抗菌薬と感染症専門医からの注意点

・β-D-グルカンの特異度は低く，他疾患の微生物との鑑別や他の微生物の混合感染の除外と確定診断のために，気管支肺胞洗浄を極力行う。
・治療では，スルファメトキサゾール・トリメトプリム（ST）合剤を選択するが，重症ではステロイド薬も併用する。ST 合剤無効例や副作用で使用継続できない場合には，ペンタミジン静注や，軽症ではアトバコンを使用する。

◎詳細は『感染症プラチナマニュアル』の第 2 章の「ニューモシスチス・イェロベッチ」参照。

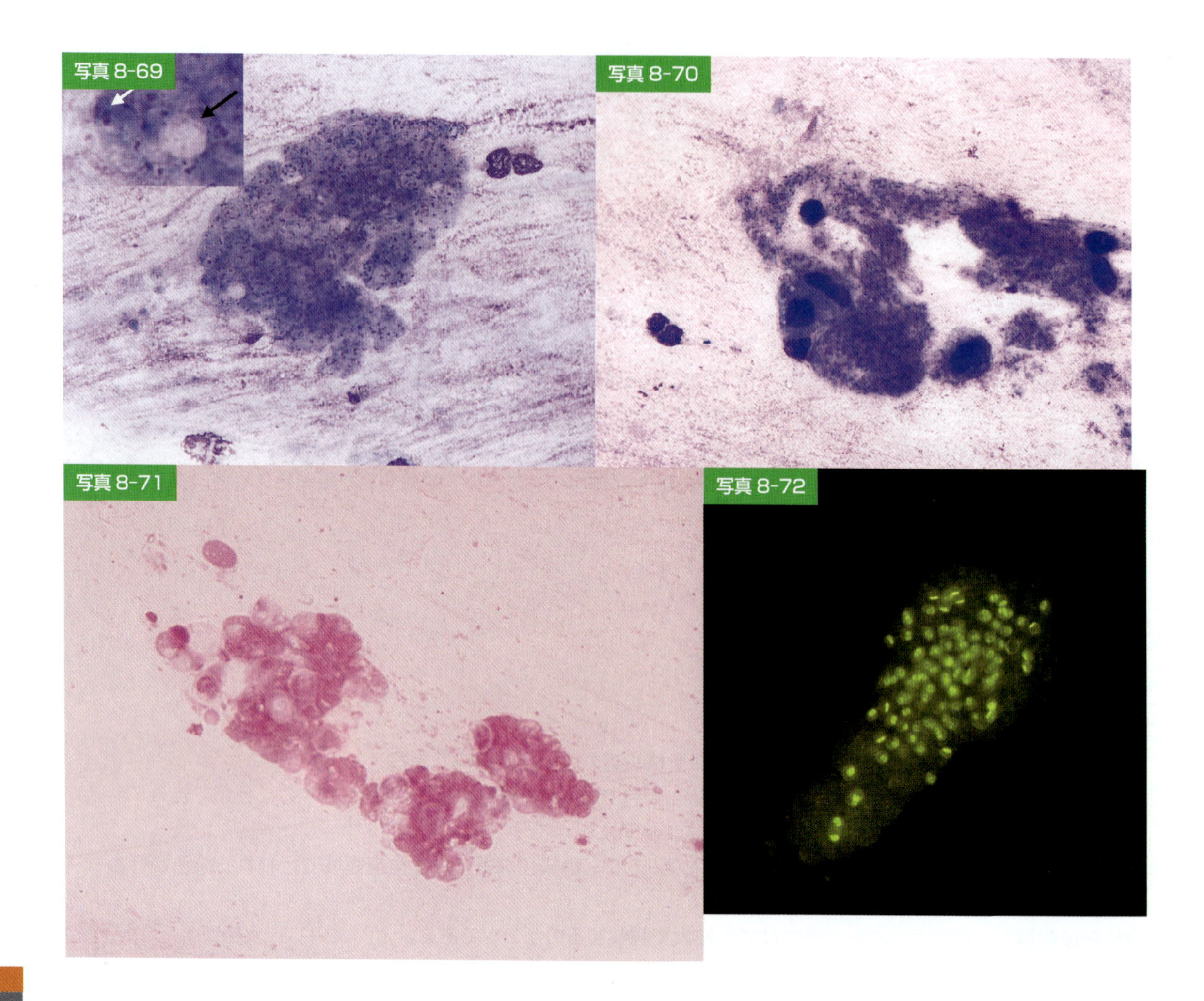

写真 8-69　Diff-Quik 染色。ニューモシスチス・イェロベッチ（*Pneumocystis jirovecii*）。栄養体と嚢子（シスト）。Diff-Quik 染色はメイ・ギムザ（May-Giemsa）染色の簡易法で，迅速で手軽なことから *P. jirovecii* の染色にも利用される。写真はイチゴジャム様の栄養体（白矢印）と類円形のシスト（黒矢印）の集塊。

臨床上のポイント

- 誘発喀痰や肺胞洗浄液の染色でこの所見があれば特異的であり，PCP の診断でよい。
- 誘発痰の感度は低く，肺胞洗浄液も非 HIV 患者の PCP では感度が低いため，見えなくても PCP は否定できない。
- ST 合剤を開始する。

写真 8-70　Diff-Quik 染色。*P. jirovecii*。栄養体。この写真では，確認しにくいが，シストも含んでいる。

写真 8-71　グラム染色。*P. jirovecii*。シスト。グラム染色でも PCP の確認は可能であるが，グロコット（Grocott）染色やトルイジンブルー O 染色など病理・細胞診で行われる染色や，Diff-Quik 染色で確認すべきである。

臨床上のポイント

- 典型的な画像所見と β-D-グルカンで，PCP の推定診断は可能であるが，PCP を生じる患者では，他の感染症の合併除外やびまん性肺疾患との鑑別も大切であり，可能な限り気管支鏡による精査を行うべきである。

写真 8-72　ファンギフローラ染色。*P. jirovecii* のシストが蛍光色に輝いている。

微生物の写真の撮影方法

撮影機材は何がよいか？

基本的に，デジタル撮影可能なものであれば問題ありません。近年のデジタルカメラを使えば，培地全体像を撮影する用途であれば問題なく撮影できます。スマートフォンも同様です。ただし，コロニーを大きく撮影するマクロ撮影などの特殊な用途には適した機材が必要です。

マクロ撮影には，（1）レンズ交換式デジタルカメラ＋マクロレンズ，（2）マクロ撮影に特化したコンパクトデジタルカメラ，（3）マクロ撮影に対応したスマートフォンといった方法があります。また，スマートフォンに装着できるマクロレンズも市販されているので，マクロ撮影機能がないスマートフォンをお持ちの場合はそれらを利用するのもよいでしょう。

その他の機材に気を使う

カメラに目が向きがちですが，下記のようなものがあるときれいな写真撮影を行う手助けとなります。

・三脚やコピースタンド（カメラスタンド）
・撮影ボックス
・光源（ライト）

手軽にカメラを準備してサッと撮影できるのがデジタルカメラのよいところで，手ブレ補正の進化や高感度ノイズが改善されてきたことから，手持ちでの撮影で十分きれいな撮影を行うことができます。しかし，三脚などにカメラを固定することで，長時間露光でも手ブレの心配はなくなり，同一の構図において光源位置などの変更を自由に行うことで最適な条件をみつけ出すこともできます。時間に少しでも余裕があればカメラをしっかりと固定して撮影することをお勧めします。

多くの方が撮影時に天井の蛍光灯の映り込みに困った経験があるのではないでしょうか。物理的に蛍光灯を隠すか消灯することになりますが，撮影ボックスなどを利用することで映り込みの防止と柔らかな光のなかで培地を撮影することができますので，利用してみるとよいでしょう。また，LED ライトなどの光源をできれば複数準備しておくことをお勧めします（写真 1）。

背景とライティング

培地を撮影する場合の背景は実験机の上でもかまいません。培地の様子がわかれば，多くの場合，問題ありません。しかし，背景の違いで印象が大きく変わります。例として，TCBS 寒天培地に発育した *Vibrio chorelae* の培地撮影の写真 2 を御覧ください。左が白い背景で撮影した写真ですが，白糖を分解した色調変化のグ

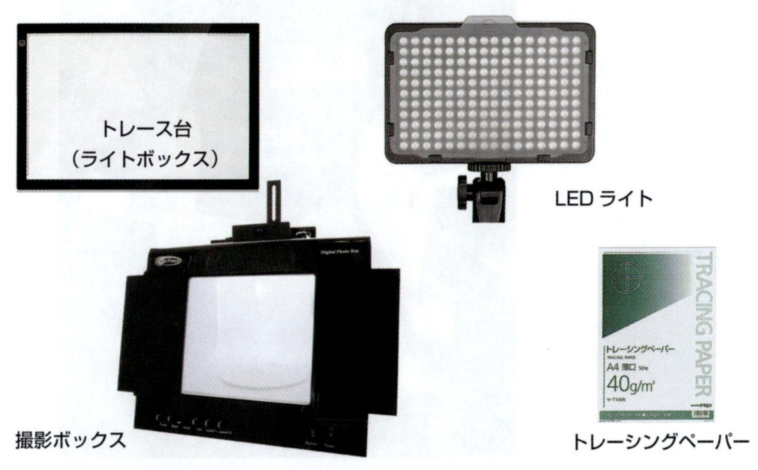

写真 1　便利な撮影用機材

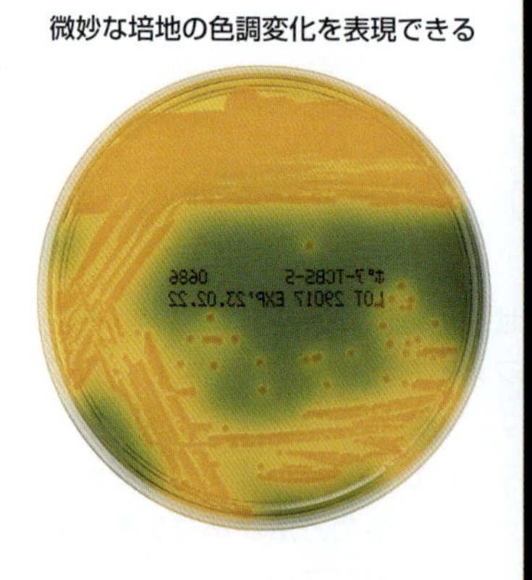

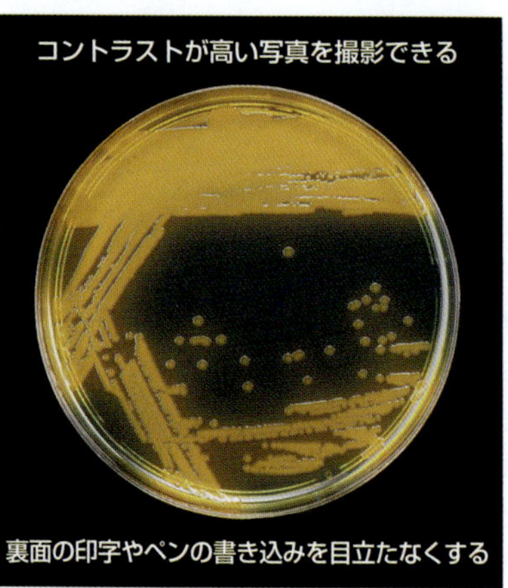

写真 2　TCBS 寒天培地に発育した *Vibrio chorelae* の培地撮影

ラデーションがよく観察できます。右は同じ培地を黒背景で撮影したものです。培地の色調変化は全くわかりませんがコロニーの 1 つひとつが高いコントラストで撮影され，培地裏面に印字された文字も背景に同化して見えなくしてくれます。このように背景を変えることで，見え方は変わってきます。写真を通して何を見せたいのかを考えて背景を選択する必要があります。

筆者が撮影している機材ですが，写真 3 のような形で撮影を行っています。LED のトレース台を白背景に，その上にベルベットの生地を敷いて黒背景へと変更させて撮影しています。また，両脇には高輝度の LED ライトを設置し，LED ライトの光を柔らかく拡散させるためにトレーシングペーパーを使って，直接 LED 光が培地に届かないようにしています。カメラの上は黒レフを使用して蛍光灯の光を遮っています。

左右からのライティングだけでもある程度の写真は撮影できますが，コロニーのサイズ・質感・培地種類などによってはとても平坦なのっぺりとした写真になってしまいます。場合によっては，左右だけではなく，上方からもライティングを行うことで立体感あるコロニーを撮影することができます。

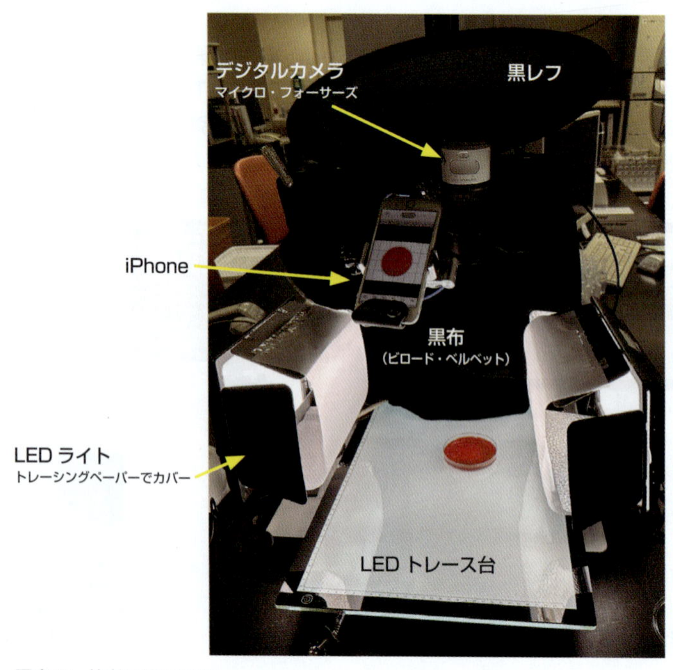

写真 3　筆者の撮影環境

写真４　光源が映り込んだ写真

撮影時に注意したいこと

「シンプル」：余計なものを写し込まないように

前述しましたが，蛍光灯の灯りはとても邪魔になることが多いです。また，LED ライトを使用する場合は，直接光を当てると LED の球の粒 1 つひとつが映り込み非常にうるさい写真となってしまいます（写真 4）。また，最近人気のリングライトも使い方を間違うと同様の結果となってしまいます。

「露出」：白飛びさせない

露出は適正に撮影するのが原則です。写真 5 のように黒い培地に明るい色調のコロニーというようなシーンでは，カメラは明るく撮影しようとします。結果として，コロニーが白飛びしてしまいます。こうなると，データが飛んでいるため，後で画像処理ソフトで修正しようにもどうにもなりません。このような場合には，意識して露出を「アンダー」に（暗めに撮影）しておいてください。画像編集で見た目に近い形に修正することが可能となります。

「ホワイトバランス」

デジタルカメラの恩恵の 1 つとしてホワイトバランスの調整があります。カメラ任せのオートホワイトバランスで問題ないことが多いのですが，シチュエーションによってはおかしな色合いになるため，カメラでホワイトバランスを調整してください。必要に応じてグレーカードを利用するのも手です。

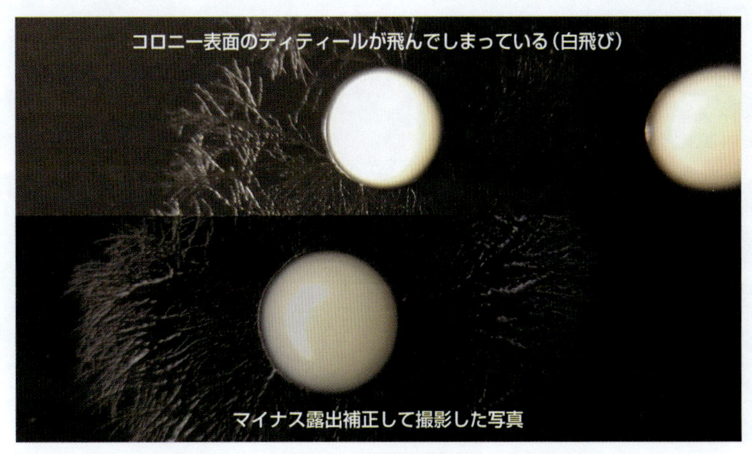

写真５　コロニーが白飛びしている写真と補正して撮影した写真

「ライティング」：柔らかく立体感を

撮影にはLEDライトが最適ですが，そのままだと光が強すぎるのとLEDライトの粒が映り込みせっかくの写真が台なしになります。トレーシングペーパーを使って光を柔らかくして使ってください(写真6)。トレーシングペーパーがない場合でもコピー用紙が代役となります。

きれいなライティングはコロニーのエッジを際立たせ，立体感を感じさせます。ただし，やりすぎは美しさを損ないます(写真7)。

ライトの当て方は，菌種・培地などによりその都度調整が必要となります。肺炎球菌のコロニーを撮影する場合にも中央部の陥没を表現したいのか，α溶血している様子も写したいのか目的により調整するとよいでしょう(写真8～10)。

「低ISO感度」

現在のカメラやスマートフォンは高いISO感度で撮影しても，とてもきれいな写真が撮影できるようになってきています。しかし，低ISO感度で撮影した写真と比べると，やはりノイズの増加やコントラストや解像感が低下するのは否めません。撮影時には暗くならないようにしっかりとライティングを行って，可能な限り低ISO感度で撮影するようにしてください(写真11)。

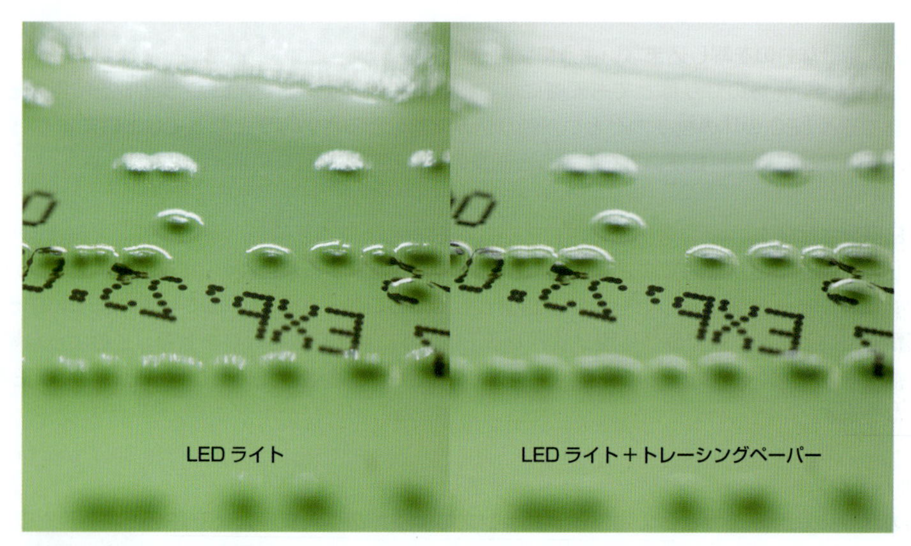

写真6　ライティングの調整1

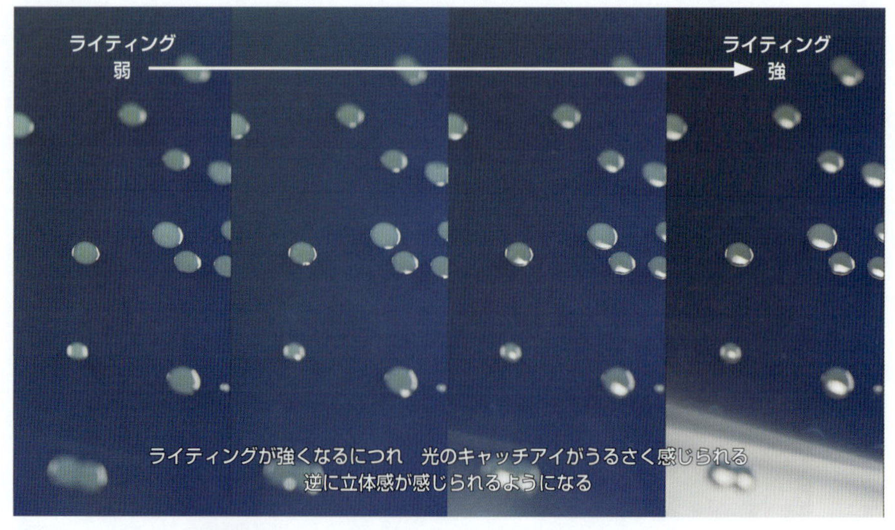

写真7　ライティングの調整2

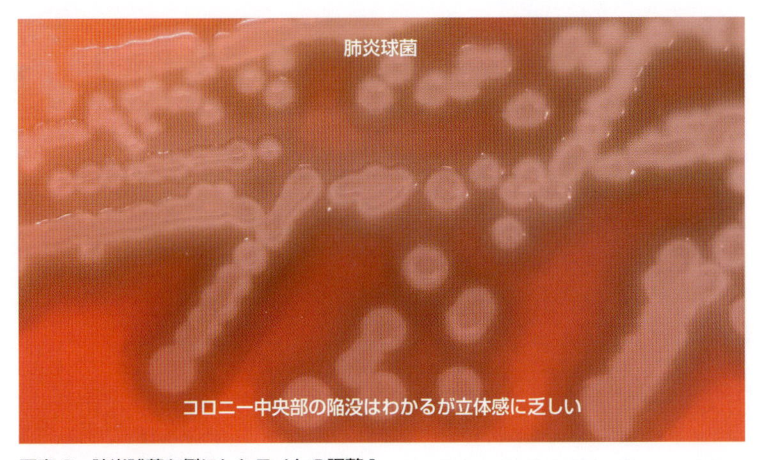

写真８　肺炎球菌を例にしたライトの調整１

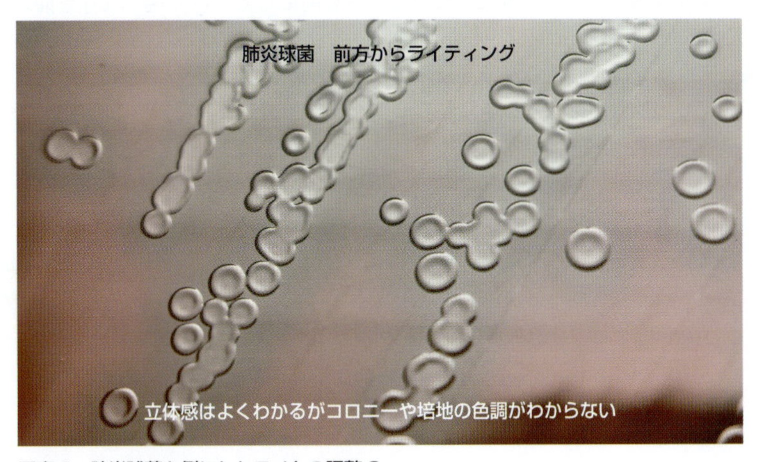

写真９　肺炎球菌を例にしたライトの調整２

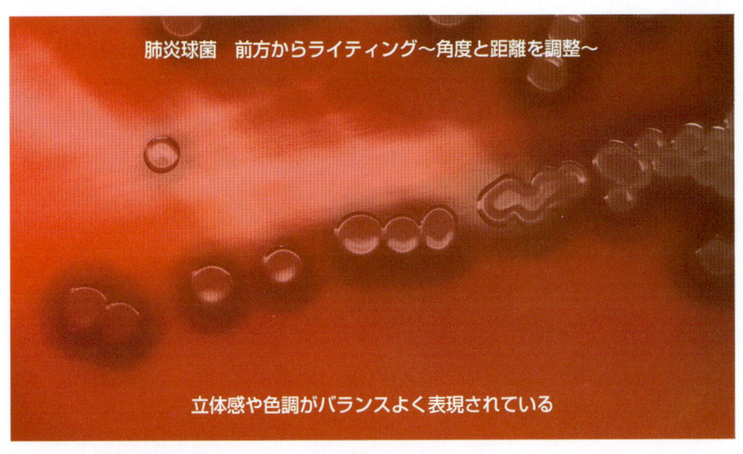

写真 10　肺炎球菌を例にしたライトの調整３

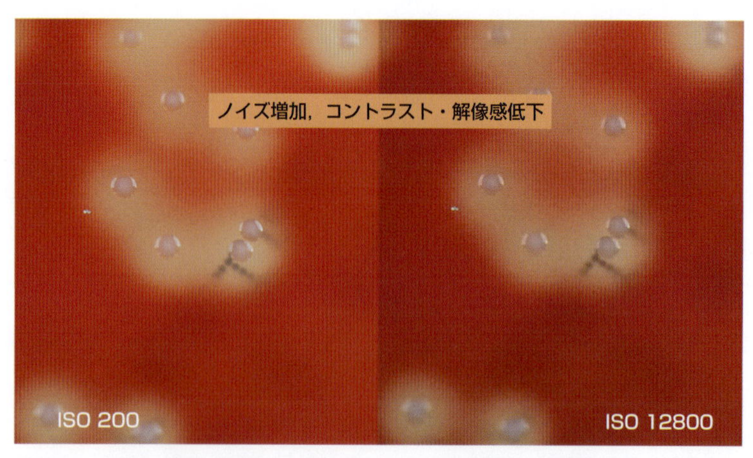

写真 11　低 ISO 感度で撮影した写真と高い ISO 感度で撮影した写真

終わりに

撮影に必要なものはまずは被写体です。きれいなコロニーを前にして，（1）「手ブレ」を抑えて（可能であれば三脚等利用），（2）柔らかなライティングを心がけ，（3）余計なものを写さないように心がける。後はたくさん撮って反省，撮って反省を繰り返すことで写真のクオリティが上がってくると思います。フィルム時代と違い，どんなに撮影しても追加費用は発生しません。心ゆくまで特徴を捉えた撮影を追求してください。

薬剤略語一覧

・略語は，日本化学療法学会の「抗菌化学療法用語集」をもとにしたが，「★」を記した略語はその限りでない。
・略語の原語と一般名の原語が異なる場合は，英文フルスペルを「略語の原語フルスペル（一般名の原語フルスペル）」の形で表記した。

略語	一般名	英語フルスペル
5-FC	フルシトシン	5-fluorocytosine (flucytosine)
ABPC	アンピシリン	aminobenzylpenicillin (ampicillin)
AMK	アミカシン	amikacin
AMPC	アモキシシリン	aminohydroxybenzyl-penicillin (amoxicillin)
AMPH★	アムホテリシンB	amphotericin B
AZM	アジスロマイシン	azithromycin
AZT	アズトレオナム	aztreonam
CAM	クラリスロマイシン	clarithromycin
CAZ	セフタジジム	ceftazidime
CET	セファロチン	cephalothin
CEZ	セファゾリン	cefazolin
CFPM	セフェピム	cefepime
CFX	セフォキシチン	cefoxitin
CL	コリスチン	colistin
CLDM	クリンダマイシン	clindamycin
CMZ	セフメタゾール	cefmetazole
CPDX	セフポドキシム	cefpodoxime
CPFX	シプロフロキサシン	ciprofloxacin
CTRX	セフトリアキソン	ceftriaxone
CTX	セフォタキシム	cefotaxime
CVA	クラブラン酸	clavulanic acid
DAP	ダプトマイシン	daptomycin
DOXY	ドキシサイクリン	doxycycline
EB	エタンブトール	ethambutol
EM	エリスロマイシン	erythromycin
FLCZ	フルコナゾール	fluconazole
FOM	ホスホマイシン	fosfomycin
GM	ゲンタマイシン	gentamicin
INH	イソニアジド	isoniazid
IPM	イミペネム	imipenem
L-AMPH★	アムホテリシンBリポソーム製剤	liposomal amphotericin B
LVFX	レボフロキサシン	levofloxacin
LZD	リネゾリド	linezolid
MEPM	メロペネム	meropenem
MINO	ミノサイクリン	minocycline
MNZ	メトロニダゾール	metronidazole
MPIPC	オキサシリン	oxacillin
NA	ナリジクス酸	nalidixic acid
NYS	ナイスタチン	nystatin
PCG	ベンジルペニシリン	penicillin G (benzylpenicillin)
PIPC	ピペラシリン	piperacillin
PZA	ピラジナミド	pyrazinamide
RFP	リファンピシン	rifampicin
SBT	スルバクタム	sulbactam
SM	ストレプトマイシン	streptomycin
ST	スルファメトキサゾール・トリメトプリム	sulfamethoxazole-trimethoprim
TAZ	タゾバクタム	tazobactam
TC	テトラサイクリン	tetracycline
TEIC	テイコプラニン	teicoplanin
TGC	チゲサイクリン	tigecycline
VCM	バンコマイシン	vancomycin
VRCZ	ボリコナゾール	voriconazole

略語一覧

略語	日本語（英語フルスペル）
ABHK	anaerobic blood hemin vitamin K
ABPA	アレルギー性気管支肺アスペルギルス症（allergic bronchopulmonary aspergillosis）
ABPM	アレルギー性気管支肺真菌症（allergic broncho-pulmonary mycosis）
AFRS	アレルギー性副鼻腔真菌症（allergic fungal rhinosinusitis）
AIDS	後天性免疫不全症候群（acquired immune deficiency syndrome）
ARDS	急性呼吸促迫症候群（acute respiratory distress syndrome）
ATCC	American Type Culture Collection
BBE	*Bacteroides* bile esculin (agar)
BCYE (BCYEα)	buffered charcoal-yeast extract agar(with 0.1% α-ketoglutalate) (agar)
BLNAR	β-ラクタマーゼ非産生アンピシリン耐性菌（β-lactamase negative ampicillin-resistant）
BLPACR	β-ララクタマーゼ産生アモキシシリン / クラブラン酸耐性菌（β-lactamase positive amoxicillin / clavulanate-resistant）
BLPAR	β-ラクタマーゼ産生アンピシリン耐性菌（β-lactamase-producing ampicillin-resistant）
B & M	Bartholomew & Mittwer
BTB	ブロモチールブルー（bromothymol blue）(agar)
BV	細菌性腟症（bacterial vaginosis）
CAMP テスト	Christie, Atkins, and Munch-Peterson test
CA-MRSA	市中感染型メチシリン耐性黄色ブドウ球菌（community acquired methicillin-resistant *Staphylococcus aureus*）
CAPD	連続携行式腹膜透析（continuous ambulatory peritoneal dialysis）
CCDA	charcoal cefoperazone desoxycholate agar
CCFA	cycloserine-cefoxitin fructose agar
CCMA	cycloserine-cefoxitin mannitol agar
CD	クロストリジオイデス・ディフィシル（*Clostridioides difficile*）
CDI	クロストリジオイデス・ディフィシル感染症（*Clostridioides difficile* infection）
CFU	コロニー形成単位（colony forming unit）
CIM	carbapenem inactivation method
CIN	cefsulodin-irgasan-novobiocin (agar)
CLED	cystine lactose electrolyte deficient
CLSI	米国臨床・検査標準委員会（Clinical and Laboratory Standards Institute）
CNS, CoNS	コアグラーゼ陰性ブドウ球菌（coagulase-negative *Staphylococcus*）
COPD	慢性閉塞性肺疾患（chronic obstructive pulmonary disease）
CPE	カルバペネマーゼ産生腸内細菌目細菌（carbapenemase-producing *Enterobacterales*）
CPPA	慢性進行性肺アスペルギルス症（chronic progressive pulmonary aspergillosis）
CRBSI	カテーテル関連血流感染症（catheter related blood stream infection）
CRE	カルバペネム耐性腸内細菌目細菌（carbapenem-resistant *Enterobacterales*）
CT	コンピュータ断層撮影法（computerized tomography）
CT	コレラトキシン（cholera toxlin）
DDH	DNA-DNA hybridization（抗酸菌群核酸同定検査）
DHL	deoxycholate-hydrogen sulfide-lactose (agar)
EAEC	腸管凝集接着性大腸菌（enteroaggregative adherent *Escherichia coli*）
EDTA	エチレンジアミン四酢酸（ethylenediamine tetraacetic acid）
EHEC	腸管出血性大腸菌（enterohemorrhagic *Escherichia coli*）
EIEC	腸管組織侵入性大腸菌（enteroinvasive *Escherichia coli*）
EPEC	腸管病原性大腸菌（enteropathogenic *Escherichia coli*）
ESBLs	基質特異性拡張型β-ラクタマーゼ（extended-spectrum β-lactamases）
ETEC	腸管毒素原性大腸菌（enterotoxigenic *Escherichia coli*）
EUCAST	European Committee on Antimicrobial Susceptibility Testing
GAS	A 群溶連菌（group A *Streptococcus*）
GBS	B 群溶連菌（group B *Streptococcus*）

略語	日本語（英語フルスペル）
GC	淋菌寒天培地（gonococcus agar）
GDH	グルタミン酸デヒドロゲナーゼ（脱水素酵素）（glutamate dehydrogenase）
HACEK	*Haemophilus* species, *Aggregatibacter* species, *Cardiobacterium hominis*, *Eikenella corrodens*, and *Kingella* species
HA-MRSA	病院感染型 MRSA（hospital-associated methicillin-resistant *Staphylococcus aureus*）
HCAP	医療ケア関連肺炎（healthcare-associated pneumonia）
Hib	インフルエンザ菌 b 型（*Haemophilus influenza* type b）
HIV	ヒト免疫不全ウイルス（human immunodeficiency virus）
HK	hemin vitamin K1
HLAR	高度アミノグリコシド耐性（high-level aminoglycoside-resistant）
HTM	*Haemophilus* Test Medium
HUS	溶血性尿毒症症候群（hemolytic uremic syndrome）
IA	侵襲性肺アスペルギルス症（invasive aspergillosis）
ICU	集中治療室（intensive care unit）
IgG	免疫グロブリン G（immunoglobulin G）
IGRA	インターフェロンγ遊離試験（interferon-gamma release assay）
IMP	imipenemase
JANIS	厚生労働省院内感染対策サーベイランス事業（Japan Nosocomial Infections Surveillance）
J-SIPHE	感染対策連携共通プラットフォーム（Japan Surveillance for Infection Prevention and Healthcare）
KPC	*Klebsiella pneumoniae* carbapenemase
LAMP	loop-mediated isothermal amplification
LIM	Lysine Indole Motility
MAC	マイコバクテリウム・アビウム・コンプレックス（*Mycobacterium avium* complex）
mCIM	modified carbapenem inactivation method
MDRA	多剤耐性アシネトバクター（multidrug-resistant *Acinetobacter* spp.）
MDRP	多剤耐性緑膿菌（multidrug-resistant *Pseudomonas aeruginosa*）
MHB	ミューラー・ヒントン・ブロス（Mueller-Hinton broth）
MIC	最小発育阻止濃度（minimum inhibitory concentration）
MR	メチシリン耐性（methicillin-resistant）
MRCNS	メチシリン耐性コアグラーゼ陰性ブドウ球菌（methicillin-resistant coagulase-negative *Staphylococcus*）
MRSA	メチシリン耐性黄色ブドウ球菌（methicillin-resistant *Staphylococcus aureus*）
MSSA	メチシリン感受性黄色ブドウ球菌（methicillin-susceptible *Staphylococcus aureus*）
NAAT	核酸増幅検査（nucleic acid amplification test）
NAD	ニコチンアミドアデニンジヌクレオチド（nicotinamide adenine dinucleotide）
NDM	New Delhi metallo
NF-GNR	ブドウ糖非発酵グラム陰性桿菌（non-fermenting gram-negative rod）
NGKG	Nacl-Glycine-Kim-Goepfect
NTM	非結核性抗酸菌（nontuberculous mycobacteria）
NV	ナリジクス酸・バンコマイシン（nalidixic acid and vancomycin）
NVS	栄養要求性レンサ球菌（nutritionally variant streptococci）
OF	oxidation-fermentation
OIML	Ornithine Indole Motility Lysine
OXA	oxacillinase
PCP	ニューモシスチス肺炎（*Pneumocystis* pneumonia）
PCR	ポリメラーゼ連鎖反応（polymerase chain reaction）
PCV13	13 価肺炎球菌結合型ワクチン（13-valent pneumococcal conjugate vaccine）
PID	骨盤内炎症性疾患（pelvic inflammatory disease）
PV	パロモマイシン・バンコマイシン（paromomycin-vancomycin）
PVL	Panton-Valentine leucocidin

略語	日本語（英語フルスペル）
PYR	ピロリドニルアリルアミダーゼ（pyrrolidonyl arylamidase）
RGM	迅速発育抗酸菌（rapid growing mycobacteria）
SARS-CoV-2	重症急性呼吸器症候群コロナウイルス 2（severe acute respiratory syndrome coronavirus 2）
SBP	特発性細菌性腹膜炎（spontaneous bacterial peritonitis）
SCV	small colony variant
SDSE	*Streptococcus dysgalactiae* subsp. *equisimilis*
SGM	遅速発育抗酸菌（slowly growing mycobacteria）
SIM	Sulfide-Indol-Motility
SMA	メルカプト酢酸ナトリウム（sodium mercaptoacetic acid）
SS	*Salmonella-Shigella* (agar)
SSSS	ブドウ球菌性熱傷様皮膚症候群（staphylococcal scalded skin syndrome）
STI	性感染症（sexually transmitted infection）
TB	結核（tuberculosis）

略語	日本語（英語フルスペル）
TCBS	thiosulfate citrate bile sucrose (agar)
TPN	完全静脈栄養（total parenteral nutrition）
TSB	トリプトンソイブイヨン培地（tryptone soya broth）
TSI	triple sugar iron
TSS	トキシックショック症候群（toxic shock syndrome）
UV	紫外線（ultraviolet）
VAP	人工呼吸器関連肺炎（ventilator-associated pneumonia）
VIM	Verona imipenemase
VP	Voges Proskauer
VRE	バンコマイシン耐性腸球菌（vancomycin-resistant *Enterococcus*）
VRSA	バンコマイシン耐性黄色ブドウ球菌（vancomycin-reesistant *Staphylococcus aureus*）
VT	ベロトキシン（verotoxin）
WYO-α	Wadowsky-Yee-Okuda agar with 0.1% α-ketoglutalate (agar)

写真・動画閲覧のご案内

本書では，弊社のウェブ上ですべてのページの写真を拡大して閲覧することができます。また，vimeo では以下の動画をご覧いただけます。動画をご覧いただく際は，下記の QR コードからご利用ください。パスワードは MEDSi_microplat_ver2 です。

章	動画タイトル / URL	QR コード
2 章	写真 2-13　カタラーゼテスト https://vimeo.com/846124292?share=copy	
	写真 2-14　コアグラーゼテスト https://vimeo.com/846124375?share=copy	
3 章	写真 3-17　ストリングテスト https://vimeo.com/847853910?share=copy	
	3 章の 75 ページの注意（赤痢菌の運動性の確認） https://vimeo.com/847853951?share=copy	
	写真 3-102　コレラ症例の糞便の生標本 https://vimeo.com/844835939?share=copy	
	写真 3-157　スピロヘータの運動性 https://vimeo.com/848268531?share=copy	
4 章	写真 4-12　Hocky Puck Sign https://vimeo.com/848268557?share=copy	
6 章	写真 6-4　抗酸菌の塗抹検査 https://vimeo.com/848268580?share=copy	
7 章	7 章のガス産生の確認 https://vimeo.com/848593334?share=copy	
8 章	8 章のシュウ酸カルシウム結晶 https://vimeo.com/848268488?share=copy	

文献

全体を通して

・岡 秀昭. 感染症プラチナマニュアル Ver.8 2023-2024. 東京：メディカル・サイエンス・インターナショナル, 2023.
・Clinical and Laboratory Standards Institute. Performance Standards for Antimicrobial Susceptibility Testing, 33rd Edition. CLSI document M100-Ed33. Wayne : Clinical and Laboratory Standards Institute, 2023.
・Carroll KC, Pfaller MA, Landry ML, et al. Manual of Clinical Microbiology, 12th ed. Washington, DC : ASM Press, 2019.
・松本哲哉（編）. 最新臨床検査学講座 臨床微生物学. 東京：医歯薬出版, 2017.
・岡 秀昭（監修）. ASM 臨床微生物学プラチナレファランス. 東京：メディカル・サイエンス・インターナショナル, 2020.

第 2 章　グラム陽性球菌

●*Staphylococcus*（ブドウ球菌）属

・近藤成美, 山田俊彦, 三澤成毅ほか. 血液培養液中のブドウ球菌属の塗抹グラム染色による形態学的鑑別. 感染症誌 2008；82：656-7.

●レンサ球菌属

・永田邦昭. 感染症診断に役立つグラム染色：実践 永田邦昭のグラム染色カラーアトラス, 第 3 版. 東京：シーニュ , 2022.

●腸球菌属

・日本臨床微生物学会（編）. 血液培養検査ガイド. 東京：南江堂, 2013.
・小栗豊子（編）. 臨床微生物検査ハンドブック, 第 5 版. 東京：三輪書店, 2017.

第 3 章　グラム陰性桿菌

●腸内細菌科細菌

・日本臨床微生物学会（編）. 血液培養検査ガイド. 東京：南江堂, 2013.
・坂崎利一, 田村和満. 腸内細菌 上巻, 第 3 版. 東京：近代出版, 1992.
・坂崎利一, 田村和満. 腸内細菌 下巻, 第 3 版. 東京：近代出版, 1992.
・日本臨床微生物学会. 腸管感染症検査ガイドライン. 日臨微生物誌 2010；20（Suppl.1）：1-138.
・荒川宜親. 多剤耐性菌の現状について. 臨検 2012；56：817-26.
・日本臨床微生物学会検査法ガイド等作成委員会, 耐性菌検査法ガイド作成作業部会：耐性菌検査法ガイド. 日臨微生物誌 2017;27（Suppl.3): 1-135.

●ブドウ糖非発酵グラム陰性桿菌

・日本臨床衛生検査技師会（監修）. 臨床微生物検査技術教本（JAMT 技術教本シリーズ）. 東京：丸善出版, 2017.
・遠藤史郎, 平潟洋一. 耐性ブドウ糖非発酵菌：*A. baumannii*, *B. cepacia*, *S. maltophilia*. In：飯沼由嗣 , 館田一博（編）. 感染症診療の基礎と臨床～耐性菌の制御に向けて～. 大阪：医薬ジャーナル社, 2010：49-55.

●その他のグラム陰性桿菌

・Clinical and Laboratory Standards Institute. Methods for Antimicrobial Dilution and Disk Susceptibility Testing of Infrequently Isolated or Fastidious Bacteria ; Approved Guideline, 3rd Edition.CLSI document M45. Wayne : Clinical and Laboratory Standards Institute, 2016.
・日本臨床衛生検査技師会（監修）. 臨床微生物検査技術教本（JAMT 技術教本シリーズ）. 東京：丸善出版, 2017.
・日本臨床微生物学会. 腸管感染症検査ガイドライン. 日臨微生物誌 2010；20（Suppl.1）: 1-138.

●らせん菌

・日本臨床微生物学会. 腸管感染症検査ガイドライン. 日臨微生物誌 2010；20（Suppl.1）: 1-138.
・河村好章, 富田純子, 岡本竜哉ほか. *H. cinaedi* と敗血症. 臨と微生物 2015；42：177-82.

第 4 章　グラム陰性球菌

・日本臨床衛生検査技師会（監修）. 臨床微生物検査技術教本（JAMT 技術教本シリーズ）. 東京：丸善出版, 2017.

第 5 章　グラム陽性桿菌

・Clinical and Laboratory Standards Institute. Performance Standards for Antimicrobial Susceptibility Testing, 33rd Edition. CLSI document M100-Ed33. Wayne : Clinical and Laboratory Standards Institute, 2023.

第 6 章　抗酸性を有するグラム陽性桿菌

・Clinical and Laboratory Standards Institute. Susceptibility Testing of Mycobacteria, *Nocardia* spp., and Other Aerobic Actinomycetes M24 3rd edition. Wayne: Clinical and Laboratory Standards Institute, 2018.
・御手洗聡, 高木明子. 結核菌の細菌学と感染・発病：結核菌の細菌学. 日胸臨 2015；74：S4-S9.

第 7 章　嫌気性菌

・Jouseimies-Somer H, Summanen P, Citron D, et al. Wadsworth-Ktl Anaerobic Bacteriology Manual, 6th ed. Belmont :

Star Publishing Company, 2002.
・日本臨床微生物学会検査法マニュアル作成委員会・嫌気性菌検査ガイドライン委員. 嫌気性菌検査ガイドライン 2012. 日臨微生物誌 2012；22（Suppl.1）：1-142.
・Clinical and Laboratory Standards Institute. Susceptibility Testing of Mycobacteria, *Nocardia* spp., and Other Aerobic Actinomycetes M24, 3rd edition. Wayne : Clinical and Laboratory Standards Institute, 2018.

第８章　真菌

・Clinical and Laboratory Standards Institute : Reference Method for Broth Dilution Antifungal Susceptibility Testing of Yeasts, CLSI document M27, 4th Edition. Wayne : Clinical and Laboratory Standards Institute, 2017.

索引

※ノンブルが太字のものはメインで解説されているページ，Fは図の説明部である。

和文索引

あ

亜急性心内膜炎　34
亜急性肺炎　157
悪性外耳道炎, 糖尿病患者の　90
悪性腫瘍　32
アクチノマイセス症の診断　188F
アクチノマイセス(属菌)　**187～190**
　——・イスラエリ　187
　——・オドントリチカス　187
アグリゲイティバクター・アクチノミセテムコミタンス　**121**
アジスロマイシン(AZM)　73F, 75, 101, 109, 118, 131F, 141F
アシネトバクター・バウマニー・コンプレックス　**94～96**
アズトレオナム(AZT)　90
アスペルギルス(属菌)　**204～209**
　——, アレルギー　204
　——, 侵襲性　204
　——, 定着　204
　——・テレウス　204
　——・ニガー　204
　——, 半侵襲性　204
　——・フミガタス　204
　——・フラバス　204
アスペルギローマ　204
アネロ型分生子　216F
アミカシン(AMK)　157
アミノグリコシド(系薬)　41, 60, 81, 87, 90, 94, 125F, 127F
アムホテリシンBリポソーム製剤(L-AMPH)　195F, 196, 200F, 210, 211F
　——＋フルシトシン(5-FC)　196
アモキシシリン(AMPC)　109
アモキシシリン(AMPC)/クラブラン酸(CVA)　112, 113F, 136F, 157, 180, 182
荒川変法培地　142
アルカノバクテリウム・ヘモリチカム　**146, 147**
アルコール多飲患者　55
アレルギー性気管支肺アスペルギルス症(ABPA)　204
アレルギー性気管支肺真菌症(ABPM)の原因菌　213
アレルギー性副鼻腔真菌症(AFRS)　213
アンピシリン(ABPC)　19, 21F, 23F, 25, 26F, 31F, 39F, 41, 42, 43F, 44F, 48, 75, 81, 109, 114, 115F, 126, 127F, 138
　——に耐性　60
アンピシリン(ABPC)/スルバクタム(SBT)　40F, 55, 94, 96F, 112, 114, 115F, 135, 136F, 180, 182

い

イソニアジド(INH)＋リファンピシン(RFP)＋エタンブトール(EB)　154
異染小体の染色, ナイセル染色による　143F
イミペネム(IPM)　6, 157, 161
イミペネム(IPM)・レレバクタム　90
イムノクロマト法　150, 167
　——によるベロトキシン検出　54F
医療器具の汚染を介した感染　164
医療ケア関連肺炎(HCAP)　60, 63, 90, 94
インターフェロンγ遊離試験(IGRA)陽転化　150
咽頭炎　25, 130, 142, 146
咽頭用のイムノクロマト検査試薬, *Streptococcus pyogenes* 存在確認のための　28F
インフルエンザ菌　**109～111**
　——b型(Hib)　111F
　——, チョコレート寒天培地上の　110F
　——, ヒツジ血液/チョコレート寒天分画寒天培地上の　110F

う

ウィルツ法　168F
ウェルシュ菌　169
ウマやブタへの曝露歴　161
運動性　75, 78F, 80F

え

エイケネラ・コロデンス　**114, 115**
栄養要求性レンサ球菌(NVS)　34, 36F
エクソフィアラ属菌　**215, 216**
壊死性筋膜炎　25, 27F, 101, 107
　——症例で肺炎に至った症例　27F
　——, ヘモクロマトーシスの患者での　105F
壊死性腸炎　169
エスクリン加水分解　178, 179F
エチレンジアミン四酢酸(EDTA)　88F
エリスロマイシン(EM)　7, 142
エルシニア(属菌)　**83～85**
　——・エンテロコリチカ　**83～85**
　——・シュードツベルクローシス　**83～85**
エロゲネス菌→クレブシエラ・エロゲナス
エロモナス(属菌)　**107, 108**
　——・ハイドロフィラ　**107, 108**
炎症細胞　1
エンテロコッカス
　——・カセリフラブス　41
　——・フェカーリス　41
　——・フェシウム　41
エンテロバクター(属菌)　**63～66**
　——・クロアカ　**63～66**
エンテロヘモリジン確認用培地　53F

お

横隔膜下の感染症　178
黄色ブドウ球菌　**5～13**, 13F, 17F
　——, ヒツジ血液寒天培地の　7F
　——, ミューラー・ヒントン(Mueller-Hinton)寒天培地上の　17F
　——, 卵黄加マンニット食塩培地上の　12F
オキサシリン(MPIPC)　7, 12F, 15F
　——感受性　7
オキシダーゼ(試験)　89F
　——陰性　**48**
　——陽性　107
　——陽性のブドウ糖非発酵菌　90
オプトヒン試験　19
　——での肺炎球菌の阻止円　23F
オリーブオイルの重層　202
オレンジ色の痰, 肺炎症例の　120F

か

開口障害　174, 175F
海産物摂取　105F
海水曝露　105F
灰白色不透明で光沢のあるコロニー　170F
回盲部炎　83
火炎固定　1
核酸増幅検査　116
喀痰グラム染色
　——染色所見　10F
　——, 緑膿菌と *Klebsiella aerogenes* の　59F
ガス壊疽　169
かすがい連結　213

ガス産生　75
カタラーゼテスト　6
—— 陰性　18
—— 陽性の菌の気泡　11F
カタル期　116
カットグラス様の構造　118, 119F
カテーテル関連血流感染症（CRBSI）　6, 14, 41, 42F, 48, 60, 63, 67, 86, 90, 94, 97, 140, 164, 176, 195F, 202
カテーテル尿路感染症　41
ガードネレラ・バギナリス　**122**
化膿性関節炎　6, 29, 109, 112, 123, 192
過敏性肺臓炎　199
芽胞形成　169, 172F
芽胞染色　168F
——, *Clostridium botulinum* の　172F
芽胞を有さない通性嫌気性のグラム陰性桿菌　**48**
カラメル様の甘い臭気　34, 38F
カルバペネマーゼ
—— 検出　87F
—— 産生腸内細菌目細菌（CPE）　86, 88F
カルバペネム（系薬）　60, 62F, 66F, 67, 68F, 87, 90, 94, 125F, 127F, 178
—— 耐性腸内細菌目細菌（CRE）　86
眼窩周囲蜂窩織炎　109
肝硬変　55, 105F
カンジダ（属菌）　**192 ～ 195**
——・アウリス　192
——・アルビカンス　192
——・ギリエルモンディ　192
——・グラブラータ　192
——・クルセイ　192
——・トロピカリス　192
——・パラプシローシス　192
——・ルシタニアエ　192
肝周囲炎　130
関節炎　15F, 124
感染性心内膜炎　6, 9F, 14, 15F, 25, 29, 34, 35F, 36F, 37F, 41, 43F, 114, 115, 123, 144, 192
——, 静注薬物常用者の　90
感染性腸炎　69, 78, 107, 123, 138, 144
—— 症例の糞便グラム染色　71F
感染性動脈瘤　69, 123
肝胆道感染症　48, 55, 57F, 86, 169
眼内炎　14, 15F, 144, 192, 202
肝膿瘍　55, 57F
肝脾腫大　72, 73F
カンピロバクター（属菌）　**123 ～ 125**
肝不全　83

き

気管支炎　135
気管支鏡検査　210
気管支肺胞洗浄　217
基質特異性拡張型 β-ラクタマーゼ（ESBLs）　56F, 86, 87F
—— 産生　63
キニヨン染色　157
キニヨン変法染色　160F
キノロン（系薬）　6, 141F, 157
偽膜を認める咽頭炎　142, 143F
キャピリア TB　152F
キャンディン（系抗真菌薬）　192, 195F
—— 投与中の血液培養の酵母真菌　200F
吸気性笛声　116
臼歯状のコロニー　187, 188F
急性呼吸促迫症候群（ARDS）　35F
急性腎炎　25
キューティバクテリウム・アクネス　**176, 177**
莢膜 b 型菌　111F
莢膜を有するグラム陽性双球菌　19
菌血症　14, 32, 34, 69, 72, 73F, 78, 97, 101, 107, 123, 138, 140, 144, 161, 192, 199
——, HIV 患者の　83
筋硬直　174, 175F
菌糸状の形態　192
菌腫　215

く

腐った漬物を想像する酸味のある悪臭　172
グラム陰性桿菌　**47 ～ 128**
——, 莢膜を有するずんぐりとした　55
——, 好塩菌で海水, 魚介類に存在する　101
——, 湿潤環境に存在する　60
——, 出血性大腸炎を引き起こす　52
——, 消化管の正常細菌叢を形成する　55
——, 少量の菌の経口摂取により必ず下痢を来す　75
——, ニワトリなどの動物の腸管に存在する　123
——, ニワトリなどの動物や爬虫類の腸管内に存在する　69
——, バナナ状に湾曲した　106F
——, ブドウ糖非発酵, オキシダーゼ陰性の　97
——, 糞口感染で伝染する　72
——, 細長い形態の　182
グラム陰性球桿菌, ネコの口腔内に常在する　112
グラム陰性球菌　**129 ～ 136**
グラム陰性小型桿菌, 両端に丸みを帯びた　178
グラム陰性短桿菌　180
グラム陰性らせん菌, オキシダーゼ陽性の　123
グラム染色　1
——, *Acinetbacter baumannii* の　96F
——, *Actinomyces israeli* の　188F
——, *Actinomyces odontolyticus* の　189F
——, *Aspergillus fumigatus*　206F
——, *Aspergillus niger* の分生子の　208F
——, *Aspergillus* 属菌の　208F
——, *Campylobacter* 腸炎の　124F
——, *Candida albicans* の　193F, 195F
——, *Candida glabrata* の　195F
——, *Candida parapsilosis* の　195F
——, *Clostridium botulinum* の　172F
——, *Clostridium perfringens* の　171F
——, *Corynebacterium kroppenstedtii* の　141F
——, *Corynebacterium striatum* の　140F
——, *Cryptococcus neoformans* の　198F
——, *Cutibacterium acnes* の　177F
——, *Desulfovibrio* 属菌の　190F
——, *Eikenella corrodens* の　115F
——, *Exophiala dermatitidis* の　216F
——, *Finegoldia magna* の　186F
——, *Fusobacterium necrophorum* の　184F
——, *Fusobacterium nucleatum* の　183F, 184F
——, *Gardnerella vaginalis* の　122F
——, *Klebsiella pneumoniae* による肝膿瘍症例の　57F
——, *Klebsiella pneumoniae* による肺炎症例　56F
——, *Legionella* 肺炎症例の　120F
——, *Listeria monocytogenes*　139F
——, *Malassezia* sp. の　203F
——, *Moraxella catarrhalis* 感染の喀痰の　136F

索引

——, *Nocardia farcinica* の　160F
——, *Parvimonas micra* の　186F
——, *Peptostreptococcus anaerobius* の　186F
——, *Plesiomonas shigelloides* 80F
——, *Prevotella bivia* の　181F
——, *Prevotella melaninogenica* の 181F
——, *Rhodococcus equi* の　163F
——, *Rhodotorula* sp. のコロニーの 203F
——, *Salmonella Enteritidis* による感染性腸炎症例の　71F
——, *Shigella sonnei* の　77F
——, *Staphylococcus lugdunensis* の　17F
——, *Streptococcus pyogenes* による扁桃周囲膿瘍の　27F
——, *Trichosporon asahii* の 200F
——, *Vibrio parahaemolyticus* の 105F
——, *Yersinia enterocolitica* の 85F
——, 厚い莢膜を有する *Acinetbacter baumannii* の　96F
——, アレルギー性気管支肺真菌症(ABPM)の気管支洗浄液の 214F
——, 喀痰から検出された *Serratia marcescens* の　62F
——, グラム陰性双球菌の　134F
——, グラム陰性のらせん状桿菌の 125F
——, 血液培養した *Granulicatella adiacens* の　37F
——, 血液培養した *Granulicatella adiacens* のコロニーの　37F
——, 血液培養で *B. fragilis* が検出された症例の　179F
——, 血液培養ボトルから検出された B 群溶連菌の　31F
——, 血液培養ボトルから検出された *Citrobacter freundii* complex, の　68F
——, 血液培養ボトルから検出された *Serratia marcescens* の　62F
——, 血液培養ボトルで検出された *Streptococcus pyogenes* の 27F
——, 血液培養ボトルで発育を認めた黄色ブドウ球菌の　8F, 9F
——, 血液培養ボトル内容液の *Bacillus cereus* の　145F
——, 血液培養ボトルに発育した G 群溶血性レンサ球菌(GCS)の 33F
——, 血液培養ボトルに発育を認めた *Streptococcus mitis* の　36F
——, 血液培養ボトルに認めた *Staphylococcus epidermidis* の 15F
——, 結核菌の　152F
——, 好中球に貪食されたグラム陰性双球菌(淋菌)の　131F
——, 小型のグラム陰性桿菌の 98F
——, 小型のグラム陰性短桿菌の 111F, 113F, 117F
——, コレラ菌の　103F
——, 小児における肺炎球菌とインフルエンザ菌の混合感染の　22F
——, 大腸菌による尿路感染症例の 51F
——, 大量のスピロヘータの　128F
——, 緑膿菌の　91F
—— 手順　**1 ～ 4**
—— における小型のレンサ球菌の集塊形成　34
——, 尿から検出した長い連鎖を示す B 群溶連菌の　31F
——, 尿路感染症の *Proteus mirabilis* と結晶成分の　82F
——, 尿路感染症例の *Enterobacter cloacae* complex の　66F
——, 膿瘍から *Bacteroides fragilis* と B 群溶連菌が検出された症例の　179F
——, ノカルジア症喀痰の　160F
——, 肺炎球菌性肺炎の喀痰塗抹標本の　21F
——, 肺炎球菌の莢膜の　22F
——, 破傷風菌の　175F
——, 扁平上皮細胞に付着する α-*Streptococcus* の　35F
——, 紡錘状グラム陰性桿菌の 113F
——, 慢性壊死性肺アスペルギルス症の　208F, 209F
——, ムコイド型の肺炎球菌の 23F
——, ムコイド型緑膿菌の　93F
——, やや湾曲したグラム陰性桿菌の　106F
グラム陽性桿菌　**137 ～ 147**
——, 芽胞形成する　144
——, 多形性のある嫌気性の　176
——, フィラメント状の嫌気, 微好気性　187
——, フィラメント状の分枝した形態が特徴の　157
グラム陽性球桿菌, 非運動性で多形性に富んだ　161
グラム陽性球菌　5 ～ 45
クラリスロマイシン(CAM)　153
クランピング因子陽性　15F
クリスタルバイオレット　2
クリの花臭に近い独特の臭気　109
クリプトコッカス(属菌)　**196, 198**
——・ガッティ　196
——・ネオフォルマンス　196
クリンダマイシン(CLDM)　6, 13F, 27F, 33F, 171F, 176, 180, 182, 185
—— に対するマクロライド誘導耐性検査　29
—— への耐性化　178
クレブシエラ(属菌)　**55 ～ 59**
——・エロゲネス　**55 ～ 59**
——・オキシトカ　**55 ～ 59**
——・ニューモニエ　**55 ～ 59**
クロストリジウム・パーフリンジェンス　169
クロストリジオイデス・ディフィシル(CD)　167
クロスバンディング　153, 155F
クロモアガーカンジダ培地に発育した各種カンジダのコロニー　195F
クロモアガーでのクリプトコッカス, 白色から薄いピンク色の　197F
クロモアガーマラセチア培地　202
クロモブラストミコーシス　215

け

蛍光染色, 結核菌の　152F
劇症型溶連菌感染症　27F, 32
結核菌　**151 ～ 152**
—— のコロニー, 2% 小川培地上の 151F
結核類似の空洞　161
血清型
—— A　132
—— B　132
—— C　132
—— W135　132
—— X　132
—— Y　132
結石　82F
結節性紅斑　83
結節性の肺感染症　161
血液寒天培地　132
—— での α 溶血　19
—— での溶血性　18
血液培養グラム染色, *Klebsiella oxytoca* の　58F
血液培養嫌気ボトルのガス産生所見 171F
結膜炎　130
嫌気性菌　**165 ～ 190**
——, 横隔膜下の　178
——, グラム陽性芽胞形成性の 172, 174
—— に紫外線(UV)ライトを照射し

た写真，ブルセラ HK 寒天培地上の　166F
——，ブルセラ HK 寒天培地上の　166F
嫌気性グラム陰性桿菌　178
嫌気培養　172
—— での黒色色素産生のコロニー　180
ゲンタマイシン（GM）　31F, 41, 42, 45F, 83, 123, 126

こ

コアグラーゼ（テスト）　6, 11F
—— 陰性ブドウ球菌（CNS, CoNS）　6, 11F, 14
—— 陽性　10F, 17F
—— を産生するブドウ球菌　6
好気性グラム陰性桿菌　107
抗菌薬投与前　1
口腔カンジダ　192
抗結核薬　154F
好酸球，気管支洗浄液や喀痰での　213
抗酸性　153
—— を有するグラム陽性桿菌　**149～164**
抗酸性染色
——，*Nocardia farcinica* の　160F
——，*Rhodococcus equi* の　163F
高度アミノグリコシド耐性（HLAR）検査　45F
喉頭炎　135
喉頭蓋炎　109
酵母真菌　196, 199
酵母様真菌　**192～203**, 202F, 203F
厚膜胞子　194F
—— 形成陽性　192
高齢者　32
小型のグラム陽性短桿菌小型　138
小型の乳白色コロニー　143F
呼吸器感染症　132
黒色菌糸症　215
黒色真菌　**215, 216**
黒色真菌症の原因菌　215
黒色分芽菌症　215
個室隔離　142
後染色，Bartholomew & Mittwer 法（B & M 法）の　4
枯草菌，血液寒天培地上の　145F
骨髄炎　6, 69, 90, 112, 146, 161
コード形成　151F
骨盤内炎症性疾患（PID）　130
骨盤内感染症　48
米の研ぎ汁様　103F
コリスチン（CL）　87, 90, 94, 96F
コレラ
—— 下痢症　101
—— 症例の糞便　103F
—— の糞便の生標本　103F
コレラ菌　**101～106**
——，TCBS 寒天培地上の　102F
——，*Vibrio* 寒天培地の　102F
——，アルカリペプトン水上の　103F
コレラトキシン（CT）産生　101
コロニー（集落）
——，pitting と呼ばれる目玉焼き状の　114
——，エッジが広がった　119F
——，オリーブ色から黒色のしっとりとした　215
——，硬く培地に食い込んだ　199
——，黄色　101
——，黄色がかった　97
——，白いふわふわした　213
—— のウマ小屋臭　167
——，ヒツジ血液寒天培地で溶血を示す大型　107
——，ピンク色の　107
——，緑色　101, 104F
——，無色半透明の乳糖非分解　75
コンタミネーション　176, 177F

さ

サイアー・マーチン培地　130, 132
細菌性髄膜炎　132
細菌性赤痢　75
細菌性腟症（BV）　122
最小発育阻止濃度（MIC）　7
細胞免疫不全者の肺炎　217
痤瘡　176
サフラン　4
サルモネラ菌慢性保菌　69
サルモネラ（属菌），SS 寒天培地上の　70F
散瞳，構音障害，嚥下障害ののちに下降性両側性の弛緩性麻痺を呈する症例　172

し

歯科・頸部感染症　34
志賀赤痢菌　**75～77**
色素比較，*Gordonia terrae*, *Roseomonas mucosa*, *Roseomonas equi* の　162F
子宮頸管炎　130
子宮内避妊具のある患者の骨盤内膿瘍　187
子宮内膜炎　29
子宮付属器炎　178
歯原性感染症　114, 185
脂質要求性の *Corynebacterium* 属菌　140
糸状真菌　**204～214**
——，あらゆる環境面に存在する　204
市中感染型メチシリン耐性黄色ブドウ球菌（CA-MRSA）　6, 12F
市中肺炎　135
湿潤環境　89, 90
質量分析（法）　153, 157
シトロバクター（属菌）　**67, 68**
シナジー　45F
ジフテリア　142, 143F
—— 以外のコリネバクテリウム属菌　**140, 141**
—— 抗毒素　142
ジフテリア菌　**142～143**
——，ヒツジ血液寒天培地上の　143F
シプロフロキサシン（CPFX）　78, 132
シャルコー・ライデン結晶　214F
——，気管支洗浄液や喀痰での　213
シャント髄膜炎　14
臭気，暗所に放置した雑巾のような　118
シュウ酸カルシウム結晶　204, 208F, 209F
重症肺炎　55
絨毛羊膜炎　29
手術部位感染症　6, 41, 63, 67, 94
術後髄膜炎　90
消化管で検出　41
上気道，肺，腹腔内の膿瘍腫瘤病変　187
猩紅熱　25
硝酸塩を亜硝酸に還元　**48**
小葉中心性粒状陰影　153
食餌性ボツリヌス症　172
食中毒　138, 144
—— 性下痢症　101
—— での神経症状　172F
食道カンジダ　192
自律神経障害　174
脂漏性皮膚炎　202
心外膜炎　19
真菌　**191～218**
心筋炎　142
神経毒産生　172
人工関節　176
—— 感染症　14, 15F, 140
人工呼吸器関連肺炎（VAP）　94
人工弁
—— による心内膜炎　140
—— の感染症　15F
侵襲性肺アスペルギルス症（IA）　204
新生児髄膜炎　29, 48
迅速発育抗酸菌（RGM）　153
人畜共通感染症　83
心内膜炎　19
深部頸部腫瘍　114, 185

索引

す

水洗, Bartholomew & Mittwer 法(B & M 法)の 3
髄膜炎 19, 29, 55, 57F, 109, 138, 144, 196
——, 紫斑を伴う 132
髄膜炎菌 **132 ~ 134**
——, ヒツジ血液 / チョコレート寒天培地上の 133F
——, ヒツジ血液 / マッコンキー寒天培地上の 134F
水様便, 大量の米のとぎ汁様 101
スウォーミング(遊走) 172F
スエヒロタケ **213, 214**
——, サブロー寒天培地上の 213F
スタフィロコッカス
——・サプロフィティカス 14
——・ルグドゥネンシス 14
ステノトロフォモナス・マルトフィリア **97, 98**
ステロイド薬 205
ストリングテスト 55, 57F
ストレプトコッカス・
——・アガラクチエ(B 群溶連菌) 29, 30F
——・アンギノーサス 34
——・アンギノーサス, ヒツジ血液寒天培地上の 38F
——・ギャロリチカス 34
ストレプトマイシン(SM) 42
スピロヘータ **128**
スライドガラス塗抹 1
スルファメトキサゾール・トリメトプリム(ST)合剤 51F, 75, 78, 83, 97, 98F, 101, 107, 116, 157, 217, 218F
—— とステロイド薬の併用 217

せ

性感染症(STI) 130
—— による尿道炎 130
性状確認用の試験管培地を利用した大腸菌の判定 51F
成人免疫不全者の肺炎 29
精巣上体炎 130
咳込み後の嘔吐 116
赤痢(血便) 75
赤痢菌 **75 ~ 77**
接合真菌 **210 ~ 212**
接触感染予防 168F
セファゾリン(CEZ) 7, 48, 55, 81
セファロスポリナーゼ, 染色体性の 81
セフェピム(CFPM) 60, 62F, 63, 66F, 67, 68F, 90, 94, 107
セフォキシチン(CFX) 7, 12F
—— ディスク 12F
セフォタキシム(CTX) 101
セフタジジム(CAZ) 90, 94
セフトリアキソン(CTRX) 20, 22F, 40F, 41, 42, 55, 79F, 109, 111F, 114, 115F, 125F, 126, 127F, 130, 132, 134F, 157
セフトロザン・タゾバクタム 90
セフメタゾール(CMZ) 81, 87
セラチア・マルセッセンス **60 ~ 62**
前立腺炎 130, 196

そ

造血幹細胞移植 210
相対性徐脈 72, 73F
創部ボツリヌス症 172
足菌腫 215

た

第 1 世代セフェム(系薬) 51F
第 3 世代セフェム(系薬) 57F, 81
耐気性 187
太鼓のバチ状 175F
大腸がん 40F
大腸菌 **48 ~ 51**
——, BTB 寒天培地上の 50F
—— 疑い 49F
——, 乳糖を分解する 50F
—— の ATCC 25922, BTB 寒天培地上の 49F
—— の ATCC 25922, 血液・マッコンキー分画培地上の 49F
——, マッコンキー寒天培地上の 50F
——, マッコンキー / ヒツジ血液寒天培地上の 50F
—— 免疫血清による O 抗原検査 54F
多剤耐性
—— アシネトバクター(MDRA) 94, 96F
—— 緑膿菌(MDRP) 90, 93F
脱色, Bartholomew & Mittwer 法(B & M 法)の 3, 4
ダプトマイシン(DM) 42, 44F
炭酸ガス培養 132
—— 実施 19
胆汁溶解試験 19
——, 肺炎球菌のコロニーに対する 24F
単~少関節性関節炎 130
丹毒 25

ち

チゲサイクリン(TGC) 87, 94, 96F
腟炎 192
遅発育抗酸菌(SGM) 153
チフス菌 **72 ~ 74**
——, 各種試験管培地の 73F
中耳炎 19, 109, 135
中心静脈カテーテルの感染症 15F
中葉舌区の気管支拡張症 153
腸炎 6, 83
腸炎ビブリオ **101 ~ 106**
腸管出血性大腸菌(EHEC) **52 ~ 54**
—— 感染患者の血便と生鮮生標本 53F
—— スクリーニング用の発色酵素基質培地 54F
腸間膜リンパ節炎 83
長期の好中球減少 210
腸球菌(属) 41
——, *vanA*・*vanB* 遺伝子を保有する 41
—— 疑い 42F
腸内細菌目細菌 **48 ~ 88**
—— の薬剤耐性菌 **86 ~ 88**
腸熱 72
直腸炎 130
チョコレート寒天培地 109, 112, 132
チール・ネルゼン染色 157
——, *Mycobacterium kansasii* の 155F
——, 結核菌の 151F

つ・て

通性嫌気性グラム陽性桿菌, カタラーゼ陰性の 146
ツベルクリン反応 150
強い溶血を示すラフな大型コロニー形成 169

ディスク拡散法 7, 132
——, ミューラー・ヒントン血液寒天培地による 112
ディフ・クイック(Diff-Quik)染色, アレルギー性気管支肺真菌症(ABPM)の気管支洗浄液 214F
デスルフォビブリオ(属菌) 190
——, ブルセラ HK 寒天培地上の 190F
鉄過剰状態 83
鉄キレート薬内服 210
テトラサイクリン(TC)(系薬) 97, 176
デブリードマン 169, 211F
癜風 202

と

糖尿病 32, 55, 83
—— ケトアシドーシス 210
—— 性壊疽 41
ドキシサイクリン(DOXY) 101, 141F
—— +セフタジジム(CAZ) 101
トキシックショック症候群(TSS) 6,

25
トキシンによる食中毒　169
トキソイド　174
特発性細菌性腹膜炎(SBP)　19
渡航歴　142, 143F
塗抹染色　150
トリコスポロン(属菌)　**199～201**
——・アサヒ　199
——・ムコイデス　199
ドレナージ　179F
貪食像　1

な

内頸静脈敗血症性血栓性静脈炎　182
ナリジクス酸・バンコマイシン(NV)　183F
軟部組織感染症　29, 32, 114

に

肉芽腫性乳腺炎　140, 141F
二形性真菌　215
西岡らの方法　2
乳腺外科からの検体　140
乳幼児ボツリヌス症　172
ニューキノロン(系薬)　60, 75, 77F, **79**, 81, 83, 90, 94, 97, 101, 109, 118, 161
—— への耐性化が深刻　130
ニューモシスチス・イェロベッチ　**217, 218**
ニューモシスチス肺炎(PCP)　217
ニューロパチー　142
尿中 *Legionella pneumophila* 血清型 1LPS 抗原検査　120F
尿中抗原のイムノクロマト法, 肺炎球菌, レジオネラ菌に関する　24F
尿中肺炎球菌抗原検査　24F
尿道炎　130, 132F
尿路感染症　29, 41, 48, 55, 60, 63, 67, 81, 86, 90
妊婦
—— の腟分泌物　30F
—— の尿路感染症　29

ね

ネコ咬傷後の蜂窩織炎　112
粘液過剰産生
—— 型 *Klebsiella pneumoniae*, 血液 / マッコンキー寒天培地上の 58F
—— 株　55, 57F

の

膿痂疹　25
膿胸　34
脳室シャント　176
膿性レンサ球菌　**25～28**
脳膿瘍　34, 114, 138, 157, 161, 185, 204
膿瘍　67, 146, 178
ノカルジア(属菌)　**157～160**
——・ファルシニカ　157
——・ブラジリエンシス　157

は

肺炎　19, 25, 86, 97, 109, 118, 196, 210
肺炎球菌　**19～24**
——, 喀痰の標本における　22F
—— が検出された血液培養ボトル　24F
——, 血液寒天培地上の　20F
—— のコロニー　20F
—— のコロニー, ヒツジ血液寒天培地上の　21F
—— のコロニー, ムコイド型　21F
——, ムコイド型の　19
バイオテロリズム(バイオテロ)　172
肺化膿症　114, 185, 34
肺感染症　204
敗血症　6, 29, 41, 55, 72, 73F, 81, 112, 132
—— 性ショック, 急激な　132
——, ヘモクロマトーシスの患者での　105F
媒染, Bartholomew & Mittwer 法(B & M 法)の　3
培地全面への遊走(スウォーミング)　81, 82F
肺膿瘍　157
バクテロイデス(属菌)　**178, 179**
白糖分解性　101
端が丸みを帯びた形態　182
播種性カンジダ症　192
播種性感染症　130, 132, 153, 157, 161, 192, 196, 199, 210
播種性クリプトコッカス症を発症した成人 T 細胞白血病患者の喀痰　198F
破傷風　174
—— グロブリン　174
—— トキソイド　113F
破傷風菌　**174, 175**
——, ブルセラ HK 寒天培地上の　175F
パスツレラ・ムルトシダ　**112, 113**
バチルス・セレウス　144
発芽管形成試験陽性　192, 194F
ハッカー変法　2
発熱
—— 性好中球減少症　90
——, 途上国への海外渡航後の　72
——, 熱帯への海外渡航後の　72
パラチフス菌　**72～74**
—— A, SS 寒天培地上の　74F
パルビモナス(属菌)　**185, 186**
バンコマイシン(VCM)　7, 9F, 10F, 12F, 14, 15F, 20, 41, 43F, 140, 144, 145F, 161, 167, 176
—— ＋セフトリアキソン(CTRX)　23F, 60, 72, 73F, 78, 83
—— 耐性腸球菌(VRE)　41, 44F
—— 耐性腸球菌, ディスク拡散法　44F
反応性関節炎　83

ひ

皮下膿瘍　157
非結核性抗酸菌(NTM)　**153～156**
ビスホスホネート製剤内服と歯科治療による顎骨壊死の感染症　187
脾臓摘出(脾摘)患者での劇症感染症　19, 132
ビーチと表現されるファジーな阻止円　13F
非チフス性サルモネラ属菌　**69～71**
ヒトのみが保有するグラム陽性桿菌　142
泌尿生殖器検体で検出　41
皮膚感染症　6, 25, 94
皮膚軟部組織感染(症)　15F, 146, 153, 161
——, 術後や免疫不全者の　90
——, 複雑性　41
皮膚病変　192
ビブリオ(属菌)　**101～106**
——・バルニフィカス　**101～106**
ピペラシリン(PIPC) / タゾバクタム(TAZ)　81, 87, 90, 94
飛沫予防策　142
ヒメネス染色　120F
百日咳　116
百日咳菌　**116, 117**
——, ボルデー・ジャング培地上の　116F, 117F
ヒューレ細胞　209F
病院感染型 MRSA(HA-MRSA)　6, 12F
病原性大腸菌　**52～54**
表在性カンジダ症　192
表皮ブドウ球菌　15F
標本作成　1
ビリダンスグループ　35F
微量液体希釈法　135
——, BCYE 液体培地による　118
——, MHB にウマ溶血血液を添加した　140
——, 溶血ウマ血液を添加した　132
——, 溶血ウマ血液を添加した MHB を利用した　112
ピロリドニルアリルアミダーゼ(PYR)試験　28F
—— 試験陽性　41

ピンク色コロニーの酵母　202

ふ

ファンギフローラ　204
—— Y 染色, *Aspergillus fumigatus* 207F
—— 染色, *Pneumocystis jirovecii* の　218F
フィネゴルディア(属菌)　**185, 186**
フェオヒフォミコーシス　215
フクシン　4
副腎出血　132
副鼻腔炎　19, 109, 135, 204, 210
腹部感染症　81
腹部膿瘍　178
腹膜炎　178, 192
腹膜透析
—— カテーテルからの腹膜炎　14
—— 関連腹膜炎　164
フソバクテリウム(属菌)　**182～184**
——・ヌクレアタム　182
——・ネクロフォーラム　182
腹腔内感染症　41, 48, 86
腹腔内膿瘍　34
普通寒天培地への良好な発育　**48**
ブドウ球菌(属)　**5～17**
—— 性熱傷様皮膚症候群(SSSS) 6
—— のグラム染色での貪食像　9F
ブドウ糖非発酵グラム陰性桿菌(NF-GNR)　89
ブドウ糖分解と酸産生　**48**
プリッとサイン　8F
フルコナゾール(FLCZ)　192, 193F, 194F, 196, 199
プレジオモナス・シゲロイデス　**78～80**
プレボテラ(属菌)　180
ブロスミック
—— NTM　153
—— SGM　153
プロテウス(属菌)　**81, 82**
——・ブルガリス　81
——・ミラビリス　81
プロピオニバクテリウム・アクネス→キューティバクテリウム・アクネス
分節型分生子　199
糞便グラム染色, *Clostridium perfringens* 検出例の　171F
糞便中の菌　178

へ

米国臨床・検査標準委員会(CLSI)　6, 19, 29, 34, 69, 78, 86, 101, 107, 109, 112, 123, 125, 130, 132, 138, 140, 153, 157, 178, 192
ペスト菌　83
ペースメーカー感染症　140
ペニシリナーゼ産生　55
ペニシリン(系薬)　32, 40F, 41, 134F, 174, 187
—— 耐性　41
—— 耐性肺炎球菌　19
ペプトストレプトコッカス(属菌)　**185, 186**
ヘリコバクター(属菌)　**124, 125**
ベロトキシン(VT)　52
ベンジルペニシリン(PCG)　13F, 19, 21F, 23F, 25, 26F, 31F, 33F, 36F, 39F, 40F, 114, 132, 185, 186F
—— ＋クリンダマイシン(CLDM) 27F, 169
—— ＋ゲンタマイシン(GM)　36F
偏性好気性菌　150
便の CD 抗原トキシン検査　167

ほ

蜂窩織炎　25, 101, 107, 124
膀胱炎　51F
紡錘状の形態を示す桿菌　182
放線菌　187
墨汁染色　196
——, *Cryptococcus neoformans* の　197F
ホスホマイシン(FOM)　87F
発作性の咳　116
発疹　72
ボツリヌス菌　**172, 173**
—— 感染症(中毒)　172
——, ブルセラ HK 寒天培地上の　172F
ボリコナゾール(VRCZ)　199, 200F, 205, 206F, 209F, 210
ボルデー・ジャング(Bordet-Gengou)培地　116
ポルフィリン試験　110F
ポルフィロモナス(属菌)　180

ま

マイコバクテリウム・カンザシ　153
前染色, B & M 法の　2
マクロライド(系薬)　116, 123.157, 161
—— 耐性, 肺炎球菌の　19
—— 誘導耐性　7
マズラ菌症　215
マラセチア毛包炎　202
慢性進行性肺アスペルギルス症(CPPA)　204, 208
慢性閉塞性肺疾患(COPD)(急性)増悪　90, 109, 135
マンニット分解性　11F

み・む

ミノサイクリン(MINO)　98F, 127F, 157

ムコイド型　57F
—— コロニー　55, 162F
—— コロニー, ヒツジ血液 / BTB 寒天培地上の　66F
—— 緑膿菌　93F
—— 緑膿菌, ミュラー・ヒントン寒天培地上の　92F
ムーコル症　210

め・も

メタノール固定　1
メタロ-β-ラクタマーゼ　86, 87, 90
—— 確認試験, メルカプト酢酸ナトリウム(SMA)ディスクによる　87F
—— 産生　97
—— 産生遺伝子　144
—— 産生緑膿菌　93F
メチシリン感受性黄色ブドウ球菌(MSSA)　6
メチシリン耐性黄色ブドウ球菌(MRSA)　6
——, MRSA 用選択培地の　8F
—— 肺炎　9F, 10F
メチシリン耐性コアグラーゼ陰性ブドウ球菌(MRCNS)　15F
メチレンブルー単染色　131F
——, 好中球に貪食された双球菌(淋菌)の　131F
メトロニダゾール(MNZ)　167, 168F, 174, 178, 180, 182
メラー法　172F
メロペネム(MEPM)　123, 126
免疫不全者の菌血症　124
免疫抑制剤の減量　211F

網膜炎　192
モラキセラ・カタラリス　**135～136**

や・ゆ・よ

薬剤感受性検査　7

輸血関連菌血症　84F
輸血関連敗血症　83

溶血ウマ血液を添加した微量液体希釈法　138
溶血性尿毒症症候群(HUS)　53F, 75
溶血性レンサ球菌　**25～40**

ら

ラクトフェノールコットンブルー染色

——, *Aspergillus fumigatus* の 206F
——, *Aspergillus niger* の 208F
——, *Cunninghamella* sp. の 212F
——, *Mucor* 推定の 210F, 211F
——, *Rhizopus oryzae* の 211F, 212F
——, スエヒロタケのかすがい連結の 213F
——, スエヒロタケの菌糸の側壁の棘状突起の 214F
らせん菌 **123～127**
ラテックス試薬によるクランピング因子 11F
ラニヨン分類 153
卵黄反応 12F
ランスフィールド分類 18

り

リウマチ熱 25, 32
リジン陽性 78, 80F
リステリア・モノサイトゲネス **138, 139**
リネゾリド(LZD) 42, 44F
リファンピシン(RFP) 132, 153, 161
—— ＋エタンブトール(EB)＋クラリスロマイシン(CAM) 154
硫化水素産生 190F
流水手洗い 168F
両側のスリガラス影, 胸部 CT での 217
緑膿菌 **90～93**
——, 各種色素を出す 92F
——, 血液寒天培地上の 91F
——, ブロモチールブルー(BTB)寒天培地上の 91F
——, ミュラー・ヒントン(Mueller-Hinton)寒天培地上の 91F
——, ムコイド型 90
淋菌 **130～131**
——, ヒツジ血液／チョコレート寒天培地上の 131F
淋菌(GC)寒天培地 130

る・れ・ろ

類円形の形態 192
涙小管結石症例, Actinomyces israeli が原因菌となる 189F
レジオネラ・ニューモフィラ **118～120**
レシチナーゼ 171F
—— 抑制試験, α抗毒素濾紙を用いた 171F
レボフロキサシン(LVFX) 107, 118
レンサ球菌属 18
れん縮 174
連続携行式腹膜透析(CAPD)関連腹膜炎 202
ロドコッカス・エキ 161

ギリシャ文字・数字

α-*Streptococcus* 34
β-D-グルカン 218F
β-lactamase
—— negative ampicillin-resistant (BLNAR) 109
—— positive amoxicillin / clavulanate-resistant(BLPACR) 109
—— -producing ampicillin-resistant(BLPAR) 109
β-ラクタマーゼ(ペニシリナーゼ)
—— 産生アモキシシリン／クラブラン酸耐性菌(BLPACR) 109
—— 産生アンピシリン耐性菌(BLPAR) 109
—— 産生株 135
—— の確認検査 7
—— 陽性 13F
β-ラクタマーゼ阻害薬配合ペニシリン(系薬) 40F, 114, 178
β-ラクタマーゼ非産生アンピシリン耐性菌(BLNAR) 109
β溶血
—— 環のコロニー 138
—— を示すコロニー 7F, 144
16S rRNA のシークエンス解析 157
4 剤の抗結核薬の併用を行う 2HRZE → 4HR(E) 150
XV因子要求性確認検査 111F

欧文索引

A

ABHK (anaerobic blood hemin vitamin K1) 183F
Acinetbacter baumannii
── complex **94～96**
── のコロニー, BTB 寒天培地上の 95F
── のコロニー, BTB / ヒツジ血液寒天培地上の 95F
Actinomyces (spp.) **187～190**
── *israeli* 187
── *israeli*, ブルセラ HK 寒天培地 188F
── *odontolyticus* 187
── *odontolyticus*, NV 加 ABHK 寒天培地上の 189F
── *odontolyticus*, ブルセラ HK 寒天培地上の 189F
acute respiratory distress syndrome (ARDS) 35F
Aeromonas (spp.) **107, 108**
── *hydrophilia* **107, 108**
── *hydrophila*, SS 寒天培地上の 107F
── *hydrophila*, 血液寒天培地上の 107F
── *hydrophila*, 血液・マッコンキー分画培地上の 107F
── の壊死性筋膜炎症例 107F
aerotolerance 187
Aggregatibacter actinomycetemcomitans **121**
──, 変法 GAM 寒天培地上の 121F
Alcaligenes faecalis, BTB 寒天培地上の 100F
allergic bronchopulmonary aspergillosis (ABPA) 204
allergic fungal rhinosinusitis (AFRS) 213
AmpC
── *β*-ラクタマーゼ産生 63, 66F, 67, **68**
── ＋ポーリン欠損 55
── ＋膜変異 87
Arcanobacterium haemolyticum **146, 147**
──, ヒツジ血液寒天培地上の 147F
Aspergillus (spp.) **204～209**
── *flavus* 204
── *flavus*, ポテトデキストロース寒天培地上の 209F
── *fumigatus* 204
── *fumigatus*, サブロー (Sabouraud) 寒天培地上の 205F
── *fumigatus* の成長した分生子頭 205F
── *nidulans*, ポテトデキストロース寒天培地上の 209F
── *niger* 204
── *niger*, サブロー (Sabouraud) 寒天培地上の 207F
── *niger* の黒色に色づいた部分の分生子頭 207F
── *terreus* 204
ATCC (American Type Culture Collection) 25922 49F
A 群 *β* 溶血性レンサ球菌 **25～28**

B

Bacillus (spp.)
── *cereus* 144
── *cereus*, 血液寒天培地上の 145F
── *subtilis*, 血液寒天培地上の 145F
bacterial vaginosis (BV) 122
Bacteroides (spp.) **178, 179**
── *fragilis*, BBE 寒天培地上の 179F
── *fragilis*, ブルセラ HK 寒天培地上の 178F, 179F
Bartholomew & Mittwer 法 (B & M 法) 2
BBE (Bacteroides bile esculin) 寒天培地 178
BCYE (*α*) 〔buffered charcoal-yeast extract agar (with 0.1% *α*-ketoglutalate)〕培地 118
blaZ 遺伝子の検出 7
Bordetella pertussis **116, 117**
Bordet-Gengou 培地 116
BTB (bromothymol blue) 43F
── 寒天培地 49F
Burkholderia (spp.)
── *cepacia*, ヒツジ血液 / マッコンキー分画培地
── *pseudomallei*, BTB 寒天培地上の 100F
── *pseudomallei*, ヒツジ血液寒天培地上の 100F
── *pseudomallei*, マッコンキー寒天培地上の 100F
B 群溶血性レンサ球菌 (B 群溶連菌) 29, 30F
──, ブドウ球菌に類似した 31F
──, 溶血環の狭い 30F

C

CAMP (Christie, Atkins, and Munch-Peterson) (テスト) 31F
── 陽性 29, 161
── 抑制反応 146, 147F
Campylobacter (spp.) **123～125**
── *fetus* 123
── *fetus*, 血液寒天培地上の 125F
── *fetus*, 血液 / マッコンキー寒天培地上の 125F
── *jejuni*, CCDA 寒天培地上の 124F
Candida (spp.) **192～195**
── *albicans* 192
── *albicans*, クロモアガー (CHROMagar) カンジダ培地上の 193F
── *albicans*, コーンミール寒天培地上の 194F
── *albicans*, ヒツジ血液寒天培地上の 193F
── *aparapsilosis* 192
── *auris* 192
── *dubliniensis*, クロモアガーカンジダ培地上の 194F
── *glabrata* 192
── *guilliermondii* 192
── *krusei* 192
── *lusitaniae* 192
── *parapsilosis* 192
── *tropicalis* 192
Carba NP を利用したキット 88F
carbapenemase-producing *Enterobacterales* (CPE) 86, 88F
carbapenem-resistant *Enterobacterales* (CRE) 86
catheter related blood stream infection (CRBSI) 6, 14, 41, 48, 60, 67, 86, 90, 94, 97, 140, 164, 176, 195F, 202
CCDA (charcoal cefoperazone desoxycholate agar) 寒天培地 123
CCFA (cycloserine-cefoxitin fructose agar) 寒天培地 167
CCMA (cycloserine-cefoxitin mannitor agar) 寒天培地 167
Charcot-Leyden 結晶 214F
Chlamydia 感染の治療 131F
cholera toxlin (CT) 産生 101
chromoblastomycosis 215
chronic obstructive pulmonary disease (COPD) 急性増悪 90, 135
chronic progressive pulmonary aspergillosis (CPPA) 204
Chryseobacterium indologenes, ヒツジ血液 / マッコンキー分画培地上の 99F
CIM (carbapenem inactivation method) 88F
CIN (cefsulodin-irgasan-novobiocin) 寒天培地 83
Citrobacter (spp.) **67, 68**

―― *freundii* complex, SS 選択分離培地上の 68F
―― *freundii* complex, ヒツジ血液 / マッコンキー分画培地上の 68F
Clinical and Laboratory Standards Institute (CLSI) 6, 19, 29, 34, 69, 78, 86, 101, 107, 109, 112, 123, 125, 130, 132, 138, 140, 153, 157, 178, 192
Clostridioides difficile (CD) 167
――, CCMA 培地上の 168F
―― infection (CDI) 167
―― infection (CDI) 症例の糞便グラム染色 168F
―― 感染症 (CDI) 167
―― トキシン検査 167
Clostridium (spp.)
―― *botulinum* **172, 173**
―― *perfringens* 169
―― *perfringens*, ブルセラ HK 寒天培地上の 170F
―― *tetani* **174, 175**
――, ブルセラ HK 寒天培地上の 172F
clue cell, 腟分泌物のグラム染色で認めた 122F
coagulase-negative *Staphylococcus* (CNS, CoNS) 6
community acquired methicillin-resistant *Staphylococcus aureus* (CA-MRSA) 6
continuous ambulatory peritoneal dialysis (CAPD) 202
Corynebacterium (spp.)
―― *diphtheriae* **142 ～ 143**
―― *jeikeium* 140
―― *kroppenstedtii* 140
―― *kroppenstedtii*, 血液 / チョコレート寒天培地上の 141F
Corynebacterium (spp.) **140, 141**
―― *striatum* 140
―― *striatum*, ヒツジ血液寒天培地上の 140F
Cryptococcus (spp.) **196, 198**
―― *gattii* 196
―― *neoformans* 196
―― *neoformans*, クロモアガーカンジダ培地上の 197F
―― *neoformans*, ヒツジ血液寒天培地上の 197F
Cunninghamella (sp.), ポテトデキストロース寒天培地上の 212F
Cutibacterium acnes **176, 177**
――, ブルセラ HK 寒天培地上の 177F

D

DDH (DNA-DNA hybridization) 法 153
Dematiaceous fungi **215, 216**
Desulfovibrio spp. 190
desulfoviridin 試験陽性所見 190F
DHL (deoxycholate-hydrogen sulfide-lactose agar) 寒天培地 69, 75
Diff-Quik 染色 214F
――, *Pneumocystis jirovecii* の 218F
―― での栄養体と嚢子 (シスト) 217
D ゾーンテスト (D テスト) 7, 12F
―― 陽性 13F

E

Edwardsiella tarda
――, SS 寒天培地上の 68F
―― のコロニー, 寒天培地上の 71F
Eikenella cordone, ヒツジ血液寒天培地上の **114, 115**, 115F
Elizabethkingia meningoseptica, ヒツジ血液 / マッコンキー分画培地上の 99F
Enterobacter aerogenes → *Klebsiella aerogenes*
Enterobacter cloacae complex **63 ～ 66**
―― のコロニー, ヒツジ血液 / BTB 寒天培地上の 64F, 65F
―― のコロニー, マッコンキー / ヒツジ血液寒天培地上の 64F, 65F
Enterobacter (spp.) **63 ～ 66**
―― *faecalis* 41
Enterococcus (spp.) 41
―― *casseliflavus* 41
―― *casseliflavus* のヒツジ血液寒天培地でのコロニー 44F
―― *casseliflavus*, ヒツジ血液寒天培地上の 44F
―― *faecalis*, BTB 寒天培地上の 43F
―― *faecalis*, 血液培養の 43F
―― *faecalis*, ヒツジ血液寒天培地上の 42F
―― *faecalis*, 弱い β 溶血を示した 43F
―― *faecium* 41
―― *faecium*, α 溶血を示す 43F
―― *faecium* のピーナッツサイン 43F
―― *faecium*, ヒツジ血液寒天培地上の 44F
―― *gallinarum* の E-test を用いた VCM の薬剤感受性検査 45F
enterohemorrhagic *Escherichia coli* (EHEC) **52 ～ 54**
Escherichia coli **48 ～ 51**
E-test (法) 45F
――, BCYE 培地を用いた 118
――, EDTA を用いた 88F
―― による肺炎球菌の薬剤感受性検査 23F
ethylenediamine tetraacetic acid (EDTA) 88F
EUCAST (European Committee on Antimicrobial Susceptibility Testing) 86
Exophiala (spp.) **215, 216**
―― *dermatitidis*, サブロー寒天培地上の 216F
―― *dermatitidis*, ヒツジ血液寒天培地上の 216F
extended-spectrum β-lactamases (ESBLs) 56F, 86, 87F

F

FilmArray® 52, 116
Finegoldia (spp.) **185, 186**
―― *magna*, ブルセラ HK 寒天培地上の 185F, 186F
Fitz-Hugh Curtis 症候群 130
Fonsecaea pedrosoi 215
Fusobacterium (spp.) **182 ～ 184**
―― *necrophorum* 182
―― *necrophorum*, ブルセラ HK 寒天培地上の 184F
―― *nucleatum* 182
―― *nucleatum*, NV 加 ABHK 寒天培地上の 183F
―― *nucleatum*, ブルセラ HK 寒天培地上の 182F

G

Gardnerella vaginalis **122**
――, ガードネレラ寒天培地上の 122F
GC (gonococcus agar) 培地 130
GDH (glutamate dehydrogenase) 抗原とトキシンのイムノクロマト法による簡易検査 168F
germ tube test 陽性 192
Gimenez 染色 120F
Gordonia (spp.) 164
――, ミューラー・ヒントン寒天培地上の 164F
Granulicatella adiacens
――, チョコレート寒天培地上の 36F, 37F
―― の衛星現象拡大写真 36F
group A β-hemolytic *Streptococcus* (GAS) **25 ～ 28**

group G β-hemolytic *Streptococcus* (GCS) 32
Guillain-Barré 症候群 123
G 群溶血性レンサ球菌(GCS) 32
—— のコロニー 33F
—— 陽性の血液培養内容液 33F

H

HACEK(*Haemophilus* species, *Aggregatibacter* species, *Cardiobacterium hominis*, *Eikenella corrodens*, and *Kingella* species)
—— 疑い 37F
—— グループ 114
Haemophilus influenzae **109 ～ 111**
—— type b(Hib) 111F
healthcare-associated pneumonia (HCAP) 60, 63, 90, 94
Helicobacter(spp.) **124, 125**
—— *cinaedi* 124
—— *cinaedi*, 血液寒天培地上の 125F
—— *pylori* 124
hemolytic uremic syndrome(HUS) 53F, 75
high-level aminoglycoside-resistant (HLAR)検査 45F
HK(hemin vitamin K1) 166F
hospital-associated methicillin-resistant *Staphylococcus aureus*(HA-MRSA) 6
HTM(Haemophilus Test Medium) 109
Hucker 変法 2
hulle cell 209F
hypermucoviscosity 55, 57F

I・K

invasive aspergillosis(IA) 204

Kinyoun 染色 157
Klebsiella(spp.)
—— *aerogenes* **55 ～ 59**
—— *aerogenes*, マッコンキー寒天培地上の 59F
—— *oxytoca* **55 ～ 59**
—— *oxytoca*, ミュラー・ヒントン(Mueller-Hinton)寒天培地上の 58F
—— *pneumoniae* **55 ～ 59**
—— *pneumoniae*, BTB 寒天培地上の 56F
KPC(*Klebsiella pneumoniae* carbapenemase) 55, 87

L

LAMP(loop-mediated isothermal amplification)法 116
Lancefield 抗原
—— の B 群凝集 31F
—— の B 群陽性 29
—— の D 群抗原 40F
—— の検査試薬 28F
Lancefield 分類 18, 25
—— D 群凝集 41
—— 分類 G 群 32
Legionella pneumophila **118 ～ 120**
——, WYO-α寒天培地 119F
——, マクロファージに貪食された 120F
Lemierre 症候群 182, 184
Listeria
—— の髄膜炎 139F
—— *monocytogenes* **138, 139**
—— *monocytogenes*, ヒツジ血液寒天培地上の 139F

M

MAC(*Mycobacterium avium* complex 153
Malassezia(sp.) 202
——, オリーブオイルを重層して培養した 202F
mall colony variants(SCV) 6
mecA(メチシリン耐性遺伝子) 8F, 17F
methicillin-resistant coagulase-negative *Staphylococcus*(MRCNS) 15F
MHB(Mueller-Hinton broth) 109
minimum inhibitory concentration (MIC) 7
—— クリーピング 7
Möller 法 172F
Moraxella catarrhalis **135 ～ 136**
——, 血液寒天培地上の 136F
——, 乳白色の S 型コロニーを形成した 136F
multidrug-resistant *Acinetobacter* spp.(MDRA) 94, 96F
multidrug-resistant *Pseudomonas aeruginosa*(MDRP) 90, 93F
mycetoma 215
Mycobacterium(spp.)
—— *abscessus* 154
—— *abscessus* の R 型コロニー, 血液寒天培地上の 155F
—— *abscessus* の S 型と R 型コロニー混在 156F
—— *abscessus* の S 型のコロニー, 血液寒天培地上の 156F
—— *avium*, 2% 小川培地上の 155F
—— *kansasii* 153
—— *kansasii*, 2% 小川培地上の 154F
—— *tuberculosis* **150 ～ 152**

N

NAAT(nucleic acid amplification test) 167
Neisseria(spp.)
—— *gonorrhoeae* **130 ～ 131**
—— *meningitidis* **132 ～ 134**
NGKG(Nacl-Glycine-Kim-Goepfect)培地 144
Nocardia(spp.) **157 ～ 160**
—— *asteroides* 157
—— *brasiliensis* 157
—— *cyriacigeorgica*, ヒツジ血液寒天培地上の 159F
—— *farcinica* 157
—— *farcinica*, 血液寒天培地上の 158F
—— *farcinica* の喀痰培養 158F, 159F
—— *farcinica*, ヒツジ血液寒天培地上の 158F
nontuberculous mycobacteria(NTM) **153 ～ 156**
non-fermenting gram-negative rod (NF-GNR) 89
nutritionally variant streptococci 34, 36F

O

O104:H4 52
O157:H7 52
OF(oxidation-fermentation)培地 , ブドウ糖の分解形式をみる 89F
Other *Staphylococcus* spp **14 ～ 17**
OXA(oxacillinase)-48 87

P

Panton-Valentine leucocidin(PVL)産生 12F
Parvimonas(spp.) **185, 186**
—— *micra*, ブルセラ HK 寒天培地上の 185F, 186F
—— *multocida* **112, 113**
—— *multocida*, ヒツジ血液寒天分画培地上の 113F
—— *multocida*, ヒツジ血液 / チョコレート寒天分画培地上の 113F
—— *multocida*, ヒツジ血液 / マッコンキー寒天分画培地上の 113F
PCR(polymerase chain reaction)法 153
pelvic inflammatory disease(PID) 130
penicillin disc zone edge test 13F
Peptostreptococcus(spp.) **185,**

186
—— *anaerobius*, ブルセラ HK 寒天培地上の 185F, 186F
phaeohyphomycosis 215
Plesiomonas(spp.)
—— *shigelloides* **78 ~ 80**
—— *shigelloides*, SS 寒天培地上の 79F
—— *shigelloides*,血液マッコンキー分画培地上の 79F
—— *shigelloides* での各種試験管培地性状 80F
Pneumocystis(spp.)
—— *jirovecii* **217, 218**
—— pneumonia(PCP) 217
Pontiac 熱 118
Porphyromonas spp. **180, 181**
Prevotella(spp.) **180, 181**
—— *bivia*, ブルセラ HK 寒天培地上の 181F
—— *melaninogenica*, ブルセラ HK 寒天培地上の 180F
Proteus.(spp) **81, 82**
—— *mirabilis* 81
—— *mirabilis*, BTB 寒天培地上の 82F
—— *mirabilis*, ヒツジ血液寒天培地上の 82F
—— *vulgaris* 81
Pseudomonas aeruginosa **90 ~ 93**
pyrrolidonyl arylamidase(PYR)試験 28F
—— 試験のスティック型の簡易テスト 28F

R

rapid growing mycobacteria(RGM) 153
Rhizopus oryzae, ポテトデキストロース寒天培地上の 211F
Rhodococcus equi **161 ~ 163**
——, CAMP テスト陽性の 163F
——, ヒツジ血液寒天培地上の 161F, 162F
Rhodotorula(sp.) 202
——, スワブでコロニーを掻き取った 203F
——, のコロニー, ミューラー・ヒントン寒天培地上の 203F
Runyon 分類 153
R 型コロニー(集落) 150, 151F, 154F
——, 細い足を周囲に伸ばしているような 193F

S

Salmonella
—— Enteritidis **69 ~ 71**
—— Enteritidis, SS 寒天培地上の 70F
—— Paratyphi **72 ~ 74**
—— Paratyphi, BTB 寒天培地上の 74F
—— Paratyphi, SS 寒天培地上の 74F
—— Typhi **72 ~ 74**
—— Typhi, SS 寒天培地上の 73F
—— Typhi の O 抗原 72
—— の H 抗原検査 71F
Schizophyllum commune **213, 214**
Serratia marcescens **60 ~ 62**
——, BTB / ヒツジ血液寒天培地上の 60
—— の赤色色素非産生株 , BTB / ヒツジ血液寒天培地上の 62F
—— のムコイド型コロニー, BTB 寒天培地上の 61F
—— のムコイド株 , マッコンキー / ヒツジ血液寒天培地上の 61F
Shigella(spp.) **75 ~ 77**
—— *boydii* **75 ~ 77**
—— *dysenteriae* **75 ~ 77**
—— *flexneri* **75 ~ 77**
—— *flexneri*, SS 寒天培地上の 76F
—— *sonnei* **75 ~ 77**
—— *sonnei*, SS 寒天培地上の 76F
—— *sonnei* の各種試験管培地での性状 77F
—— *sonnei*, ヒツジ血液 / BTB 分画培地上の 76F
slowly growing mycobacteria(SGM) 153
spontaneous bacterial peritonitis (SBP) 19
SS(*Salmonella* / *Shigella*)
—— 寒天培地 68F, 69
—— の選択分離培地 75
staphylococcal scalded skin syndrome(SSSS) 6
Staphylococcus(spp.) 6
—— *argenteus* 13F
—— *argenteus* のコロニー, ヒツジ血液寒天培地上の 13F
—— *argenteus*, ヒツジ血液寒天培地上の 13F
—— *aureus* 5 ~ **13**
—— *aureus* complex 6
—— *epidermidis* 15F
—— *lugdunensis* 14
—— *lugdunensis* のコロニー 16F
—— *lugdunensis* のコロニー, ヒツジ血液寒天培地の 15F
—— *lugdunensis*, ヒツジ血液寒天培地の 15F, 16F
—— *pseudintermedius* 13F, 14, 17F
—— *pseudointermedius*, ミューラー・ヒントン(Mueller-Hinton)寒天培地上の 17F
—— *saprophyticus* 14
Stenotrophomonass(spp.)
—— *maltophilia* **97, 98**
—— *maltophilia*, BTB 寒天培地上の 98F
—— *maltophilia*, ヒツジ血液 / マッコンキー分画培地上の 98F
—— *maltophilia*, マッコンキー寒天培地上の 98F
Streptococcus(spp.) 18
—— *agalactiae*(B 群溶連菌) 29, 30F
—— *anginosus* 34
—— *anginosus* group 38F
—— *anginosus* group の膿瘍形成傾向 38F
—— *anginosus*, 化膿症で認められた 39F
—— *anginosus* の α 溶血を示す菌株 38F
—— *anginosus* の β 溶血を示す菌株 38F, 39F
—— *anginosus* の中央部の目玉焼き状の広がったコロニー 39F
—— *anginosus*, ヒツジ血液寒天培地上の 38F
—— *bovis* 40F
—— *constellatus* と嫌気性菌群 40F
—— *galactiae* subsp. *equisimilis* (SDSE) 32
—— *gallolyticus* 34
—— *gallolyticus* subsp. *gallolyticus* 40F
—— *gallolyticus* subsp. *gallolyticus*, 血液寒天培地上の 40F
—— *gallolyticus* subsp. *pasteurianus*, 血液培養で検出された 40F
—— *intermedius*, 肺化膿症で認められた 39F
—— *mitis* 34
—— *mitis* / *oralis*, 血液寒天培地の 35F
—— *mitis*, 血液寒天培地上で α 溶血を示す 35F
—— *oralis* 34
—— *pneumoniae* 19, 20F
—— *pyogenes* **25 ~ 28**, 26F
—— *pyogenes* の血液寒天培地上のコロニー 26F
—— *pyogenes* のムコイド型のコロニーを示す菌株 26F
—— *pyogenes* の溶血所見 28F

S 型コロニー, ピンクから茶色の色素を産生した　187

T

TCBS(thiosulfate citrate bile sucrose)寒天培地　101
Thayer-Martin 培地　130, 132
toxic shock syndrome(TSS)　6
Trichosporon(spp.)　**199～201**
　―― *asahii*　199
　―― *asahii*, クロモアガーカンジダ培地上の　200F
　―― *asahii*, ヒツジ血液寒天培地上の　199F, 200F
　―― *mucoides*　199
　―― *mucoides*, クロモアガーカンジダ培地上の　201F
　―― *mucoides*, ヒツジ血液寒天培地　201F
Tsukamurella(spp.)　164
　―― *tyrosinosolvens*, ヒツジ血液寒天培地上の　164F

U

umbrella motility　139F
UV ライト照射下
　―― での黄緑色の蛍光色　183F
　―― でのピンク色の蛍光　181F
　―― での深い赤の色調　180F

V

vanA 遺伝子を有する *Enterococcus faecium*　44F
vancomycin-resistant *Enterococcus* (VRE)　44F
ventilator-associated pneumonia (VAP)　94
verotoxin(VT)　52
Vibrio(spp.)
　―― *cholerae*　**101～106**
　―― *parahaemolyticus*　**101～106**
　―― *parahaemolyticus*, TCBS 寒天培地上の　104F
　―― *parahaemolyticus*, Vibrio 寒天培地上の　104F
　―― *parahaemolyticus*, アルカリペプトン水上の　104F
　―― *parahaemolyticus*, 白糖非分解の　104F
　―― *vulnificus*　**101～106**
　―― *vulnificus*, TCBS 寒天培地上の　105F

W

Waterhouse-Friderichsen 症候群　132
whoop　116
whooping cough　116
Wirtz 法　168F
WYO(Wadowsky-Yee-Okuda agar with 0.1% α-ketoglutalate)-α培地, *Legionella* 属菌用の　157

Y・Z

Yersinia(spp.)　**83～85**
　―― *enterocolitica*　83
　―― *enterocolitica*, CIN 寒天培地上の　84F
　―― *enterocolitica*, SS 寒天培地上の　84F
　―― *pseudotuberculosis*　**83～85**
　―― *pseudotuberculosis*, ヒツジ血液 / マッコンキー分画培地上の　85F

Zygomycetes　**210～212**

微生物プラチナアトラス 第2版　定価：本体5,000円＋税

2018年3月19日発行　第1版第1刷
2023年9月25日発行　第2版第1刷 ©

編著者　岡　秀昭（おか ひであき）

著　者　佐々木 雅一（ささき まさかず）

発行者　株式会社 メディカル・サイエンス・インターナショナル
代表取締役　金子 浩平
東京都文京区本郷1-28-36
郵便番号113-0033　電話(03)5804-6050

印刷：日本制作センター
表紙装丁：ソルティフロッグ デザインスタジオ（サトウヒロシ）

ISBN 978-4-8157-3085-7　C3047